LE TANGO
DE LA VIEILLE GARDE

ARTURO PÉREZ-REVERTE

LE TANGO
DE LA VIEILLE GARDE

ROMAN

TRADUIT DE L'ESPAGNOL
PAR FRANÇOIS MASPERO

ÉDITIONS DU SEUIL
*25, bd Romain-Rolland, Paris XIV*e

Titre original : *El tango de la Guardia Vieja*
© 2012, Arturo Pérez-Reverte
ISBN original : 978-84-204-1309-9
Éditeur original : Alfaguara,
Santillana Ediciones Generales,
S.L., Madrid

ISBN 978-2-02-111035-7

www.seuil.com

Et pourtant, une femme comme vous et un homme comme moi n'ont guère l'occasion de se rencontrer sur cette terre.

JOSEPH CONRAD, *En marge des marées*

En novembre 1928, Armando de Troeye se rendit à Buenos Aires pour y composer un tango. Il pouvait se le permettre. À quarante-trois ans, l'auteur de *Nocturnes* et de *Paso-doble pour Don Quichotte* était au sommet de sa carrière, et tous les magazines espagnols publièrent sa photo, accoudé avec sa belle épouse au bastingage du transatlantique *Cap Polonio* de la Hamburg-Südamerikanische. La plus réussie parut dans les pages mondaines de *Blanco y Negro* : les de Troeye sur le pont des premières classes, lui avec son trench-coat sur les épaules, une main dans une poche de sa veste et l'autre tenant une cigarette, souriant aux amis qui le saluaient du quai ; et elle, Mecha Inzunza de Troeye, vêtue d'un manteau de fourrure, un chapeau élégant encadrant ses yeux clairs que, dans son enthousiasme, le rédacteur de la légende qualifiait d'« adorablement dorés et profonds ».

Ce soir-là, alors que les lumières de la côte étaient encore visibles, Armando de Troeye s'habilla pour le dîner. Il avait pris du retard, gêné par une légère migraine qui mit quelque temps à s'estomper. Il insista cependant pour que sa femme le précède dans la salle de bal et s'y distraie en écoutant la musique. En homme minutieux, il lui fallut un bon moment pour garnir l'étui à cigarettes en or qu'il glissa dans la poche intérieure de son smoking et pour répartir dans les autres poches divers objets utiles pour la soirée : une montre en or et sa chaîne, un briquet, deux mouchoirs blancs soigneusement pliés, une boîte de pastilles digestives et un portefeuille en croco contenant des cartes de visite et des petites coupures pour les pourboires. Puis il éteignit la lumière, ferma la porte de la cabine et partit en tentant d'ajuster ses mouvements au doux tangage de l'énorme paquebot, sur la moquette qui amortissait la lointaine trépidation des machines propulsant le navire dans la nuit atlantique.

Avant de passer la porte, tandis que le chef de salle venait à sa rencontre, liste des réservations du restaurant à la main, de Troeye contempla dans le grand miroir du vestibule son plastron amidonné, ses manchettes de chemise et ses chaussures noires bien cirées. L'habit de soirée accentuait toujours son allure élégante et fragile : taille moyenne et traits plus réguliers que séduisants, rehaussés par des yeux intelligents, moustache soignée et cheveux noirs ondulés parsemés de précoces mèches grises. Un instant, l'oreille exercée du compositeur suivit la musique que jouait l'orchestre : une valse mélancolique et tendre. De Troeye sourit un peu, l'air indulgent. L'exécution était juste correcte. Puis il mit la main gauche dans la poche de son pantalon et emboîta le pas au chef de salle jusqu'à la table qu'il avait réservée pour toute la traversée au meilleur endroit. Quelques regards le suivirent. Une belle femme, portant des boucles d'oreilles en émeraude, écarquilla les yeux, surprise et admirative. On le reconnaissait. Au moment où de Troeye prenait place à la table sur laquelle l'attendait un cocktail au champagne, à côté de la flamme artificielle d'une ampoule électrique dans une tulipe en verre, l'orchestre attaqua une autre valse lente. Depuis la piste, parmi les couples qui évoluaient au rythme de la musique, sa jeune épouse lui sourit. Mercedes Inzunza, arrivée dans la salle vingt minutes plus tôt, dansait aux bras d'un jeune homme mince et bien fait, portant smoking : le danseur professionnel du paquebot, chargé de s'occuper des dames des premières classes qui voyageaient seules ou dont les compagnons ne dansaient pas. Après lui avoir rendu son sourire, de Troeye croisa les jambes, choisit, non sans quelque affectation, une cigarette dans son étui et l'alluma.

1

Le danseur mondain

En d'autres temps, tous ses semblables avaient leur bonne étoile. Et lui avait été le plus doué d'entre eux. Il avait toujours conservé un rythme impeccable sur la piste de danse, les mains sereines et agiles hors de celle-ci, et sur les lèvres la phrase appropriée, la réplique opportune, brillante. Il était sympathique aux hommes et admiré des femmes. À cette époque, outre les danses de salon qui lui permettaient de gagner sa vie – tango, fox-trot, boston – il dominait comme personne l'art de créer des feux d'artifice avec les mots et de dessiner des paysages mélancoliques avec les silences. Durant de longues et fructueuses années, rares étaient les fois où il avait manqué sa cible : c'était difficile qu'une femme suffisamment fortunée, quel que fût son âge, lui résiste au thé dansant d'un Palace, d'un Ritz ou d'un Excelsior, sur une terrasse de la Riviera ou dans le salon des premières classes d'un transatlantique. Il appartenait à cette catégorie d'hommes que l'on pouvait trouver en smoking le matin dans une pâtisserie, conviant à y prendre leur petit-déjeuner les domestiques de la maison où, la veille, il avait été l'invité d'un bal ou d'un souper. Il possédait ce don, ou cette intelligence. De même, au moins une fois dans son existence, il avait été capable de miser jusqu'à son dernier sou au casino et de rentrer sur la plate-forme d'un tramway, ruiné, en sifflotant *L'homme qui a fait sauter la banque à Monte-Carlo*, apparemment indifférent. Et l'élégance avec laquelle il savait allumer une cigarette, nouer sa cravate et exhiber des manchettes parfaitement repassées était telle que la police n'avait jamais couru le risque de l'arrêter sans être sûre de le prendre la main dans le sac.

– Max !

– Monsieur ?

– Vous pouvez mettre la valise dans la voiture.

Le soleil de la baie de Naples brûle les yeux en se reflétant sur les chromes de la Jaguar Mark X, comme sur les automobiles de jadis, quand elles étaient conduites par lui-même ou par d'autres. Mais, depuis, tout cela a changé, et même l'étoile de jadis a disparu. Max Costa ignore le moment exact où cela s'est produit, mais c'est sans importance. L'étoile s'est éclipsée, restée derrière lui comme tant d'autres choses.

Il esquisse une mimique résignée, ou peut-être est-ce le soleil qui lui blesse les yeux, tandis qu'il essaye de penser à un détail concret, immédiat – la pression des pneus en fonction de la charge de la voiture, la souplesse du changement de vitesse, le niveau d'huile –, pour éloigner ce pincement doux-amer qui apparaît toujours quand la nostalgie ou la solitude en viennent à se manifester trop fort. Puis il inspire profondément et lustre avec une peau de chamois la figurine de félin argentée couronnant le radiateur, avant d'endosser la veste de l'uniforme gris qui l'attend sur le dossier du siège avant. Après l'avoir boutonnée avec soin et avoir ajusté son nœud de cravate, il gravit lentement les marches flanquées de marbres décapités et de jarres en pierre qui conduisent à la porte principale.

– N'oubliez pas la mallette.

– Soyez sans crainte, monsieur.

14

Le docteur Hugentobler n'aime pas qu'en Italie ses employés l'appellent docteur. Ce pays, dit-il, est infesté de *dottori*, *cavalieri* et *commendatori*. Et moi, je suis un médecin suisse. Je ne veux pas qu'on me prenne pour un des leurs : neveu d'un cardinal, industriel milanais, ou autres du même acabit. Quant à Max Costa, tous les familiers de la villa située aux environs de Sorrente s'adressent à lui en l'appelant Max tout court. Ce qui ne laisse pas d'être un paradoxe, car il a utilisé bien des prénoms et des titres au cours de sa vie, aristocratiques ou plébéiens suivant les circonstances et les nécessités du moment. Mais voici déjà un certain temps, depuis que son étoile a agité pour la dernière fois son mouchoir et lui a dit adieu – comme une femme qui disparaît pour toujours dans un nuage de vapeur, à la fenêtre d'un wagon-lit, et dont on ne saura jamais si elle est partie à cet instant précis ou si elle a commencé à s'en aller bien longtemps avant –, il a récupéré le sien, l'authentique. Une étoile disparue et un nom revenu, un nom qui, jusqu'à une retraite forcée, récente et en un certain sens naturelle, outre un séjour en prison, a figuré dans un épais dossier détenu par les services des polices d'une grande partie de l'Europe et de l'Amérique. Quoi qu'il en soit, pense-t-il tout en prenant la mallette en cuir et la valise Samsonite pour les mettre dans le coffre de la voiture, jamais, même aux pires moments, il n'avait imaginé qu'il finirait ses jours en répondant « Oui, monsieur ? » à l'appel de son prénom.

– Allons-y, Max. Vous avez pris les journaux ?

– Ils sont sur le siège arrière, monsieur.

Deux claquements de portière. Il a coiffé, ôté puis remis sa casquette de chauffeur pour installer le passager. En s'asseyant au volant, il la pose sur le siège à côté de lui et, par un vieux réflexe de coquetterie, lance un regard dans le rétroviseur avant de lisser sa chevelure grise, encore abondante. Rien de mieux que le détail de la casquette, se dit-il, pour souligner l'ironie de la situation ; la rive absurde où le ressac de la vie l'a jeté après le naufrage final. Et pourtant, quand il est dans sa chambre de la villa en train de se raser devant le miroir et qu'il compte ses rides comme on compterait des cicatrices d'amour et de batailles, chacune ayant son nom bien à elle – femmes, roulettes de casino, petits matins incertains, soirs de triomphe ou de défaite –, il finit toujours par s'adresser à lui-même un clin d'œil qui vaut absolution : comme si, en cet homme âgé, grand et moins svelte que jadis, aux yeux sombres et fatigués, il reconnaissait l'image d'un vieux complice avec lequel point n'est besoin d'explications. Après tout, insinue le reflet sur un ton familier, légèrement cynique, voire un peu canaille, il doit bien reconnaître qu'à soixante-quatre ans et avec les cartes désastreuses que la vie lui a servies ces derniers temps il peut encore se considérer comme favorisé. D'autres – Enrico Fossataro, le vieux Sándor Esterházy – ont dû choisir entre la charité publique et de pénibles contorsions, pendus à leur cravate dans les toilettes d'une pension lugubre.

– Des nouvelles importantes ? s'enquiert Hugentobler.

Froissement de journaux sur le siège arrière de la voiture : pages feuilletées négligemment. C'était plus un commentaire qu'une question. Dans le rétroviseur, Max voit la tête penchée de son patron, les lunettes tombées sur le bout du nez.

– Est-ce que les Russes ont lancé la bombe atomique, ou quelque chose comme ça ?

Hugentobler plaisante, bien sûr. Humour suisse. Quand il est de bonne humeur, il aime bien plaisanter avec le personnel, peut-être parce qu'il est célibataire, sans famille pour rire de ses facéties. Max esquisse un sourire professionnel. Discret et en gardant la distance de rigueur.

16

– Rien de particulier, monsieur : Cassius Clay a remporté un nouveau combat et les astronautes de Gemini XI sont revenus sains et saufs… Il y a aussi la guerre d'Indochine, qui va de mal en pis.

– Vous voulez dire : du Vietnam.

– C'est ça : du Vietnam… Et la nouvelle locale est qu'à Sorrente débute le tournoi d'échecs Campanella : Keller contre Sokolov.

– Grand Dieu ! dit Hugentobler, amusé et sarcastique. Quel malheur de rater ça… En vérité, il faut vraiment de tout pour faire un monde, Max.

– C'est bien mon avis, monsieur.

– Vous imaginez ? Une vie entière devant un échiquier. C'est comme ça que finissent ces joueurs. Cinglés, comme ce Bobby Fischer.

– Évidemment.

– Prenez par la corniche. Nous avons le temps.

Le gravier cesse de crisser sous les pneus quand, après avoir passé la grille en fer forgé, la Jaguar commence à rouler lentement sur la chaussée asphaltée entre les oliviers, les lentisques et les figuiers. Max change de vitesse en douceur en abordant un virage serré à la sortie duquel, sur la mer calme et lumineuse, se découpent à contre-jour, comme du verre dépoli, les silhouettes des pins et les maisons étagées à flanc de montagne, avec le Vésuve de l'autre côté de la baie. Pendant un instant, il oublie la présence de son passager et caresse le volant en se concentrant sur le plaisir de la conduite : le déplacement entre deux lieux dont la localisation dans le temps et dans l'espace lui est parfaitement égale. L'air qui entre par la fenêtre ouverte sent le miel et la résine mêlés aux dernières odeurs de l'été qui, dans ces régions, refuse toujours de mourir et livre une douce et naïve bataille contre les feuilles du calendrier.

– Une journée superbe, Max.

Il sursaute, revenant à la réalité, et lève de nouveau les yeux vers le rétroviseur. Le docteur Hugentobler, laissant les journaux de côté, a un havane aux lèvres.

– En effet, monsieur.

– À mon retour, je le crains, le temps aura changé.

– Espérons que non. Ce ne sont que trois semaines.

Hugentobler émet un grognement accompagné d'une bouffée de fumée. C'est un homme d'aspect bonasse, au teint rougeâtre, propriétaire d'une maison de repos située près du lac de Garde. Il a fait fortune dans les années qui ont suivi la guerre en dispensant un traitement psychiatrique à de riches juifs traumatisés par les horreurs nazies : de ceux qui se réveillaient en pleine nuit et croyaient se trouver toujours dans une baraque d'Auschwitz, avec les dobermans aboyant dehors et les SS montrant le chemin des douches. Hugentobler et son associé italien, un certain docteur Bachelli, les aidaient à combattre ces cauchemars, leur prescrivant, pour terminer le traitement, un voyage en Israël organisé par la direction de la maison de santé et leur présentant, pour boucler l'affaire, des factures impressionnantes qui permettent aujourd'hui à Hugentobler de posséder une maison à Milan, un appartement à Zurich et la villa de Sorrente avec cinq voitures dans le garage. Cela fait trois ans que Max est chargé de s'occuper de celles-ci et de les conduire, et aussi de superviser les travaux d'entretien dans la villa, dont les autres employés sont un couple de Salerne, elle bonne à tout faire et lui jardinier : les Lanza.

– N'allez pas directement au port. Prenez par le centre.

– Oui, monsieur.

Il jette un bref regard à la montre élégante mais bon marché – une fausse Festina en plaqué or – qu'il porte au poignet gauche et suit le trafic réduit qui, à cette heure, circule sur le Corso Italia. Il lui reste bien assez de temps avant de gagner le canot automobile qui transportera le

18

docteur de Sorrente jusqu'à l'autre côté de la baie pour lui éviter les tours et les détours de la route conduisant à l'aéroport de Naples.

– Max ?

– Monsieur ?

– Arrêtez-vous devant le Rufolo et achetez-moi une boîte de Montecristo numéro 2.

La relation de travail entre Max Costa et son patron a débuté par un véritable coup de foudre : à peine le psychiatre a-t-il posé son regard sur lui qu'il s'est désintéressé des antécédents impeccables – par ailleurs rigoureusement faux – figurant dans ses références. Homme pratique, convaincu que son intuition et son expérience professionnelle ne le trompaient jamais sur la condition humaine, Hugentobler a décidé que cet individu vêtu avec une élégance quelque peu surannée, son expression franche, respectueuse et tranquille, et surtout la prudence courtoise de ses gestes et de ses paroles étaient une image vivante de l'honnêteté et de la retenue. Un personnage parfait, donc, pour conférer la dignité qui convenait à l'éblouissant parc automobile – la Jaguar, une Rolls-Royce Silver Cloud II et trois voitures de collection parmi lesquelles un coupé Bugatti 50T – dont le docteur tire une si grande fierté à Sorrente. Naturellement, ce dernier est loin d'imaginer qu'en d'autres temps son chauffeur a pu profiter de voitures, lui appartenant ou pas, aussi luxueuses que celles qu'il conduit désormais à titre d'employé. En possession d'informations plus complètes, Hugentobler eût dû réviser certains de ses points de vue sur la condition humaine et chercher un aurige d'allure moins distinguée mais avec un curriculum plus conventionnel. Ce qui, d'ailleurs, eût été une erreur. Quiconque connaît le côté obscur des choses comprend que ceux qui ont perdu leur étoile sont comme les femmes qui ont un lourd passé et se marient : nulle n'est plus fidèle, car elles

19

savent ce qu'elles risquent. Mais ce n'est pas Max Costa qui, aujourd'hui, informera le docteur Hugentobler sur la fugacité des étoiles, l'honnêteté des putains ou l'honorabilité forcée des anciens danseurs mondains, plus tard voleurs en gants blancs. Bien que les gants n'aient pas toujours été des plus blancs.

Lorsque le canot automobile Riva s'éloigne de la jetée de la Marina Piccola, Max Costa demeure un moment adossé au brise-lames protégeant le quai, à observer le sillage qui laboure la surface bleue de la baie. Puis il ôte la cravate et la veste de son uniforme et, cette dernière sur le bras, revient à la voiture stationnée près du bâtiment de la Guardia di Finanza, au pied de la falaise qui s'élève jusqu'à Sorrente. Il donne cinquante lires au garçon qui a surveillé la Jaguar, démarre et roule lentement sur la route ; décrivant une courbe serrée, elle monte vers l'agglomération. En débouchant sur la piazza Tasso, il s'arrête pour laisser passer trois piétons sortant de l'hôtel Vittoria : deux femmes et un homme, qu'il suit d'un regard distrait tandis qu'ils traversent tout près du capot. Ils ont l'aspect des touristes aisés qui viennent hors saison, évitant les ennuis de l'été et de ses foules, pour profiter de plus de tranquillité, du soleil et du climat agréable qui, ici, se prolonge très avant dans l'automne. L'homme doit avoir moins de trente ans, il porte des lunettes noires et une veste aux coudes renforcés de peau de daim. La plus jeune femme est une brune d'allure agréable en jupe courte, les cheveux rassemblés en une longue tresse dans le dos. L'autre, d'âge mûr, est vêtue d'un cardigan en laine beige sur une jupe sombre et coiffée d'un chapeau d'homme froissé en tweed qui laisse voir des cheveux gris très courts, aux reflets argentés. Une femme distinguée, juge Max. Avec cette élégance qui ne tient pas aux vêtements mais à la manière de les porter. Au-dessus de la moyenne de ce que l'on peut rencontrer dans les villas et les bons hôtels de Sorrente, Amalfi et Capri, y compris en cette période de l'année.

Quelque chose chez elle l'incite à la suivre des yeux pendant qu'elle traverse la piazza Tasso. Peut-être sa façon de se comporter : lente, assurée, la main droite glissée négligemment dans la poche du cardigan : elle se meut comme ceux qui, toute une partie de leur vie, ont foulé, sûrs d'eux-mêmes, les tapis d'un monde qui leur appartenait. Ou peut-être l'attention de Max est-elle attirée par la façon dont elle incline le visage vers ses compagnons pour rire de ce dont ils parlent entre eux, ou pour prononcer des mots dont le son ne traverse pas les vitres de la voiture. Un instant, comme s'il lui revenait soudain le lambeau isolé d'un rêve oublié, Max se trouve confronté à l'écho d'un souvenir. À l'image passée, lointaine, d'un geste, d'une voix et d'un rire. Il en est à ce point étonné qu'il a besoin du coup d'avertisseur de la voiture qui le suit pour repasser en première et avancer un peu sans cesser d'observer le trio ; celui-ci, arrivé de l'autre côté de la place, s'installe au soleil autour d'une table de la terrasse du café Fauno.

Il s'apprête à s'engager sur le Corso Italia quand, derechef, la sensation familière se manifeste dans sa mémoire, mais maintenant le souvenir est plus précis : un visage, une voix. Une scène, ou plusieurs. À l'étonnement succède la stupéfaction, et Max écrase si brusquement la pédale du frein que cela lui vaut, dans son dos, un deuxième coup d'avertisseur, accompagné des gesticulations furieuses du conducteur quand la Jaguar fait un soudain écart sur la droite, freine de nouveau et s'arrête le long du trottoir.

Il retire la clef de contact et réfléchit, immobile, en contemplant ses mains posées sur le volant. Finalement, il sort de la voiture, met sa veste et marche sous les palmiers de la place en direction de la terrasse du café. Il est troublé. Craignant, peut-être, de voir se confirmer ce qui se bouscule dans sa tête. Le trio poursuit sa conversation animée. Tâchant de ne pas se faire remarquer, Max s'arrête près des arbustes plantés dans les jardinières. La table se trouve à dix mètres et la femme au chapeau de tweed est de profil, bavardant avec les autres, loin de se douter de l'examen rigoureux auquel Max la soumet. Elle a dû être jadis très séduisante, car son visage conserve les traces de sa beauté passée. Elle pourrait bien être la femme qu'il croit reconnaître, se dit-il, sans certitude ; encore que ce soit difficile de l'affirmer. Trop de visages féminins viennent s'interposer, visages d'avant ou visages d'après. Caché derrière les jardinières, à l'affût de tous les détails qui peuvent lui rester en mémoire, Max ne parvient pas à une conclusion satisfaisante. En dernier ressort, conscient qu'en restant là il finira par attirer l'attention, il contourne la terrasse et va s'asseoir à une table du fond. Il commande un negroni au garçon et passe les vingt minutes suivantes à observer le profil de la femme, analysant chacun de ses gestes et de ses mouvements pour les comparer à ceux dont il se souvient. Quand les trois quittent la table et traversent de nouveau la place en direction de l'angle de la via San Cesareo, il l'a enfin reconnue. Ou du moins le croit-il. Alors il se lève et marche derrière eux, en restant à distance. Cela fait des siècles que son vieux cœur n'a pas battu si fort.

La femme dansait bien, constata Max Costa. En toute liberté et non sans une certaine audace. Elle se risqua même à le suivre dans un pas de côté plus compliqué, une soudaine fantaisie improvisée pour tester son adresse, dont une cavalière moins agile n'aurait pas su se tirer si brillamment. Elle devait approcher les vingt-cinq ans, estima-t-il. Grande et svelte, longs bras, poignets délicats et jambes que l'on devinait interminables sous la soie légère et sombre aux reflets moirés, qui laissait ses épaules et son dos à découvert jusqu'aux reins. Les talons hauts mettaient en valeur sa robe de soirée et son visage se trouvait à la même hauteur que celui de Max : serein, bien dessiné. Ses cheveux châtain clair étaient légèrement ondulés, selon la mode de cette saison, avec une coupe très courte découvrant la nuque. En dansant, elle gardait le regard figé au-delà de l'épaule du smoking de son partenaire, sur laquelle elle posait une main portant une alliance. Pas une fois, depuis qu'il s'était approché pour lui proposer, avec une révérence polie, une valse lente que l'on appelait boston, ils ne s'étaient de nouveau regardés dans les yeux. Elle les avait couleur de miel translucide, presque liquide, soulignés par le rimmel – juste le nécessaire, pas une once de plus, tout comme le rouge à lèvres – sous l'arc de sourcils épilés formant une ligne très fine. Elle n'avait rien de commun avec les autres femmes que Max avait escortées ce soir-là dans la salle de bal : des dames mûres fortement parfumées au lilas et au patchouli, et des jeunes filles maladroites en robe claire et courte, qui se mordaient les lèvres en s'efforçant de ne pas perdre le rythme, rougissaient quand il les prenait par la taille ou battaient des mains quand on jouait un oupa-oupa. Aussi, pour la première fois de la soirée, le danseur mondain du *Cap Polonio* commença-t-il à trouver son travail agréable.

Ils continuèrent à ne pas se regarder jusqu'à ce que le boston s'achève – c'était *What I'll Do* – et que l'orchestre attaque le tango *A media luz*. Ils étaient restés un moment immobiles sur la piste à moitié vide, l'un en face de l'autre, et voyant qu'elle ne retournait pas à sa table – un homme en smoking, certainement le mari, venait de s'y asseoir – il ouvrit les bras dès les premières mesures et la femme s'adapta aussitôt, toujours aussi impassible. Elle posa la main gauche sur son épaule, écarta avec langueur le bras droit et ils commencèrent à évoluer sur la piste – *glisser*, pensa Max, était plus précisément le mot –, les yeux couleur de miel fixant de nouveau un point derrière le danseur, sans le regarder, bien qu'enlacée à lui avec une précision stupéfiante ; suivant le rythme sûr et lent de l'homme qui, de son côté, tentait de maintenir à la fois la distance respectueuse et juste, et le frôlement des corps indispensable pour composer les figures.

– Est-ce que cela vous semble bien ainsi ? demanda-t-il après une évolution compliquée, suivie par la femme avec le plus total naturel.

Elle lui adressa, enfin, un regard fugace. Et peut-être, aussi, une esquisse de sourire, vite évanoui.

– C'est parfait.

Au cours des dernières années, mis à la mode à Paris dans les bals apaches, le tango, originellement argentin, faisait fureur sur les deux rives de l'Atlantique. Si bien que la piste ne tarda pas à s'animer de couples qui évoluaient avec plus ou moins de grâce, leurs jambes se rapprochant et s'éloignant, dessinant des pas qui, selon les cas et l'adresse des protagonistes, pouvaient aller du correct au grotesque. La partenaire de Max, cependant, se prêtait avec une parfaite aisance aux figures les plus compliquées, s'adaptant tout autant aux figures classiques, prévisibles, qu'à celles que Max, de plus en plus sûr de sa cavalière, entreprenait parfois, toujours sobre et lent, avec son style particulier, mais introduisant de brefs *cortes* [1] et de légers pas sur les côtés qu'elle suivait avec naturel, sans perdre le rythme. Amusée, même, par le mouvement et la musique, comme elle le manifestait par le sourire dont elle le gratifiait plus

---

1. Un *corte* est un arrêt brusque de l'homme, qui peut prendre diverses formes. C'est une figure typique du tango des années vingt. *(Toutes les notes sont du traducteur.)*

souvent après telle ou telle évolution difficile et réussie, et par le regard doré qui, de temps à autre, revenait du lointain pour se poser quelques secondes, satisfait, sur le danseur mondain.

Pendant qu'ils évoluaient sur la piste, il étudia le mari avec des yeux de professionnel, de chasseur tranquille. Il était habitué à cet exercice, qu'il s'agisse des époux, des pères, des frères, des fils, ou des amants des femmes avec lesquelles il dansait. Des hommes, enfin, qui les accompagnaient avec fierté, arrogance, ennui, résignation ou toute autre réaction masculine. Il trouvait beaucoup d'informations utiles dans les épingles à cravate, les chaînes de montre, les étuis à cigarettes et les chevalières, dans l'épaisseur des portefeuilles entrouverts quand venaient les serveurs, dans la qualité et la coupe d'une veste, les rayures d'un pantalon ou le lustre de certaines chaussures. Y compris dans la façon de nouer la cravate. Autant de renseignements qui permettaient à Max Costa d'adapter ses méthodes et ses objectifs au rythme de la musique ; ou, pour dire les choses de manière plus prosaïque, de passer des danses de salon à des activités plus lucratives. Le temps et l'expérience avaient fini par le conforter dans cette opinion, que, sept ans plus tôt, à Melilla, il avait recueillie du comte Boris Dolgorouki-Bagration – simple caporal au premier régiment de la Légion espagnole –, qui venait de vomir moins de deux minutes auparavant une bouteille entière de mauvais cognac dans l'arrière-cour du bordel de la Fatima :

– Une femme n'est jamais seulement une femme, mon cher Max. Elle est aussi, et surtout, les hommes qu'elle a eus, ceux qu'elle a et ceux qu'elle pourrait avoir. Rien ne s'explique sans eux… Et celui qui accède à cette connaissance possède la clef du coffre-fort. Le ressort de ses secrets.

25

Il jeta un dernier coup d'œil sur le mari, de plus près, quand, le morceau terminé, il raccompagna sa partenaire à sa table : élégant, sûr de lui, la quarantaine passée. Pas vraiment un bel homme, mais d'aspect agréable, avec sa fine moustache distinguée, ses cheveux ondulés un peu grisonnants, des yeux vifs et intelligents qui n'avaient pas perdu un détail, s'assura Max, de tout ce qui se passait sur la piste. Il avait cherché son nom sur la liste des réservations avant d'aborder la femme quand elle était encore seule, et le chef de salle lui avait confirmé qu'il s'agissait de l'épouse du compositeur espagnol Armando de Troeye : cabine spéciale de première classe avec suite, et table réservée dans la grande salle à manger, à côté de celle du commandant. Ce qui, à bord du *Cap Polonio*, signifiait beaucoup d'argent, une excellente position sociale, et souvent les deux à la fois.

– C'était un plaisir, madame. Vous dansez à merveille.

– Merci.

Il inclina la tête presque militairement – cette manière de saluer plaisait d'habitude aux femmes, de même que le naturel avec lequel il leur prenait les doigts pour les approcher de ses lèvres –, et elle y répondit par un acquiescement léger et froid avant de s'asseoir sur la chaise que son mari, debout, lui offrait. Max fit demi-tour, lissa sur ses tempes ses cheveux noirs coiffés en arrière et luisants de gomina, d'abord de la main droite puis de la gauche, et s'éloigna en contournant les danseurs sur la piste. Il avançait avec un sourire poli, sans regarder personne mais en sentant, rivée sur son mètre soixante-dix-neuf et son smoking impeccable – pour lequel il avait épuisé ses dernières économies avant d'embarquer avec un contrat pour un aller simple jusqu'à Buenos Aires –, la curiosité féminine venant des tables que des passagers commençaient déjà à quitter pour se diriger vers la salle à manger. La moitié de la salle me déteste en ce moment, conclut-il entre résignation et amusement. L'autre moitié, ce sont les femmes.

Le trio s'arrête devant une boutique de souvenirs, cartes postales et livres. Même si une partie des commerces et des restaurants de Sorrente ferme à la fin de la haute saison, y compris certains magasins élégants du Corso Italia, le vieux quartier, avec la via San Cesareo, continue d'être un lieu fréquenté toute l'année par les touristes. La rue n'est pas large, aussi Max Costa s'arrête-t-il à distance prudente, près d'une *salumeria* dont le panneau annonçant les spécialités à la craie offre un discret abri. La jeune fille à la tresse est entrée dans la boutique pendant que la femme au chapeau reste à converser avec le jeune homme. Celui-ci a ôté ses lunettes de soleil et sourit. Il est brun, bien bâti. Elle doit avoir de l'affection pour lui, car, à un certain moment, elle lui caresse la figure. Ensuite il dit quelque chose et la femme rit si fort que le son en parvient nettement à l'homme qui les épie ; un rire clair et franc, qui la rajeunit beaucoup et ressuscite chez Max des souvenirs précis du passé. C'est bien elle, décide-t-il. Vingt-neuf ans se sont écoulés depuis la dernière fois qu'il l'a vue. Une fine pluie tombait ce jour-là sur un rivage automnal : un chien errait sur les galets mouillés de la plage, sous la balustrade de la Promenade des Anglais à Nice ; et la ville, au-delà de la façade blanche du Negresco, s'estompait dans le paysage brumeux et gris. Tout ce temps écoulé, entre l'une et l'autre scène, pourrait lui brouiller la mémoire. Pourtant, pour l'ancien danseur mondain, aujourd'hui employé et chauffeur du docteur Hugentobler, plus aucun doute ne subsiste. Il s'agit de la même femme. Sa manière de rire, sa façon de pencher la tête de côté, ses gestes sereins sont identiques. L'élégance naturelle avec laquelle elle garde une main dans

27

la poche du cardigan. Il souhaiterait se rapprocher pour en avoir la confirmation en voyant son visage de près, mais il n'ose pas. Pendant qu'il se débat dans cette indécision, la jeune fille sort de la boutique et tous trois rebroussent chemin en passant devant la *salumeria* dans laquelle Max vient de se réfugier en toute hâte. De là, il observe encore le profil de la femme au chapeau et croit avoir acquis une totale certitude. Des yeux couleur de miel, constate-t-il avec un frisson. Un miel presque liquide. Et ainsi, avec précaution, en gardant toujours la distance, il les suit de nouveau jusqu'à la piazza Tasso et l'entrée de l'hôtel Vittoria.

Il la revit le lendemain, sur le pont des canots. Ce fut un hasard, ni l'un ni l'autre n'aurait dû être là. Comme tous les employés du *Cap Polonio* qui ne faisaient pas partie de l'équipage, Max Costa devait se tenir à l'écart des ponts-promenades des premières classes. Afin d'éviter ces derniers où, sur des chaises longues en teck et en osier, les passagers prenaient le soleil qui brillait sur le pont de tribord – celui de bâbord était occupé par ceux qui jouaient aux boules et aux palets ou pratiquaient le tir au pigeon –, Max avait choisi de gravir la passerelle menant à un autre pont où se trouvaient, solidement arrimés à leurs bossoirs, huit des seize canots de sauvetage alignés de part et d'autre des trois grandes cheminées blanc et rouge du transatlantique. L'endroit était tranquille : un espace neutre que les passagers ne fréquentaient guère, car la présence des gros canots l'enlaidissait et obstruait la vue. L'unique concession accordée à ceux qui décidaient de l'utiliser était quelques bancs en bois : et sur l'un d'eux, alors qu'il passait entre une claire-voie peinte en blanc et le manche à air d'un des grands ventilateurs envoyant de l'air frais dans les entrailles du navire, le danseur mondain reconnut la femme avec laquelle il avait dansé le soir précédent.

La journée était lumineuse, sans vent, et la température agréable pour cette époque de l'année. Max ne portait pas de chapeau, de gants ni de canne – il avait un costume trois pièces gris, une chemise à col mou et une cravate en jersey –, de sorte qu'en passant devant la femme il se borna à incliner poliment la tête. Elle était vêtue d'un élégant ensemble en cachemire : veste trois quarts et jupe droite plissée. Elle lisait un livre et, lorsque l'homme lui masqua un instant le soleil, elle leva son visage, dont un petit chapeau de feutre soulignait l'ovale, pour fixer son regard sur lui. Croyant deviner dans ce geste un signe très léger qu'elle le reconnaissait, Max s'arrêta, avec tout le tact exigé par les circonstances et la position de chacun à bord.

– Bonjour, dit-il.

La femme, qui reportait les yeux sur son livre, répondit par un nouveau regard silencieux et un bref acquiescement de la tête.

– Je suis… commença-t-il, se sentant soudain maladroit, incertain du terrain sur lequel il s'aventurait et se repentant déjà de lui avoir adressé la parole.

– Oui, répondit-elle, sereine. Le monsieur d'hier soir.

Elle avait dit « monsieur » et non « danseur », et il lui en fut secrètement reconnaissant.

– Je ne sais si je vous ai dit, ajouta-t-il, que vous dansez à merveille.

– Vous l'avez dit.

Elle revenait déjà à son livre. Un roman, vit-il en jetant un regard sur la couverture ouverte : *Les Quatre Cavaliers de l'Apocalypse*, de Vicente Blasco Ibáñez.

– Au revoir. Et bonne lecture.

– Merci.

Il s'éloigna, ignorant si elle avait toujours les yeux posés sur le roman ou si elle le regardait s'en aller. Il tenta de marcher avec désinvolture, affectant l'insouciance, une

29

main dans la poche du pantalon. Arrivé au dernier canot, il s'arrêta et, à l'abri de celui-ci, sortit un étui en argent – les initiales gravées n'étaient pas les siennes – et alluma une cigarette. Il en profita pour regarder à la dérobée vers la proue, sur le banc où la femme continuait à lire, visage penché. Indifférente.

Grand Albergo Vittoria. Boutonnant sa veste, Max Costa passe sous les lettres dorées qui surplombent l'arc en fer forgé de l'entrée, salue le groom posté à la porte et suit l'allée bordée de pins centenaires et de toutes sortes d'arbres et de plantes. Les jardins sont vastes : ils vont de la piazza Tasso jusqu'au bord même de la falaise, au-dessus de la Marina Piccola et de la mer, où se dressent les trois constructions qui composent le corps de l'hôtel. Dans celle du centre, au bout d'un petit escalier qui descend, Marx arrive dans le hall, devant la verrière donnant sur le jardin d'hiver et les terrasses, lesquelles sont – fait insolite pour cette époque de l'année – pleines de gens en train de prendre l'apéritif. À gauche, derrière le comptoir de la réception, se tient une vieille connaissance : Tiziano Spadaro. Leur relation date des temps révolus où l'actuel chauffeur du docteur Hugentobler logeait, en qualité de client, dans des lieux comme le Vittoria. Beaucoup de pourboires généreux, passés de main en main avec toute la discrétion que réclament des codes tacites, ont préparé le terrain pour une sympathie qui, avec les années, est devenue sincère, ou complice. Et qui inclut désormais un tutoiement amical – inimaginable vingt ans auparavant.

– Ça alors, Max ! Quelle bonne surprise… Il y avait longtemps.

– Presque quatre mois.

– Je suis content de te revoir.

– Et moi aussi. Comment vas-tu ?

30

Haussant les épaules, Spadaro – il a le cheveu rare et une bedaine proéminente tend le gilet noir sous sa jaquette – débite les lieux communs de sa profession en basse saison : moins de pourboires, clients de week-end avec des petites amies rêvant d'être actrices ou mannequins, groupes d'Américains bruyants en voyage organisé Naples-Ischia-Capri-Sorrente-Amalfi, un jour par lieu petit-déjeuner inclus, qui n'arrêtent pas de demander de l'eau minérale parce qu'ils se méfient de celle du robinet. Heureusement – Spadaro fait un geste en direction de la verrière du jardin d'hiver animé – le prix Campanella sauve la situation : le duel Keller-Sokolov remplit l'hôtel de joueurs, de journalistes et de passionnés des échecs.

– Je voudrais une information. Discrète.

Spadaro ne répond pas « comme dans le bon vieux temps », mais dans son regard, d'abord surpris puis ironique, un peu inquiet aussi de la demande inattendue, se ravive l'ancienne complicité. Il n'est plus loin de la retraite, et après cinquante ans de métier commencé comme groom à l'hôtel Excelsior de Naples il peut dire qu'il a tout vu. Et ce tout inclut Max Costa dans sa période faste. Ou encore aujourd'hui.

– Je te croyais rangé des affaires.

– Je le suis. Ça n'a rien à voir.

– Ah !

Le vieux réceptionniste semble soulagé. Alors Max pose sa question : une dame d'âge mûr, élégante, accompagnée d'une demoiselle et d'un homme jeune bien fait de sa personne. Ils sont entrés voilà dix minutes. Peut-être des clients de l'hôtel ?

– Ils le sont, naturellement… Le jeune homme est Keller, rien de moins.

Max hausse les sourcils, étonné. Ce ne sont ni le jeune homme ni la demoiselle qui l'intéressent.

31

– Qui cela, dis-tu ?

– Jorge Keller, le grand maître chilien. Qui aspire à devenir champion mondial d'échecs.

La mémoire de Max finit par lui revenir, et Spadaro complète les détails. Le prix Luciano Campanella, qui se tient cette année à Sorrente, est patronné par le multimillionnaire de Turin, un des principaux actionnaires d'Olivetti et de Fiat. Grand amateur d'échecs, Campanella organise un tournoi annuel dans des lieux emblématiques d'Italie, toujours dans le meilleur établissement hôtelier local, attirant les plus grands maîtres, qu'il paie avec munificence. La rencontre dure quatre semaines, quelques mois avant le duel pour le titre de champion du monde ; et elle a fini par être considérée comme un championnat mondial officieux entre les deux meilleurs joueurs du moment : le champion en titre et son challenger le plus proche. En plus de la récompense – cinquante mille dollars pour le vainqueur et dix mille pour le finaliste – la renommée du prix Campanella réside dans le fait que le vainqueur de chaque édition a toujours remporté le titre mondial, ou l'a conservé. Actuellement, Sokolov est le champion ; et Keller, qui a battu tous les autres candidats, est le challenger.

– Ce jeune homme est Keller ? demande Max, surpris.

– Oui. Un garçon aimable, peu capricieux ; chose rare, dans son métier. Le Russe est plus guindé. Toujours entouré de gardes du corps et discret comme une taupe.

– Et elle ?

L'expression de Spadaro se fait vague : celle qu'il réserve aux clients de catégorie inférieure. Ceux qui n'ont guère d'histoire.

– C'est la fiancée. Et elle fait aussi partie de son équipe – le réceptionniste feuillette le registre pour se rafraîchir la mémoire –, elle s'appelle Irina… Irina Jasenovic… Le nom est yougoslave ; mais le passeport est canadien.

– Je parlais de la femme plus âgée. Celle aux cheveux gris.
– Ah ! Elle, c'est la mère.
– De la fille ?
– Non. De Keller.

Il la rencontra de nouveau deux jours plus tard dans la salle de bal du *Cap Polonio*. Il s'agissait d'un dîner officiel, offert par le commandant en l'honneur d'un invité particulièrement distingué, et la plupart des hommes avaient remplacé le complet sombre ou le smoking par le frac ajusté et étroit à queue-de-pie avec plastron amidonné et cravate blanche. Les convives se rassemblaient dans le salon et buvaient des cocktails en écoutant de la musique avant de passer dans la salle à manger, d'où les plus jeunes et les fêtards revenaient généralement après le dîner pour rester très tard dans la nuit. L'orchestre débuta, comme à son habitude, par des valses lentes et des mélodies douces, et Max Costa dansa sur une demi-douzaine de celles-ci, presque toutes avec de jeunes dames et des demoiselles qui voyageaient en famille. Il consacra un slow-fox à une Anglaise assez mûre mais d'un physique agréable, qui était en compagnie d'une amie. Il les avait vues chuchoter et se donner des coups de coude chaque fois qu'il passait en dansant devant elles. L'Anglaise était blonde, rondelette, de manières plutôt sèches. Peut-être un peu ordinaire – il crut identifier un excès de *My Sin* sur sa peau – et surchargée de bijoux, mais elle ne dansait pas mal. Elle avait aussi de jolis yeux bleus et suffisamment d'argent pour se rendre séduisante : le sac à main laissé sur la table était en mailles d'or, avait-il constaté d'un bref coup d'œil quand il s'était arrêté pour l'inviter ; et les bijoux semblaient authentiques, en particulier un bracelet de saphirs assorti aux pendants d'oreilles dont les pierres, une fois démontées, devaient bien valoir cinq cents livres sterling. Son nom était miss Honeybee, comme il l'avait vérifié sur la liste du chef de salle : mais elle était peut-être veuve ou divorcée, avait aventuré ce dernier, qui s'appelait Schmöcker – presque tous les officiers, les matelots et le personnel fixe du navire étaient allemands –, avec l'assurance que lui conférait la cinquantaine de traversées de l'Atlantique figurant sur son curriculum. De sorte que, après plusieurs tours de piste et une méticuleuse étude des réactions de la dame à ses manières et à son contact, sans un geste déplacé et en prenant soin de conserver une distance parfaite et une indifférence professionnelle, avec en prime un splendide sourire pour la reconduire à sa table – payé en retour par l'Anglaise d'un *so nice* –, le danseur mondain inscrivit miss Honeybee sur sa liste des possibilités. Cinq mille milles de mer et trois semaines de voyage en offraient beaucoup.

Cette fois, les de Troeye arrivèrent ensemble. Max avait fait une pause en se retirant près des plantes vertes qui encadraient l'estrade de l'orchestre, afin de respirer un instant, boire un verre d'eau et fumer un instant. De là, il vit entrer le couple, précédé de l'obséquieux Schmöcker : ensemble, mais la femme légèrement devant, le mari avec un œillet blanc à son revers de satin noir, une main dans la poche du pantalon soulevant un peu le pan droit de la veste de son habit et l'autre main tenant une cigarette. Armando de Troeye se montrait indifférent à l'intérêt qu'il suscitait chez les passagers. Quant à sa femme, elle semblait sortir des pages « Mode » d'un magazine : elle portait un long collier de perles assorti à ses boucles d'oreilles. Svelte, tranquille, marchant avec assurance sur ses talons hauts dans le doux balancement du navire, son corps imposait des lignes droites et prolongées, presque interminables, à une robe vert jade, longue et légère – au moins cinq mille francs à Paris, rue de la Paix, estima Max d'un œil expert –, qui dénudait ses bras, ses épaules et son dos jusqu'aux reins, avec un seul lien sous la nuque que les cheveux courts laissaient à découvert d'une façon charmante. Admiratif, Max en tira deux conclusions. Elle était une de ces femmes dont on remarque l'élégance au premier regard et la beauté au second. Et elle appartenait aussi à une certaine classe de dames nées pour porter des robes telles que celle-là, adhérant quasiment à la peau.

Il ne dansa pas tout de suite avec elle. L'orchestre enchaîna un camel-trot et un shimmy – celui qui portait le titre absurde de *Toutankhamon* était toujours à la mode –, et Max eut à contenter successivement la vivacité de deux jeunes personnes qui, surveillées de loin par leurs parents – deux couples brésiliens d'allure sympathique –, se démenèrent pour pratiquer, non sans habileté, les pas de la danse, épaule droite puis épaule gauche alternativement en avant et en arrière, jusqu'à ce qu'elles n'en puissent plus et le laissent presque aussi épuisé qu'elles. Après quoi, aux premières mesures d'un black-bottom – intitulé *Amor y palomitas de maíz* –, Max fut réclamé par une Américaine encore jeune, peu gâtée par la nature mais fort bien habillée et très agile, qui se révéla une partenaire amusante et qui, ensuite, lorsqu'il la raccompagna à sa table, lui glissa discrètement dans la main un billet plié de cinq dollars. À plusieurs reprises, durant cette dernière danse, Max se trouva près de la table occupée par les de Troeye, mais chaque fois qu'il y portait son regard la femme semblait avoir les yeux ailleurs. Maintenant, un serveur débarrassait la table désertée de ses deux verres vides. Trop occupé par sa cavalière, Max ne les avait pas vus se lever et passer dans la salle à manger.

Il profita de la pause du dîner, qui était à sept heures, pour absorber un bol de consommé. Il ne mangeait jamais rien de solide quand il devait danser; une autre habitude acquise à la Légion des années auparavant: certes, autrefois, il s'agissait d'un genre de danse différent, et manger léger était une précaution salutaire face à l'éventualité de recevoir une balle dans le ventre. Après le bouillon, il enfila sa gabardine et sortit fumer une cigarette sur le pont-promenade de tribord, pour se vider la tête en regardant les reflets de la lune montante scintiller sur la mer. À huit heures un quart, il revint dans la salle de bal et s'installa à une table vide, près de l'orchestre, où il resta à bavarder avec les musiciens jusqu'à ce que les premiers passagers sortent de la salle à manger: les hommes se dirigeant vers la salle de jeu, la bibliothèque et le fumoir, et les femmes, les jeunes gens et les couples les plus animés s'asseyant aux tables autour de la piste. L'orchestre commença à accorder ses instruments, le chef Schmöcker mobilisa ses serveurs et l'on entendit bientôt fuser les rires et sauter les bouchons de champagne. Max se leva et, après s'être assuré que son nœud papillon et le col et les manchettes de sa chemise étaient à leur place et avoir rajusté son gilet en piqué, il promena son regard sur les tables en quête de quelqu'un qui réclamerait ses services. C'est alors qu'il la vit entrer, cette fois au bras de son mari.

Ils se réinstallèrent à la même table. L'orchestre entama un boléro et les premiers couples se levèrent immédiatement. Miss Honeybee et son amie n'étaient pas revenues de la salle à manger et Max ignorait s'il les reverrait ce soir. En fait, il s'en réjouissait. Avec ce vague prétexte en tête, il traversa la piste en se faufilant entre les gens qui évoluaient au rythme fluide de la musique. Les de Troeye restaient assis, silencieux, à contempler les danseurs. Lorsque Max s'arrêta devant leur table, un serveur venait d'y poser deux coupes et un seau à glace d'où dépassait le col d'une bouteille de Veuve Clicquot. Il salua d'une inclinaison de la tête le mari, qui se tenait légèrement renversé sur sa chaise, un coude sur la table, les jambes croisées et une cigarette dans la main gauche où, au même doigt que l'alliance, brillait une épaisse bague en or portant un chaton bleu. Puis le danseur mondain regarda la femme, qui l'étudiait avec curiosité. Les seuls bijoux qu'elle portait – ni bracelets ni bagues à l'exception de son alliance – étaient le splendide collier de perles et les pendants d'oreilles assortis. Max ne desserra pas les lèvres pour lui proposer de danser ; il se contenta d'un nouveau mouvement de tête, un peu plus bref que le précédent, accompagné d'un claquement des talons quasi martial, puis il demeura immobile, dans l'attente ; mais, avec un lent sourire qui pouvait passer pour un remerciement, elle fit signe que non. Le danseur mondain allait s'excuser en se retirant, quand le mari ôta son coude de la table, rectifia le pli de son pantalon et regarda son épouse à travers la fumée de sa cigarette.

– Je suis fatigué, dit-il d'un ton détaché. Je crois que j'ai trop mangé, ce soir. Je serai content de te voir danser.

La femme ne se leva pas tout de suite. Elle rendit son regard au mari, et celui-ci lâcha une nouvelle bouffée de fumée, tout en battant des paupières en signe d'assentiment muet.

– Amuse-toi, ajouta-t-il. Ce jeune homme est un merveilleux danseur.

Max ouvrit les bras, circonspect, dès qu'elle se leva. Puis il lui saisit en douceur la main droite tout en passant la sienne autour de sa taille. Le chaud contact de la peau le surprit, tant il ne s'y attendait pas. Il avait vu le profond décolleté de la robe du soir, qui découvrait entièrement le dos de la femme ; mais sans envisager, malgré son expérience dans l'art d'enlacer les dames, qu'il devrait, en dansant, porter une main sur la chair nue. Sa confusion fut de courte durée, dissimulée sous le masque impassible du danseur professionnel ; mais sa cavalière la perçut, ou du moins il le crut. Il en vit pour signe le fait qu'elle le regarda droit dans les yeux ; cela ne dura qu'un instant, puis le regard se perdit au loin. Max débuta en se penchant de côté, la femme répondit avec un naturel parfait, et ils commencèrent à évoluer parmi les couples qui se déplaçaient sur la piste. À deux reprises, brièvement, il regarda le collier.

– Vous voulez bien exécuter des tours ici ? murmura Max un moment plus tard, prévoyant des accords qui faciliteraient le mouvement.

Le regard de la femme, silencieuse, dura quelques secondes.

– Mais oui.

Il retira la main de son dos, s'arrêta sur la piste et fit tourner deux fois sur elle-même, à droite puis à gauche, sa cavalière, dont le déplacement gracieux soulignait l'immobilité de l'homme. Ils se rejoignirent dans une synchronisation parfaite, la main du danseur posée sur la douce cambrure des reins, comme s'ils s'étaient déjà exercé une demi-douzaine de fois. Elle avait un sourire sur les lèvres et Max approuva, satisfait. Des couples s'écartaient un peu pour les contempler avec admiration ou envie, et la femme pressa doucement sa paume, pour l'alerter.

– N'attirons pas l'attention.

Max s'excusa, obtenant en retour un autre sourire indulgent. Il aimait danser avec cette femme. Sa taille s'accordait bien à la sienne : il prenait plaisir à sentir ce dos flexible sous sa main droite, la façon dont elle posait les doigts sur son autre main, l'agilité avec laquelle elle évoluait au rythme de la musique sans décomposer les figures, élégante et sûre d'elle. Avec, peut-être une pointe de défi, encore que voilé ; comme quand elle avait accepté de tourner autour de lui avec toute la grâce sereine du monde. Elle continuait à danser sans le regarder, les yeux perdus au loin, et cela permit à Max d'étudier ses traits parfaits, le dessin de la bouche souligné par un rouge discret, le nez légèrement poudré, l'arc épilé des sourcils sur le front lisse, au-dessus des longs cils. Elle sentait bon, un parfum qu'il ne réussit pas à identifier car il semblait faire partie intégrante de sa jeune peau. Peut-être *Arpège*. Une femme désirable, indiscutablement. Il observa le mari, qui les contemplait depuis sa table d'un air absent, sans leur prêter beaucoup d'attention, en portant une coupe de champagne à ses lèvres, puis il jeta de nouveau un bref coup d'œil au collier qui reflétait, un peu atténuée, la lumière des lustres. Il y avait là une centaine de perles d'une qualité extraordinaire. À vingt-six ans, grâce à sa propre expérience et à certaines amitiés hétérodoxes, Max en savait assez sur les perles pour faire la distinction entre les plates, les rondes, celles en forme de poire et les baroques, ainsi que sur leur valeur officielle ou clandestine. Celles-là étaient rondes et parfaites : sûrement indiennes ou persanes. Elles valaient au moins cinq mille livres sterling : plus d'un demi-million de francs. L'équivalent de plusieurs semaines en compagnie d'une femme de luxe dans le meilleur hôtel de Paris ou de la Riviera. Mais, administré avec prudence, cela donnait également de quoi vivre plus d'un an dans une aisance raisonnable.

– Vous dansez très bien, madame, insista-t-il.

Presque à contrecœur, elle reporta son regard sur lui.

– Malgré mon âge ? dit-elle.

Cela ne semblait pas être une question. À l'évidence elle l'avait observé avant le dîner, pendant qu'il dansait avec les jeunes Brésiliennes. En entendant la réplique, Max prit l'air scandalisé qui convenait.

– Votre âge ? Seigneur ! Comment pouvez-vous dire ça ?

Elle continuait à le dévisager, curieuse. Amusée, peut-être.

– Comment vous appelez-vous ?

– Max.

– Eh bien, prenez le risque, Max. Dites-moi mon âge.

– Je n'oserais jamais.

– S'il vous plaît.

Il s'était déjà repris, car, devant une femme, l'aplomb n'était pas ce qui lui manquait. Il arborait un large sourire, impersonnel, que sa partenaire semblait étudier avec une application quasi scientifique.

– Quinze ans?

Elle partit d'un éclat de rire vif et fort. Un rire sain.

– Exact, confirma-t-elle, en jouant malicieusement le jeu. Comment avez-vous deviné?

– Je suis excellent pour ce genre de choses.

La femme approuva avec une expression mi-ironique, mi-amusée; ou peut-être manifestait-elle sa satisfaction pour la façon dont il continuait de la guider sur la piste, entre les couples, sans que sa conversation le distraie de la musique et des pas de danse.

– Pas seulement pour ça, dit-elle, quelque peu énigmatique.

Max chercha dans ses yeux un signe qui compléterait ces mots, mais son regard s'était déjà reporté au-delà de son épaule droite, de nouveau inexpressif. Le boléro s'achevait. Ils se détachèrent l'un de l'autre, restant face à face, pendant que l'orchestre accordait ses instruments pour le morceau suivant. Le danseur mondain jeta encore un rapide coup d'œil au superbe collier de perles. L'espace d'un instant, il crut percevoir que la femme surprenait son regard.

– C'est suffisant, dit-elle brusquement. Merci.

La salle de lecture des périodiques est située au dernier étage d'un vieil immeuble, au bout d'un escalier de marbre qui monte sous une voûte aux peintures détériorées. Les lattes du parquet grincent quand, chargé de trois tomes reliés de la revue *Scacco Matto*, Max va s'asseoir à un emplacement suffisamment éclairé, près d'une fenêtre par laquelle il peut voir la demi-douzaine de palmiers et la façade blanche de l'église San Antonio. Sur la table, il a également disposé un étui contenant des lunettes pour lire de près, un bloc, un crayon à bille et divers journaux achetés à un kiosque de la via di Maio.

Une heure et demie plus tard, Max arrête de prendre des notes, enlève ses lunettes, frotte ses yeux fatigués et regarde vers la place, où le soleil de l'après-midi allonge les ombres des palmiers. Désormais, le chauffeur du docteur Hugentobler a appris l'essentiel de ce qui a pu être imprimé sur Jorge Keller : le joueur d'échecs qui, pendant les prochaines quatre semaines, affrontera à Sorrente le champion du monde, le Soviétique Mihaïl Sokolov. Les magazines contiennent des photos de Keller : sur presque toutes il est assis devant un échiquier et sur certaines il paraît très jeune : un adolescent faisant face à des joueurs d'un âge bien supérieur. La photo la plus récente a été publiée ce jour même dans un journal local ; Keller pose dans le hall de l'hôtel Vittoria vêtu de la même veste que ce matin, lorsque Max l'a vu se promener dans Sorrente en compagnie des deux femmes.

> Né à Londres en 1938, fils d'un diplomate chilien, Keller a étonné le monde des échecs en mettant en difficulté l'Américain Reshevsky au cours d'une simultanée sur la place d'Armes de Santiago : il avait alors quatorze ans, et au cours des dix années suivantes il a réussi à devenir un des plus prodigieux joueurs de tous les temps…

Malgré la singulière trajectoire de Jorge Keller, Max est moins intéressé par sa biographie professionnelle que par d'autres aspects privés du personnage ; et il a fini par trouver quelque chose à ce sujet. Tant *Scacco Matto* que les journaux qui traitent du prix Campanella s'accordent sur l'influence que, après son divorce du diplomate chilien, la mère du jeune joueur d'échecs a exercée sur la carrière de son fils :

> *Les Keller se sont séparés quand le garçon avait sept ans. Jouissant d'une fortune personnelle, devenue veuve d'un premier mariage au cours de la guerre civile espagnole, Mercedes Keller se trouvait dans une situation idoine pour offrir à son fils la meilleure préparation. En découvrant son talent pour les échecs, elle a cherché les meilleurs professeurs, présenté le garçon dans toutes sortes de tournois au Chili et à l'étranger, et a convaincu le grand maître chiléno-arménien Emil Karapétian de s'occuper de son entraînement. Le jeune Keller n'a pas déçu ces espérances. Il a vaincu ses pairs sans difficulté et, sous la supervision de sa mère et du maître Karapétian, qui continuent de l'accompagner et s'occupent de sa préparation et de la logistique, les progrès ont été rapides.*

En sortant de la salle des périodiques, Max revient à la voiture, démarre et descend jusqu'à la Marina Grande, où il se gare près de l'église. Puis il se dirige vers la trattoria Stefano qui, à cette heure, n'est pas encore ouverte à la clientèle. Il chemine les manches de chemise retroussées deux fois à partir des poignets, en respirant avec délectation la brise de levant, qui apporte une odeur de sel et de rivages paisibles. À la terrasse du petit restaurant, sous un toit de cannisses, un garçon dispose nappes et couverts sur quatre tables situées presque au bord de l'eau, près des barques de pêcheurs échouées parmi des monceaux de filets, de lièges et de flotteurs de palangres.

Lambertucci, le patron, répond à son salut par un grognement, sans lever les yeux de son échiquier. Avec la désinvolture d'un habitué de la maison, Max passe derrière le bar où se trouve la caisse enregistreuse, pose sa veste sur le comptoir, se sert un verre de vin, et, le tenant à la main, s'approche de la table où le maître des lieux est occupé à l'une des deux parties quotidiennes que, à ce moment de la journée et depuis vingt ans, il livre au *capitano* Tedesco. Antonio Lambertucci est un quinquagénaire maigre et dégingandé ; sa chemise à manches courtes d'une propreté douteuse laisse à découvert un tatouage militaire, souvenir de l'époque où il a été soldat en Abyssinie avant de passer par un camp de prisonniers en Afrique du Sud et de se marier avec la fille de Stefano, le patron en titre de la trattoria. Un bandeau noir qui couvre l'œil gauche, perdu à Bengazi, donne à son adversaire un air quelque peu farouche. Le titre de capitaine n'a rien d'usurpé : natif de Sorrente comme Lambertucci, il a bien eu ce grade pendant la guerre, même si, au cours des trois années qu'ils ont dû passer à Durban sans autre distraction que les échecs, la captivité a eu raison de la distance hiérarchique. À part quelques rudiments de base sur la marche des pièces, Max ne sait presque rien de ce jeu : aujourd'hui, il en a plus appris dans la salle des périodiques que dans toute sa vie. Mais le niveau de ces deux-là est celui de bons amateurs. Ils fréquentent le petit club local et savent tout sur les championnats mondiaux, les grands maîtres et le reste.

— Que sais-tu du dénommé Jorge Keller ?

Lambertucci grogne de nouveau sans répondre, occupé à étudier un coup que vient de jouer son adversaire et qui le met apparemment dans une situation délicate. Finalement, il se décide, se livre à un rapide échange et l'autre, impassible, prononce les mots fatidiques : échec et mat. Dix secondes plus tard, le *capitano* Tedesco range déjà les pièces dans leur boîte pendant que Lambertucci se cure le nez.

– Keller ? répond-il enfin. Promis à un grand avenir. Prochain champion du monde, s'il bat le Soviétique. Il est brillant et moins excentrique que l'autre jeunot, Fischer.

– Est-ce vrai qu'il joue depuis son plus jeune âge ?

– C'est ce qu'on dit. Je sais seulement qu'entre quinze et dix-huit ans quatre tournois l'ont révélé comme un vrai phénomène – Lambertucci regarde le *capitano* pour avoir son approbation, puis il compte sur ses doigts –, l'international de Portoroz, Mar del Plata, l'international du Chili et le tournoi des candidats de Yougoslavie, et aucun n'était une mince affaire…

– Il n'a jamais perdu devant aucun grand, ajoute Tedesco, impartial.

– Ce qui signifie ?

Le *capitano* sourit, en homme qui sait de quoi il parle.

– Ce qui signifie Pétrossian, Tal, Sokolov… Les meilleurs au monde. Sa consécration définitive, il l'a remportée voici quatre ans à Lausanne, quand il a battu Tal et Fischer dans un tournoi en vingt parties.

– C'est-à-dire très vite, précise Lambertucci, qui a pris la carafe de vin et remplit de nouveau le verre de Max.

– Il y avait là les plus forts, conclut Tedesco, en clignant de son œil unique. Et Keller les a battus les doigts dans le nez : il a remporté douze parties et fait sept fois match nul.

– Et qu'est-ce qui fait qu'il est si bon ?

Lambertucci observe Max avec curiosité.

– Tu es libre, aujourd'hui ?

– Libre comme l'air. Mon patron est parti en voyage pour plusieurs jours.

– Dans ce cas, reste dîner… Il y a du gratin d'aubergines et j'ai un taurasi dont tu me diras des nouvelles.

– Je te remercie. Mais j'ai des choses à faire à la villa.

– C'est la première fois que je te vois t'intéresser aux échecs.

– Bah, tu sais… – Max a un sourire mélancolique, le verre frôlant ses lèvres. – Le Campanella et tout ça. Cinquante mille dollars, c'est un pactole.

Tedesco, rêveur, fait un nouveau clin d'œil.

– Tu parles ! Pour celui qui les ramassera.

– Pourquoi Keller est-il si bon ? insiste Max.

– Il est en pleine possession de ses moyens, parfaitement entraîné, répond Lambertucci.

Puis il hausse les épaules et regarde le *capitano* en lui laissant le soin des détails.

– C'est un garçon tenace, confirme ce dernier après un temps de réflexion. Quand il a commencé, beaucoup des grands maîtres pratiquaient un jeu conservateur, défensif. Keller a changé tout ça. Il s'est imposé par ses attaques spectaculaires, des sacrifices de pièces inattendus, des combinaisons périlleuses…

– Et maintenant ?

– Il garde toujours le même style : il prend des risques, il est brillant, il finit brutalement… Il joue comme s'il était insensible à la peur, avec une indifférence terrifiante. Parfois, il semble mal jouer, il prend un air distrait, mais ses adversaires perdent la tête devant la complication de ses positions… Son ambition est de devenir champion du monde ; et le duel de Sorrente est considéré comme le préambule de la compétition qui se tient dans cinq mois à Dublin. Une dernière mise au point.

– Vous assisterez aux parties ?

– C'est trop cher. Le Vittoria est réservé aux riches et aux journalistes… Nous devrons nous contenter de les suivre à la radio et à la télévision, sur notre propre échiquier.

– Et c'est vraiment aussi important qu'on le dit ?

– C'est le tournoi le plus attendu depuis le duel Reshevsky-Fischer en 1961, explique Tedesco. Sokolov est un vieux de la vieille coriace et tranquille, plutôt ennuyeux : ses meilleures parties, il les termine en faisant match nul. Imagine : on l'appelle *la Muraille soviétique*... Le fait est que l'enjeu est énorme. Financier, bien sûr. Mais aussi politique.

Lambertucci a un rire grinçant.

– On dit que Sokolov s'est installé à côté du Vittoria dans un bâtiment entièrement réservé pour sa suite, entouré d'assesseurs et d'agents du KGB.

– Que savez-vous de la mère ?

– La mère de qui ?

– De Keller. Les journaux et les magazines parlent d'elle.

Le *capitano* réfléchit un moment.

– Oh, ça... je ne sais pas grand-chose. On dit que c'est elle qui gère ses affaires. Apparemment, elle a découvert le talent de son fils et cherché les meilleurs maîtres. Les échecs, quand on est encore personne, s'avèrent un sport coûteux. Ce ne sont que voyages, hôtels, inscriptions... Il faut avoir de l'argent ou s'en procurer. Il semble qu'elle en avait. Je crois qu'elle s'occupe de tout, elle contrôle l'équipe des assesseurs et la santé de son fils. Elle tient les comptes... On dit qu'il est son œuvre, mais on exagère. Même avec toute l'aide du monde, les joueurs géniaux comme Keller sont avant tout leur propre œuvre.

La rencontre suivante à bord du *Cap Polonio* se produisit le sixième jour de navigation, avant le dîner. Max Costa dansait depuis une demi-heure avec des passagères d'âges divers, parmi lesquelles l'Américaine des cinq dollars et miss Honeybee, quand le chef de salle Schmöcker conduisit Mme de Troeye à sa table habituelle. Elle était seule, comme le premier soir. Lorsque Max passa devant elle – il évoluait alors sur l'air de *La canción del ukelele* avec une des jeunes Brésiliennes –, il vit qu'elle se faisait servir un cocktail au champagne tout en allumant une cigarette dans un court fume-cigarette en ivoire. Cette fois, elle ne portait pas le collier de perles, mais un collier en ambre. Sa robe de satin noir laissait son dos à nu, ses cheveux étaient ramenés en arrière, à la garçonne, brillantinés, et ses yeux soulignés d'un sobre trait de crayon noir. Le danseur mondain l'observa à plusieurs reprises sans parvenir à rencontrer son regard. Il échangea au passage quelques mots avec les musiciens de sorte que ceux-ci, pour lui complaire, attaquèrent un tango qui était à la mode : *Adiós, muchachos*. Max se sépara de la Brésilienne, se dirigea au son des premières mesures vers la table de la femme, inclina brièvement la tête et attendit, immobile, avec son sourire le plus aimable, tandis que d'autres couples se formaient sur la piste. Mecha Inzunza de Troeye le contempla pendant quelques secondes et, un instant, il craignit qu'elle ne refuse. Mais, finalement, il la vit poser le fume-cigarette sur le cendrier et se lever. Elle mit une éternité à le faire, et lorsqu'elle posa la main gauche sur l'épaule droite du danseur ce geste lui parut d'une lenteur insupportable. Cependant la mélodie abordait déjà ses meilleurs rythmes, les enveloppant tous deux, et Max sut tout de suite que cette musique était bien celle qui convenait.

Elle dansait de façon vraiment surprenante, constatat-il encore une fois. Le tango ne demandait pas de la spontanéité, mais des mouvements à peine suggérés et aussitôt accomplis dans un silence tacite, presque hostile. Et ils se déplaçaient ainsi, se rencontrant et se séparant tour à tour, avec des ruptures bien calculées, des intuitions communes qui leur permettaient de glisser avec naturel sur la piste, entre les couples qui évoluaient avec une évidente maladresse d'amateurs. L'exercice de sa profession avait appris à Max qu'il était impossible d'exécuter un tango sans une partenaire expérimentée, capable de s'adapter à une

47

danse où la marche s'arrêtait d'un coup, l'homme cassant le rythme, dans un simulacre de lutte où, enlacée à lui, la femme tentait de fuir et revenait chaque fois, vaincue mais toujours fière et provocante. Et cette femme-là appartenait à cette classe de cavalières.

Durant deux tangos successifs – le second s'intitulait *Champagne tango* –, ils n'échangèrent pas une parole, s'abandonnant tout entiers à la musique et au plaisir du mouvement, à la caresse sporadique du satin sur la flanelle du pantalon ; Max sentait la chaleur toute proche de la chair jeune et douce de sa partenaire, frôlait son visage et ses cheveux coiffés en arrière, qui mettaient en valeur son cou et son dos nus. Et quand, pendant la pause entre les deux danses, ils restèrent immobiles l'un en face de l'autre – légèrement essoufflés par l'effort, attendant que la musique reprenne sans qu'elle fasse mine de regagner sa table – et qu'il remarqua des petites gouttes sur sa lèvre supérieure, il sortit un des deux mouchoirs qu'il portait sur lui ; non celui qui dépassait de la pochette du frac, mais l'autre, impeccablement repassé, qu'il avait glissé dans sa poche intérieure, et qu'il lui offrit avec naturel. Elle accepta la batiste blanche et la passa en douceur sur sa bouche avant de la lui rendre, un peu humide et marquée d'une trace de rouge. Elle ne manifesta même pas le besoin, comme Max s'y attendait, d'aller à sa table prendre son sac et se repoudrer. Le danseur essuya, lui aussi, la transpiration de ses lèvres et de son front – la femme ne manqua pas de remarquer qu'il avait commencé par la bouche –, remit le mouchoir en place, le deuxième tango débuta et ils dansèrent avec la même synchronie parfaite. Mais cette fois son regard ne se perdait plus au loin, vers la salle : parfois, après une évolution compliquée ou un pas qu'ils avaient effectués avec brio, ils demeuraient un instant sans bouger, les yeux dans les yeux, avant de briser cette brève quiétude à la mesure suivante et d'évoluer de nouveau sur la piste. Et, en une occasion où il s'arrêta au milieu d'une figure, sérieux et impassible, elle se colla à lui de façon inattendue et oscilla ensuite d'un côté puis de l'autre avec une grâce calculée et élégante, comme si elle feignait de s'échapper de ses bras sans le vouloir réellement. Pour la première fois depuis qu'il pratiquait la danse en professionnel, Max eut la tentation d'approcher ses lèvres pour frôler le long cou, gracile et jeune. Ce fut alors qu'en jetant un coup d'œil à la dérobée il constata que le mari de sa partenaire était assis à leur table, jambes croisées et cigarette entre les doigts, et qu'en dépit de son apparente indifférence il ne cessait de les observer. Et dans le regard de sa partenaire il rencontra des reflets dorés qui semblaient se métamorphoser à l'infini en silences de femme éternelle. En mystères de tout ce que l'homme ignore.

Le café-fumoir du transatlantique faisait communiquer les ponts-promenades des premières classes de bâbord et de tribord avec la plage arrière, et Max Costa s'y dirigea durant la pause du dîner, sachant qu'à cette heure il serait pratiquement désert. Le garçon de garde lui servit un double café noir dans une tasse portant l'emblème de la Hamburg-Südamerikanische. Après avoir desserré un peu sa cravate blanche et son col cassé amidonné, il fuma une cigarette près de la baie vitrée par laquelle, entre les reflets de l'éclairage intérieur, on devinait la nuit qui enveloppait le paquebot, et la plage arrière baignée de lune. Peu à peu, à mesure que se vidait la salle à manger, les passagers revinrent occuper les tables, ce qui incita Max à se lever et à sortir du fumoir. Devant la porte, il s'effaça pour laisser passer un groupe d'hommes, cigare à la main, au milieu duquel il reconnut Armando de Troeye. Le compositeur n'était pas accompagné de son épouse et, tout en longeant le pont-promenade de tribord pour gagner la salle de bal, Max la chercha parmi les petits cercles de messieurs et de dames couverts de manteaux, de gabardines et de capes qui prenaient le frais ou contemplaient la mer. La nuit était agréable, mais pour la première fois depuis le départ de Lisbonne la houle de l'Atlantique commençait à se creuser; et bien que le *Cap Polonio* fût doté de systèmes de stabilisation modernes, le roulis suscitait des commentaires inquiets. La salle de bal fut peu fréquentée le reste de la nuit: beaucoup de tables demeurèrent vides, dont celle qu'occupait habituellement le couple de Troeye. Les premiers symptômes de mal de mer se manifestèrent et la soirée musicale fut brève. Max n'eut guère à s'employer; juste quelques valses, et il put bientôt se retirer.

Ils se croisèrent près de l'ascenseur, reflétés dans les grandes glaces de l'escalier principal, alors qu'il se disposait à descendre à sa cabine, située au pont des secondes classes. Elle avait mis une cape de renard gris et tenait à la main un petit sac en lamé, elle était seule et se dirigeait vers un des ponts-promenades. Max admira, d'un bref coup d'œil, l'assurance avec laquelle elle marchait sur ses talons hauts, malgré le roulis et le tangage, car même le couloir d'un aussi grand paquebot était affecté, avec la houle, d'un pénible balancement tridimensionnel. Revenant sur ses pas, le danseur mondain ouvrit la porte qui donnait au-dehors et la tint ouverte, le temps que la femme passe de l'autre côté. En franchissant le seuil, elle lui répondit par un « merci » laconique, Max inclina la tête, referma la porte et repartit dans le couloir. Après une dizaine de pas, il s'arrêta pour réfléchir. Que diable, se dit-il. Je ne perds rien à essayer. Avec toutes les précautions d'usage.

Il la trouva tout de suite, en train de se promener le long du bastingage, et il s'arrêta devant elle de l'air le plus naturel, dans la faible clarté des ampoules couvertes de sel. Elle était sûrement venue en quête d'air frais pour éviter le mal de mer. La plupart des passagers faisaient le contraire en s'enfermant dans leurs cabines, d'où ils ne sortaient plus durant plusieurs jours, victimes de leur estomac barbouillé. Un instant, Max craignit qu'elle ne continue à marcher en faisant comme si elle ne l'avait pas vu. Mais il n'en fut rien. Elle resta à le regarder, immobile et en silence.

– C'était très agréable, dit-elle tout d'un coup.

Max réussit à dominer sa confusion en quelques secondes.

– Pour moi aussi, répondit-il.

La femme continuait de le regarder. Avec *curiosité* : tel était peut-être le mot approprié.

– Il y a longtemps que vous êtes danseur professionnel ?

– Cinq ans. Mais pas tout le temps. C'est un travail…

– Distrayant ? l'interrompit-elle.

Ils cheminaient de nouveau sur le pont, adaptant leurs pas à la lente oscillation du transatlantique. Par moments, ils croisaient les formes obscures ou les visages plus ou moins reconnaissables de quelques passagers. De Max, dans les endroits peu éclairés, seuls restaient repérables les taches blanches que formaient le plastron blanc de la chemise, le gilet et la cravate, la partie apparente des manchettes amidonnées et le mouchoir dépassant de la pochette de la veste.

– Ce n'est pas le mot que je cherchais, dit-il en souriant doucement. Vraiment pas. Je voulais dire un travail occasionnel. Il résout certaines choses.

– Quel genre de choses ?

– Eh bien… Comme vous voyez, il permet de voyager.

À la lumière d'un hublot, il constata que c'était elle, maintenant, qui souriait, approbatrice.

– Pour un travail occasionnel, vous le faites bien.

Le danseur mondain haussa les épaules.

– Les premières années, c'était un travail régulier.

– Où cela ?

Max décida d'omettre une partie de son curriculum. De garder certains noms pour lui. Comme le Barrio Chino de Barcelone, le Vieux-Port de Marseille. Et aussi le nom d'une danseuse hongroise appelée Boske : elle chantait *La Petite Tonkinoise* en s'épilant les jambes et portait une affection toute particulière aux jeunes mâles qui se réveillaient la nuit couverts de sueur, pris d'angoisse parce que, dans leur cauchemar, ils se voyaient encore au Maroc.

– Des hôtels chics à Paris pendant l'hiver, résuma-t-il. Biarritz et la Côte d'Azur à la belle saison… J'ai aussi travaillé un temps dans des cabarets de Montmartre.

– Ah… – Elle semblait intéressée. – Nous nous y sommes peut-être croisés.

Il sourit, sûr de lui.

– Non. Je m'en souviendrais.

– Que vouliez-vous me dire ? demanda-t-elle.

Il tarda un instant à se rappeler le sens de la question. Puis il finit par réaliser : après l'avoir croisée à l'intérieur, il l'avait rejointe sur le pont-promenade en la suivant sans plus d'explications.

– Que je n'ai jamais, avec personne, dansé un tango aussi parfait.

Un silence de trois ou quatre secondes. De satisfaction, peut-être. Elle s'était arrêtée – il y avait une ampoule électrique tout près, vissée à la cloison – et le regardait dans la pénombre aux effluves salins.

– Oh, vraiment ?… Vous êtes bien aimable, monsieur… Max : c'est bien votre nom ?

– Oui.

– Alors soyez assuré que je suis sensible au compliment.

– Ce n'est pas un compliment. Vous savez que ce n'en est pas un.

Elle riait. Un rire franc, sain. Elle avait déjà eu le même l'avant-veille, quand il avait estimé, en plaisantant, son âge à quinze ans.

– Mon mari est compositeur. La musique, la danse me sont familières. Mais vous êtes un excellent cavalier. Il n'y a qu'à se laisser mener.

– Vous ne vous laissiez pas mener. Vous meniez vous-même tout autant. J'ai l'expérience de ces choses.

Elle acquiesça en réfléchissant.

– Oui, je suppose que vous l'avez.

Max avait une main posée sur le bastingage humide. Entre deux coups de roulis, le pont transmettait sous ses chaussures la vibration des machines dans les entrailles du paquebot.

– Vous fumez ?

– Pas maintenant, merci.

– Vous permettez ?

– Je vous en prie.

Il tira l'étui de la poche intérieure de sa veste, prit une cigarette et la porta à ses lèvres. Elle le regardait faire.

– Des égyptiennes ? interrogea-t-elle.

– Non, des Abdul Pacha... turques. Avec un soupçon d'opium et de miel.

– Dans ce cas, j'en accepterai une, dit-elle en l'introduisant dans le court fume-cigarette en ivoire.

Il se pencha, la boîte d'allumettes dans les mains, protégeant la flamme au creux de ses doigts pour lui donner du feu. Puis il alluma la sienne. La brise emportait la fumée très vite, empêchant de la savourer. Sous la cape de fourrure, la femme semblait trembler de froid. Max désigna l'entrée du salon d'hiver tout proche : un espace en forme de serre avec un grand lustre pendant du plafond, meublé de fauteuils en osier, de tables basses et de pots plantés de palmiers.

– Danser en professionnel, observa-t-elle en entrant, c'est étrange, pour un homme.

– Je ne vois pas beaucoup de différences… Comme vous voyez, nous aussi nous pouvons le faire pour de l'argent. La danse n'est pas toujours passion ou divertissement.

– Est-ce que ce qu'on dit est vrai ? Que c'est quand elle danse qu'une femme révèle son caractère avec le plus de sincérité ?

– Parfois. Mais pas davantage qu'un homme.

Le salon était vide. La femme s'assit, se défit avec désinvolture de la cape de fourrure et, scrutant son reflet dans le couvercle d'un poudrier qu'elle sortit de son sac, elle passa sur ses lèvres un bâton de Tangee rouge pâle. Les cheveux gominés et coiffés en arrière donnaient à ses traits une séduisante allure androgyne, mais, apprécia Max en connaisseur, la manière dont le satin noir moulait son corps ne manquait certes pas d'intérêt. Remarquant son regard, elle croisa une jambe sur l'autre en la balançant légèrement. Elle avait posé le coude droit sur le bras du fauteuil et gardait la main levée, tenant la cigarette entre l'index et le majeur dont les ongles étaient soignés et longs, vernis dans la tonalité exacte des lèvres. De temps en temps, elle laissait tomber la cendre par terre, comme si tous les cendriers du monde lui étaient indifférents.

– Je voulais dire étrange vu de près, dit-elle au bout d'un instant. Vous êtes le premier danseur professionnel avec qui j'échange plus de deux mots : *merci* et *adieu*.

Max avait approché un cendrier et gardait la main droite dans la poche de son pantalon. Il fumait toujours.

– J'ai aimé danser avec vous, dit-il.

– Et moi de même. Je le referais bien encore si l'orchestre continuait à jouer et s'il y avait du monde dans la salle de bal.

– Rien ne vous empêche de le faire quand même.

– Pardon?

Elle observait son sourire comme on dissèque une inconvenance. Mais le danseur mondain soutint son regard, impassible. Tu as tout d'un gentil garçon, lui avaient dit la Hongroise et Boris Dolgorouki qui, même s'ils ne s'étaient jamais rencontrés, s'accordaient au moins sur ce point. Quand tu souris comme ça, Max, personne ne mettrait en doute que tu es un foutrement gentil garçon. Tâche d'en tirer parti.

– Je suis sûr que vous êtes capable d'imaginer la musique.

– Vous ne manquez pas d'audace.

– Pourriez-vous le faire?

Ce fut au tour de la femme de sourire, comme pour le défier.

– Bien sûr que je pourrais. – Elle lâcha une bouffée de fumée. – Je suis l'épouse d'un compositeur, souvenez-vous. J'ai la musique dans la tête.

– Est-ce que *Mala junta* vous conviendrait? Vous connaissez l'air?

– Parfaitement.

Max éteignit sa cigarette, puis tira sur son gilet. Elle resta figée un instant : elle avait cessé de sourire et l'observait d'un air intrigué, depuis son fauteuil, comme si elle voulait s'assurer qu'il ne plaisantait pas. Elle posa enfin son fume-cigarette maculé de rouge sur le cendrier, se leva très lentement, et, sans cesser de le regarder dans les yeux, posa la main gauche sur son épaule et la droite dans celle qu'il lui tendait. Elle resta ainsi un moment, debout et sereine, très sérieuse, jusqu'à ce que Max, après avoir pressé avec douceur deux fois ses doigts pour marquer la première mesure, penche un peu le corps d'un côté, passe la jambe droite devant la gauche, et tous deux évoluèrent en silence, enlacés et les yeux dans les yeux, au milieu des fauteuils d'osier et des pots de palmiers du salon.

La radio portative Marconi en plastique blanc diffuse un twist : c'est Rita Pavone qui chante. Il y a des palmiers et des pins parasols dans le jardin de la villa Oriana, et au travers Max, accoudé à la fenêtre ouverte de sa chambre, aperçoit le panorama de la baie de Naples : le fond bleu cobalt avec le large cône sombre du Vésuve et la ligne de la côte qui court à droite jusqu'à la pointe Scutolo, Sorrente qui se dessine sur les escarpements de la corniche et les deux marinas avec leurs brise-lames rocheux, leurs barques sur la plage et les bateaux mouillés près du rivage. Le chauffeur du docteur Hugentobler reste un bon moment songeur, sans quitter le paysage des yeux. Depuis qu'il a pris son petit-déjeuner dans la cuisine silencieuse, il demeure immobile à la fenêtre, à considérer les possibilités et les probabilités d'une idée qui l'a tenu agité toute la nuit en se retournant dans ses draps, indécis, et que, en dépit de ce qu'il espérait, la lumière du jour ne parvient pas à lui ôter de la tête.

Max semble revenir à lui et fait quelques pas dans la modeste chambre, située à un angle du rez-de-chaussée de la villa. Puis il revient à la fenêtre pour regarder vers Sorrente et entre dans la salle de bains, où il se passe de l'eau sur la figure. Après s'être essuyé, il inspecte son visage dans le miroir, précautionneusement, à la manière d'un homme qui veut déceler les progrès de la vieillesse depuis la dernière fois qu'il s'y est contemplé. Il demeure ainsi un moment à s'observer, comme s'il cherchait à retrouver une image du passé. Scrutant, mélancolique, les cheveux gris-argent qui ont tendance à se clairsemer, la peau marquée par la vie et le vitriol du temps, les rides qui sillonnent le front et les plis aux commissures des lèvres, les poils blancs qui pointent au menton, les paupières lourdes qui éteignent la vivacité du regard. Puis il tâte son tour de taille

– les trous de la ceinture proches de la boucle présentent plusieurs signes de recul – et hoche la tête, critique. Trop d'années derrière lui et trop de kilos superflus, conclut-il. Trop de vie aussi, peut-être.

Il sort dans le couloir et, tournant le dos à la porte qui mène au garage, il le suit jusqu'au salon de la villa. Là tout n'est qu'ordre et propreté, les meubles sont couverts de housses de toile blanche. Les Lanza ont profité de leur temps libre pour prendre des vacances à Salerne. Cela signifie une tranquillité absolue, sans autre occupation pour Max que de garder la maison, faire suivre le courrier et maintenir en parfait état de marche la Jaguar, la Rolls-Royce et les trois automobiles de collection du maître des lieux.

Lentement, toujours absorbé dans ses pensées, il va au meuble-bar du salon, ouvre le placard des boissons et se sert un doigt de Rémy Martin dans un verre en cristal taillé. Puis il le sirote à petites gorgées, sourcils froncés. En général, Max boit peu. Presque toute sa vie, y compris aux temps difficiles de sa première jeunesse, il a fait preuve de modération dans ce domaine – peut-être le mot exact est-il *prudence*, ou *méfiance* –, capable de convertir l'alcool ingéré par lui ou par d'autres non en ennemi imprévisible mais en allié utile : un outil professionnel de son métier équivoque, ou de ses bons offices, aussi efficace, selon la situation, que pourraient l'être un sourire, un coup ou un baiser. De toute manière, à ce stade de sa vie et sur le chemin de la décrépitude irrémédiable, boire un peu, que ce soit un verre de vin, un vermouth, un negroni bien préparé, est plutôt stimulant pour son cœur et son esprit.

Le verre terminé, il déambule dans la maison vide. Il continue à agiter dans sa tête ce qui l'a maintenu éveillé toute la nuit. À la radio, qu'il a laissée allumée et qui continue à se faire entendre au fond du couloir, une voix de femme chante *Resta cu'mme* comme si elle souffrait aussi réellement que le

57

disent les paroles. Max reste un moment absorbé, écoutant la chanson. Après quoi, il retourne dans sa chambre, ouvre le tiroir où il range son carnet de chèques, consulte l'état de son compte en banque. Ses maigres économies. Elles atteignent juste, calcule-t-il, ce qu'il faut pour ce dont il a besoin. Amusé par cette idée, il ouvre l'armoire et passe ses vêtements en revue, imaginant les situations à prévoir, avant de se diriger vers la chambre du maître de maison. Il n'en est pas conscient, mais il marche d'un pas léger, désinvolte. Du même pas élastique et sûr des lointaines années où le monde était encore une aventure dangereuse et fascinante : un défi permanent à sa maîtrise de soi, son astuce et son intelligence. Il a enfin pris une décision, et cela facilite beaucoup les choses : le passé vient s'emboîter dans le présent et décrit en traversant le temps une boucle prodigieuse qui rend tout extrêmement simple. Dans la chambre du docteur Hugentobler, les housses protègent les meubles et le lit, et les rideaux laissent filtrer une clarté dorée. Quand il les ouvre, un flot de lumière inonde la pièce, découvrant le paysage de la baie, les arbres et les villas avoisinantes étagées sur la montagne. Max se tourne vers la penderie, descend une valise Gucci rangée en haut, la pose ouverte sur le lit et, les mains sur les hanches, passe en revue l'abondante garde-robe de son patron. Le docteur Hugentobler et lui ont approximativement le même tour de poitrine et de cou, aussi choisit-il une demi-douzaine de chemises en soie et deux vestes. Les chaussures et les pantalons ne correspondent pas à sa taille, car Max est plus grand que Hugentobler – il lui faudra recourir aux boutiques chères du Corso Italia, soupire-t-il, résigné –, mais il trouve une ceinture en cuir neuve qu'il met dans la valise ainsi que six paires de chaussettes aux tons discrets. Après un dernier coup d'œil, il ajoute deux foulards en soie, trois jolies cravates, des boutons de manchettes en or, un briquet

Dupont – bien qu'il ait arrêté de fumer depuis des années –
et une montre Omega Seamaster Deville, également en or.
De retour chez lui, bagage à la main, il entend de nouveau
la radio : maintenant, c'est Domenico Modugno qui chante
Vecchio Frac, « le vieux frac ». Étonnant, pense-t-il. Comme
si c'était un signe de bon augure, la coïncidence fait sourire
l'ancien danseur mondain.

2

Tangos pour souffrir
et tangos pour tuer

— Tu es devenu fou.

Tiziano Spadaro, le réceptionniste de l'hôtel Vittoria, se penche au-dessus du comptoir pour jeter un coup d'œil à la valise que Max a posée à terre. Puis il relève les yeux en l'inspectant des pieds à la tête : chaussures en maroquin marron, pantalon de flanelle gris, chemise de soie avec un foulard au cou et blazer bleu marine.

— Pas du tout, rétorque le nouvel arrivant, avec beaucoup de calme. J'ai juste envie de changer d'ambiance pour quelques jours.

Spadaro se passe la main sur le crâne, soucieux. Son regard méfiant étudie Max en cherchant des intentions cachées. Des significations dangereuses.

— Tu ne te rappelles plus ce que coûte une chambre ici ?

— Mais si. Deux cent mille lires la semaine… Et alors ?

— Nous sommes complets. Je viens de te le dire.

Le sourire de Max est amical et sûr de lui. Presque bienveillant. On y lit la trace d'anciennes loyautés et d'extrêmes confiances.

— Tiziano… Je fréquente les hôtels depuis quarante ans. Il reste toujours quelque chose de disponible.

De mauvaise grâce, Spadaro abaisse son regard jusqu'au comptoir en acajou verni. Dans l'espace que laissent ses mains posées dessus, exactement entre l'une et l'autre, Max a placé une enveloppe fermée qui contient dix billets de dix mille lires. Le réceptionniste du Vittoria l'observe comme un joueur de baccara à qui l'on a distribué des cartes et qui ne se décide pas à les retourner. Enfin, une main, la gauche, se déplace lentement et la frôle du pouce.

– Téléphone-moi un peu plus tard. Je verrai ce que je peux faire.

Max apprécie le geste : toucher l'enveloppe sans l'ouvrir. Les vieux codes.

– Non, dit-il doucement. Arrange-moi ça tout de suite.

Ils gardent le silence, tandis que des clients passent à proximité. Le réceptionniste regarde en direction du hall : il n'y a personne dans l'escalier qui mène aux chambres ni près de la porte vitrée du jardin d'hiver, d'où viennent des bruits de conversation ; et le concierge est à son poste, occupé à disposer des clefs dans les casiers.

– Je croyais que tu avais pris ta retraite, commente-t-il en baissant la voix.

– C'est vrai. Je t'expliquerai une autre fois. Je veux seulement prendre un peu de vacances, comme au bon vieux temps. Boire du champagne bien frais et voir du beau monde.

De nouveau, le regard soupçonneux de Spadaro, après un autre coup d'œil à la valise et à la mise élégante de son interlocuteur. Par la fenêtre, le réceptionniste parvient à voir la Rolls stationnée près de l'escalier qui descend vers le hall de l'hôtel.

– On dirait que ça marche très bien pour toi, à Sorrente…

– À merveille, comme tu vois.

– Comme ça, tout d'un coup ?

– Exact. D'un seul coup.

– Et ton patron, celui de la villa Oriana ?…

– Je te raconterai un autre jour.

Spadaro se frotte encore le crâne, soupesant la situation. Sa longue vie professionnelle a fait de lui un vieux limier que son flair ne trompe jamais, et ce n'est pas la première fois que Max lui pose une enveloppe sur le comptoir. La dernière, c'était il y a dix ans, quand le réceptionniste travaillait à l'hôtel Vesuvio de Naples. Une actrice d'âge mûr, nommée Silvia Massari, cliente habituelle de l'établissement, avait constaté la disparition d'une précieuse figurine vénitienne de chez Nardi dans sa chambre, contiguë à celle de Max – une proximité facilitée par Spadaro – pendant qu'elle déjeunait avec lui sur la terrasse de l'hôtel, après avoir passé la nuit précédente et toute la matinée à se livrer à des exercices intimes qui, pour être automnaux, n'en étaient pas moins vigoureux. Tandis que se produisait ce déplorable événement, Max avait à peine quitté quelques minutes la terrasse, la vue splendide et le tendre regard de sa compagne pour aller se laver les mains. De sorte que l'idée n'avait pas effleuré la Massari de douter de l'honnêteté de ses manières, de son sourire éblouissant et de ses autres marques de tendresse. Tout s'était réglé finalement par l'interrogatoire et le renvoi d'une femme de chambre, bien que l'on n'eût rien pu prouver contre elle. L'assurance de l'actrice s'était chargée du dédommagement et Tiziano Spadaro, quand le moment était venu pour Max de régler sa note et de quitter l'hôtel en distribuant des pourboires comme le parfait gentleman qu'il était, avait reçu une enveloppe présentant les mêmes caractéristiques que celle qu'il a devant lui, quoique plus épaisse.

– Je ne savais pas que tu t'intéressais aux échecs.

– Non ? – Le vieux sourire professionnel, large et découvrant des dents d'une blancheur éclatante, est l'un des plus réussis de l'ancien répertoire. – Eh bien, j'ai toujours été quelque peu amateur. C'est une ambiance fascinante. Une occasion unique de voir deux grands joueurs. Bien mieux que le football.

– Qu'est-ce que tu mijotes, Max ?

Celui-ci soutient, flegmatique, son regard inquisiteur.

– Rien qui puisse mettre en danger ta prochaine retraite. Tu as ma parole. Et tu sais que je n'y ai jamais manqué.

Une longue pause, le temps pour Spadaro de réfléchir. Une profonde ride se creuse entre ses sourcils.

– C'est vrai, admet-il enfin.

– Je suis heureux que tu t'en souviennes.

L'autre examine les boutons de son gilet, pensif, et d'une chiquenaude en chasse une poussière imaginaire.

– La police verra ta fiche.

– Et alors ? J'ai toujours été en règle, en Italie. Et puis ça n'a rien à voir avec la police.

– Écoute. Tu es trop vieux pour certaines choses… Nous le sommes tous. Tu ne devrais pas l'oublier.

Impassible, sans répondre, Max continue de regarder le réceptionniste. Celui-ci observe l'enveloppe, toujours fermée, sur le bois luisant.

– Combien de jours ?

– Je ne sais pas. – Max fait un geste négligent. – Une semaine suffira, je suppose.

– Tu supposes ?

– Ça suffira.

L'autre pose un doigt sur l'enveloppe. Il soupire et ouvre lentement le registre.

– Je ne peux te garantir qu'une semaine. Ensuite, nous verrons.

– D'accord.

De la paume de la main, Spadaro appuie trois fois sur le timbre pour appeler un chasseur.

– Une petite chambre, individuelle, sans vue. Le petit-déjeuner n'est pas inclus.

Max sort ses papiers de sa poche. Quand il les pose sur le comptoir, l'enveloppe a disparu.

Il fut surpris de voir entrer le mari dans le salon des secondes classes du *Cap Polonio*. C'était la mi-journée, et Max était assis en train de prendre l'apéritif, un verre d'absinthe avec de l'eau et des olives, près d'une large baie vitrée qui donnait sur le pont-promenade de bâbord. Il aimait cet endroit car, de là, il pouvait voir tout le salon – avec des fauteuils en osier au lieu des confortables fauteuils de cuir rouge des premières classes – et contempler la mer. Le temps continuait à être au beau fixe, soleil toute la journée et ciel dégagé la nuit. Après quarante-huit heures d'une houle désagréable, le bateau avait cessé de rouler et de tanguer, et les passagers se déplaçaient avec plus d'assurance, en échangeant des regards au lieu de progresser en fonction de la position du plancher. En fait, Max, qui avait traversé cinq fois l'Atlantique, n'avait pas souvenir d'une navigation aussi calme que celle-là.

Aux tables voisines, quelques passagers, presque tous des hommes, jouaient aux cartes, au backgammon, aux échecs ou aux petits chevaux. Max, qui n'était qu'un joueur occasionnel et pratique – jamais, même quand il avait porté l'uniforme au Maroc, il n'avait éprouvé la passion de certains pour les jeux de hasard –, prenait néanmoins plaisir à observer les joueurs professionnels qui fréquentaient les lignes transatlantiques. Feintes, pièges et naïvetés, réactions des uns et des autres, codes de conduite qui, dans tous leurs détails, reflétaient la complexe condition humaine, constituaient une excellente école à l'usage de quiconque savait les observer attentivement ; et Max en tirait toujours d'utiles enseignements. Comme sur tous les navires du monde, on ne manquait pas de trouver sur le *Cap Polonio* des tricheurs dans les premières classes, les secondes et même les troisièmes. Bien entendu, l'équipage était tenu au courant, et tant le commissaire de bord que les majordomes et les chefs de salle connaissaient la plupart des filous habituels, les surveillaient discrètement et cochaient leurs noms sur le rôle des passagers. Quelques semaines auparavant, sur le *Cap Arcona*, Max avait rencontré un joueur du nom de Brereton, tout auréolé de la légende d'avoir soutenu une longue partie de bridge dans le salon-fumoir des premières classes du *Titanic*, qui gîtait de plus en plus en sombrant dans les eaux glacées de l'Atlantique Nord, et de l'avoir achevée en ramassant ses gains juste à temps pour se jeter à la mer et atteindre le dernier canot de sauvetage.

Toujours est-il que, ce jour-là, Armando de Troeye entra dans le salon-bar des secondes classes du *Cap Polonio* et que Max Costa fut surpris de l'y voir, car il n'était pas fréquent que les passagers franchissent les limites du territoire assigné à chaque catégorie. Mais ce qui le surprit encore plus fut que le célèbre compositeur, vêtu d'une veste de sport Norfolk, d'un gilet avec une chaîne de montre en or, d'un pantalon de golf et d'une casquette de voyage, s'arrête sur le seuil pour parcourir le salon du regard ; et, qu'en découvrant Max, il se dirige droit sur lui avec un sourire amical pour s'asseoir sur le fauteuil voisin.

– Que buvez-vous là ? s'enquit-il, tout en attirant l'attention du serveur. De l'absinthe ?… Trop fort pour moi. Je crois que je prendrai un vermouth.

Le temps que le garçon en gilet rouge apporte la boisson, Armando de Troeye avait félicité Max pour son habileté sur la piste de danse et s'était lancé dans une conversation anodine, parfaitement mondaine, sur les transatlantiques, la musique et la danse professionnelle. Il était l'auteur des *Nocturnes* – en plus d'autres œuvres à succès comme *Scaramouche* ou le ballet *Paso-doble pour*

Don Quichotte – que Diaghilev avait rendus mondialement fameux, et le danseur mondain put avoir la confirmation qu'il tenait en la personne de son interlocuteur un homme sûr de lui, un artiste conscient de ce qu'il était et de ce qu'il représentait. Malgré cela, même si dans le bar des secondes classes il conservait toujours une attitude d'élégante supériorité – le grand compositeur de musique face à l'humble tâcheron tout en bas de l'échelle musicale –, à l'évidence il s'efforçait de se montrer agréable. Son comportement, y compris avec toutes les réserves qu'il laissait transparaître, était bien loin de la froideur des jours précédents, quand Max dansait avec sa femme dans la salle de bal des premières classes.

– Je vous ai bien observé, je vous assure. Vous frisez la perfection.

– Merci du compliment. Même si vous exagérez. – Max souriait à demi, poliment. – Ces choses-là dépendent tout autant de la partenaire. C'est votre épouse qui danse à merveille, comme vous le savez très bien.

– Bien entendu. C'est une femme exceptionnelle, sans aucun doute. Mais c'était vous qui aviez l'initiative. Vous prépariez le terrain, si l'on peut dire. Et cela, ça ne s'improvise pas. – De Troeye avait saisi le verre déposé sur la table par le serveur et le contemplait à contre-jour comme s'il doutait de la qualité d'un vermouth servi dans le bar des secondes classes. – Vous me permettez une question d'ordre professionnel ?

– Je vous en prie.

Une gorgée prudente. Une moue de satisfaction sous la mince moustache.

– Où avez-vous appris à danser ainsi le tango ?

– Je suis né à Buenos Aires.

– Quelle surprise ! – De Troeye but de nouveau. – Vous n'avez pas l'accent.

– J'en suis parti très tôt. Mon père était un Asturien qui avait émigré dans les années mille huit cent quatre-vingt-dix… Il n'a pas réussi et, finalement, il est retourné, malade, mourir en Espagne. Avant ça, il avait eu le temps de se marier avec une Italienne, de faire plusieurs enfants et de nous ramener tous avec lui.

Le compositeur se penchait par-dessus le bras du fauteuil en osier, intéressé.

– Jusqu'à quel âge avez-vous vécu là-bas ?

– Jusqu'à mes quatorze ans.

– Voilà qui explique tout. Ces tangos si authentiques… Pourquoi souriez-vous ?

Max haussa les épaules, sincère.

– Parce qu'ils n'ont rien d'authentique. Le tango d'origine est différent.

Surprise réelle ou seulement apparente ? Ou alors juste attention polie. Le verre restait à mi-chemin de la table et de la bouche entrouverte de De Troeye.

– Ah oui ?… Et il est comment ?

– Plus rapide, interprété par des musiciens qui jouaient d'oreille. Plus lascif qu'élégant, si on peut résumer. Fait de *cortes* et de *quebradas* [1], dansé par des prostituées et des voyous.

L'autre éclata de rire.

– C'est encore le cas dans certains milieux, fit-il remarquer.

– Pas vraiment. Le tango original a beaucoup changé, surtout depuis qu'il est devenu à la mode à Paris voici dix ou quinze ans, dans les bals apaches des bas-fonds… Alors les gens bien ont commencé à l'imiter. De là-bas, il est revenu en Argentine, francisé, transformé en un

---

1. Littéralement « cassure », c'est-à-dire un pas avec les jambes de l'homme et de la femme fléchies. Comme le *corte*, il s'agit d'une figure propre au tango des années vingt.

tango lisse, presque honorable. – Max haussa de nouveau les épaules, vida le fond de son verre et regarda le compositeur qui souriait amicalement. – J'espère que je m'explique bien.

– Naturellement. Et c'est très intéressant... Vous êtes pour moi une heureuse surprise, monsieur Costa.

Max ne se rappelait pas lui avoir dit son nom, pas plus qu'à sa femme. De Troeye l'avait peut-être vu sur la liste du personnel de bord. Ou il l'avait cherché intentionnellement. Il se fit cette réflexion sans s'y attarder, avant de continuer à satisfaire la curiosité de son interlocuteur. Une fois que le tango avait acquis ce cachet de parisianisme, ajouta-t-il, la haute société argentine, qui avant le rejetait en le considérant comme immoral et réservé aux maisons closes, l'avait tout de suite adopté. Il avait cessé d'être l'exclusivité de la racaille des quartiers populaires et était passé dans les salons. Jusqu'alors, le tango authentique, celui que dansaient à Buenos Aires les filles de la rue et les voyous des faubourgs, n'avait été qu'une musique clandestine au sein de la bonne société : les jeunes filles bien élevées le jouaient en cachette sur le piano de la maison, avec des partitions glissées en sous-main par les petits amis et les frères émancipés et noctambules.

– Mais vous-même, objecta de Troeye, vous dansez le tango moderne, puisqu'il faut bien lui donner un nom.

Le mot *moderne* fit sourire Max.

– Bien sûr. C'est celui qu'on me demande. Et aussi le seul que je connaisse. Je n'ai jamais eu l'occasion de danser l'ancien tango à Buenos Aires : j'étais trop jeune. Mais je l'ai vu pratiquer bien des fois... Paradoxalement, celui que je danse, je l'ai appris à Paris.

– Et comment êtes-vous arrivé en France ?

– C'est une longue histoire. Elle vous ennuierait.

De Troeye avait appelé le serveur et commandé une nouvelle tournée, sans tenir compte des protestations de Max. Il paraissait avoir l'habitude de commander des consommations sans consulter personne. Il était, ou semblait être, de cette classe d'individus qui considèrent tout le monde comme leur invité, même à d'autres tables que la leur.

– M'ennuyer? Pas du tout. Vous ne pouvez pas savoir à quel point ce que vous dites m'intéresse… Y a-t-il à Buenos Aires des gens qui jouent le tango à l'ancienne manière?… Le tango pur, pour ainsi dire?

Max le dévisagea un instant, puis hocha la tête, dubitatif.

– Pur, non, il ne reste rien. Mais il y a encore quelques endroits. Pas dans les salles à la mode, évidemment.

Il regardait les mains de De Troeye: larges, fortes. Elles n'étaient pas élégantes, du moins telles que le danseur mondain avait imaginé celles d'un compositeur célèbre. Des ongles courts et soignés, observa Max. Et cette bague en or à chaton bleu au même doigt que l'alliance.

– Je vais vous demander une faveur, monsieur Costa. Quelque chose d'important pour moi.

Les nouvelles boissons étaient arrivées. Max ne toucha pas à la sienne. De Troeye souriait, amical et sûr de lui.

– Je voudrais vous inviter à déjeuner, poursuivit-il, pour que nous parlions de cela plus en détail.

Le danseur dissimula sa surprise sous un sourire contraint.

– Je vous en remercie, mais je ne puis venir dans la salle à manger des premières classes. Les employés n'y sont pas autorisés.

– Vous avez raison. – Le compositeur fronçait les sourcils en réfléchissant, comme s'il se demandait jusqu'à quel point il pouvait contrevenir au règlement du *Cap Polonio*. – C'est un désagréable contretemps. Nous pourrions manger ensemble dans la salle des secondes classes… Mais non, j'ai une meilleure idée. Nous disposons, ma femme et moi, de deux cabines formant une suite, où l'on peut très bien installer une table pour trois... Nous feriez-vous cet honneur?

Max hésita, encore déconcerté.

– C'est très aimable à vous. Mais je ne sais si je dois.

– Ne vous inquiétez pas. J'arrangerai ça avec le commissaire de bord. – De Troeye but une dernière gorgée et reposa d'une main ferme le verre sur la table, comme si cela mettait un point final à la question. – Alors, vous acceptez?

Les dernières réticences de Max se réduisaient à une simple prudence. Il est vrai que rien ne correspondait à l'idée qu'il s'était faite jusque-là de l'affaire. Encore que si, peut-être, conclut-il après avoir réfléchi un instant. Il avait besoin d'un peu de temps et de plus d'informations pour peser le pour et le contre. À l'improviste, Armando de Troeye venait s'introduire dans le jeu comme un nouvel élément. Il ne s'y attendait pas.

– Peut-être que votre femme... risqua-t-il.

– Mecha sera ravie, trancha l'autre, tout en haussant les sourcils pour attirer l'attention du serveur et se faire apporter l'addition. Elle dit que vous êtes le meilleur danseur de salon qu'elle ait jamais connu. Pour elle aussi, ce sera un plaisir.

Sans regarder le montant, de Troeye signa la note en indiquant le numéro de sa cabine, laissa un billet en pourboire sur le plateau et se leva. Par un réflexe de politesse, Max voulut l'imiter, mais de Troeye, posant la main sur son épaule, le retint. Une main plus forte qu'on ne l'eût supposé d'un musicien.

– Je voudrais en quelque sorte vous demander un conseil. – Il avait tiré de son gilet la montre pendue à sa chaîne en or et consultait négligemment l'heure. – À midi, donc... Cabine 3A. Nous comptons sur vous.

Sur ces mots, il s'en fut sans attendre la réponse, tenant pour acquis que le danseur mondain serait au rendez-vous. Et un moment après le départ d'Armando de Troeye du salon-bar, Max regardait encore la porte par laquelle celui-ci était sorti. Il réfléchissait au tour imprévu que prenaient, ou pouvaient prendre, les événements qu'il avait tenté de prévoir, ou d'organiser, pour les prochains jours. Après tout, décida-t-il, il n'était pas impossible que l'affaire lui offre des possibilités multiples, plus profitables que tout ce qu'il avait envisagé. Finalement, avec cette pensée en tête, il posa un morceau de sucre dans une petite cuillère placée sur le verre d'absinthe et versa de l'eau dessus en regardant le sucre se désagréger dans la liqueur verdâtre. Il s'adressait à lui-même un léger sourire quand il porta le verre à ses lèvres. Cette fois, le goût fort et doux du liquide ne lui rappela pas le caporal légionnaire Boris Dolgorouki-Bagration ni les bouis-bouis maures du Maroc. Ses pensées étaient occupées par le collier de perles qu'il avait vu briller, reflétant les lustres de la salle de bal, sur le décolleté de Mecha Inzunza de Troeye. Et aussi par la courbe du cou nu qui montait des épaules de cette femme. Il eut envie de siffloter un tango et fut sur le point de le faire, avant de se rappeler où il se trouvait. Lorsqu'il se leva, le goût de l'absinthe dans sa bouche était suave comme un présage de femme et d'aventure.

Spadaro a menti : la chambre est petite, en effet, avec une commode et une vieille armoire à glace, la salle de bains est étroite et le lit à une personne est banal. Mais il n'est pas vrai que la pièce soit privée de vue. Par l'unique fenêtre, orientée à l'ouest, on peut voir la partie de Sorrente qui surplombe la Marina Grande, avec les frondaisons du parc et les villas s'échelonnant sur les pentes du cap. Et quand Max écarte les battants et regarde au-dehors, ébloui par la lumière, il parvient à découvrir une portion de la baie, avec l'île d'Ischia se dessinant au loin.

Ayant pris une douche, nu sous un peignoir aux armes de l'hôtel brodées sur la poitrine, le chauffeur du docteur Hugentobler s'observe dans la glace de l'armoire. Son regard critique et exercé, par habitude professionnelle, à l'étude des êtres humains – c'est de ce regard qu'a toujours dépendu le succès ou l'échec de tout ce qu'il a entrepris – s'attarde sur l'image du vieil homme immobile qui contemple ses cheveux gris mouillés, les rides de son visage, les yeux fatigués. Il a encore bon aspect, estima-t-il, si l'on considère avec indulgence les ravages pouvant affecter les autres hommes de son âge. Les dommages, les pertes et les déchéances. Les défaites irréparables. De sorte que, en guise de consolation, il palpe le tissu du peignoir : dessous, il y a évidemment plus de poids et d'épaisseur que voici quelques années, mais le tour de taille est encore raisonnable, le maintien reste droit et les yeux demeurent vifs et intelligents, confirmant une allure que le déclin, les années sombres et l'absence finale d'espoir n'ont jamais réussi à faire vraiment fléchir. Pour se le prouver, comme l'acteur qui répète un passage difficile de son rôle, Max sourit soudain au vieil homme que lui renvoie la glace, et celui-ci répond par une expression qui, en éclairant son visage, semble parfaitement spontanée : sympathique, convaincante, rien ne lui manque pour inspirer confiance. Il reste ainsi un moment, sans bouger, laissant le sourire s'effacer lentement. Puis, prenant un peigne sur la commode, il lisse ses cheveux comme jadis, en arrière, marquant une raie rectiligne et impeccable, très haut sur le côté gauche. Ses manières aussi ont gardé toute leur distinction, conclut-il en analysant le résultat d'un œil critique. Ou du moins continuent-elles à donner le change. Elles suggèrent toujours une bonne naissance supposée – de là à de hautes origines également supposées, il n'y avait, en d'autres temps, qu'un pas facile à franchir – que les années, l'habitude, la nécessité et le talent ont perfectionnée au point d'éliminer toute trace de la supercherie première. Vestiges, enfin, d'un passé de séducteur qui, en d'autres époques, lui a permis d'évoluer avec l'aplomb impavide d'un chasseur en des territoires incertains, souvent hostiles. D'y prospérer et d'y survivre. Ou presque. Jusqu'à il y a peu encore.

Se défaisant du peignoir, Max siffle *Torna a Surriento* et commence à s'habiller avec la lenteur méticuleuse des anciens temps, quand endosser les vêtements adéquats selon une routine minutieuse, veillant au détail de l'inclinaison d'un chapeau, à la façon de nouer une cravate ou aux cinq manières de disposer le mouchoir blanc dans la pochette d'une veste, le faisait se sentir, en des moments d'optimisme et de confiance en ses capacités, comme un guerrier qui s'équipe pour le combat. Et cette vague sensation de revenez-y, le parfum familier d'impatience ou d'affrontement imminent caressent sa fierté recouvrée, pendant qu'il enfile le caleçon en coton, les chaussettes grises – qui réclament un petit effort pour se courber, assis sur le lit –, la chemise empruntée à la garde-robe du docteur Hugentobler, un peu trop large à la taille. Ces dernières années, on porte des vêtements qui collent au corps, des pantalons à pattes larges, des vestes et des chemises cintrées : mais Max, qui ne parvient pas à se plier à cette mode, apprécie la coupe classique de la Sir Bonser en soie bleu pâle avec des boutons aux revers du col, qui lui va comme si elle avait été faite à ses mesures. Avant de la boutonner, ses yeux s'attardent sur la cicatrice en forme de petite étoile d'un pouce de diamètre sur le côté gauche du thorax, à la hauteur des dernières côtes, marque laissée par la balle d'un franc-tireur rifain qui a frôlé un poumon à Taxuda, au Maroc, le 2 novembre 1921 ; et qui, après un séjour à l'hôpital de Melilla, a mis fin à la brève carrière de militaire

74

du légionnaire Max Costa, enrôlé sous ce nom cinq mois plus tôt – abandonnant derrière lui pour toujours son vrai nom : Máximo Covas Lauro – à la 13e compagnie, premier régiment, de la Légion espagnole.

Le tango, expliqua Max, était issu de plusieurs composantes : tango andalou, habanera, milonga et danse des esclaves noirs. Les gauchos de la pampa, à mesure qu'ils se rapprochaient avec leurs guitares des débits de boisson, des entrepôts et des maisons closes des faubourgs de Buenos Aires, accédèrent à la milonga, que l'on chantait, et finalement au tango, qui avait débuté en milonga dansée. La musique et la danse des Noirs avaient été importantes, car, à cette époque, les couples dansaient en se tenant l'un l'autre sans s'étreindre. Plus distants qu'aujourd'hui, avec des pas croisés, en avant et en arrière, et en exécutant des figures simples ou compliqués.

– Des tangos de nègres ? – Armando de Troeye paraissait réellement surpris. – Je ne savais pas qu'il y avait des Noirs en Argentine.

– Il y en a eu. D'anciens esclaves. Ils ont été décimés à la fin du siècle par une épidémie de fièvre jaune.

Ils étaient assis tous les trois autour de la table dressée dans la cabine double des premières classes. Cela fleurait bon le cuir de qualité des malles et des valises, l'eau de Cologne et l'essence de térébenthine. Par un grand hublot, on voyait la mer bleue et paisible. Max, portant complet gris, chemise à col mou et cravate écossaise, avait frappé à la porte à midi et deux minutes et, après les premiers moments où Armando de Troeye semblait être le seul qui fût à son aise, le repas – consommé de poivrons, langouste mayonnaise et vin du Rhin bien frais – s'était passé à converser agréablement, presque toujours à l'initiative du

75

compositeur ; lequel, après avoir raconté d'abord quelques anecdotes personnelles, avait questionné Max sur son enfance à Buenos Aires, le retour en Espagne et son existence d'animateur professionnel dans des palaces, des établissements balnéaires et sur des transatlantiques. Prudent, comme toujours quand il s'agissait de sa vie, Max s'en était tiré par de brefs commentaires et un flou artistique. Et enfin, avec le café, le cognac et les cigarettes, à la demande du compositeur, il était revenu sur le tango.

– Les Blancs, poursuivit-il, qui au début se contentaient de regarder les Noirs, ont adopté leurs danses en faisant plus lentement ce qu'ils ne pouvaient imiter et en introduisant des mouvements de la valse, de la habanera ou de la mazurka… Comprenez bien que, plus qu'une musique, le tango était alors une manière de danser. Et de jouer.

Parfois, quand il parlait, poignets et manchettes avec leurs boutons d'argent posés sur la table, ses yeux rencontraient ceux de Mecha Inzunza. L'épouse du compositeur avait gardé le silence durant presque tout le repas, écoutant la conversation et risquant juste de temps à autre un bref commentaire ou glissant une question dont elle écoutait la réponse avec une attention polie.

– Dansé par des Italiens et des émigrants européens, continua Max, le tango s'est fait plus lent, plus décomposé, même si les *compadritos* des faubourgs ont adopté certaines façons des Noirs… Quand il se dansait en ligne droite, comme on dit là-bas, l'homme s'interrompait net pour se mettre en valeur ou marquer une *quebrada*, arrêtant son mouvement et celui de sa cavalière. – Il regarda la femme, qui continuait d'écouter attentivement. – C'est le fameux *corte*, que vous-même, dans la version respectable de ces tangos que nous dansons aujourd'hui, réussissez si bien.

D'un sourire, Mecha Inzunza le remercia du compliment. Elle portait une robe légère d'une séduisante couleur champagne, et la lumière du hublot encadrait ses cheveux coupés court sur la nuque : la ligne flexible du cou qui avait tant occupé les pensées de Max durant ces derniers jours, depuis le tango silencieux dans le salon d'hiver du transatlantique. Les seuls bijoux qu'elle arborait en ce moment étaient le collier de perles disposé sur deux rangs et son alliance.

– Qu'est-ce qu'un *compadrito* ? voulut-elle savoir.

– Demandez plutôt ce que c'était.

– Il n'y en a plus ?

– En dix ou quinze ans, beaucoup de choses ont changé... Quand j'étais gamin, nous appelions *compadritos* les jeunes de condition modeste, enfants ou petits-enfants de ces gauchos qui, après avoir conduit les troupeaux, avaient mis pied à terre pour s'installer dans les faubourgs de la ville.

– Ils pouvaient être dangereux, fit remarquer de Troeye.

Max fit un geste d'indifférence. Ceux-là, expliqua-t-il, ne l'étaient pas vraiment. Avec les *compadres* et les *compadrones*[1], c'était une autre paire de manches. Beaucoup plus coriaces : certains étaient d'authentiques malfrats, d'autres tentaient seulement de les imiter. On avait recours à eux en politique, pour servir de gardes du corps, lors des élections et autres activités du même acabit. Mais les vrais, les authentiques, ceux qui portaient le plus souvent des noms espagnols, ceux-là se voyaient de plus en plus supplantés par les enfants des immigrants qui prétendaient les copier : mauvais garçons de la pire engeance, qui copiaient encore les vieilles manières des caïds des faubourgs sans en conserver les codes et le courage.

– Et le véritable tango est une danse de *compadritos* et de *compadres* ? voulut savoir Armando de Troeye.

---

1. Le *compadre* était le caïd du quartier, souvent chef de bande, et le *compadrón* le petit voyou qui voulait imiter le *compadre*.

– Il l'a été. Ces premiers tangos dansés étaient ouvertement obscènes, les couples joignant leurs corps et enlaçant leurs jambes dans des mouvements de hanche qui venaient, comme je l'ai dit, de la danse des Noirs...

Du coin de l'œil, Max remarqua le sourire de Mecha Inzunza : à la fois distant et intéressé. Il avait déjà vu ce sourire chez des femmes de sa classe, quand on abordait ce genre de questions.

– D'où la mauvaise réputation, naturellement, dit-elle.

– C'est vrai. – Par délicatesse, Max continuait à s'adresser au mari. – Figurez-vous qu'un des premiers tangos s'appelait *Dame la lata*...

– La *lata* ?

Autre regard à la dérobée. Le danseur mondain hésitait, prenant le temps de choisir les mots qui convenaient.

– C'était le jeton, dit-il enfin, délivré par la *madame**[1] de la maison close pour chaque client qui montait avec une prostituée et que celle-ci remettait à son *cafiolo*, qui récupérait l'argent.

– *Cafiolo*, ça fait très exotique, commenta la femme.

– Ça signifie le *maquereau**, précisa de Troeye. Le souteneur.

– J'avais parfaitement saisi, chéri.

Y compris quand le tango était devenu populaire en arrivant jusque dans les fêtes familiales, poursuivit Max, les *cortes* étaient interdits, parce que immoraux. Quand il était enfant, on le dansait seulement dans les matinées des sociétés et des associations italiennes et espagnoles, dans les bordels et dans les *garçonnières** des jeunes gens de bonne famille. Aujourd'hui encore, alors qu'il triomphait dans les salons et les théâtres, certains milieux maintenaient

---

1. Les mots en italique suivis d'un astérisque sont en français dans le texte original.

78

l'interdiction des *cortes* et des *quebradas*. De *poner pierna*, « mettre la jambe », comme on disait vulgairement. Être accepté par la société avait coûté au tango de perdre son caractère, conclut-il. Il avait abandonné son rythme, et cela lui avait « fatigué le pas », l'avait rendu plus lent et moins lascif. Il n'était plus que le tango domestiqué qui était passé par Paris pour acquérir sa célébrité.

– Il s'est transformé en cette danse monotone que nous voyons dans les salons, ou en la parodie stupide qu'en a faite Rudolf Valentino au cinéma.

Les yeux couleur de miel étaient rivés sur lui. Conscient du fait, les évitant avec tout le calme dont il était capable, Max sortit son étui et le tendit, ouvert, à la femme. Elle prit une cigarette turque, le mari en prit également une et alluma avec un briquet en or celle de son épouse, glissée dans le court fume-cigarette en ivoire. Celle-ci, après s'être penchée un peu vers la flamme, releva la tête et regarda de nouveau Max à travers la première bouffée de fumée que la lumière entrant par le hublot rendait épaisse et bleutée.

– Et à Buenos Aires ? demanda Armando de Troeye.

Max tapota une extrémité de la cigarette contre l'étui fermé, sourit et alluma son Abdul Pacha. Le tour pris par la conversation lui permettait d'affronter les yeux de la femme. Il le fit durant trois secondes, en gardant le sourire. Puis il se tourna vers le mari.

– Dans les faubourgs, dans les bas-fonds, il y en a encore parfois qui continuent d'effectuer des pas rapides en serrant la taille de leur partenaire et de « mettre la jambe ». Ce sont là les derniers vestiges du vieux tango… Celui que nous dansons n'en est en réalité qu'une pâle imitation. Une élégante habanera.

– Est-ce la même chose pour les paroles ?

– Oui, encore que le phénomène soit plus récent. Au début, il n'y avait que la musique, ou seulement des couplets

79

pour cabarets. Quand j'étais gamin, on n'entendait presque pas de tangos chantés et ils étaient toujours grossiers et obscènes, des histoires à double sens racontées par des rufians cyniques...

Il s'arrêta, hésitant un moment sur la nécessité d'ajouter d'autres détails.

— Et ?

C'était elle qui avait formulé la question, en jouant avec une petite cuillère en argent. Cela décida Max.

— Eh bien... Il suffit de prendre les titres de l'époque. *Qué polvo con tanto viento*, *Siete pulgadas*, *Cara Sucia*[1], qui en réalité désignent tout autre chose, ou *La C...ara de la L...una*, comme ça, avec des points de suspension dans le titre, qui, en réalité, excusez la crudité, signifie *La Concha de la Lora*[2].

— *Lora* ?... Ça veut dire quoi ?

— Prostituée, en *lunfardo* : l'argot local... Celui qu'utilise Gardel quand il chante.

— Et *concha* ?

Max regarda Armando de Troeye sans répondre. La moue amusée du mari s'épanouit en un large sourire.

— Compris, dit-il.

— Compris, répéta-t-elle au bout d'un instant, impavide.

Le tango sentimental, poursuivit Max, était un phénomène récent. C'était Gardel qui avait popularisé ces paroles larmoyantes, remplissant le tango de cocus vindicatifs et de femmes perdues. Dans sa voix, le cynisme du voyou s'était transformé en larmes et en mélancolie. En histoires poétiques.

— Nous l'avons rencontré il y a deux ans, quand il se produisait au Romea de Madrid, précisa de Troeye. Un

1. Ces titres avaient un double sens à connotation sexuelle.
2. « Le con de la pute ».

homme très sympathique. Un peu cabotin, mais agréable.
– Il regarda sa femme. – Avec ce sourire, tu te souviens ?…
Comme s'il ne baissait jamais la garde.

– Je ne l'ai vu qu'une fois, de loin, en train de manger une
poule au pot, au Tropezón, dit Max. Il y avait plein de gens
autour de lui, naturellement. Je n'ai pas osé l'approcher.

– Il faut reconnaître qu'il chante très bien. Il dégage une
telle mélancolie, non ?

Max tira sur sa cigarette. De Troeye, qui se resservait du
cognac, lui en offrit, mais il fit non de la tête.

– Réellement, il a inventé le genre. Avant, ce n'étaient
que des couplets et des chansons de bordel… Il n'avait pratiquement pas d'antécédents.

– Et la musique ? – De Troeye avait trempé ses lèvres dans
le cognac et regardait Max par-dessus le bord du verre. –
Quelles sont, à votre avis, les différences entre l'ancien
tango et le moderne ?

Le danseur mondain se cala sur sa chaise en donnant, de
l'index, des petits coups à sa cigarette pour en faire tomber
la cendre dans le cendrier.

– Je ne suis pas musicien. Je ne fais que danser pour
gagner ma vie. Je ne sais même pas distinguer une croche
d'une brève.

– Cependant j'aimerais connaître votre opinion.

Max tira encore deux bouffées avant de répondre.

– Je ne peux parler que de ce que je connais. De ce dont
je me souviens… Il s'est passé dans ce domaine la même
chose qu'avec la manière de danser et de chanter. Au début,
les musiciens étaient intuitifs et jouaient des airs qu'ils
connaissaient mal, d'après la partition pour piano, ou de
mémoire. *A la parrilla*, « sur le gril », comme on dit là-bas…
Tout comme les musiciens de jazz-band quand ils improvisent en suivant leur fantaisie.

– Et comment étaient ces orchestres ?

Petits, précisa Max. Trois ou quatre types, sur fond de bandonéon, des accords simples et une très grande rapidité d'exécution. C'était plus une façon d'interpréter que de composer. Avec le temps, ce genre de formation avait été délaissé au profit d'orchestres modernes : solos de piano au lieu de guitare, contre-chants de violon, gémissements d'accordéon. Cela favorisait les danseurs inexpérimentés, les nouveaux venus. Les orchestres professionnels s'étaient tout de suite adaptés à ce tango.

– C'est celui que nous dansons, conclut-il en éteignant sa cigarette avec soin. Celui que l'on joue dans le salon du *Cap Polonio* et dans les lieux respectables de Buenos Aires.

Mecha Inzunza avait écrasé son mégot dans le même cendrier, trois secondes après Max.

– Et l'autre ? demanda-t-elle en jouant avec le fume-cigarette en ivoire. Qu'est devenu l'ancien ?

Le danseur mondain écarta, non sans effort, son regard des mains de la femme : fines, élégantes, racées. À l'annulaire gauche brillait l'alliance en or. Quand il leva les yeux, il vit qu'Armando de Troeye le contemplait fixement, inexpressif.

– Il existe encore, répondit-il. Marginal et de plus en plus rare. Quand on le joue, dans certains endroits, les gens ne le dansent presque plus. Il est trop difficile. Trop violent.

Il s'arrêta un moment. Le sourire qui, maintenant, affleurait sur ses lèvres était spontané. Suggestif.

– Un ami me disait qu'il y a des tangos pour souffrir et des tangos pour tuer... Le tango des origines était plutôt de ces derniers.

Mecha Inzunza avait posé un coude sur la table et la paume de sa main soutenait l'ovale de son visage. Elle semblait écouter avec une attention extrême.

– « Le tango de la Vieille Garde », l'appellent certains, précisa Max. Pour le différencier du nouveau. Du moderne.

– Joli nom, commenta le mari. D'où vient-il ?

Ses traits n'étaient plus inexpressifs. Derechef, la figure aimable de l'hôte attentionné. Max leva les mains comme pour souligner une évidence.

– Je l'ignore. Un vieux tango se nommait ainsi : *La Guardia Vieja*... Je ne saurais vous dire.

– Et il continue toujours d'être... obscène ? demanda-t-elle.

Un ton opaque. Presque scientifique. Celui d'une entomologiste qui vérifie, par exemple, si la copulation de deux scarabées est obscène. En supposant, se dit Max, que les scarabées copulent. Mais il n'y a aucune raison pour qu'ils ne le fassent pas.

– C'est selon les endroits, confirma-t-il.

Tout cela semblait ravir Armando de Troeye.

– Ce que vous nous contez est fascinant, conclut-il. Bien plus que vous ne pouvez l'imaginer. Et cela modifie certaines idées que j'avais en tête. Je voudrais y assister... Le voir dans son vrai milieu.

Max fit la grimace, évasif.

– On ne le joue pas dans des lieux recommandables, évidemment. En tout cas pas à ma connaissance.

– Vous connaissez des endroits de ce genre à Buenos Aires ?

– J'en connais quelques-uns. Mais ils sont tout sauf convenables. – Il regarda Mecha Inzunza. – Ce sont des lieux dangereux... Pas faits pour une dame.

– Ne vous inquiétez pas pour ça, dit-elle avec beaucoup de froideur et de calme. Nous avons déjà connu des lieux aussi scabreux, dans le passé.

L'après-midi s'achève. Le soleil déclinant se trouve encore au-dessus du cap, nimbant de tons verts et roux les villas qui couvrent les pentes de la montagne. Max Costa, vêtu de la même veste bleu marine et du même pantalon de flanelle gris qu'il portait en se rendant à l'hôtel – il a seulement changé le foulard de soie pour une cravate rouge à pois bleus avec un nœud windsor –, descend de sa chambre et se mêle aux clients qui prennent l'apéritif avant le dîner. L'été et ses foules sont déjà loin, mais avec le tournoi d'échecs l'établissement reste animé : presque toutes les tables du bar et de la terrasse sont occupées. Un panneau sur un chevalet annonce pour demain la prochaine partie du duel Sokolov-Keller. Max s'arrête devant et observe les photographies des adversaires qui l'illustrent. Sous des sourcils blonds et touffus, et une chevelure hérisson de la même nuance, les yeux clairs et aqueux du champion soviétique observent avec méfiance les pièces disposées sur un échiquier. Sa face ronde et rustique fait penser à celle d'un paysan qui porte aux échecs la même attention que plusieurs générations de ses ancêtres quand ils veillaient à la bonne venue d'un champ de blé, au passage des nuages porteurs d'eau ou de sécheresse. Quant à Jorge Keller, son regard contemple le photographe d'un air distrait. Un regard qui frise l'innocence, croit lire Max. Comme si, au lieu de regarder l'appareil, il fixait quelqu'un ou quelque chose situé légèrement plus loin, qui n'aurait rien à voir avec les échecs mais avec des songes juvéniles ou des chimères jamais réalisées.

Brise modérée. Rumeurs de conversations sur fond de musique douce. La terrasse du Vittoria est vaste et splendide. Au-delà de la balustrade, on peut admirer un beau panorama de la baie de Naples, que tamise une lumière dorée de plus en plus horizontale. Le chef barman conduit Max à une table située près d'une femme nue en marbre à demi agenouillée qui contemple la mer. En s'asseyant, Max commande un verre de vin blanc bien frais et jette un regard autour de lui. Chacun rivalise d'élégance, comme le lieu et l'heure l'exigent. Il y a là des clients étrangers bien habillés, surtout américains et allemands, qui visitent

Sorrente hors saison. Les autres sont les invités du millionnaire Campanella : des gens distingués dont il paye le déplacement et les frais d'hôtel. Il y a aussi des passionnés d'échecs qui peuvent se permettre de voyager et de séjourner à leur compte. Aux tables proches, Max reconnaît une belle actrice de cinéma en compagnie de personnes parmi lesquelles se trouve le mari, producteur de Cinecittà. Tout près s'agitent deux jeunes gens qui ont l'allure de journalistes locaux, l'un d'eux muni d'un Pentax dont il a passé le cordon autour de son cou ; et chaque fois qu'il braque son appareil, Max fait un geste discret de la main pour dissimuler son visage ou se tourne pour regarder dans la direction opposée. C'est la réaction instinctive du chasseur attentif à ne pas être le chassé. Vieux réflexes de défense, habitude naturelle, que son instinct professionnel a développés tout au long des années pour prendre le moins de risques possible. Il y avait une époque où rien ne rendait Max Costa plus vulnérable que de livrer son visage et son identité à la discrétion d'un policier capable de se demander ce qu'était en train de tramer en ce lieu un de ces chevaliers d'industrie chevronnés que l'on appelait jadis, par un aimable euphémisme, les voleurs en gants blancs.

Lorsque les journalistes s'éloignent, Max inspecte les environs. En descendant, il se disait que ce serait un coup de chance extraordinaire que de rencontrer la femme dès la première tentative ; mais le fait est qu'elle est là, bien présente, pas très loin, assise à une table en compagnie d'autres personnes parmi lesquelles ne figurent ni le jeune Keller ni la fille qui les accompagnait. Cette fois, elle ne porte pas son chapeau en tweed, laissant ainsi à l'air libre ses cheveux courts, d'un gris argenté qui semble naturel. Tout en parlant, elle s'incline vers les autres avec un intérêt poli – une attitude dont Max se souvient avec une précision étonnante –, et se redresse de temps en temps contre le dossier de sa chaise, acquiesçant à la conversation avec un sourire. Elle est habillée simplement, avec la même négligence élégante que la veille : une jupe noire évasée, une ceinture large et un chemisier de soie blanche. Elle porte des mocassins en daim, le cardigan en laine jeté sur les épaules. Pas de pendants d'oreilles ni de bijoux : juste une mince montre au poignet.

Max goûte le vin, content de la fraîcheur qui embue le verre ; et quand il se penche un peu pour le reposer sur la table, le regard de la femme croise le sien. Une rencontre inopinée qui dure à peine une seconde. Elle est en train de dire quelque chose à ses compagnons et, ce faisant, balaie les alentours d'un regard qui coïncide un instant avec celui de l'homme qui l'observe, trois tables plus loin : les yeux poursuivent leur promenade pendant que la conversation continue, et quelqu'un tient maintenant un propos qu'elle écoute attentivement. Max, avec une pincée de mélancolie qui blesse sa vanité, sourit en lui-même et va chercher consolation dans une autre gorgée de falerne. C'est vrai qu'il a changé ; mais elle aussi, décide-t-il. Beaucoup, à coup sûr, depuis la dernière fois qu'ils se sont vus à Nice voici vingt-neuf ans, à l'automne 1937. Et plus encore, depuis ce qui s'est passé à Buenos Aires neuf ans avant Nice. Il s'est écoulé aussi bien des années depuis la conversation qu'ils ont eue, Mecha Inzunza et lui, sur le pont des canots de sauvetage du *Cap Polonio*, quatre jours après avoir été invité à déjeuner avec elle et son mari dans leur luxueuse cabine pour parler de tango.

Ce jour-là encore, il était parti délibérément à sa recherche après une nuit d'insomnie dans sa cabine de deuxième classe ; une nuit qu'il avait passée les yeux grands ouverts, bercé par le doux tangage du navire et la lointaine trépidation intérieure des machines dans les cloisons du transatlantique. Il y avait des questions qui réclamaient une réponse, et des plans à élaborer. Des pertes et des gains possibles. Mais aussi, même s'il se refusait à le reconnaître, il sentait battre dans tout cela une vibration personnelle, inexplicable, qui n'avait rien à voir avec les circonstances matérielles. Quelque chose d'inhabituel, parce que dépourvu de calcul, fait de sensations, d'attirance et de méfiance.

Il la trouva sur le pont des canots, comme la fois précédente. Le paquebot marchait à bonne allure, fendant une légère brume que le soleil, disque d'or diffus montant lentement à l'horizon, dispersait peu à peu. Elle était assise sur le banc de teck, sous une des trois grandes cheminées peintes en blanc et rouge. Elle portait des vêtements de sport, une jupe plissée sous un jersey de laine à rayures, et des chaussures à talons plats. Le bord court d'un chapeau cloche en tagal abritait l'ovale de son visage penché sur un livre. Cette fois, Max ne se contenta pas de passer avec un bref salut mais dit bonjour et s'arrêta devant elle, ôtant sa casquette. Le danseur mondain avait le soleil dans le dos, la mer était calme, et son ombre oscillait sur le livre ouvert et la figure de la femme quand elle leva les yeux pour le dévisager.

– Ah, dit-elle, voici le danseur parfait.

Elle souriait, mais les yeux qui semblaient le jauger paraissaient tout à fait sérieux.

– Comment allez-vous, Max ?… Combien de jeunes personnes et de dames célibataires vous ont marché sur les pieds, ces derniers jours ?

– Mieux vaut éviter ce sujet, répondit Max. Beaucoup trop à mon gré.

Cela faisait quatre soirées de suite que Mecha Inzunza et son mari n'étaient pas revenus à la salle de bal. Max ne les avait pas revus depuis le déjeuner dans la cabine.

– J'ai réfléchi à ce qu'a dit votre mari… Aux lieux qui conviendraient, pour voir danser le tango à Buenos Aires.

Le sourire s'accentua. Jolie bouche, pensa-t-il. Mais pas seulement la bouche.

– Le tango à la manière de l'ancienne garde?

– «Vieille». On dit «la Vieille Garde». Et oui: c'est bien de ça qu'il s'agit.

– Magnifique. – Elle ferma le livre et se déplaça sur un côté du banc avec naturel, ménageant un espace libre pour qu'il puisse s'y asseoir. – Vous pourrez nous y mener?

Pour être attendu, le pluriel n'en incommoda pas moins Max. Il restait debout devant elle, la casquette toujours à la main.

– Tous les deux?

– Oui.

Le danseur mondain fit un geste affirmatif. Puis il remit sa casquette – légèrement inclinée sur l'œil droit, par un soupçon de coquetterie – et s'assit sur la partie du banc qu'elle avait laissée libre. L'endroit était protégé de la brise, à l'abri d'une structure métallique peinte en blanc: une des énormes manches à air qui jalonnaient le pont. Du coin de l'œil, il lut le titre du livre qu'elle tenait sur sa jupe. Il était en anglais: *The Painted Veil*. Il n'avait rien lu de ce Somerset Maugham dont le nom figurait sur la couverture, mais il le connaissait au moins de réputation. Il n'était pas grand lecteur.

– Je n'y vois pas d'inconvénient. À partir du moment où vous êtes prête à affronter certains genres de hasards.

– Vous me faites peur.

Ça ne semblait pas du tout le cas. Max regardait au-delà des canots de sauvetage, sentant les yeux de la femme posés sur lui. Il hésita un instant, ne sachant s'il devait se montrer affecté par ce qui était peut-être de l'ironie voilée, et décida que non. Elle était probablement sincère, même s'il avait du mal à imaginer qu'elle puisse avoir peur. Peur de certains genres de hasards.

– Il s'agit de lieux populaires, expliqua-t-il. De ce que nous pourrions appeler des quartiers mal famés, comme je l'ai dit. Mais je continue à me demander si vous...

Il se tut en se tournant vers elle. Elle paraissait amusée par cette pause délibérée, prudente.

– Vous voulez dire : si je dois m'aventurer dans des endroits comme ceux-là ?

– En réalité, ce n'est pas si dangereux. Il faut simplement s'abstenir d'une quelconque ostentation.

– Dans quel domaine ?

– L'argent. Les bijoux. Les vêtements coûteux ou trop élégants.

Elle rejeta la tête en arrière et rit très fort. Un rire désinvolte et sain, pensa Max. Un rire quasi sportif. Forgé dans la fréquentation des cours de tennis, des plages à la mode, des clubs de golf et des cabriolets Hispano-Suiza.

– Je comprends... Je dois me déguiser en femme de mauvaise vie pour passer inaperçue ?

– Ne vous moquez pas.

– Je ne me moque pas. – Elle le regardait avec un sérieux inattendu. – Vous seriez étonné si vous saviez le nombre de petites filles qui rêvent de s'habiller en princesse et le nombre de femmes adultes qui ont envie de s'habiller en putain.

Sortant de sa bouche, le mot *putain* n'était pas vulgaire, estima Max, déconcerté. Juste provocant. Le mot d'une femme capable d'aller, par curiosité ou amusement, dans un quartier mal famé pour voir danser des tangos. Tout est, conclut le danseur mondain, dans la manière de prononcer certaines paroles ou de regarder un homme dans les yeux comme elle le faisait en ce moment. Quoi que l'on puisse en dire, Mecha Inzunza, même si elle le voulait, ne réussirait pas à être vulgaire. De son vivant, le caporal Boris Dolgorouki-Bagration avait su assez bien résumer la situation :

« Si ton tour est venu, inutile de chercher à t'échapper. Et s'il ne l'est pas, inutile de le provoquer. »

– C'est étonnant, cet intérêt que votre mari porte au tango, parvint-il à dire, en se reprenant. Je le croyais...

– ... un compositeur sérieux ?

Ce fut au tour de Max de rire. Il le fit doucement, avec un aplomb calculé d'homme du monde.

– C'est une définition qui lui va. On a plutôt tendance à considérer que la musique qu'il compose et les danses plébéiennes ne vont guère ensemble.

– Nous pourrions appeler ça un caprice. Mon mari est un homme singulier.

Mentalement, Max se montra d'accord : *singulier* était sans nul doute le mot qui convenait. À ce qu'il en savait, Armando de Troeye figurait parmi la demi-douzaine de compositeurs les plus connus et les mieux payés du monde. Parmi les musiciens espagnols vivants, seul Manuel de Falla pouvait rivaliser avec lui.

– Un homme admirable, ajouta-t-elle après un instant. En treize ans, il a obtenu tout ce dont les autres osent à peine rêver... Savez-vous qui sont Diaghilev et Stravinsky ?

Max sourit, vaguement vexé. Je ne suis qu'un danseur professionnel, disait son expression. La musique, je ne la connais que d'oreille. Mais je ne suis quand même pas ignare à ce point.

– Bien sûr. Le directeur des Ballets russes et son compositeur préféré.

Elle acquiesça et entreprit de raconter. Son mari les avait fréquentés à Madrid pendant la Grande Guerre, chez une amie chilienne, Eugenia de Errazuriz. Ils étaient là pour les représentations de *L'Oiseau de feu* et de *Petrouchka* au Théâtre Royal. À l'époque, Armando de Troeye était un compositeur plein de talent mais encore peu connu. Ils avaient sympathisé, il leur avait fait visiter Tolède et l'Escurial, et ils s'étaient liés d'amitié. L'année suivante, ils s'étaient revus à Rome où, grâce à eux, il avait connu Picasso. La guerre finie, quand Diaghilev et Stravinsky étaient revenus à Madrid pour redonner *Petrouchka*, de Troeye les avait accompagnés à Séville, où ils avaient assisté aux processions de la semaine sainte. Au retour, ils étaient devenus intimes. Trois ans plus tard, en 1932, les Ballets russes donnaient à Paris *Paso-doble pour Don Quichotte*. Le succès avait été extraordinaire.

– La suite, conclut Mecha Inzunza, vous la connaissez sûrement. La tournée aux États-Unis, le triomphe de *Nocturnes* à Londres en présence du roi et de la reine d'Espagne, la rivalité avec de Falla et le magnifique scandale causé par *Scaramouche* à la salle Pleyel de Paris l'an passé, avec Serge Lifar et les décors de Picasso.

– C'est ce qui s'appelle réussir, estima Max, sur un ton calme et objectif.

– Et que veut dire pour vous réussir ?

– Gagner cinq cent mille pesetas par an. Pour le moins.

– Oh… Vous n'êtes pas très gourmand.

Il crut déceler un soupçon de sarcasme dans le ton de la femme et la regarda avec curiosité.

– Quand avez-vous connu votre mari ?

– Chez Eugenia de Errazuriz, justement. Elle est ma marraine.

– Vous menez avec lui une vie intéressante, je suppose.

– Oui.

Cette fois, le monosyllabe avait été brusque. Neutre. Elle regardait la mer de l'autre côté des canots de sauvetage, là où le soleil de plus en plus haut dissipait l'atmosphère brumeuse, dorée et grise.

– Et qu'est-ce que le tango vient faire dans tout ça ? demanda Max.

Il la vit pencher la tête comme s'il y avait plusieurs réponses possibles et qu'elle les considérait une à une.

– Armando est un humoriste, dit-elle enfin. Il aime jouer. Dans tous les sens du terme. Y compris dans son travail, naturellement... Des jeux risqués, novateurs. C'est précisément ce qui l'a fasciné chez Diaghilev.

Elle garda le silence un moment, les yeux baissés sur la couverture du livre : l'illustration montrait un homme vêtu avec élégance qui contemplait la mer depuis une plage à l'aspect oriental, bordée de palmiers.

– Il a l'habitude de dire, reprit-elle enfin, que pour lui une musique peut être écrite pour le piano, le violon, ou le tambour d'un garde champêtre, cela ne change absolument rien. Une musique est une musique. Point final.

À l'extérieur de l'abri où ils se tenaient, la brise marine était douce, due seulement au déplacement du transatlantique. Le disque du soleil, de plus en plus diaphane et lumineux, chauffait le plancher en teck. Mecha Inzunza se leva et Max l'imita aussitôt.

– Et toujours, chez mon mari, ce sens de l'humour... continua-t-elle avec naturel. Un jour, il a dit à un journaliste qu'il aurait aimé travailler, comme Haydn, pour la distraction d'un monarque... Une symphonie ? *Voilà**, Majesté. Et si elle ne vous plaît pas, je vous la rapporte arrangée en valse et j'y mets des paroles... Il adore faire semblant de travailler sur commande, même si c'est un mensonge. C'est sa façon de faire des clins d'œil. Sa coquetterie.

– Il faut beaucoup d'intelligence pour déguiser ses émotions personnelles en artifices, dit Max.

Il avait lu ou entendu cette remarque quelque part. À défaut de véritable culture personnelle, il était habile dans l'art d'emprunter des réflexions aux autres et de les faire passer pour siennes. De choisir les moments opportuns pour les placer. Elle marqua une légère surprise.

– Eh bien. Nous vous avons peut-être sous-estimé, monsieur Costa…

Il sourit. Ils marchaient lentement vers le bastingage qui se trouvait à l'arrière du pont, après la dernière des trois cheminées.

– Max : souvenez-vous.

– Bien sûr… Max.

Ils arrivèrent au bastingage et s'y accoudèrent, observant l'animation qui régnait au-dessous : casquettes de voyage, chapeaux mous et panamas blancs, capelines à large bord, petites toques de femme à la mode, en feutre ou en paille avec des rubans de couleur. Sur le pont des premières classes, où les cursives de bâbord et de tribord convergeaient vers la terrasse en plein air du café-fumoir, les grandes fenêtres étaient ouvertes et toutes les tables à l'extérieur occupées par des passagers profitant de la mer calme et de la température clémente. C'était l'heure de l'apéritif, une douzaine de serveurs en veste couleur cerise circulaient entre les tables, portant en équilibre des plateaux chargés de boissons et d'assiettes d'amuse-gueules, pendant qu'un majordome en uniforme veillait à ce que tout se passe comme l'exigeait le coût élevé du voyage.

– Ils ont l'air sympathiques, commenta-t-elle. Des employés heureux. C'est peut-être la mer.

– Pourtant ils ne le sont pas. Ils vivent dans la crainte du chef du personnel et des officiers. Être sympathique fait seulement partie de leur travail : ils sont payés pour sourire.

Elle le regardait avec une curiosité renouvelée. Différemment.

– Vous savez sûrement de quoi vous parlez, lança-t-elle.

– N'en doutez pas. Mais nous parlions de votre mari. De sa musique.

– Ah oui… J'allais vous dire qu'Armando adore étudier les apocryphes, forcer les anachronismes. Il s'amuse davantage à travailler avec la copie qu'avec l'original en faisant çà et là des clins d'œil, à la manière de tel ou tel : Schumann, Satie, Ravel… à se dissimuler en composant des sortes de pastiches. En parodiant même et surtout ceux qui parodient.

– Un plagiaire ironique ?

Elle l'étudia encore une fois en silence, le regard pénétrant, allant bien au-delà de l'apparence extérieure.

– Certains appellent cela la modernité, nuança-t-il, craignant d'être allé trop loin.

Son sourire était celui, professionnel, du gentil garçon sans prétention ni arrière-pensée. Ou, comme elle l'avait dit un moment plus tôt, du danseur parfait. Après un instant, il la vit détourner les yeux et hocher la tête.

– Ne vous méprenez pas, Max. C'est un compositeur extraordinaire, qui mérite pleinement son succès. Il fait semblant de chercher quand il a déjà trouvé, ou de mépriser des détails qu'il a auparavant minutieusement préparés. Il sait être vulgaire, mais, même dans ce cas, il s'agit d'une vulgarité distinguée. Avec cette négligence étudiée que certains élégants mettent à s'habiller… Vous connaissez l'introduction de *Paso-doble pour Don Quichotte* ?

– Non. Je le regrette. En matière de musique, je ne vais guère plus loin que les danses de salon.

– C'est dommage. Vous comprendriez mieux ce que je viens de dire. Celle du *Paso-doble* est une introduction qui n'introduit rien. Une plaisanterie géniale.

– C'est trop compliqué pour moi, dit-il avec simplicité.

– Sûrement. – La femme l'étudiait de nouveau attentivement. – Oui.

Max était toujours accoudé au bastingage peint en blanc. Sa main gauche se trouvait à vingt centimètres de la main droite de son interlocutrice, celle qui tenait le livre. Le danseur mondain regarda, en bas, les passagers des premières classes. Son long entraînement personnel, effort de nombreuses années, lui faisait seulement ressentir une vague rancœur. Rien, cependant, qui ne soit insupportable.

– Le tango de votre mari serait donc lui aussi une plaisanterie ? demanda-t-il.

D'une certaine manière, répondit-elle. Mais pas que cela. Le tango s'était vulgarisé. Aujourd'hui tout le monde en était fou, aussi bien dans les salons élégants qu'au théâtre, au cinéma et dans les kermesses de quartier. Aussi l'intention d'Armando de Troeye était-elle de jouer avec cette folie. De restituer au public la composition populaire, en passant par le filtre de cette ironie dont Max et elle venaient de parler.

– En le déguisant à sa façon, comme d'habitude, conclut-elle. Avec son immense talent. Un tango qui serait un pastiche de pastiches.

– Un roman de chevalerie qui réglerait leur compte à tous les romans de chevalerie ?

Un moment, elle parut surprise.

– Vous avez lu *Don Quichotte*, Max ?

Il fit un rapide calcul de probabilités. Mieux valait ne pas prendre de risque, décida-t-il. Pas de vantardise inutile. Un menteur trop malin se fait prendre plus facilement qu'un sincère maladroit.

– Non. – De nouveau le sourire irréprochable, spontanément professionnel. – Mais j'ai lu des choses dessus dans des journaux et des revues.

– Peut-être *leur régler leur compte* n'est-il pas le terme adéquat. Ce serait plutôt les dépasser. De façon définitive, car il les écraserait tous. Un tango parfait.

Ils s'écartèrent du bastingage. Sur la mer, de plus en plus bleue et de moins en moins grise, le soleil dissipait les derniers lambeaux de brume. La peinture blanche des huit canots arrimés à leurs bossoirs réfléchissait une lumière aveuglante qui obligea Max à rabattre un peu sur ses yeux la visière de sa casquette. Mecha Inzunza tira des lunettes noires de la poche de son jersey et les mit.

– Ce que vous avez expliqué sur le tango des origines l'a fasciné, dit-elle au bout de quelques pas. Il n'arrête pas d'y penser… Il compte sur votre promesse de le guider là-bas.

– Et vous ?

Sans cesser de marcher, elle se tourna deux fois pour l'observer, comme si elle ne comprenait pas le sens de la question. L'eau minérale Inzunza, se souvint Max. Il avait cherché les publicités dans les magazines illustrés du salon de lecture et interrogé le commissaire de bord et les officiers. À la fin du siècle dernier, le grand-père pharmacien avait amassé une fortune en mettant en bouteilles l'eau de la Sierra Nevada. Par la suite, le père avait construit au même endroit deux hôtels et une station thermale moderne, recommandée pour les affections des reins et du foie, et où il était de bon ton, dans la grande bourgeoisie andalouse, de passer la saison estivale.

– Qu'est-ce qui vous motive, madame ? insista Max.

Au point où en était arrivée la conversation, il espérait qu'elle le prierait de l'appeler Mecha ou Mercedes. Mais elle n'en fit rien.

– Je suis mariée avec lui depuis cinq ans. Et je l'admire profondément.

– C'est pour cela que vous désirez que je vous y emmène ? Que je vous y conduise tous les deux ? – Il se permit d'esquisser une moue sceptique. – Vous ne composez pas de musique.

La réponse ne fut pas immédiate. Elle continuait à marcher lentement, les yeux cachés par les verres teintés.

– Et vous-même, Max ? Reprendrez-vous le même bateau pour retourner en Europe, ou resterez-vous en Argentine ?

– Je resterai peut-être un certain temps. J'ai une proposition de travail pour trois mois au Plaza de Buenos Aires.

– Comme danseur ?

– Pour le moment, oui.

Un silence. Bref.

– Ça ne me semble pas être une profession vouée à un grand avenir. Sauf si…

Elle se tut de nouveau, mais Max n'eut pas de mal à compléter intérieurement la phrase : sauf si, avec ton physique de jeune premier, ton sourire de gentil garçon et tes tangos, tu parviens à séduire une millionnaire parfumée au Roger & Gallet qui te prendra comme *chevalier servant**, tous frais payés. Ou, pour le dire plus crûment, à l'italienne, comme gigolo.

– Je n'ai pas l'intention de l'exercer toute ma vie.

Les verres teintés étaient maintenant tournés vers lui. Immobiles. Il pouvait y lire son reflet.

– L'autre jour, vous avez dit quelque chose d'intéressant. Vous avez parlé de tangos pour souffrir et de tangos pour tuer.

Max fit un geste évasif. Cette fois encore, son intuition lui conseillait d'être sincère.

– Ce n'est pas de moi, mais d'un ami.

– Un autre danseur ?

– Non… C'était un soldat.

– C'était ?

– Il ne l'est plus. Il est mort.

– Je suis désolée.

– Vous n'avez pas à être désolée. – Il sourit pour lui-même, en se remémorant. – Il s'appelait Dolgorouki-Bagration.

– Ça n'évoque pas le nom d'un simple soldat. Plutôt celui d'un officier, non ?… Un genre d'aristocrate russe.

– C'est exactement ça : russe et aristocrate. Enfin, c'est ce qu'il racontait.

– Et il l'était réellement ? Aristocrate ?

– C'est possible.

Pour la première fois peut-être, Mecha Inzunza semblait déconcertée. Ils s'étaient arrêtés près du bastingage extérieur, au pied d'un canot de sauvetage. Le nom du canot était peint en noir sur l'avant. Elle enleva son chapeau – Max parvint à lire *Talbot* sur l'étiquette intérieure – et secoua ses cheveux dans la brise.

– Vous avez été soldat ?

– Un temps. Pas trop long.

– Durant la Grande Guerre ?

– En Afrique.

Elle pencha un peu la tête de côté, intriguée, comme si elle ne l'avait jamais vu avant. Pendant des années, l'Afrique du Nord avait fait régulièrement les titres de la presse espagnole, remplissant les magazines de portraits de jeunes officiers : le capitaine X des *Regulares*, le lieutenant Y de la Légion espagnole, le sous-lieutenant de cavalerie Z, morts héroïquement – ils mouraient tous héroïquement, dans les pages mondaines de *La Esfera* ou de *Blanco y Negro* – à Sidi Hazem, à Ketama, à Bab-el-Karim, à Igueriben.

– Vous voulez parler du Maroc ?... Melilla, Anoual et tous ces horribles endroits ?

– Oui. Tous ceux-là.

Il s'était adossé au bastingage pour profiter du souffle frais de la brise sur son visage, plissant les paupières, aveuglé par le miroitement du soleil sur la mer et sur la blancheur du canot. Tandis qu'il glissait la main dans la poche intérieure de sa veste et en tirait l'étui à cigarettes dont les initiales n'étaient pas les siennes, il vit que Mecha Inzunza l'observait avec une extrême attention. Elle continua de le regarder pendant qu'il lui offrait l'étui ouvert et qu'elle refusait d'un hochement de tête. Max prit une

Abdul Pacha, referma l'étui et tapa doucement l'extrémité de sa cigarette sur le couvercle avant de la porter à ses lèvres.

– Où avez-vous appris à vous comporter ainsi ?

Il avait sorti une boîte d'allumettes aux armes de la Hamburg-Südamerikanische et cherchait la protection du canot de sauvetage pour allumer la cigarette. Cette fois encore, il fut sincère dans sa réponse :

– Je ne vois pas de quoi vous parlez.

Elle avait ôté ses lunettes de soleil. Avec cette lumière, l'iris de ses yeux semblait plus clair et translucide.

– Ne soyez pas vexé, Max, mais il y a chez vous quelque chose qui me désarçonne. Vos manières sont impeccables et, bien entendu, votre physique y est pour beaucoup. Vous dansez merveilleusement et je connais peu de gentlemen qui savent s'habiller comme vous. Mais vous ne semblez pas être quelqu'un de…

Il sourit pour masquer sa gêne, tout en grattant une allumette. Il eut beau protéger la flamme dans le creux de ses mains, la brise l'éteignit avant qu'il puisse l'approcher de la cigarette.

– … bien élevé ?

– Ce n'est pas ce que je voulais dire. Vous ne pratiquez pas l'exhibitionnisme maladroit de l'arriviste ni l'ostentation vulgaire de celui qui prétend être ce qu'il n'est pas. Vous n'avez pas non plus l'arrogance d'un homme qui se sait beau. Vous paraissez plaire à tout le monde, sans faire le moindre effort. Et pas seulement aux femmes… Vous comprenez de quoi je parle ?

– Plus ou moins.

– Pourtant, l'autre jour, vous avez évoqué votre enfance à Buenos Aires et le retour en Espagne. La vie ne semble guère vous avoir fait de cadeaux, à cette époque… A-t-elle été meilleure ensuite ?

Max fit flamber une autre allumette, cette fois avec succès, et regarda la femme à travers la première bouffée de cigarette. D'un coup, il ne se sentait plus intimidé. Il se rappela le Barrio Chino de Barcelone, Marseille, la sueur et la peur à la Légion. Les cadavres de trois mille hommes, calcinés par le soleil, épars sur la route, entre Anoual et Al Aroui. Et Boske la Hongroise, à Paris : son corps superbe, nu à la lueur de la lune qui entrait par l'unique fenêtre de la mansarde de la rue de Fürstenberg, en semant dans l'obscurité des taches d'argent sur les draps froissés.

– Un peu, répondit-il enfin en contemplant la mer. Oui, en réalité, un peu meilleure.

Le soleil s'est caché derrière la pointe du cap, et la baie de Naples s'obscurcit lentement, tandis que la mer se teinte d'ultimes reflets violacés. Au loin, au pied des pentes sombres du Vésuve, les premières lumières s'allument le long de la côte qui va de Castellammare à Pouzzoles. C'est l'heure du dîner, et la terrasse de l'hôtel Vittoria se dépeuple peu à peu. De sa chaise, Max Costa voit la femme se lever pour se diriger vers la porte vitrée. Un moment, leurs regards se croisent de nouveau ; mais celui de la femme, vague et distrait, glisse sur le visage de Max avec la même indifférence. C'est la première fois, à Sorrente, qu'il la voit ainsi de près ; et il constate que, tout en conservant des traces de son ancienne beauté – les yeux n'ont pas changé et le contour des lèvres, bien dessiné, garde la finesse de ses lignes –, le passage du temps a laissé sur elle ses stigmates naturels : les cheveux très courts sont d'un gris presque argenté ; la peau semble mate et moins douce, sillonnée d'une infinité de rides minuscules autour de la bouche et des yeux ; et le dos des mains, quoique toujours minces et élégantes, est semé de taches de vieillesse. Mais ses

100

mouvements sont les mêmes que dans sa mémoire : sereins, sûrs d'eux. Ceux d'une femme qui, toute sa vie, a évolué dans un monde fait exclusivement pour elle. Un quart d'heure plus tôt, Jorge Keller et la jeune fille se sont joints au groupe et ils la suivent maintenant tandis qu'elle traverse la terrasse, passe devant Max et disparaît de sa vue. Un gros homme chauve, la barbe grisonnante, les accompagne. Max se lève et emboîte le pas au quatuor, franchit la porte et s'arrête près des fauteuils Liberty et des palmiers en pots qui décorent le jardin d'hiver. De là, il peut voir la porte vitrée qui donne sur le hall de l'hôtel et l'escalier conduisant au restaurant. Le groupe continue jusqu'au hall. Lorsque Max y arrive à son tour, ils ont déjà gravi les marches de l'escalier extérieur et longent l'allée qui traverse le jardin de l'hôtel en direction de la piazza Tasso. Max revient dans le hall et va au comptoir du concierge.

– N'était-ce pas Keller, le champion d'échecs ?

La surprise est merveilleusement simulée. L'autre, circonspect, acquiesce. C'est un homme jeune, grand, osseux, qui porte des petites clefs en or croisées aux revers de sa veste noire.

– Effectivement, monsieur.

S'il est une chose que Max Costa a retenue de cinquante années passées à traîner ses guêtres dans les lieux les plus variés, c'est que les subalternes sont plus utiles que les chefs. Aussi tente-t-il toujours de nouer des liens étroits avec ceux qui sont réellement à même de résoudre un problème : concierges, portiers, garçons d'étage, secrétaires, chauffeurs de taxi ou standardistes. Toutes gens qui tiennent entre leurs mains les ressorts de la bonne société. Mais des relations pratiques de cette importance ne s'improvisent pas ; pour les établir, il faut du temps, du bon sens et ce pour quoi l'argent ne suffit pas : un échange naturel relevant du principe d'un prêté pour un rendu et dans tous les cas je te serai toujours redevable, mon ami. En ce qui concerne Max, qu'il s'agisse d'un généreux pourboire ou d'un pot-de-vin éhonté – son savoir-vivre a rendu floue la frontière entre les deux –, ces procédés ont toujours servi de prétexte au sourire dévastateur qu'il adressait ensuite, avant le passage à l'acte final, tant aux victimes qu'aux complices involontaires. C'est ainsi que toute sa vie, minutieusement, le chauffeur du docteur Hugentobler s'est ménagé un vaste réseau de relations personnelles, grâce à des relations singulières et discrètes. Y compris avec certains individus de réputation douteuse, hommes ou femmes, objectivement peu recommandables, capables de lui voler sans scrupule une montre en or ; mais aussi de mettre la même montre en gage pour lui prêter de l'argent en cas de coup dur ou afin de payer une dette qu'il ne peut régler.

– Le maître doit aller dîner, évidemment.

L'employé acquiesce de nouveau sans trop se compromettre, cette fois avec une mimique polie, machinale, conscient que le vieux monsieur très digne qui se tient devant le comptoir et qui, d'un geste négligent, sort maintenant de la poche intérieure de sa veste un joli portefeuille en cuir de Russie paye, pour quatre nuits au Vittoria, l'équivalent de son salaire mensuel de concierge.

– J'adore les échecs… J'aimerais savoir où dîne M. Keller. Fétichisme d'aficionado, vous comprenez.

Le billet de cinq mille lires, discrètement plié en quatre, change de main et disparaît dans la poche de la veste aux petites clefs sur les revers. Du coup, le sourire du concierge se fait moins machinal. Plus naturel.

– Au restaurant 'O Parrucchiano, sur le Corso Italia, dit-il après avoir consulté le cahier des réservations. Un bon endroit pour manger des cannellonis ou du poisson.

– J'irai un de ces jours. Merci.

– Toujours à votre service, monsieur.

Max considère qu'il a plus de temps qu'il ne lui en faut. Aussi monte-t-il le large escalier décoré de motifs vaguement pompéiens et, faisant glisser ses doigts sur la rampe, il arrive au deuxième étage. Avant d'être relevé, Tiziano Spadaro lui a communiqué les numéros des chambres occupées par Jorge Keller et ses amis. Celle de la femme porte le numéro 429, et il se dirige vers elle en suivant le couloir, sur le long tapis qui étouffe le bruit de ses pas. La porte est conventionnelle, sans problème, avec le type de serrure classique permettant de regarder par le trou. Il essaye d'abord avec sa propre clef – ce ne serait pas la première fois que le hasard lui éviterait des complications techniques –, puis, après avoir jeté un regard précautionneux des deux côtés du couloir, il sort de sa poche un simple crochet, aussi parfait en son genre qu'un Stradivarius : une tige en acier de quelques centimètres, fine, dont une extrémité est recourbée, et qu'il a essayée deux heures plus tôt sur la serrure de sa propre chambre. Moins de trente secondes plus tard, trois légers déclics indiquent que le pêne est libéré. Alors Max tourne la poignée et ouvre la porte avec le calme professionnel d'un homme qui, durant une bonne partie de sa vie, a ouvert les portes d'autrui avec la conscience la plus tranquille du monde. Ensuite, après un dernier coup d'œil dans le couloir, il accroche le carton *Non disturbare* et entre en sifflotant tout bas, dents serrées, *L'homme qui a fait sauter la banque à Monte-Carlo*.

3

Les jeunes gens d'autrefois

La chambre a une agréable petite terrasse sous un arc ouvert sur la baie, par où pénètre la dernière clarté du soir. Précautionneux, Max ferme les rideaux, va dans la salle de bains et en revient avec une serviette qu'il dispose sur le sol afin d'obturer l'intervalle du bas de la porte. Après quoi il enfile de fins gants en caoutchouc et allume. La chambre est simple, avec des fauteuils damassés et des gravures de paysages napolitains aux murs. Il y a des fleurs fraîches dans un vase sur la commode, tout est propre et bien rangé. Dans la salle de bains, un nécessaire en toile L.V. Monogram contient un flacon de parfum Chanel, des crèmes hydratantes et démaquillantes Elizabeth Arden. Max regarde sans toucher à rien et fouille la pièce en prenant bien garde de ne déplacer aucun objet. Dans les tiroirs, sur la commode et les tables de nuit, il y a des objets personnels, des carnets de notes et un porte-monnaie contenant quelques milliers de lires en billets et en pièces. Max met ses lunettes et jette un regard sur les livres : deux romans policiers d'Eric Ambler en anglais – de ceux qu'on trouve dans les kiosques de gare – et un troisième d'un dénommé Soldati, en italien : *Le lettere da Capri*. Dessous, avec une enveloppe de l'hôtel comme marque-page, une biographie en anglais de Jorge Keller avec sa photo sur la couverture, surmontée du titre, *A Young Chessboard Life*, et, à l'intérieur, certains paragraphes soulignés au crayon. Max en lit un au hasard :

Il se souvient de s'être trouvé tellement déprimé chaque fois qu'il perdait une partie qu'il lui arrivait de pleurer, inconsolable, et de refuser de se nourrir des jours durant. Mais sa mère lui répétait : « Sans défaites, il n'y a pas de victoires. »

Après avoir remis le livre à sa place, Max ouvre l'armoire. En haut, il trouve deux valises Vuitton très usagées ; en bas, des vêtements disposés sur des cintres, des étagères et dans des tiroirs : une veste en daim, des robes et des jupes aux tons foncés, des chemisiers en soie ou en coton, des cardigans en laine, des foulards français en fine soie, des chaussures anglaises et italiennes confortables et pratiques, avec des talons bas ou des semelles plates. Sous les vêtements pliés, Max découvre un grand étui en cuir noir, avec une petite serrure. Il émet un grondement de satisfaction, comme un chat affamé qui trouverait une arête de sardine, et il sent dans ses doigts le fourmillement des vieilles émotions. Trente secondes plus tard, à l'aide d'un trombone plié en L, l'étui est ouvert. Dedans, il y a une petite liasse de francs suisses et un passeport chilien au nom de Mercedes Inzunza Torrens, née à Grenade, Espagne, le 7 juin 1905. Domicile actuel : Chemin du Beau-Rivage, Lausanne, Suisse. La photo est récente, et Max se livre à un examen détaillé, reconnaissant les cheveux gris de coupe un peu masculine, le regard qui fixe l'objectif, les rides autour des yeux et de la bouche qu'il a pu apercevoir quand elle est passée près de lui sur la terrasse de l'hôtel, et qui, sur la photo, se voient traitées sans complaisance par la lumière cruelle du flash. Une femme déjà avancée en âge, conclut-il. Soixante et un ans. Plus jeune que lui de trois petites années, à cette différence près que le temps est moins clément envers les femmes qu'envers les hommes. Mais, même ainsi, la beauté que Max a connue voici presque quarante ans à bord du *Cap Polonio* se manifeste toujours sur la photo du passeport : l'expression sereine des yeux que le flash fait apparaître plus clairs encore que dans son souvenir, le dessin admirable des lèvres, les lignes délicates du visage, le cou long et élégant de femme raffinée. Même quand ils vieillissent, se dit Max avec mélancolie, certains êtres peuvent ne pas tout perdre de leur beauté première.

Remettant en place le passeport et l'argent, attentif à ne rien déranger, il inspecte le reste du contenu de l'étui. Quelques bijoux : des boucles d'oreilles simples, un bracelet en or, mince et lisse, une montre de dame Vacheron Constantin avec un bracelet en cuir noir. Il y a aussi un autre étui carré, plat, en cuir marron très défraîchi à force d'usage. Et quand il l'ouvre et reconnaît le collier de perles – deux cents, toutes parfaites, avec un simple fermoir en or –, il ne peut éviter le tremblement de ses mains, tandis qu'un sourire de contentement passe sur son visage, avec une expression victorieuse inattendue qui rajeunit ses traits concentrés, crispés par l'émotion de sa trouvaille.

Ses doigts protégés par le caoutchouc des gants extraient le collier de son étui et il le contemple en l'approchant d'une lampe : il est intact, impeccable, tel qu'il l'a connu jadis. Même le fermoir n'a pas changé. Les perles superbes reflètent la lumière avec une douceur presque voilée. Il y a trente-huit ans, quand ce même collier s'est trouvé pour quelques heures en sa possession, un bijoutier de Montevideo dénommé Troianescu lui en a donné, en l'estimant au-dessous de sa valeur réelle, la somme alors respectable de trois mille livres sterling.

En examinant les perles, Max essaye de calculer ce qu'elles valent aujourd'hui. Il a toujours eu l'œil pour ce genre d'expertises rapides : un examen affiné par le temps, la pratique et les occasions. Les perles authentiques se sont beaucoup dépréciées avec la surproduction des perles de culture, mais les anciennes de bonne qualité gardent toujours leur valeur ; celles-là devraient atteindre les cinq mille dollars. Confiées à un receleur italien de confiance – il en a connu un autrefois qui est toujours en activité –, il pourrait en tirer les quatre cinquièmes de ce prix ; presque deux millions et demi de lires, ce qui équivaut quasiment à trois années de son salaire comme chauffeur à la villa Oriana. Telle est l'estimation que Max fait du collier de Mecha Inzunza : la femme qu'il a connue, et aussi l'autre, qu'il ne connaît plus. Celle de la photo sur le passeport, dont il a perçu le parfum nouveau, inconnu, peut-être oublié, en entrant dans la chambre et en cherchant dans les vêtements de l'armoire. La femme différente, encore que pas totalement, qui moins d'une heure plus tôt est passée près de lui sans le reconnaître. Les souvenirs de Max se bousculent, ranimés par le doux contact des perles : musique et conversations, lumières d'un autre temps, voire d'un autre siècle, rives de Buenos Aires, crépitement de la pluie sur une fenêtre face à la Méditerranée, goût de café tiède sur les lèvres d'une femme, soie et peau douce. Sensations physiques oubliées depuis si longtemps, qui soudain accourent en rangs serrés comme les feuilles mortes que charrie une rafale de vent d'automne. Réveillant les battements de ce vieux cœur qui semblait à jamais apaisé.

Perdu dans ses pensées, Max va s'asseoir sur le lit et demeure un moment à contempler le collier, en faisant glisser les perles entre ses doigts comme les grains d'un chapelet. Il soupire, se lève, aplanit l'oreiller et remet le bijou à sa place. Il range ses lunettes, promène un dernier regard autour de lui, éteint, enlève la serviette de sous la porte et va la remettre, pliée, dans la salle de bains. Puis il rouvre les rideaux de la terrasse. Il fait déjà nuit, et l'on aperçoit au loin les lumières de Naples. En sortant, il retire le carton *Non disturbare* et ferme la porte. Puis il ôte les gants en caoutchouc et foule à grands pas le tapis, une main dans la poche gauche et l'autre rajustant du pouce et de l'index le nœud de sa cravate. Il a soixante-quatre ans, mais il se sent rajeuni. Et même intéressant. Et, surtout, plein d'audace.

C'était un va-et-vient permanent de chasseurs portant télégrammes et messages, de clients bien vêtus, de grooms poussant des chariots chargés de valises. Toute l'agitation propre à un tel lieu, cher et cosmopolite. Partout, sur les épais tapis, figurait l'emblème de l'établissement. Cela faisait une heure et quart que Max Costa attendait près du hall à colonnes de l'hôtel Palace de Buenos Aires, dans le fumoir situé au pied de l'escalier monumental avec sa rampe de bronze et d'acier. Sous le haut plafond décoré de peintures et de moulures, le soleil de l'après-midi illuminait les grands vitraux qui enveloppaient le danseur mondain d'une agréable lumière multicolore. Il était assis dans un fauteuil en cuir d'où il pouvait voir la porte tambour donnant sur la rue, le grand hall dans toute son extension, un des deux ascenseurs et le comptoir des concierges. Il était arrivé au Palace cinq minutes en avance : le couple de Troeye lui avait donné rendez-vous à trois heures, mais l'horloge au-dessus de la cheminée du salon indiquait déjà quatre heures dix. Après avoir encore une fois vérifié l'heure, il modifia la position de ses jambes dans l'espoir de ne pas faire de poches aux genoux du pantalon du complet gris qu'il avait lui-même repassé dans la chambre de sa pension, et il écrasa sa cigarette dans le grand cendrier en cuivre jaune qui était près de lui. Il prenait avec calme l'absence de ponctualité du compositeur et de sa femme.

Dans certaines situations – pour ne pas dire toutes –, la patience était une qualité utile. Et, en bon chasseur, il était patient.

Cela faisait cinq jours qu'il avait débarqué, suivant de peu les de Troeye. Après avoir fait escale à Rio de Janeiro et Montevideo, le *Cap Polonio* avait remonté les eaux troubles du río de La Plata, et de lentes manœuvres d'amarrage l'avaient amené à quai près des grues, des hangars et des grands entrepôts en brique rouge entre lesquels fourmillait la foule de ceux qui étaient venus accueillir les passagers. En Europe, c'était l'automne, mais ici, dans le Cône Sud, c'était le début du printemps et, vu du haut des ponts du transatlantique, tout ce monde sur les quais était en robes légères, costumes aux tons clairs et chapeaux de paille blanche. Max, qui ne devait pas débarquer tant que les derniers passagers n'étaient pas descendus, regarda depuis le pont des secondes classes Mecha Inzunza et son mari franchir la passerelle principale, être reçus au pied de celle-ci par une demi-douzaine de personnes et un groupe de journalistes, puis s'éloigner avec eux pour rejoindre leurs bagages : une pile de valises et de malles gardée par trois hommes et un préposé de la compagnie. Les de Troeye avaient fait leurs adieux à Max deux jours plus tôt, après leur dernier dîner, au terme duquel Mecha Inzunza avait dansé trois tangos avec le danseur mondain pendant que le mari fumait assis à sa table, en les observant. Puis ils l'avaient invité à prendre un verre au bar des premières classes, en dépit du règlement concernant les employés du bord. Max avait accepté, puisqu'il s'agissait de sa dernière journée de travail. Ils avaient bu des cocktails au champagne, avaient continué à parler de musique argentine jusqu'à une heure avancée de la nuit et étaient tombés d'accord pour se revoir à terre, afin que Max puisse tenir sa promesse de les mener quelque part où le tango était encore exécuté à l'ancienne manière.

Et maintenant il était là, à Buenos Aires, surveillant le hall de l'hôtel avec le même calme professionnel que celui dont il avait fait preuve, confiant dans son intuition – cette patience assumée comme une qualité utile –, pendant ces cinq jours où il avait attendu, étendu sur le lit de la chambre louée dans une pension de l'avenue Almirante Brown, en fumant cigarette sur cigarette et en buvant des verres d'absinthe qui lui donnaient des maux de tête au réveil. Il en était à considérer que le délai qu'il s'était accordé à lui-même avant de partir à la recherche du couple était dépassé, quand la patronne avait frappé à sa porte. Un monsieur le demandait au téléphone. Armando de Troeye avait un engagement pour le déjeuner, mais ils seraient libres le reste de l'après-midi et le soir. Ils pouvaient se voir pour prendre un café, et dîner ensuite avant d'entreprendre la première excursion en territoire ennemi. De Troeye avait dit « territoire ennemi » d'un ton léger, comme s'il ne prenait pas au sérieux les avertissements concernant les risques d'exploration des bas-fonds de Buenos Aires. « Naturellement, Mecha viendra avec nous. » Il avait glissé ce dernier détail après une brève pause, pour répondre à la question que Max ne parvenait pas à formuler. « Elle est encore plus curieuse que moi », avait ajouté le compositeur après un nouveau silence, comme si sa femme était à côté de lui – le Palace était un hôtel moderne avec le téléphone dans toutes les chambres –, et Max les imaginait se regardant de manière significative, échangeant des commentaires à voix basse pendant que le mari posait une main sur le micro du combiné. La dernière nuit, quand ils avaient discuté à bord du *Cap Polonio*, elle avait insisté pour les accompagner.

– Je ne veux pas manquer ça, avait-elle dit avec beaucoup de calme et de fermeté. Pour rien au monde.

111

À ce moment-là, elle était assise sur un haut tabouret devant le bar des premières classes, pendant que le barman agitait son shaker. Le collier de perles de Mecha Inzunza était disposé sur trois rangs, et une robe de chez Vionnet blanche et unie, laissant les épaules et le dos découverts – le dîner d'adieu était en habit de soirée –, accentuait encore son élégance. Durant les trois tangos qu'il avait dansés ce soir-là avec elle – de tout le voyage, pas une fois il ne l'avait vue danser avec son mari – Max avait goûté de nouveau avec joie le contact de sa peau nue sous le satin de la robe qui descendait jusqu'aux souliers à talons hauts et qui, en ondoyant au rythme de la musique, modelait les formes de son corps, entre les mains professionnelles et pas toujours indifférentes du danseur mondain.

– Il peut y avoir des situations pénibles, avait insisté Max.

– Je compte sur vous et sur Armando, avait-elle répondu, impassible. Vous me protégerez.

– J'emporterai mon Astra, avait dit le mari, frivole, en tapotant une poche vide de son habit de soirée.

Il avait fait un clin d'œil à Max, et celui-ci n'avait pas plus apprécié la légèreté du mari que l'assurance de la femme. Pendant un moment, il avait douté du bien-fondé de ce projet, mais un nouveau regard au collier l'avait convaincu du contraire. Risques possibles mais profits probables, s'était-il dit pour se consoler. Simple routine de la vie.

– Ce n'est pas recommandé de porter des armes, s'était-il borné à énoncer entre deux gorgées de cocktail. Pas plus là-bas qu'ailleurs. On est toujours tenté de s'en servir.

– Elles sont faites pour ça, non ?

Armando de Troeye souriait, jouant au fanfaron. Il semblait prendre plaisir à adopter cet air joyeusement provocant d'aventurier d'opérette. Max avait senti pointer en lui la sensation familière de la rancœur. Il imaginait le

compositeur, plus tard, se vantant devant ses amis millionnaires et snobs, ce Diaghilev ou ce Picasso par exemple,
de sa plongée dans les bas-fonds.

– Sortir une arme, c'est en inviter d'autres à utiliser les
leurs.

– Dites donc, avait remarqué de Troeye, on dirait que,
pour un danseur, vous en savez long sur le sujet.

Il y avait une note moqueuse, acide, dans cette réflexion
prononcée avec une apparente bonne humeur. Max n'apprécia pas le ton. Le célèbre compositeur pourrait bien
ne pas être aussi sympathique qu'il le paraissait. Ou peut-
être trouvait-il qu'en dansant trois tangos de suite avec
sa femme Max avait dépassé les limites de la bienséance.

– Il sait sûrement de quoi il parle, était-elle intervenue.

De Troeye s'était tourné vers elle, l'air légèrement surpris.
Comme s'il s'interrogeait sur les informations que sa femme
pouvait détenir sur Max et que lui-même ignorait.

– Bien sûr, avait-il conclu, d'un air sombre.

Puis son sourire était revenu, naturel cette fois, et il avait
plongé le nez dans son verre comme s'il n'y avait plus rien
qui comptât en ce monde.

Max et Mecha Inzunza avaient échangé un long regard.
Ils étaient repartis sur la piste, les yeux de la cavalière
errant par-dessus l'épaule droite de son partenaire, chacun
ne regardant plus l'autre, ou peut-être s'efforçant de ne pas
le faire. Depuis le tango silencieux dans le jardin d'hiver,
quelque chose flottait entre eux qui rendait différents
leur contact et les évolutions de la danse : une complicité
sereine, faite de silences, de mouvements et d'attitudes
– ils se livraient, d'un mutuel accord, à quelques *cortes* et
pas de côté avec une touche de complicité amusée, à la
limite de la transgression –, et faite aussi de regards qui
ne parvenaient pas à s'affirmer vraiment, ou de situations
qui n'avaient de la simplicité que l'apparence, comme

quand il lui offrait une de ses Abdul Pacha et la lui allumait posément, quand il se tournait pour s'adresser au mari alors qu'en réalité il s'adressait à la femme, ou quand il attendait debout, immobile, les talons joints dans une position quasi militaire, que Mecha Inzunza se lève de sa chaise, s'étire d'un geste négligent, tende une main vers la sienne, pose l'autre sur le revers de satin noir de l'habit, et qu'ils commençaient tous deux à se mouvoir avec une synchronie parfaite, esquivant adroitement les autres couples plus maladroits et moins séduisants qui évoluaient sur la piste.

– Ça sera amusant, avait dit Armando de Troeye en vidant son verre.

C'était comme la conclusion d'une longue réflexion intérieure.

– Oui, avait-elle convenu.

Déconcerté, Max n'avait pas compris à quoi ils se référaient. Il n'était même pas sûr qu'ils parlent tous les deux de la même chose.

La pendule du salon-fumoir de l'hôtel Palace de Buenos Aires marquait quatre heures et quart quand il les vit traverser le hall : Armando portait un canotier et une canne ; et sa femme une élégante robe en crêpe Georgette avec une ceinture de cuir et une capeline en paille. Max saisit son chapeau – un Knapp-felt souple, très convenable encore que passablement usé – et alla à leur rencontre. Le compositeur le pria de les excuser pour le retard : « Vous savez, le Jockey Club et cette hospitalité argentine débordante, tous ces gens qui parlent de viande congelée et de chevaux anglais. » Et, puisque le danseur mondain les avait attendus si longtemps, de Troeye proposa de faire un tour, histoire de se dégourdir les jambes et de prendre un café quelque part. Mecha allégua sa fatigue et convint de les rejoindre à l'heure du dîner, avant de se diriger vers l'ascenseur en enlevant ses gants. Max et le compositeur sortirent dans la rue en conversant sous les arcades de l'avenue Leandro Alem, qui bordaient la promenade ombragée, face au port, avec ses vieux arbres que la saison couvrait de fleurs jaunes et or.

– Vous parlez de Barracas, commenta de Troeye après l'avoir écouté avec beaucoup d'attention. Est-ce une rue ou un quartier?

– Un quartier. Et je crois qu'il convient à notre projet… Une autre possibilité est La Boca. Nous pourrions aussi essayer là-bas.

– Et lequel conseillez-vous?

Le meilleur était Barracas, fit valoir Max. Dans les deux, il y avait des bistrots et des maisons closes, mais La Boca était trop près du port, fréquenté par une foule de marins, de dockers et de voyageurs de passage. Bref, trop de bouges pleins d'étrangers cosmopolites. On y jouait et dansait un tango dans le style de Paris, intéressant, mais moins pur. Barracas, en revanche, avec ses immigrants italiens, espagnols et polonais, était plus authentique. Même les clients l'étaient. Ou semblaient l'être.

– Je comprends. – De Troeye souriait, satisfait. – Vous voulez dire que le surin du mauvais garçon fait davantage «tango» que le coutelas du marin.

Max éclata de rire.

– C'est un peu ça. Mais ne vous y trompez pas. La lame peut être aussi dangereuse dans un lieu que dans l'autre… De plus, presque tous, là-bas, préfèrent le pistolet.

Arrivés à l'angle de l'avenue Corrientes, près de la Bourse, ils tournèrent à gauche en laissant les arcades derrière eux. En haut de la rue et jusqu'au vieil édifice de la Poste, le macadam et l'asphalte de la chaussée étaient sens dessus dessous, du fait des travaux du nouveau métro.

– Ce que je vous demande, ajouta Max, c'est que, comme je vous l'ai dit, tant vous-même que votre femme soyez habillés le plus discrètement possible. Pas de bijoux, pas de vêtements voyants. Ni de portefeuille gonflé.

– Soyez sans inquiétude. Nous serons discrets. Je ne veux pas vous créer de difficultés.

Max s'arrêta pour céder le passage à son interlocuteur en lui évitant une tranchée.

– S'il y a des difficultés, ce ne sera pas seulement moi qui les aurai, mais nous trois... Est-ce qu'il est vraiment nécessaire que votre épouse nous accompagne ?

– Vous ne connaissez pas Mecha. Elle ne me pardonnerait jamais de la laisser à l'hôtel. Cette excursion canaille l'excite au plus haut point.

Le danseur mondain considéra les implications du verbe *exciter*, et en éprouva de l'irritation. Il n'aimait pas la frivolité avec laquelle de Troeye employait certains mots. Puis il se rappela les yeux couleur de miel de Mecha Inzunza : son regard à bord du *Cap Polonio* quand ils avaient parlé de la visite aux quartiers mal famés de Buenos Aires. Peut-être, conclut-il, certains mots n'étaient-ils pas aussi déplacés qu'ils en avaient l'air.

– Pourquoi nous accompagnez-vous, Max ?... Pourquoi faites-vous ça pour nous ?

Pris par surprise, il regarda de Troeye. La question avait l'air sincère. Naturelle. L'expression du compositeur, pourtant, semblait absente. Comme s'il énonçait une interrogation polie, de pure courtoisie, tout en pensant à autre chose.

– Je ne sais pas très bien quoi vous dire.

Ils poursuivirent leur chemin après avoir laissé derrière eux les rues Reconquista et San Martín. Ouvriers et tranchées s'étaient faits plus nombreux sous les fils du tramway et les réverbères électriques ; des automobiles, des *mateos*

– ces voitures de louage tirées par des chevaux qui étaient l'un des charmes de Buenos Aires – s'arrêtaient aux passages plus étroits. Les trottoirs étaient animés : beaucoup de chapeaux de paille et d'uniformes sombres de policiers sous les stores qui donnaient de l'ombre aux vitrines des boutiques, cafés et salons de thé.

– Bien entendu, je vous rémunérerai en conséquence.

Max sentit de nouveau monter en lui une bouffée d'irritation. Plus forte, cette fois.

– Il ne s'agit pas de ça.

Le compositeur balançait sa canne avec insouciance. Il avait déboutonné sa veste couleur crème et passé le pouce dans la poche du gilet d'où sortait une chaîne en or.

– Je sais qu'il ne s'agit pas de ça. C'est pour cela que je vous ai posé cette question.

– Je vous ai déjà répondu que je ne savais pas quoi dire. – Mal à l'aise, Max porta la main à son chapeau. – Sur le bateau, vous…

Il s'interrompit délibérément, contemplant le rectangle de soleil qui tapissait le croisement de l'avenue Corrientes et de la rue Florida. En réalité, seuls lui venaient des mots conventionnels. Il marcha un moment sans rien dire, en pensant à la femme : son dos nu, sa peau sous le doux frôlement de la robe contre ses hanches. Et le collier dans l'éblouissant décolleté, sous les lumières de la salle de bal du transatlantique.

– Elle est belle, n'est-ce pas ?

Sans avoir besoin de se retourner, il sut qu'Armando de Troeye le regardait. Il préféra ne pas imaginer de quelle manière.

– Qui ?

– Vous savez bien qui. Ma femme.

Un autre silence. Max finit quand même par se tourner vers son interlocuteur.

117

– Et vous-même, monsieur de Troeye ?

Je n'aime pas son sourire, décida-t-il brusquement. Pas en ce moment, en tout cas. Cette façon de tordre sa moustache. Peut-être, d'ailleurs, qu'il ne me plaisait pas davantage avant.

– Appelez-moi Armando, je vous en prie, dit l'autre. Au point où nous en sommes.

– D'accord, Armando… Vous-même, qu'est-ce qui vous motive ?

Ils avaient tourné à gauche, en s'engageant dans la rue Florida : rien que des piétons depuis trois heures de l'après-midi, des voitures stationnées aux carrefours et beaucoup de magasins. Toute la rue n'était qu'une double galerie commerçante. De Troeye désigna le lieu comme s'il était en soi une réponse évidente.

– Vous le savez. Composer un tango inoubliable. M'accorder ce plaisir et ce caprice.

Il avait parlé en regardant distraitement la vitrine de chemises pour hommes de Gath & Chaves. Ils avançaient au milieu d'une foule de passants, surtout des femmes bien vêtues, qui déambulaient sur les trottoirs. Un kiosque à journaux affichait le dernier numéro de *Caras y Caretas* avec le large sourire de Gardel sur la couverture.

– En réalité, tout a commencé par un pari. J'étais à Saint-Jean-de-Luz, dans la demeure de Ravel, et celui-ci m'a fait écouter une fantaisie qu'il a composée pour le ballet d'Ida Rubinstein : un boléro insistant, sans développements, fondé seulement sur différentes gradations de l'orchestre… « Si tu peux faire un boléro, lui ai-je dit, je peux bien faire un tango. » Nous avons ri un moment et nous avons parié un dîner. Et de fil en aiguille… je suis ici.

– Ce n'est pas ce que je voulais dire, en vous demandant ce qui vous motive. Je ne parlais pas que du tango.

– Un tango, mon ami, ne se compose pas uniquement avec de la musique. L'élément humain compte aussi. Il prépare le chemin.

– Et qu'est-ce que je viens faire, moi, sur ce chemin ?

– Il y a plusieurs raisons. D'abord, vous êtes une clef utile pour m'introduire dans une ambiance qui m'intéresse. Ensuite, vous êtes un admirable danseur de tango. Et enfin, je vous trouve sympathique… Vous n'êtes pas comme la plupart des natifs de ce pays, qui sont convaincus qu'être argentin est un mérite qui se suffit à lui-même.

En passant, sans s'arrêter, Max aperçut son reflet et celui de De Troeye dans la vitrine d'un magasin de machines à coudre Singer. À les voir de la sorte, côte à côte, le célèbre compositeur n'était pas avantagé. Même la balance du physique penchait du côté de Max. En dépit de l'élégance et du port impeccables d'Armando de Troeye, Max était plus svelte et plus grand que lui : de presque une tête. La prestance aussi était en sa faveur. Et bien que plus modeste et usé, son costume lui allait mieux.

– Et votre femme ?… Qu'est-ce qu'elle me trouve ?

– Ça, vous devriez le savoir mieux que moi.

– Vous vous trompez. Je n'en ai pas la moindre idée.

Ils avaient fait halte, sur l'initiative de l'autre, devant les boîtes d'une librairie comme il y en avait beaucoup dans cette partie de la rue. De Troeye pendit sa canne à son avant-bras et, sans ôter ses gants, tripota plusieurs des livres exposés, mais sans guère montrer d'intérêt. Puis il fit un geste indifférent.

– Mecha est une femme très particulière, dit-il. Elle n'est pas seulement belle et élégante, elle a quelque chose de plus. Ou de beaucoup plus… Et je suis musicien, ne l'oubliez pas. Je peux avoir tout le succès possible, je peux sembler mener une vie insouciante, mon travail s'interpose entre le monde et moi. Souvent, Mecha est mes yeux. Mes antennes, pour ainsi dire. Elle filtre l'univers pour moi. En réalité, je n'ai commencé à apprendre ce qu'est la vie, et ce que je suis moi-même, qu'après l'avoir rencontrée... Elle est de ces femmes qui aident à comprendre le temps où il nous est donné de vivre.

– Et moi, quel est mon rôle, là-dedans ?

De Troeye se tourna pour le contempler calmement. Ironique.

– Je crains que, maintenant, vous ne vous accordiez trop d'importance, mon ami.

Il s'était de nouveau arrêté, s'appuyant sur sa canne, et continuait d'étudier Max de haut en bas. Comme s'il soupesait, objectif, les qualités du danseur mondain.

– Ou peut-être que non, tout bien réfléchi, ajouta-t-il au bout d'un moment. Peut-être que vous vous donnez l'importance qui vous revient.

Brusquement, il reprit sa marche, inclinant son chapeau sur ses yeux, et Max se porta à sa hauteur.

– Vous savez ce qu'est un catalyseur ? demanda de Troeye sans le regarder. Non ? En termes scientifiques, c'est quelque chose qui est capable de provoquer des réactions et des transformations chimiques sans altérer les substances qui les produisent... Dit plus simplement : quelqu'un qui déclenche une réaction par sa seule présence.

Maintenant, Max l'entendait rire. Tout bas, presque entre les dents. Comme d'une bonne plaisanterie dont il était le seul à saisir le sens.

– Vous me semblez être un catalyseur intéressant, dit le musicien. Et laissez-moi vous dire une chose avec quoi vous serez sûrement d'accord... Aucune femme, pas même la mienne, ne vaut plus qu'un billet de cent pesos ou une nuit blanche, à moins que l'on n'en soit amoureux.

Max s'écarta pour céder le passage à une dame chargée de paquets. Dans son dos, au carrefour qu'ils venaient de dépasser, retentit la trompe d'une automobile.

– Vous jouez là un jeu dangereux, fit-il observer

Le rire de l'autre se fit plus désagréable avant de s'éteindre lentement, comme fatigué. Il s'était encore une fois arrêté et regardait Max dans les yeux, en levant la tête, du fait de la différence de taille.

– Vous ne savez rien du jeu que je joue. Mais je suis prêt à vous payer trois mille pesos pour y participer.

– Ça me semble beaucoup d'argent pour un tango.

– C'est bien plus que ça. – Il pointait un doigt vers sa poitrine. – Alors, vous prenez ou vous laissez ?

Le danseur mondain haussa les épaules. La question ne s'était jamais posée, et ils le savaient tous les deux. Pas tant que Mecha y serait mêlée.

– Barracas, donc, dit-il. Ce soir.

Armando de Troeye acquiesça. L'expression sérieuse de son visage contrastait avec le ton satisfait, presque réjoui, de sa réponse.

– Formidable. Oui. Barracas.

Hôtel Vittoria, à Sorrente. Le soleil de l'après-midi dore les stores tendus au-dessus des verrières à demi ouvertes de la salle. Au fond, face à huit rangées de sièges occupés par le public, une installation de lumière artificielle atténuée, uniforme, éclaire la table de jeu disposée sur une estrade, ainsi qu'un grand panneau mural en bois à côté du pupitre de l'arbitre, où un de ses adjoints reporte le déroulement de la partie. Dans le vaste espace aux parois garnies de glaces et au plafond décoré, règne un silence solennel qu'interrompent, après de longs intervalles, le frôlement d'une pièce sur l'échiquier et le clic de la double pendule qui retentit immédiatement, quand chaque joueur appuie sur le bouton correspondant avant de noter, sur la feuille du registre posé sur la table, le mouvement qu'il vient d'exécuter.

Assis au cinquième rang, Max Costa observe les adversaires. Le Russe – complet marron, chemise blanche et cravate verte – joue le dos calé contre sa chaise, tête baissée. Mihaïl Sokolov a un visage large sur un cou trop épais, que la cravate a l'air de comprimer à l'excès : pourtant, la rudesse de son aspect semble adoucie par les yeux, dont le bleu aqueux a une expression triste et tendre. Sa corpulence, ses cheveux blonds taillés en brosse lui donnent l'apparence d'un bon gros nounours. Souvent, après avoir déplacé une pièce – il joue avec les noirs –, il quitte l'échiquier des yeux et contemple longuement ses mains qui, toutes les dix ou quinze minutes, tiennent une nouvelle cigarette allumée. Dans les intervalles, le champion du monde se cure le nez ou se mordille la peau qui entoure les ongles, avant de se replonger dans ses réflexions ou de puiser dans le paquet de cigarettes qu'il garde près de lui, à côté d'un briquet et d'un cendrier. En réalité, observe Max, le Russe regarde plus longtemps ses mains, comme si c'étaient elles qui absorbaient ses pensées, que les pièces sur l'échiquier.

Un nouveau clic de la pendule. De l'autre côté de l'échiquier, Jorge Keller vient de déplacer un cavalier ; et après avoir ôté le capuchon de son stylo, il note le mouvement, que l'adjoint de l'arbitre reproduit immédiatement sur le panneau mural. Comme à chaque déplacement d'une pièce, une sorte de frisson parcourt les spectateurs, accompagné d'un soupir d'inquiétude et d'un murmure à peine audible. On est au milieu de la partie.

Quand il joue, Jorge Keller paraît encore plus jeune. Les cheveux noirs qui lui tombent sur le front, la veste de sport sur le pantalon kaki froissé, la mince cravate au nœud trop lâche, les insolites chaussures de sport donnent au Chilien un aspect négligé mais agréable. *Sympathique* est le mot juste. Son apparence et son comportement font davantage penser à un étudiant excentrique qu'au redoutable joueur qui, dans cinq mois, disputera à Sokolov le titre de champion du monde. Max l'a vu arriver au commencement de la partie avec une bouteille de jus d'orange alors que le Russe était déjà assis, serrer la main de ce dernier sans le regarder, poser la bouteille sur la table et prendre place en jouant tout de suite le premier coup sans même jeter un œil à l'échiquier ; comme s'il avait prévu cette ouverture des heures ou des jours à l'avance. À la différence de Sokolov, le jeune homme ne fume pas et, pendant qu'il réfléchit ou attend, l'un de ses rares gestes est de tendre une main vers la bouteille de jus d'orange et de boire directement au goulot. Et parfois, quand il attend que le Russe joue – même si tous deux prennent largement le temps de la réflexion avant chaque nouveau coup, Sokolov tarde davantage à se décider –, Keller croise les bras sur le bord de la table et pose le front dessus, comme s'il pouvait mieux voir en imagination qu'avec les yeux. Et il ne se redresse que lorsque l'autre s'anime, alerté par le léger bruit produit par la pièce adverse sur l'échiquier.

Tout va bien trop lentement pour Max. Une partie d'échecs, surtout de ce niveau et avec ce cérémonial, lui semble affreusement ennuyeuse. Il doute que son intérêt pour les péripéties du jeu puisse s'accroître, et ce même s'il avait près de lui Lambertucci et le *capitano* Tedesco pour lui expliquer les tenants et aboutissants de chaque mouvement. Mais l'occasion lui permet d'épier à loisir depuis un poste d'observation privilégié. Et pas seulement les joueurs. Sur un fauteuil roulant installé au premier rang, accompagné d'un aide et d'un secrétaire, se tient le mécène du tournoi, l'industriel et millionnaire Campanella, paralysé des jambes depuis l'accident qu'il a eu, dix ans plus tôt, au volant d'une Aurelia Spider, dans un virage entre Rapallo et Portofino. Dans la même rangée, à gauche, entre la jeune Irina Jasenovic et le gros homme chauve à la barbe grisonnante, est assise Mecha Inzunza. De sa chaise, en se penchant sur le côté pour éviter la tête du spectateur qui est devant lui, Max peut parfaitement la voir : les épaules couvertes de l'habituel cardigan en laine légère, les cheveux courts et gris laissant la nuque mince à découvert, le profil aux lignes encore bien dessinées quand la femme se tourne pour glisser tout bas un commentaire à son voisin de droite. Et aussi cette manière sereine et ferme d'incliner la tête pour suivre attentivement le déroulement de la partie, attitude que jadis elle réservait à d'autres objets et à d'autres parties dont la complexité, pense Max non sans une certaine mélancolie, n'était pas moindre que celle de ce jeu qui se déroule en ce moment devant ses yeux, sur l'échiquier posé sur la table et sur le panneau mural où l'adjoint de l'arbitre enregistre chaque mouvement des pièces.

– C'est ici, dit Max Costa.

La voiture – une limousine Pierce-Arrow couleur aubergine avec l'insigne de l'Automobile Club sur le radiateur – s'était arrêtée au bout d'un long mur en brique, à une trentaine de pas de la gare de chemin de fer de Barracas. La lune ne s'était pas encore levée et, quand le chauffeur eut éteint les phares, ne brillèrent plus que la lumière solitaire d'un réverbère et les quatre ampoules jaunes sur la haute marquise de l'édifice. Vers l'est, dans les rues aux maisons basses qui conduisaient à la rive gauche et aux docks du Riachuelo, la nuit effaçait un dernier vestige de clarté rougeâtre dans le ciel noir de Buenos Aires.

– Charmant endroit, commenta Armando de Troeye.

– Vous vouliez du tango, répliqua Max.

124

Il était descendu de voiture et, après avoir mis son chapeau, il tenait la porte ouverte pour que le compositeur et son épouse en sortent à leur tour. À la lueur du réverbère voisin, il vit que Mecha Inzunza relevait son écharpe de soie sur ses épaules tout en regardant les alentours, impassible. Elle était tête nue et sans bijoux, avec une robe d'après-midi claire, des talons mi-hauts et des gants blancs montant jusqu'aux coudes. Encore beaucoup trop élégante pour déambuler dans ce quartier. Elle ne semblait pas impressionnée par l'obscurité menaçante du lieu ni par le sombre trottoir en brique qui se perdait dans le noir, entre le mur et le haut bâtiment en acier et ciment de la gare. Le mari, lui – costume croisé de serge bleue, chapeau et canne –, promenait des regards inquiets autour de lui. En ce qui le concernait, le décor dépassait à l'évidence tout ce qu'il avait imaginé.

– Vous êtes vraiment sûr de bien connaître l'endroit, Max ?

– Mais oui. Je suis né à trois rues d'ici. Rue Vieytes.

– À trois rues ? Diable !

Le danseur mondain se pencha vers la fenêtre ouverte du chauffeur pour lui donner ses instructions. Ce dernier était un Italien baraqué et silencieux, visage rasé et cheveux très noirs sous la visière de la casquette d'uniforme. Au Palace, quand de Troeye avait demandé une limousine de location, on l'avait recommandé comme un conducteur expérimenté et un homme de confiance. Max ne voulait pas que la voiture stationne devant l'établissement où ils se rendaient, afin d'éviter d'attirer l'attention. Ils devaient tous les trois faire la fin du trajet à pied ; aussi indiqua-t-il au chauffeur l'endroit où il devait se garer pour les attendre : visible de l'établissement, mais pas trop proche. Il lui demanda aussi, en baissant un peu la voix, s'il était armé. L'homme fit un léger signe affirmatif de la tête, en indiquant la boîte à gants.

– Pistolet ou revolver ?

– Pistolet, répondit sèchement l'autre.

Max sourit.

– Vous vous appelez ?

– Petrossi.

– Désolé pour l'attente, Petrossi. Nous en aurons au moins pour deux heures.

Cela ne coûtait rien de se montrer aimable : mieux valait se ménager l'avenir. De nuit, dans des parages comme ceux-là, un Italien costaud et armé, c'était un argument à prendre en compte. Une garantie supplémentaire. Max vit le chauffeur acquiescer de nouveau, inexpressif, professionnel, mais remarqua aussi, à la lumière du réverbère, qu'il inspectait rapidement les lieux. Il lui posa un instant la main sur l'épaule, en y portant une petite tape amicale, puis il rejoignit les de Troeye.

– Nous ne savions pas que c'était votre quartier, commenta le compositeur. Vous ne nous l'avez jamais dit.

– Je n'avais aucune raison de le faire.

– Et vous avez toujours habité ici, jusqu'à votre départ pour l'Espagne ?

De Troeye se montrait loquace, sûrement pour masquer une inquiétude facile à déceler dans son ton. Mecha Inzunza marchait entre Max et lui, au bras de son mari. Elle gardait toujours le silence, observant tout, et l'on n'entendait d'elle que le son de ses talons sur le sol en brique. Tous trois suivaient le trottoir, le long du mur, s'enfonçant dans l'ombre silencieuse du quartier que Max reconnaissait à chaque pas – l'air chaud et humide, l'odeur végétale des touffes d'herbe qui poussaient dans les fissures du pavage, la puanteur de la vase du Riachuelo proche –, entre la gare et les maisons basses qui, dans cette partie, restaient toujours les mêmes masures de faubourg.

– Oui. J'ai habité Barracas jusqu'à mes quatorze ans.

126

– Décidément, vous êtes une vraie boîte à surprises.

Il leur fit longer le tunnel qui multipliait le triple écho de leurs pas, pour gagner la flaque de lumière d'un autre réverbère situé au-delà du bâtiment de la gare. Max se tourna vers de Troeye.

– Vous avez pris l'Astra, comme vous l'avez annoncé?

Le compositeur rit fort.

– Bien sûr que non, mon vieux… Je plaisantais. Je ne porte jamais d'arme.

Le danseur mondain en fut soulagé. L'idée d'Armando de Troeye entrant, malgré ses conseils, dans un bouge de ce quartier un pistolet dans sa poche l'avait inquiété.

– C'est mieux ainsi.

Depuis douze ans qu'il n'y était pas revenu, malgré plusieurs passages à Buenos Aires, Max trouva que les choses avaient peu changé. À chaque instant, il posait les pieds sur ses propres traces, se souvenant du logement voisin où s'étaient déroulées son enfance et son adolescence, dans un immeuble de rapport semblable à d'autres de la rue Vieytes, du quartier et de la ville. Un lieu de mélange et de promiscuité qui ne permettait pas la moindre intimité, emprisonné comme on l'était entre les murs d'un bâtiment délabré de deux étages où s'entassaient quelque cent cinquante personnes de tous âges et où l'on entendait parler espagnol, italien, turc, allemand ou polonais. Des pièces dont les portes n'avaient jamais connu de clef, louées par des familles nombreuses et des groupes d'hommes seuls, émigrants des deux sexes, qui – pour les plus favorisés – travaillaient aux Chemins de fer du Sud, sur les quais du Riachuelo ou dans les usines voisines dont les sirènes, hurlant quatre fois par jour, scandaient la vie domestique dans des foyers où les pendules étaient rares. Des femmes qui faisaient leur lessive dans les baquets, des essaims de gosses jouant dans la cour où, à toute heure du jour, était tendu du linge mouillé qui s'imprégnait d'odeurs de friture ou de vapeurs de marmites, mêlées à celles des latrines communes dont les murs étaient passés au goudron. Des foyers où les rats étaient des animaux familiers. Un lieu où seuls les enfants et quelques adolescents avaient le sourire, avec l'innocence de leur jeune âge, sans deviner encore l'inévitable défaite que la vie réservait à la quasi-totalité d'entre eux.

– Nous y sommes… La Ferroviaria.

Ils s'étaient arrêtés près d'un réverbère. Au-delà de la gare, à l'autre bout du tunnel, la rue droite et obscure était bordée de maisons basses, à l'exception de quelques constructions de deux étages ; sur l'une d'elles brillait une enseigne lumineuse, qui annonçait *Hôtel* et dont la dernière lettre ne s'allumait pas. Dans la pénombre du fond de la rue, on pouvait deviner le lieu qu'ils cherchaient : une maison basse à l'aspect de hangar, toit et parois en tôle galvanisée, avec une petite lanterne jaunâtre à la porte. Max attendit de voir arriver, de la droite, les lumières jumelles de la Pierce-Arrow, qui avança lentement pour aller se garer à l'emplacement qu'il avait indiqué au chauffeur, à cinquante mètres, à l'angle de la rue voisine. Une fois éteints les phares de la voiture, le danseur mondain observa les de Troeye et vit que le compositeur, sous l'effet de l'excitation, ouvrait la bouche comme un poisson hors de l'eau et que Mecha Inzunza souriait avec une étrange lueur dans les yeux. Alors il rabattit un peu son chapeau sur ses yeux, dit « Allons-y », et tous trois traversèrent la rue.

La Ferroviaria sentait la fumée de cigare, les relents de gin, la pommade pour les cheveux et la sueur. Comme d'autres boîtes à tango voisines du Riachuelo, c'était un hangar spacieux, débit de comestibles et de boissons le jour, et salle de musique et de bal la nuit : un plancher qui

grinçait sous les pas, des piliers de fer, des tables et des
chaises occupées par des hommes et des femmes, devant
un comptoir en étain éclairé par des ampoules électriques
nues et auquel étaient accoudés ou adossés des individus
à mine patibulaire. Au mur, derrière le *gallego* [1] qui servait
au bar assisté d'une serveuse maigre et ingrate qui circulait
paresseusement entre les tables, voisinaient un grand miroir
crasseux, une publicité pour les cafés Torrados Águila et une
affiche de la Franco-Argentine d'Assurances illustrée par un
gaucho buvant du maté. Sur la droite du comptoir, près de
la porte qui laissait entrevoir des tonneaux de sardines en
saumure et des boîtes de nouilles avec des couvercles en
verre, entre un poêle à kérosène éteint et un vieux pianola
Olimpo déglingué, il y avait une petite estrade pour l'orchestre, où trois musiciens – bandonéon, violon et piano
dont les touches de gauche étaient brûlées par les mégots –
jouaient un air *porteño* [2], une sorte de gémissement mélancolique : Max Costa crut reconnaître le tango *Gallo viejo*.
– Magnifique, murmura Armando de Troeye avec admiration. C'est inespéré, parfait… Un autre monde.
Il suffisait de jeter un coup d'œil à sa personne, se dit
Max, résigné. Le compositeur avait posé chapeau et canne
sur une chaise, des gants jaunes dépassaient de la poche
gauche de sa veste, et il croisait les jambes en découvrant
le bas de guêtres boutonnées sous le pantalon au pli impeccable. Et pourtant il se trouvait aux antipodes des dancings que sa femme et lui avaient fréquentés vêtus en
gens du monde. La Ferroviaria était un autre univers et
les êtres qui la peuplaient étaient différents. Le contingent
féminin consistait en une douzaine de femmes, presque
toutes jeunes, assises en compagnie d'hommes ou dansant

1. Terme péjoratif par lequel les Argentins désignent les Espagnols.
2. Désigne tout ce qui est originaire de Buenos Aires.

avec d'autres dans l'espace laissé libre par les tables. Elles n'étaient pas exactement des prostituées, expliqua Max à voix basse, mais des entraîneuses : des cavalières chargées d'inciter les hommes à danser avec elles – elles recevaient une fiche pour chaque danse, que le patron échangeait contre un certain montant de centavos – et à consommer la plus grande quantité de boisson possible. Quelques-unes avaient des amis ou des protecteurs, d'autres non. Plusieurs des hommes présents en étaient.

– Des *cafiolos* ? insinua de Troeye, recourant au terme employé par Max à bord du *Cap Polonio*.

– Plus ou moins, confirma celui-ci. Mais ici, toutes les femmes n'en ont pas… Certaines dansent pour gagner leur vie sans aller plus loin, comme d'autres travaillent dans les usines ou les ateliers du voisinage… Des *tangueras* décentes, autant qu'il est possible.

– Pourtant elles ne paraissent pas décentes quand elles dansent, dit de Troeye en regardant autour de lui. Ni même quand elles sont assises.

Max indiqua les couples enlacés qui évoluaient dans l'espace de danse. Les hommes sérieux, graves, mâles jusqu'à l'exagération, interrompaient leurs mouvements au milieu de la musique – plus rapide que le tango moderne habituel – pour obliger la femme à tourner sans s'écarter, en les frôlant ou en se collant très fort à eux. Et dans ces cas-là, elles agitaient leurs hanches en cadence, glissant une jambe d'un côté et de l'autre de celles de l'homme. Sensuelles à l'extrême.

– C'est une autre forme de tango, comme vous voyez. Une autre ambiance.

La serveuse apporta un carafon de gin et des verres, les posa sur la table, inspecta de haut en bas Mecha Inzunza, lança un coup d'œil indifférent vers les deux hommes et repartit en s'essuyant les mains sur son tablier. Après le silence soudain et pénible qui avait marqué leur entrée – une vingtaine de regards curieux les avaient suivis depuis la porte –, les conversations avaient repris autour des tables, sans que cessent pour autant les coups d'œil salaces ou furtifs. Max ne s'attendait pas à autre chose. Il était courant de voir des gens de la haute société *porteña* dans des expéditions nocturnes en quête de pittoresque et d'encanaillerie, faisant le tour des cabarets minables ou des bouis-bouis des faubourgs ; mais Barracas et La Ferroviaria restaient à l'écart de ces circuits. Presque toute la clientèle du bistrot était originaire du quartier, avec quelques mariniers des chalands et des péniches amarrés aux quais du Riachuelo.

– Parlez-moi des hommes, s'intéressa de Troeye.

Max but une gorgée de gin sans regarder personne.

– Des classiques *compadritos* de quartier, ou qui jouent encore à l'être. Ils y sont très attachés.

– Vous le dites de façon presque affectueuse.

– Ça n'a rien à voir avec de l'affection. Je vous ai déjà dit qu'un *compadrito* est un habitant des faubourgs qui se donne des airs de dur et de bagarreur… quelques-uns le sont ; les autres veulent l'être, ou font semblant.

De Troeye fit un geste qui embrassait les alentours.

– Et ceux-là, ils le sont, ou ils font semblant ?

– Il y a de tout.

– Comme c'est intéressant. Tu ne trouves pas, Mecha ?

Le compositeur étudiait avidement les individus assis aux tables voisines ou installés au comptoir ; tous avaient l'air d'être prêts à entreprendre n'importe quoi pourvu que ce soit illégal : chapeaux rabattus sur les yeux, cheveux graisseux et luisants descendant jusqu'au col de la veste passepoilée comme en portaient les voyous, veste sans fente dans le dos, bottines en pointe. Chacun avec son verre de grappa, de cognac ou son carafon de gin sur la table, un Avanti aux

131

lèvres et la bosse formée par un couteau à hauteur de la ceinture du pantalon ou de l'échancrure du gilet.

– Ils ont tous l'air dangereux, conclut de Troeye.

– Certains peuvent l'être. Aussi je vous conseille de ne pas les regarder fixement trop longtemps ; ni les femmes quand elles dansent avec eux.

– Pourtant ils ne se privent pas de me regarder, moi, dit Mecha Inzunza, amusée.

Max se tourna vers son profil. Les yeux couleur de miel exploraient le local, curieux et provocants.

– Auriez-vous la prétention de passer inaperçue, dans un endroit comme celui-là ? Et encore, souhaitons qu'ils se contentent de vous regarder.

– Vous me faites peur, Max, dit-elle froidement.

– Je ne vous crois pas. – Il soutenait son regard avec beaucoup de calme. – Je vous l'ai déjà dit, je doute que ce genre de choses vous fasse peur.

Il sortit son étui à cigarettes et le tendit au couple. De Troeye fit non de la tête et alluma l'une des siennes. Mecha Inzunza accepta une Abdul Pacha et la planta dans son fume-cigarette en se penchant pour que le danseur mondain lui donne du feu. Puis Max se cala contre le dossier de sa chaise, croisa les jambes et souffla une première bouffée de fumée en contemplant les couples qui dansaient.

– Comment distinguer les prostituées de celles qui ne le sont pas ? voulut savoir Mecha Inzunza.

Elle laissait tomber avec indifférence la cendre de sa cigarette sur le plancher, tout en observant une femme qui dansait avec un gros homme étonnamment agile. Celle-là était encore jeune, l'air slave. Elle avait les cheveux blonds couleur vieil or, coiffés en chignon, et les yeux clairs, cernés de khôl. Elle portait un chemisier à fleurs rouges et blanches et pas grand-chose dessous. La jupe, très courte, voletait au rythme de ses déhanchements, découvrant parfois une portion supplémentaire de peau blanche gainée de bas noirs.

– Ce n'est pas toujours facile, répondit Max, sans quitter la *tanguera* des yeux. Avec l'expérience, je suppose.

– Vous avez beaucoup d'expérience dans l'art de différencier les femmes ?

– Relativement.

La musique s'était arrêtée et, du coup, le gros homme et sa cavalière aussi. Lui épongeait sa sueur avec un mouchoir ; et elle, la blonde, sans échanger une parole, alla s'asseoir à une table où se tenaient une autre femme et un autre homme.

– Celle-là, par exemple, fit Mecha Inzunza. Est-elle une prostituée ou une simple danseuse, comme vous sur le *Cap Polonio* ?

– Je ne sais pas. – Max sentit percer en lui une pointe d'irritation. – Il faudrait que je m'approche un peu plus.

– Approchez-vous, alors.

Il regarda la braise de sa cigarette comme pour en vérifier la combustion.

– Plus tard, peut-être.

L'orchestre avait attaqué un nouvel air et d'autres couples se levaient pour danser. Certains hommes gardaient la main gauche dans le dos, celle qui tenait la cigarette, afin de ne pas gêner leur cavalière. Souriant, heureux, Armando de Troeye ne perdait pas un détail. Par deux fois, Max le vit sortir un petit crayon et prendre des notes, d'une écriture minuscule et serrée, sur la manchette amidonnée de sa chemise.

– Vous aviez raison, dit le compositeur. Ils dansent très vite. Les figures sont plus décomposées. Et la musique est différente.

– C'est la Vieille Garde. – Max était soulagé de changer de conversation. – Ils dansent comme la musique joue : plus vite et plus brutalement. Et admirez la manière.

– Je l'admire. Elle est délicieusement cochonne.

Mecha Inzunza écrasa d'un geste brusque sa cigarette dans le cendrier. Elle semblait soudain fâchée.

– Ne sois pas vulgaire.

– Je crains que ce ne soit le mot juste, chérie. Tu vois bien… Rien que les regarder est excitant.

Le sourire du compositeur s'élargissait, intéressé et cynique. Il y avait quelque chose qui planait dans l'atmosphère, remarqua Max. Un langage tacite entre les de Troeye qu'il ne parvenait pas à déchiffrer, des sous-entendus et des allusions qui lui échappaient. Ce qui l'inquiétait était qu'apparemment il semblait inclus dedans. Gêné, il se demanda de quelle manière et jusqu'où.

– Comme je vous l'ai dit sur le bateau, expliqua-t-il, à l'origine c'était une danse de Noirs. Ils dansaient sans se toucher, vous comprenez ?… Même dans la version la plus décente, faire ça en tenant sa partenaire enlacée change beaucoup les choses… Le tango de salon a policé toutes ces figures, en les rendant respectables. Mais ici, comme vous voyez, la respectabilité importe peu.

– Curieux… commenta de Troeye, qui suivait ce qu'il disait avec avidité. Cette musique est celle du vrai tango ?… D'origine ?

L'origine ne consistait pas dans la musique, répliqua Max, mais dans la manière de la jouer. Ces gens ne savaient même pas lire une partition. Ils jouaient à leur façon, comme autrefois, très vite. En disant cela, il indiquait le petit orchestre : trois hommes fatigués, maigres, cheveux gris et moustache tachée de nicotine. Le plus jeune était celui du bandonéon, et il devait avoir dépassé la cinquantaine. Il avait les dents aussi délabrées et aussi jaunes que les touches de son instrument. En cet instant, il consultait ses compagnons sur le prochain morceau à exécuter. Le violoniste acquiesça, tapa plusieurs fois du pied pour marquer la cadence, le pianiste suivit, le soufflet émit un gémissement entrecoupé et ils entamèrent *El Esquinazo*. Immédiatement, les couples envahirent l'espace de danse.

– Vous les avez devant vous, sourit Max. Les jeunes gens d'autrefois.

En réalité, il se souriait à lui-même : à sa mémoire du faubourg. Au temps lointain où il entendait cette musique dans les fêtes et les bals populaires des dimanches après-midi, des nuits d'été quand il s'amusait avec d'autres gamins sur les trottoirs du quartier, à la lumière des réverbères à gaz. Voyant de loin danser les couples, lançant des quolibets à ceux qui s'embrassaient sous les porches obscurs – « Fous-lui la paix, gros dégoûtant ! », suivi de galopades et de rires –, écoutant tous les jours ces airs populaires archiconnus sur les lèvres des hommes qui revenaient des usines, des femmes des immeubles qui se regroupaient autour des baquets pleins d'eau savonneuse. Les mêmes mélodies que des malfrats, chapeau rabattu sur les yeux, dissimulant leur visage, sifflotaient entre leurs dents en s'approchant par deux d'un noctambule trop imprudent, le couteau luisant dans la pénombre.

– J'aimerais parler un moment avec les musiciens, proposa de Troeye. Vous croyez que ce sera possible ?

– Je ne vois pas pourquoi ça ne le serait pas. Quand ils auront terminé, invitez-les à boire quelques bouteilles. Ou mieux, payez-leur quelque chose… Seulement je vous conseille de ne pas exhiber trop d'argent. Déjà que nous ne passons pas inaperçus…

Les gens se pressaient dans l'espace de danse. La blonde à l'air slave était retournée sur la piste, cette fois avec l'homme qui était assis à côté d'elle. Hautain, taciturne, le regard perdu au loin dans les voiles de fumée du tabac, il la faisait se mouvoir au rythme de la musique, la guidant par de tout petits gestes, par de légères pressions de la main posée sur son épaule, et parfois d'un simple coup d'œil ; marquant un *corte* inattendu pour que, inexpressive et le visage tourné fixement vers le sien, elle se déplace d'un côté puis d'un autre, dédaigneuse et lascive en même temps, soudain collée au corps de l'homme comme si elle cherchait à exciter son désir ; se tordant avec un mouvement des hanches et des jambes, obéissante et soumise, semblant accepter avec un total naturel le rituel intime du tango.

– Si le bandonéon n'était pas là pour le freiner, expliqua Max, le rythme serait encore beaucoup plus rapide. Plus décomposé. N'oubliez pas que la Vieille Garde n'utilisait ni instrument à soufflet ni piano, mais seulement la flûte et une guitare.

Très intéressé, Armando de Troeye prit note. Mecha Inzunza se taisait sans quitter des yeux la *tanguera* blonde et son cavalier. À plusieurs reprises, en s'approchant de leur groupe, ce dernier échangea un regard avec elle. C'était, observa Max, un type passé la quarantaine, chapeau rabattu, l'air dangereux, espagnol ou italien. Quant à Armando de Troeye, absorbé dans ses réflexions, il se montrait tout excité. Maintenant, il suivait la musique en frappant des doigts sur la table comme s'il enfonçait des touches invisibles.

– Je vois, dit le compositeur, ravi. Je comprends ce que vous vouliez dire, Max. Le tango à l'état pur.

Le type, sans cesser de danser avec la blonde, continuait de dévisager Mecha Inzunza chaque fois qu'il passait près d'eux, et avec toujours plus d'insistance. C'était un représentant classique du lieu, ou qui prétendait l'être : moustache épaisse, veste ajustée, bottines qui se déplaçaient avec agilité sur le plancher en dessinant de grandes arabesques entre les claquements de talons de sa cavalière. Tout chez lui, jusque dans ses manières, avait quelque chose d'artificiel, un air de *compadrón* qui voudrait jouer au *compadre*. L'œil avisé de Max repéra la bosse anachronique du couteau sur le côté gauche, entre la veste et le gilet sur lequel flottaient les deux longues extrémités d'un foulard de soie blanc noué autour du cou avec une coquetterie délibérée. Du coin de l'œil, le danseur mondain remarqua que Mecha Inzunza suivait le jeu de cet individu en soutenant son regard d'un air de défi ; et son vieil instinct du faubourg lui fit pressentir des complications. Il se dit avec inquiétude que ce n'avait probablement pas été une bonne idée de rester si longtemps. Mme de Troeye semblait prendre, à tort, La Ferroviaria pour le salon des premières classes du *Cap Polonio*.

– Parler de tango à l'état pur est excessif, répondit-il au mari, en essayant de se concentrer sur ses propos. Disons qu'ils l'exécutent à la manière d'autrefois. À l'ancienne mode… Vous percevez la différence de rythme, de style ?

Le compositeur acquiesça de nouveau, satisfait.

– Bien sûr. Cette merveilleuse mesure à deux temps, les solos de piano à quatre temps, les contre-chants des cordes… le martèlement du piano et les phrasés primaires avec le bandonéon.

Ils jouaient ainsi parce qu'ils étaient des gens âgés, précisa Max : et La Ferroviaria, un bistrot de tradition. Au temps des nuits de Barracas, les gens étaient rudes, ironiques, ils aimaient les *cortes* et les *quebradas*. La femme aimait se plaquer à l'homme, les jeux de jambe et les chichis. Comme cette blonde *tanguera* et son partenaire. Si on avait joué la musique de cette manière dans un bal populaire, un bal de famille, du dimanche ou de gens jeunes, presque personne n'aurait osé danser. Autant pour une question de moralité que de goût.

– La mode, conclut-il, s'éloigne de plus en plus de tout ça. D'ici peu, on ne dansera plus que cet autre tango domestiqué, inexpressif et soporifique : celui des salons et du cinéma.

De Troeye riait, sarcastique. La musique s'était arrêtée et déjà l'orchestre entamait un nouvel air.

– Disons : guindé, ajouta-t-il.

– Si on veut. – Max but une gorgée de gin. – On peut le dire comme ça.

– En tout cas, celui qui vient vers nous ne paraît pas du tout guindé.

Max suivit le regard de De Troeye. Le *compadrón* avait laissé la blonde à sa table avec l'autre femme et se dirigeait vers eux en y mettant toute la prestance traditionnelle des bravaches *porteños* : lent, sûr, très concentré, pas à pas. Foulant le plancher avec une délicatesse étudiée. Il ne manquait plus pour compléter le tableau, pensa Max, que le bruit de fond des queues qui cognent les boules de billard.

– S'il y a des problèmes, dit-il rapidement aux de Troeye dans un murmure, ne vous attardez pas… Filez vers la porte et courez à la voiture.

– Quel genre de problèmes ? s'enquit le mari.

Le temps manqua pour la réponse. Le *compadrón* était devant eux, immobile et très sérieux, la main gauche glissée avec une élégance canaille dans la poche de sa veste. Il regardait Mecha Inzunza comme si elle était seule.

– Madame veut-elle danser ?

Max jeta un coup d'œil furtif au carafon de gin. En cas de besoin, le goulot de verre, cassé sur le bord de la table, pourrait faire une arme convenable. Juste le temps nécessaire pour tenir les événements à distance ou au moins essayer, en tentant de s'éclipser au plus vite.

– Je ne crois pas que… commença-t-il à voix basse.

Il s'adressait à la femme, et non au type qui attendait debout ; mais elle se leva, parfaitement sereine.

– Oui, dit-elle.

Elle ôta ses gants sans se presser et les laissa sur la table. L'attention de toute l'assistance était concentrée sur elle

138

et sur le *compadrón*, qui ne donnait aucun signe d'impatience. Quand elle fut prête, il lui prit la taille avec la main droite qu'il posa sur la douce cambrure, juste au-dessus des hanches. Elle passa le bras gauche sur les épaules de l'homme et, sans se regarder, ils commencèrent à évoluer parmi les autres couples, leurs têtes plus rapprochées que dans le tango conventionnel, tout en maintenant les corps à une distance raisonnable. On eût dit, pensa Max, qu'ils avaient déjà dansé ensemble, encore que le souvenir de la facilité avec laquelle Mecha Inzunza et lui s'étaient tout de suite adaptés l'un à l'autre à bord du *Cap Polonio* atténuait sa surprise. Elle était, sans nul doute, une danseuse très intuitive et intelligente, capable de se conformer à tout cavalier qui dansait bien. Le type se mouvait en mâle sûr de lui – en *canchero*, comme on disait à Buenos Aires, c'est-à-dire gonflé de sa propre importance – et guidait habilement la femme en traçant d'habiles figures sur une portée invisible. Le couple oscillait en douceur, la cavalière obéissait aux rythmes de la musique et aux indications silencieuses que lui transmettaient les mains et les gestes de son partenaire. Soudain, celui-ci marqua un *corte* en décollant du plancher le talon du pied droit, presque négligemment, et en décrivant un demi-cercle avec la pointe ; et, à la surprise de Max, la femme termina la séquence avec un naturel parfait en se laissant glisser d'un côté puis de l'autre, se collant à deux reprises contre l'homme pour s'en détacher ensuite, croisant une jambe sur celle de son partenaire, puis faisant de même avec l'autre jambe, avec un impeccable aplomb faubourien. Elle y mit une élégance académique typiquement populaire, si réussie qu'elle arracha des gestes d'approbation aux spectateurs restés à leurs tables.

– Sapristi ! plaisanta Armando de Troeye. J'espère qu'ils ne vont pas finir par faire l'amour devant tout le monde.

Le commentaire mit Max mal à l'aise, changeant en mauvaise humeur son admiration pour l'aisance dont Mecha Inzunza faisait preuve sur la piste. Le *compadrón* la guidait en suivant la cadence, impavide, les yeux noirs fixant le vide, et un rictus de fausse indifférence sous la moustache ; comme si, pour lui, fréquenter des femmes de cette classe était son lot quotidien. Soudain, au rythme de la musique, l'homme fit un écart suivi d'un arrêt brutal, solennel, accompagné d'un coup de talon particulièrement provocant. Nullement déconcertée par cette figure qu'elle semblait avoir anticipée depuis longtemps, la femme tourna autour de lui, frôlant son corps d'un côté puis de l'autre en s'abandonnant, comme vaincue. Avec une soumission de femelle obéissante que Max trouva quasi pornographique.

– Mon Dieu ! murmura Armando de Troeye.

Stupéfait, se tournant à demi, Max constata que le compositeur ne paraissait nullement choqué, mais qu'il regardait le couple d'un air concentré. Il buvait de temps en temps une gorgée de gin, et l'alcool semblait imprimer sur ses lèvres un sourire cynique, vaguement complaisant. Mais le danseur mondain n'eut pas le loisir de s'y arrêter longtemps, car la musique cessa et la piste se vida. Mecha Inzunza revint en frappant fièrement du talon, escortée par le *compadrón*. Et, quand elle se rassit, aussi désinvolte et sereine que si elle venait de danser une valse, l'autre s'inclina légèrement en touchant le bord de son chapeau.

– Juan Rebenque, madame, dit-il calmement, d'une voix rauque. Pour vous servir.

Puis, sans à peine un regard pour le mari et le danseur mondain, il tourna les talons pour regagner, flegmatique, la table où l'attendaient les deux femmes. Et en le voyant partir, Max se dit que ce n'était pas son vrai nom – il devait s'appeler Funes, Sánchez ou Roldán –, mais un nom d'emprunt censé évoquer les gauchos, aussi anachronique que son aspect et le couteau qui formait une bosse sous sa veste. Les personnages authentiques auxquels il essayait de ressembler avaient disparu du quartier depuis quinze ou vingt ans ; et cela faisait longtemps que, même chez ses semblables, le revolver avait remplacé le couteau du gaucho. Le dénommé Rebenque était certainement un charretier qui, la nuit, traînait dans les bouges mal famés, dansait des tangos, draguait des gonzesses et sortait parfois son couteau antédiluvien pour affirmer sa virilité. La morgue faubourienne était limitée, même si la dangerosité restait intacte.

– À votre tour, maintenant, dit Mecha Inzunza en s'adressant à Max.

Elle venait de sortir de son sac un poudrier en laque. De minuscules gouttes de sueur perlaient sur la lèvre supérieure, sous le délicat maquillage. Par un réflexe galant, Max lui offrit le mouchoir propre qu'il portait dans la pochette de sa veste.

– Pardon ? s'enquit-il.

La femme avait saisi d'entre ses doigts le carré de batiste blanche.

– Vous ne voudriez quand même pas, dit-elle avec beaucoup de calme, que les choses en restent là.

Max allait dire : « Ça suffit comme ça, je demande la note et nous partons », quand il surprit chez Armando de Troeye, en direction de son épouse, un regard qu'il n'avait jamais vu auparavant : une brève lueur de cynisme et de défi. Cela ne dura qu'un instant et il reprit aussitôt son masque de frivole indifférence, voilant tout. Alors Max changea d'avis : il se tourna vers Mecha Inzunza avec une lenteur délibérée.

– Évidemment, dit-il.

Peut-être un peu brouillés par le gin, les yeux clairs soutinrent son regard. Ils paraissaient plus liquides que jamais à la lumière jaunâtre des ampoules électriques. Puis elle fit quelque chose d'étrange. Conservant le mouchoir, elle prit un des gants qu'elle avait laissés sur la table avant de danser et le glissa dans la poche supérieure de la veste de Max, en l'arrangeant rapidement de manière qu'il prenne la forme d'une élégante fleur blanche. Là-dessus, le danseur mondain repoussa sa chaise, se leva et se dirigea vers la table où se tenaient le *compadrón* et les deux femmes.

– Avec votre permission, dit-il à l'homme.

L'autre l'étudiait, mi-bravache, mi-curieux ; mais Max cessa de lui prêter attention, attendant la décision de la femme blonde. Celle-ci se tourna vers sa compagne – une brune vulgaire, plus âgée – puis regarda le *compadrón* pour obtenir son accord. L'autre, cependant, continuait d'observer le danseur mondain, qui restait debout, talons joints, poliment et un sourire aux lèvres ; avec la même correction circonspecte que devant n'importe quelle dame de la bonne société dans un salon de thé du Palace ou du Plaza. Finalement la femme se leva et enlaça Max avec une désinvolture professionnelle. De près, elle paraissait plus jeune, malgré les traces de fatigue, mal dissimulées par l'épais maquillage. Ses yeux bleus légèrement en amande et ses cheveux rassemblés sur la nuque accentuaient son air slave. Peut-être russe ou polonaise, déduisit Max. Il sentit, en la prenant dans ses bras, tout ce que son corps dégageait d'intime : chaleur de chair fatiguée, odeur de cigare sur les vêtements et dans les cheveux, haleine de grappa au citron. Eau de Cologne bon marché sur la peau : *Agua Florida* mêlée à du talc humide et l'odeur doucereuse de transpiration d'une femme qui avait déjà passé plusieurs heures à danser avec toutes sortes de partenaires.

Les mesures d'un nouveau tango retentissaient, dans lesquelles il reconnut, malgré les fausses notes de l'orchestre, les accords de *Felicia*. D'autres couples se levaient pour danser. La femme et Max démarrèrent bien synchronisés, ce dernier laissant l'instinct et l'habitude guider les mouvements. Elle n'était pas une grande danseuse, comprit-il aux premiers pas ; mais elle se mouvait avec une aisance professionnelle, le regard perdu au loin, adressant de rapides coups d'œil à l'homme pour anticiper les pas et les intentions. Elle collait avec indifférence au torse de Max, qui sentait les pointes de ses seins sous la percale de son chemisier décolleté, et elle évoluait, obéissante, en plaquant ses jambes et ses hanches contre sa taille dans les pas les plus audacieux, conduite par la musique et les mains de son partenaire. Elle le faisait sans âme, conclut le danseur mondain. Comme un automate mélancolique et efficace, sans volonté ni envie ; pareille à une professionnelle qui se livre mécaniquement à l'acte sexuel. Soudain il l'imagina ainsi, passive et soumise dans la chambre d'un hôtel bon marché comme celui de la rue avec sa lettre manquante sur l'enseigne lumineuse, pendant que la gouape moustachue mettait les dix pesos du tarif dans la poche de sa veste. Se défaisant de sa robe pour s'allonger sur un lit aux draps sales et au sommier qui grinçait. Complaisante, sans éprouver le moindre plaisir. Avec le même air las que celui qu'elle avait maintenant en traçant les pas du tango.

Pour une raison quelconque – mais ce n'était guère le moment de l'analyser –, l'idée l'excita. Qu'était d'autre le tango dansé ainsi, sinon soumission de la femme ? se dit-il, effrayé de ce qu'il pensait ; surpris de ne pas être arrivé plus tôt à cette conclusion, malgré tant de danses, tant de tangos et tant d'enlacements. Qu'était-il d'autre, dansé à la façon de jadis, loin des salons et de l'étiquette, sinon abandon absolu et complice ? Un retour de vieux instincts, de désirs rituels brûlants, de promesses charnelles durant quelques instants fugaces de musique et de séduction. Le tango de la Vieille Garde. S'il y avait une manière de danser faite pour un certain genre de femmes, c'était sans nul doute celle-là.

Considérer la chose dans cette perspective fit éprouver à Max une bouffée de désir inattendu pour ce corps qui évoluait, obéissant, dans ses bras. Elle dut le remarquer car elle riva sur lui ses yeux bleus, inquisiteurs, avant qu'une moue d'indifférence ne revienne vite sur ses lèvres et que son regard ne se perde de nouveau dans les coins les plus éloignés du local. Pour se reprendre, Max marqua un *corte*, une jambe fixe et l'autre pointée en avant puis en arrière, obligeant la femme, par une pression de sa main droite sur sa taille, à coller son torse au sien, à glisser la face interne des cuisses d'un côté et de l'autre de la jambe immobile, et à revenir ainsi à la soumission parfaite. Au gémissement sourd, profondément physique, de femelle résignée sans possibilité de fuite.

Après cette évolution, délibérément provocatrice de part et d'autre, le danseur mondain regarda pour la première fois vers la table où se tenait le couple de Troeye. La femme fumait une cigarette fichée dans le fume-cigarette en ivoire, impassible, en les contemplant fixement. Et à cet instant, Max comprit que la *tanguera* qu'il tenait dans ses bras était seulement un prétexte. Une trêve équivoque.

4

Gants de femme

Finalement l'événement, que Max attend avec l'assurance d'un homme qui a préparé méticuleusement l'inévitable, se produit. Il est assis à la terrasse de l'hôtel Vittoria, près de la statue de la femme nue qui regarde vers le Vésuve, et il prend son petit-déjeuner devant le paysage lumineux, bleu et gris de la baie. Pendant qu'il mord avec satisfaction dans un toast beurré, le chauffeur du docteur Hugentobler jouit de la situation qui le ramène pour quelques jours aux meilleurs moments de son ancienne existence ; quand tout était encore possible, quand le monde restait à parcourir et que chaque matin était le prélude d'une aventure : peignoirs d'hôtel, odeur du bon café, petits-déjeuners dans de la vaisselle fine devant des paysages ou des visages de femmes auxquelles il n'était possible d'accéder qu'avec beaucoup d'argent ou beaucoup de talent. Maintenant, de retour dans son élément naturel, recouvrant sans effort les anciennes manières, Max porte des lunettes noires Persol qui appartiennent au docteur Hugentobler, tout comme le blazer bleu et le foulard de soie dans le col entrouvert de la chemise couleur saumon. Il vient de reposer sa tasse de café et s'apprête à troquer les lunettes de soleil contre celles pour lire de près, tendant la main vers *Il Mattino* de Naples, plié sur la nappe de fil blanc – avec la chronique de la partie de la veille entre Sokolov et Keller, qui s'est terminée par un match nul –, quand une ombre se projette sur le journal.

– Max?

Un observateur impartial admirerait le flegme de l'interpellé : il reste encore quelques secondes les yeux fixés sur le journal, puis il relève la tête avec une expression qui passe lentement de l'indécision à la surprise, et de celle-ci à la prise de conscience. Enfin, ôtant ses lunettes, il se tamponne les lèvres avec sa serviette et se lève.

– Mon Dieu... Max.

La lumière matinale dore les iris de Mecha Inzunza comme autrefois. Il y a de légères marques et des petites taches sur sa peau, et une infinité de minuscules rides autour des paupières et de la bouche, accentuées en ce moment par un sourire stupéfait. Mais le passage impitoyable des ans n'a pas réussi à effacer le reste : la façon posée de se mouvoir, l'élégance des manières, la ligne flexible du cou et les bras dont l'âge, en les amaigrissant, accentue la finesse.

– Toutes ces années, dit-elle. Mon Dieu.

Ils se tiennent les mains et se regardent. Max élève la main droite de Mecha, incline la tête et l'effleure de ses lèvres.

– Vingt-neuf exactement, précise-t-il. Depuis l'automne 1937.

– Nice...

– Oui. Nice.

Empressé, il lui offre une chaise, et elle s'y assied. Max appelle le serveur et après une brève consultation commande un autre café. Tout le temps, durant ces instants de trêve protocolaire, il sent fixés sur lui les yeux couleur de miel. Et la voix est la même : tranquille, bien élevée. Identique à celle dont il garde le souvenir.

– Tu as changé, Max.

Il hausse les sourcils et accompagne sa mimique d'un geste mélancolique : la lassitude légère, négligente, d'un homme du monde qui a vieilli.

– Beaucoup ?

– Suffisamment pour que j'aie eu du mal à te reconnaître.

Il se penche un peu vers elle, poliment confidentiel.

– Quand cela ?

– Hier, mais je n'étais pas encore sûre. Ou, plutôt, je pensais que c'était impossible. Je me suis dit : c'est seulement une lointaine ressemblance… Mais ce matin, je t'ai vu depuis la porte. Je t'ai observé pendant un moment.

Max la contemple en la détaillant. La bouche et les yeux. Ils restent identiques, sauf les marques du temps tout autour. L'ivoire des dents est un peu moins blanc que dans son souvenir, altéré sans doute par la nicotine. La femme a sorti un paquet de Muratti de la poche du cardigan et le tient dans ses doigts sans défaire l'emballage.

– Toi, en revanche, tu es toujours la même, affirme Max.

– Ne dis pas de bêtises.

– Je parle sérieusement.

Maintenant, c'est elle qui l'observe.

– Tu as un peu grossi, conclut-elle.

– Plus qu'un peu, je le crains.

– Je me souvenais de toi plus mince et plus grand… Et je ne t'avais jamais imaginé avec les cheveux gris.

– Toi, par contre, ils te vont très bien.

Mecha rit à voix haute, un rire sonore, vigoureux, et cela suffit pour la rajeunir. Comme jadis et comme toujours.

– Voyou… Tu as toujours su parler aux femmes.

– Je ne sais de quelles femmes tu parles. Je ne me souviens que d'une.

Un silence. Elle sourit et écarte son regard, contemplant la baie. Le garçon arrive avec le café au moment opportun.

Max remplit la tasse à demi, jette un œil au sucrier puis vers elle, qui fait non de la tête.

– Du lait ?

– Oui. Merci.

– Avant, tu n'en prenais jamais. Ni lait ni sucre.

Elle semble surprise qu'il se rappelle ce détail.

– C'est vrai, dit-elle.

Un autre silence, plus long que le précédent. Par-dessus la tasse qu'elle boit à petites gorgées, elle continue de le scruter. Songeuse.

– Qu'est-ce que tu fais à Sorrente, Max ?

– Oh… Eh bien. Je suis là pour mon travail. Des affaires et quelques jours de repos.

– Où vis-tu ?

Il indique un lieu indéterminé au-delà de l'hôtel et de la ville.

– J'ai une maison par là-bas. Près d'Amalfi… Et toi ?

– En Suisse. Avec mon fils. Je suppose que tu sais qui il est, si tu es dans cet hôtel.

– Oui, je suis descendu ici. Et je sais qui est Jorge Keller, naturellement. Mais le nom m'a égaré.

Elle pose la tasse, ouvre le paquet et en sort une cigarette. Max prend la boîte d'allumettes de l'hôtel qui est dans le cendrier, se penche et lui donne du feu, protégeant la flamme dans le creux de ses mains. Elle se penche également et, un instant, leurs doigts se frôlent.

– Tu t'intéresses aux échecs ?

Elle s'est renversée contre le dossier de sa chaise, laissant échapper la fumée qui se disperse dans la brise soufflant de la baie. Encore une fois, son regard intrigué fixe Max.

– Pas le moins du monde, répond-il avec beaucoup de sang-froid. Mais hier, j'ai quand même fait un tour dans la salle.

– Tu ne m'as pas vue ?

148

– Je n'ai probablement pas fait attention. Mais c'est vrai que j'ai juste jeté un coup d'œil.

– Tu ignorais que j'étais à Sorrente ?

Max nie sans complexes, avec son vieil aplomb professionnel. Jusqu'à maintenant, explique-t-il, il ne savait pas qu'elle avait un fils du nom de Keller. Ni même qu'elle avait un fils. Après Buenos Aires et ce qui s'était passé plus tard à Nice, il avait complètement perdu sa piste. Puis la guerre était venue. La moitié de l'Europe avait perdu les traces de l'autre moitié. Et, dans bien des cas, pour toujours.

– Mais j'ai su, pour ton mari. Qu'il avait été tué en Espagne.

Mecha Inzunza écarte sa cigarette pour faire tomber par terre, ignorant le cendrier, une portion de cendre. Un petit coup ferme, délicat. Puis elle la reporte à ses lèvres.

– Il n'est sorti de prison que pour mourir. – Son ton est neutre, dénué de rancœur et de sentiment : juste celui qui convient pour mentionner un événement qui s'est produit il y a très longtemps. – Triste fin, n'est-ce pas, pour un homme tel que lui ?

– Je suis désolé.

Nouvelle bouffée de cigarette. La fumée qui s'effiloche encore dans la brise. Et la cendre qui tombe sur le sol.

– Oui, je suppose que c'est la phrase à dire… Moi aussi, j'ai été désolée.

– Et ton second mari ?

– Un divorce amical. – Elle s'autorise un nouveau sourire. – Entre personnes raisonnables, en bons termes. Pour le bien de Jorge.

– Il est le père ?

– Naturellement.

– Tu as dû vivre confortablement pendant ces années, je suppose. Ta famille avait de l'argent. Sans compter celui de ton premier mari.

Elle acquiesce, indifférente. Elle répond qu'elle n'a jamais eu de difficultés de cet ordre. Surtout une fois la guerre finie. Quand les Allemands ont envahi la France, elle est passée en Angleterre. Là, elle s'est mariée avec Ernesto Keller, qui était diplomate : Max a dû le connaître à Nice. Ils ont vécu à Londres, Lisbonne et Santiago du Chili. Jusqu'à leur séparation.

– Étonnant.

– Qu'est-ce qui te paraît étonnant ?

– Ta vie extraordinaire. Ton fils.

Durant un instant, Max surprend une lueur étrange dans ses yeux. Une fixité insolite : pénétrante et tranquille à la fois.

– Et toi, Max ?… Qu'as-tu fait d'extraordinaire pendant toutes ces années ?

– Eh bien, tu peux l'imaginer.

– Non. Je n'imagine rien.

Il agite une main, d'un geste qui embrasse la terrasse, comme si cela suffisait à résumer l'évidence.

– Des voyages un peu partout. Des affaires… La guerre en Europe m'a procuré quelques occasions et m'a privé d'autres. Je n'ai pas à me plaindre.

– C'est pourtant vrai. Que tu ne sembles pas avoir de raisons de te plaindre… Tu es retourné à Buenos Aires ?

Le nom de la ville prononcé par cette voix sereine émeut Max. Prudent, avec précaution, comme on s'aventure en terrain miné, il analyse de nouveau à la dérobée le visage de la femme : les ridules autour de la bouche, la peau mate, les lèvres sans rouge. Seuls ses yeux restent ce qu'ils ont toujours été, tels que dans le bouge de Barracas ou dans d'autres lieux qui sont venus ensuite. Dans la singulière topographie commune de tout ce qu'il garde en mémoire.

– J'ai presque tout le temps vécu en Italie, improvise-t-il. Et aussi en France et en Espagne.

– Les affaires, comme tu dis ?

– Mais pas celles d'autrefois. – Max essaye de trouver la mimique appropriée. – J'ai eu de la chance, j'ai réuni quelques capitaux et les choses n'ont pas trop mal marché. Maintenant, je me suis retiré.

Mecha Inzunza ne le regarde plus de la même façon. Un sourire se dessine, plus sombre.

– De tout ?

Il s'agite, mal à l'aise. Ou semblant l'être. Le collier qu'il a vu hier dans la chambre 429 traverse ses pensées avec des éclairs de revanche aux doux reflets moirés. Et je me demande, conclut-il, lequel de nous deux a le plus de factures à présenter à l'autre. Elle ou moi ?

– Je ne vis pas comme dans le passé, si c'est ce que tu veux dire.

La femme le contemple, imperturbable.

– C'est ce que je voulais dire. Oui.

– Cela fait longtemps que je n'en ai plus besoin.

Il l'a proféré sans sourciller. Avec un aplomb absolu. En fin de compte, se dit-il, ce n'est pas non plus vraiment mentir. De toute manière, elle ne semble pas douter de sa réponse.

– Ta maison d'Amalfi…

– Par exemple.

– Je me réjouis que la vie t'ait enfin souri. – Elle regarde le cendrier comme si elle le voyait pour la première fois. – J'ai toujours pensé que tu n'accéderais jamais à une vie normale.

– Oh, tu sais… – Il agite une main, les doigts en l'air, dans un geste quasi italien. – Tôt ou tard, nous finissons tous par nous assagir… Moi non plus je n'imaginais pas que tu y parviendrais.

Mecha Inzunza a éteint délicatement son mégot dans le cendrier en détachant la braise avec soin. Instaurant un silence prolongé après la dernière réplique de Max.

151

– À cause de Buenos Aires et de Nice, par exemple ? demande-t-elle finalement.

– Oui.

Irrémédiablement lui revient un arrière-goût de mélancolie. Soudain les souvenirs accourent en se bousculant : des mots brefs comme des gémissements glissant sur une peau nue, des fragments de lignes longues et douces reflétés dans un miroir où se multipliait le gris du dehors, dans le contre-jour plombé d'une fenêtre qui, tel un tableau français du début du siècle, encadrait la mer et des palmiers ruisselants de pluie.

– À quoi te consacres-tu ?

Plongé dans ses pensées – nul besoin de feindre, cette fois –, il tarde un peu à entendre la question, ou à se frayer un chemin jusqu'à elle. Il est encore occupé à se rebeller intérieurement contre l'injustice intolérable qui frappe les corps : la peau de la femme dont ses cinq sens se souviennent était ferme, chaude et parfaite. Est-il possible que ce soit la même que celle qu'il a devant lui, marquée par le temps ? Absolument impossible, conclut-il avec une fureur impuissante. Quelqu'un devrait répondre d'un tel manque d'égards. De tels outrages.

– Tourisme, hôtels, investissements, finit-il par répondre. Ce genre de choses... Je suis aussi associé dans une clinique près du lac de Garde, improvise-t-il encore. J'y ai placé une partie de mes économies.

– Tu t'es marié ?

– Non.

Elle regarde la baie au-delà de la terrasse d'un air distrait comme si elle ne prêtait pas attention à la dernière réponse de Max.

– Je dois te quitter... Jorge joue cette après-midi, et il faut travailler dur pour tout préparer. J'étais juste descendue un moment pour prendre l'air en buvant un café.

– J'ai lu que c'est toi qui t'occupes de tout. Depuis son enfance.

– En partie. Je lui sers de mère, de manager et de secrétaire, je gère les voyages les hôtels, les contrats… Mais il a une équipe d'assistants : les analystes avec qui il s'entraîne et qui l'accompagnent en permanence.

– Des analystes ?

– Quand on aspire à devenir champion du monde, on ne travaille pas seul. Les parties ne s'improvisent pas. Il faut des spécialistes pour les préparer.

– Même aux échecs ?

– Particulièrement aux échecs.

Ils se lèvent. Max a trop d'expérience pour aller plus loin. Les événements suivent leur cours et les forcer est une erreur. Il se rappelle que beaucoup, qui passaient pourtant pour avisés, ont échoué à cause de cela. Et donc il sourit, comme il l'a toujours fait, ce qui illumine son visage soigneusement rasé, bronzé sans excès par le soleil de la baie : un subit trait blanc, large, simple, qui montre une belle dentition convenablement conservée, malgré deux couronnes, une demi-douzaine de plombages et la fausse canine – souvenir d'un coup porté voilà dix ans par un policier dans un cabaret de Cumhuriyet Caddesi à Istanbul. Le sourire sympathique, affermi par les ans, d'un brave sexagénaire resté jeune.

Mecha Inzunza voit ce sourire et semble le reconnaître. Son regard est presque complice. Finalement elle hésite, ou fait mine d'hésiter.

– Quand quittes-tu l'hôtel ?

– Dans quelques jours. Quand j'aurai terminé de régler les affaires dont je te parlais tout à l'heure.

– Nous devrions peut-être…

– C'est vrai. Nous devrions.

Un autre silence indécis. Elle a mis les mains dans les poches de son cardigan, épaules légèrement voûtées.

153

– Dîne avec moi, propose Max.

Mecha ne répond pas à la proposition. Elle l'observe et réfléchit.

– Juste un instant, dit-elle enfin, je t'ai vu debout devant moi, dans la salle de bal de ce navire : si jeune et si beau, en frac... Mon Dieu, Max. Tu n'es plus que l'ombre de toi-même.

Il se compose une expression abattue, baissant la tête avec une résignation élégante et exagérée.

– Je sais.

– Ce n'est pas vrai. – Soudain, elle rit comme autrefois, rajeunie. Le rire sonore et franc de toujours. – Tu es bien pour l'âge que tu as... Ou que nous avons. Moi, en revanche... Comme la vie est injuste !

Elle se tait, et Max semble reconnaître en elle les traits du fils : l'expression de Jorge Keller quand il penche la tête sur ses bras croisés, devant l'échiquier.

– Oui, nous devrions peut-être, dit-elle enfin. Parler un moment. Mais trente ans ont passé depuis la dernière fois... Il est des lieux où l'on ne doit jamais revenir. Tu l'as dit toi-même, un jour.

– Je ne parlais pas de lieux physiques.

– Je sais.

Le sourire de la femme s'est fait ironique. Une moue désolée, plutôt. Sincère et triste.

– Regarde-moi... Penses-tu vraiment que je suis en condition de revenir sur les lieux du passé, quels qu'ils soient ?

– Je ne parle pas de ce genre de retour, proteste-t-il en se rebiffant, mais de ce que nous gardons en mémoire. De ce que nous avons été.

– Des témoins l'un de l'autre ?

Max soutient son regard sans accepter le jeu de son sourire.

– Peut-être. Dans ce monde que nous avons connu.

Les yeux de Mecha Inzunza se sont adoucis. La lumière y intensifie l'or de jadis.

– Le tango de la Vieille Garde, dit-elle à voix basse.

– Oui.

Ils s'étudient. Et elle est de nouveau presque belle, conclut Max. Un miracle dû à seulement quelques mots.

– J'imagine, commente-t-elle, que tu as dû l'entendre souvent, comme moi.

– C'est vrai. Souvent.

– Tu sais, Max ?… Pas une fois, en l'écoutant, je n'ai pu m'empêcher de penser à toi.

– Je peux dire la même chose : je n'ai jamais pu non plus m'empêcher de penser à moi.

L'éclat de rire de Mecha fait se retourner les occupants des tables voisines. L'espace d'un instant, elle lève légèrement une main comme pour la poser sur le bras de l'homme.

– Les jeunes gens d'autrefois, as-tu dit dans ce bouge de Buenos Aires.

– Oui, soupire-t-il, résigné. Aujourd'hui, c'est nous qui sommes les jeunes gens d'autrefois.

Le tranchant s'était émoussé et rasait mal. Après avoir plongé le rasoir dans l'eau savonneuse de la cuvette, puis l'avoir essuyé avec la serviette, Max aiguisa la lame sur une lanière de cuir, dûment accrochée et tendue aussi fort que possible à l'espagnolette de la fenêtre qui donnait sur les frondaisons vertes, rouges et mauves des arbres de l'avenue Almirante Brown. Il pesa sur la lanière jusqu'à ce que l'acier recouvre toute la finesse de son fil, tout en contemplant distraitement la rue où une automobile insolite – le quartier où se trouvait la pension Caboto était davantage fréquenté par des attelages et des tramways, avec des crottins de cheval écrasés de temps à autre par des roues à pneumatiques – s'était arrêtée près de la mule et de la carriole : un petit homme en veste blanche et chapeau de paille y distribuait des pains au lait, des croissants et des biscuits caramélisés. Il était plus de dix heures du matin. Max n'avait pas encore pris son petit-déjeuner, et cette vision accentua le vide de son estomac. Il n'avait pas non plus passé une bonne nuit. Après le retour à une heure impossible, une fois les de Troeye raccompagnés de Barracas à l'hôtel Palace, le danseur mondain avait mal dormi. Un sommeil inquiet, qui ne l'avait guère reposé. Un malaise depuis longtemps familier : un état indécis entre sommeil et veille, peuplé d'ombres éprouvantes ; il n'avait cessé de se tourner et se retourner dans des draps froissés, avec des soubresauts de la mémoire, des images déformées par l'imagination et l'insomnie qui l'assaillaient soudain et lui provoquaient de violentes crises de panique. L'image la plus fréquente était celle d'un paysage couvert de cadavres : une pente de terre jaunâtre près d'un mur qui montait jusqu'à un fortin ; et sur le chemin, le long de la pente, trois mille cadavres noircis par le soleil, sur lesquels on pouvait encore apercevoir les traces des mutilations et des tortures qui avaient précédé leur mort un jour d'été 1921. Le légionnaire Max Costa, volontaire à la 13e compagnie du premier régiment de la Légion espagnole, était alors âgé de dixneuf ans ; et tandis qu'avec le caporal Boris et quatre autres camarades il gravissait la côte menant au fortin abandonné – « Six volontaires pour mourir », tel avait été l'ordre qu'ils avaient reçu pour se porter en éclaireurs devant le reste de la compagnie –, hanté par la puanteur des cadavres et l'horreur de leur vision, baigné de sueur, aveuglé par la réverbération du soleil, pliant sous le poids des cartouchières, le fusil pointé, il avait eu l'absolue certitude que seul le hasard pouvait lui épargner d'être un cadavre de plus parmi ces corps recroquevillés qui avaient été, peu de

156

temps encore auparavant, vivants et jeunes, et qui gisaient maintenant épars sur le chemin d'Anoual à Monte Arruit. Après cette journée, les officiers de la Légion offrirent aux soldats un douro pour chaque tête de Maure coupée. Et deux mois plus tard, dans un endroit nommé Taxuda – de nouveau le même ordre : « Des volontaires pour mourir » –, une balle des Rifains avait sonné le glas de la brève carrière militaire de Max en l'envoyant pour cinq semaines dans un hôpital de Melilla – d'où il avait ensuite déserté pour aller à Oran et, de là, à Marseille –, mais pas avant d'avoir réussi à gagner sept pièces d'un douro.

Le rasoir enfin aiguisé, le danseur mondain, de retour devant la glace biseautée de l'armoire, observait d'un œil critique les traces de l'insomnie sur son visage. Sept ans n'étaient pas suffisants pour calmer certains cauchemars. Pour chasser les démons, comme disaient les Maures et aussi, à force de les avoir tellement entendus, le caporal légionnaire Boris Dolgorouki-Bagration, qui avait fini par les chasser une fois pour toutes en s'enfonçant dans la bouche le canon d'un pistolet neuf millimètres magnum. Mais il en restait toujours assez pour que l'on doive se résigner à supporter leur incommode compagnie. De sorte que Max tenta d'éloigner les pensées désagréables et de se concentrer sur son rasage, en chantonnant *Soy una fiera* : un tango joué la nuit précédente à La Ferroviaria. Quelques instants plus tard, il souriait, songeur, au visage couvert de savon que lui renvoyait le miroir. Le souvenir de Mecha Inzunza était bien utile pour chasser les démons. Ou pour essayer. Sa façon sublime de danser le tango, par exemple. Ses paroles mêlées de silences et de reflets de miel liquide. Et aussi les plans que Max concevait peu à peu, sans hâte, à son sujet, au sujet de son mari et de l'avenir. Des idées de plus en plus définies qu'il passait en revue tandis que, sans cesser de chantonner, il faisait glisser soigneusement la lame sur sa peau.

À son grand soulagement, la soirée s'était terminée sans incident. Après avoir longuement écouté des tangos joués à la vieille manière et regardé danser les couples – ni Mecha ni Max n'étaient retournés cette nuit-là sur la piste –, Armando de Troeye avait invité les trois musiciens à sa table quand ils avaient laissé leurs instruments, relayés par un piano mécanique décrépit qui reproduisait des tangos assourdissants et méconnaissables. Le compositeur avait commandé «quelque chose de très bon et de très cher», tout en faisant circuler avec libéralité son étui à cigarettes en or. Mais la bouteille de champagne la plus proche, lui avait dit la serveuse maussade après avoir consulté le patron – un *gallego*, moustache hérissée et tête abominable –, se trouvait beaucoup trop loin pour aller la chercher à cette heure de la nuit, sauf en prenant le tramway numéro 17 ; de sorte que de Troeye avait dû se contenter de doubles grappas et d'un cognac anonyme, ainsi que d'une bouteille non entamée de gin Llave et d'un siphon en verre bleu. On fit honneur à tout, y compris à des petites *empanadas* comme amuse-gueules, dans la fumée des cigares Toscani et des cigarettes. En d'autres circonstances, Max se serait intéressé à la conversation entre le compositeur et les trois musiciens – le joueur de bandonéon, borgne avec un œil de verre, était un vétéran de l'époque du Café de Hansen et de la Rubia Mireya, vers 1900 –, et à leurs idées sur les tangos anciens et nouveaux, sur les façons de jouer, sur les paroles et la musique ; mais le danseur mondain avait l'esprit ailleurs. Quant au musicien borgne, selon l'intéressé lui-même, il ne savait pas lire la moindre partition et n'avait pourtant jamais fait la moindre fausse note. Toute sa vie, il avait joué d'oreille. En tout cas, son tango et ceux de ses *compadres* étaient des vrais tangos, conçus pour être dansés comme on l'avait toujours fait, avec leur rythme rapide et leurs *cortes* placés là où il fallait ; et pas ces

158

minables imitations mises à la mode, à parts égales, à Paris et au cinématographe. Quant aux paroles, elles tuaient le tango et humiliaient ceux qui dansaient dessus avec cette manie de présenter en héros l'imbécile cocu et pleurnichard que sa femme quittait pour un autre, ou la jeune ouvrière, petite fleur fanée tombée dans le ruisseau. Le seul authentique, avait ajouté le borgne entre deux gorgées de gin, et vigoureusement approuvé par ses camarades, était le tango de ceux qui avaient toujours vécu dans les faubourgs : sarcasme de gouape, insolence de maquereau ou de femme blasée, cynisme goguenard de l'homme revenu de tout. Pour celui-là, pas question de poètes et de musiciens raffinés. Le tango, c'était pour emballer une gonzesse en la serrant dans ses bras, ou faire la noce avec des copains. Il était bien placé pour le savoir, puisqu'il le jouait. Le tango était, pour résumer, instinct, rythme, improvisation, et les paroles n'avaient pas d'importance. L'autre, j'en demande pardon à la dame – ici, il dirigea subrepticement son œil unique vers Mecha Inzunza –, n'était que foutaises de pédés, excusez les gros mots. À ce train-là, après toutes ces amours trahies, toutes ces piaules abandonnées et toute cette sensiblerie, on finira par chanter la pauvre maman veuve ou la petite marchande de fleurs aveugle.

De Troeye, enchanté, se montrait euphorique et volubile. Il trinquait avec les musiciens et prenait de plus en plus de notes au crayon, de son écriture minuscule, sur la manchette de sa chemise. L'alcool commençait à se manifester dans l'éclat de son regard, dans la façon d'articuler certains mots et dans l'enthousiasme qui le faisait se pencher au-dessus de la table, suspendu à leurs propos. Après une demi-heure de bavardage, les trois musiciens incultes de La Ferroviaria et le compositeur ami de Ravel, de Stravinsky et de Diaghilev semblaient avoir été collègues toute leur vie. Pour sa part, Max demeurait attentif, surveillant du coin de l'œil le reste des clients, qui regardaient la table avec curiosité ou méfiance. Le *compadrón* qui avait dansé avec Mecha Inzunza ne les quittait pas des yeux, plissant les paupières sous l'effet de la fumée du cigare qu'il avait à la bouche, pendant que sa compagne au chemisier fleuri, la jupe relevée sur les genoux et jambes croisées, se baissait pour tirer sur ses bas noirs, indifférente. C'est alors que Mecha Inzunza avait dit qu'elle aimerait prendre un peu l'air et fumer une cigarette. Puis, sans attendre une réponse de son mari, elle s'était levée pour gagner la porte d'un pas assuré, le talon aussi décidé et ferme que lors du tango qu'elle avait dansé un moment plus tôt avec le *compadrón*. Les yeux du prétendu Juan Rebenque la suivaient de loin, insolents et curieux, sans rien perdre du balancement de ses hanches ; ils ne s'étaient posés sur Max que quand celui-ci avait rajusté le nœud de sa cravate, boutonné sa veste et était parti derrière la femme. Et tandis qu'il se dirigeait vers la porte, le danseur mondain avait su, sans avoir besoin de se retourner pour le vérifier, qu'Armando de Troeye, lui aussi, le regardait.

Il avait marché sur son ombre que la petite lampe de la porte projetait, allongée, sur le trottoir en brique. Mecha Inzunza était immobile au coin de la rue, là où les dernières maisons du quartier, qui dans cette partie étaient basses et en tôle ondulée, se perdaient dans l'obscurité d'un terrain vague contigu au Riachuelo. Tandis qu'il s'approchait d'elle, Max avait cherché du regard la Pierce-Arrow et réussi à la distinguer dans l'obscurité, de l'autre côté de la rue, au moment où le chauffeur allumait un instant les phares pour indiquer qu'il était là. Brave garçon, avait-il pensé, rassuré. Il appréciait ce Petrossi correct et prévoyant, dans son uniforme bleu, avec sa casquette à galon d'argent et son pistolet dans la boîte à gants.

Quand il était arrivé à sa hauteur, la femme avait laissé tomber à terre la cigarette consumée et écoutait le chant des grillons et le coassement des grenouilles qui venaient des arbustes et des anciens docks en bois pourri de la rive. La lune n'était pas encore levée, mais les poutrelles métalliques qui couronnaient le pont semblaient se découper très haut dans la pénombre, au bout de la rue pavée qui s'enfonçait dans le noir, au-dessus de la clarté fantomatique des quelques lumières qui, de l'autre côté, perçaient la nuit au sud de Barracas. Max s'était arrêté près de Mecha Inzunza et avait allumé une de ses cigarettes turques. Il savait qu'elle l'observait à la brève lueur de la flamme de l'allumette. Il avait secoué celle-ci pour l'éteindre, exhalé une bouffée de fumée et regardé la femme. Son profil n'était qu'une ombre dont la lueur lointaine ciselait la silhouette.

– J'ai aimé votre tango, dit Mecha à l'improviste.

Suivit un bref silence.

– J'imagine que dans la danse, poursuivit-elle, chacun apporte sa part de délicatesse et de provocation.

– Comme dans l'alcool, fit remarquer Max, doucement.

– C'est cela.

Elle se tut de nouveau.

– Cette femme, continua-t-elle, était...

Elle ne poursuivit pas. Ou peut-être avait-elle tout dit.

– Adéquate ? insinua-t-il.

– Probablement.

Elle n'ajouta rien, et Max pas davantage. Le danseur mondain fumait en silence, réfléchissant au prochain pas qu'il allait faire. Finalement, et en mode de conclusion, il haussa les épaules.

– Moi, en tout cas, je n'ai pas aimé le vôtre.

– Allons donc ! – Elle paraissait réellement surprise, un peu hautaine. – Je n'étais pas consciente d'avoir dansé si mal.

– Il ne s'agit pas de ça. – Il souriait par réflexe, sachant qu'elle ne pouvait le voir. – Vous avez dansé merveilleusement, bien entendu.

– Alors ?

– Votre cavalier. Ici, ce n'est pas un endroit recommandable.

– Je comprends.

– Certains jeux peuvent être dangereux.

Trois secondes de silence. Puis cette phrase glaciale :

– De quel jeu parlez-vous ?

Il se permit le luxe tactique de ne pas répondre à la question. Il écarta la cigarette et la jeta loin de lui. La braise décrivit un arc avant de s'éteindre dans l'obscurité.

– Votre mari est aux anges. Il semble apprécier la soirée.

Elle se taisait, paraissant réfléchir à ce qu'ils venaient de se dire.

– Oui, beaucoup, répondit-elle finalement. Il est enthousiaste, parce qu'il ne s'attendait pas à ça. Il est venu à Buenos Aires en pensant à des salons, à une société raffinée et des choses de ce genre… Il avait en tête de composer un tango élégant, en cravate blanche. Je crains que, sur le *Cap Polonio*, vous ne l'ayez fait changer d'idée.

– Je regrette. Je n'ai jamais eu l'intention…

– Vous n'avez rien à regretter. Au contraire. Armando vous est très reconnaissant. Ce qui était un pari avec Ravel, un caprice de luxe, s'est transformé en une aventure enthousiasmante. Vous devriez l'entendre parler de tangos, maintenant. La Vieille Garde et tout ce qui s'ensuit. Il lui manquait seulement de venir ici et de se plonger dans cette ambiance. C'est un homme tenace, obsédé par son travail. – Elle riait doucement, tout bas. – J'ai bien peur que, désormais, il ne devienne intenable, et que je finisse par ne plus supporter le tango et tous ceux qui l'ont inventé.

Elle fit quelques pas au hasard et s'arrêta, comme si l'obscurité lui apparaissait soudain trop incertaine.

– Est-ce que le quartier est réellement dangereux ?

Max la rassura. Pas plus que d'autres, dit-il. Barracas était habité par des gens humbles, laborieux. La proximité du Riachuelo, des quais et de La Boca, un peu plus bas, favorisait l'existence de lieux douteux comme La Ferroviaria. Mais plus haut dans la rue, tout était normal : immeubles de rapport, familles d'immigrants, un peuple de travailleurs ou qui, du moins, tentaient de l'être. Femmes en sabots ou savates, hommes buvant du maté, familles entières en tablier et maillot de corps, sortant des petits bancs et des chaises en paille sur le trottoir pour prendre le frais après leur maigre dîner, s'éventant avec l'écran à attiser le fourneau, tout en surveillant les enfants qui jouaient dans la rue.

– Tout près d'ici, à une rue de distance, se trouve la gargote El Puentecito, où mon père nous emmenait déjeuner certains dimanches, quand ses affaires avaient été bonnes.

– Que faisait votre père ?

– Un tas de choses, sans jamais réussir. Il a travaillé à l'usine, tenu un dépôt de ferraille, transporté de la farine et de la viande… Il était de ces hommes qui n'ont pas de chance, qui naissent avec la marque indélébile de l'échec au front. Un jour, il en a eu assez de se battre, il est rentré en Espagne en nous emmenant avec lui.

– Avez-vous la nostalgie du quartier ?

Le danseur mondain ferma à demi les yeux. Il revivait sans effort des images de jeux sur les berges du Riachuelo, entre les épaves de bateaux et de chalands à demi immergées, rêvant qu'il était un pirate sur les eaux marécageuses. Et enviant de loin le fils du patron du four à chaux Colombo, le seul gamin à posséder une bicyclette.

– J'ai la nostalgie de mon enfance, dit-il avec simplicité. Bien plus que du quartier, je suppose.

– Mais il a été le vôtre.

– Oui… Le mien.

Mecha reprit son chemin et Max l'imita, tous deux s'approchant du pont par la partie de la rue pavée où les lumières lointaines faisaient luire doucement, par endroits, les rails du tramway.

– Eh bien… – Elle y mettait de la sympathie et peut-être aussi de la condescendance. – Vos débuts dans la vie ont été nobles, même s'ils ont été humbles.

– Aucun début humble n'est noble.

– Ne dites pas ça.

Il rit, dents serrées. Presque pour lui-même. Avec la proximité de l'eau, le chœur des grillons et des grenouilles de la rive était devenu assourdissant. L'air était plus humide, et il observa que la femme semblait frissonner. Son écharpe en soie était restée à l'intérieur, sur le dossier de sa chaise.

– Qu'est-ce que vous avez fait, depuis cette époque ?… Depuis que votre père vous a emmené en Espagne ?

– Un peu de tout. Je suis allé pendant quelques années à l'école. Puis j'ai quitté la maison, et un ami m'a trouvé du travail à l'hôtel Ritz de Barcelone, comme chasseur. Dix douros par mois. Plus les pourboires.

Mecha Inzunza, bras croisés, continuait de frissonner sous l'effet de l'humidité. Sans un mot, Max enleva sa veste, demeurant en gilet et bras de chemise, et la posa sur les épaules de la femme, qui ne dit rien non plus. Ce faisant, il glissa un regard sur la vision en raccourci de sa nuque longue et nue, que la lumière diffuse venue de l'autre côté du pont dessinait sous la coupe des cheveux. Un instant, il vit passer le reflet de cette même lumière dans ses yeux, qui durant quelques secondes furent tout proches. Malgré la fumée du tabac, la transpiration et le confinement de La Ferroviaria, il put constater qu'elle sentait toujours aussi bon : la peau bien lavée et un parfum qui n'avait pas complètement disparu.

– Je sais tout sur les chasseurs et les hôtels, poursuivit-il, recouvrant son sang-froid. Vous avez devant vous un spécialiste pour tout ce qui est de mettre des lettres à la poste, être de garde la nuit en résistant à la tentation des canapés qui vous tendent les bras, porter des messages et traverser halls et salons en clamant avec insistance «On demande M. Martínez au téléphone», avec obligation de trouver ledit Martínez dans le peu de temps qui vous est accordé par la patience du correspondant qui attend, le combiné collé à l'oreille…

– Mon Dieu! – Elle semblait amusée. – Tout un monde, j'imagine.

– Vous seriez surprise. Du dehors, il n'est pas facile de savoir ce qui se passe derrière la double rangée de boutons dorés d'un chasseur ou sous le plastron d'une blancheur douteuse d'un barman qui sert des cocktails en silence.

– Vous m'inquiétez… Vos propos ont quelque chose de bolchevique.

Max éclata de rire. Il l'entendait rire elle aussi, près de lui.

– Ce n'est pas vrai que je vous inquiète. Pourtant vous devriez.

Le gant de Mecha Inzunza qu'elle avait disposé en guise de mouchoir dans la pochette de la veste de Max quand celui-ci était allé danser avec la *tanguera* se détachait dans la pénombre comme une grosse fleur blanche glissée dans la boutonnière. Il se fit la réflexion que ce gant établissait entre eux un lien de nature presque intime. Une espèce de complicité supplémentaire, silencieuse et indéfinissable.

– Tel que vous me voyez, continua-t-il, reprenant un ton léger, je suis aussi un expert en pourboires.. Vous et votre mari, qui par votre situation sociale font partie de ceux qui en donnent, ignorent qu'il y a des clients à une, deux, trois et jusqu'à cinq pesetas. C'est l'authentique classification hôtelière, inconnue de ceux qui se croient

165

blonds ou bruns, grands ou petits, industriels, voyageurs de commerce, millionnaires ou ingénieurs des ponts et chaussées. Savez-vous qu'il y a même des clients à dix centimes, dans des chambres qui coûtent cent pesetas par jour?... Ça, c'est la catégorie réelle, et elle n'a rien à voir avec les autres. Les conventionnelles.

Elle tarda un peu à répondre. Elle avait l'air de considérer cela avec un sérieux absolu.

– Pour un danseur mondain, dit-elle enfin, les pourboires aussi sont importants, je suppose.

– Naturellement. Une dame satisfaite d'une valse peut glisser discrètement, dans une poche de la veste, un billet de banque qui suffira pour la soirée ou même la semaine.

Ce disant, il ne put éviter un ton acide : une légère pointe de ressentiment que, pensa-t-il, il n'avait pas non plus de raisons de dissimuler. Et elle, qui l'avait écouté avec beaucoup d'attention, l'avait perçue.

– Écoutez, Max... Je n'ai pas, comme la plupart des gens, les hommes surtout, de préjugés contre les danseurs professionnels. Même pas contre les gigolos... Je dirais même que, par les temps qui courent, une femme habillée par Lelong ou Patou ne peut aller seule au restaurant ou au dancing.

– Ne vous donnez pas la peine de me trouver des justifications. Je n'ai pas de complexes. Je les ai perdus dans des chambres d'hôtel humides et froides où je n'avais que des couvertures râpées et une demi-bouteille de vin pour me réchauffer.

Il y eut un instant de silence. Max devina la question suivante une seconde avant qu'elle la formule.

– Et une femme?

– Oui. Parfois aussi une femme.

– Donnez-moi une cigarette.

Il sortit son étui. Au toucher, il constata qu'il en restait trois.

– Allumez-la vous-même, s'il vous plaît.

Il le fit. À la lueur de la flamme, il vit qu'elle le regardait fixement. Après l'avoir éteinte, encore ébloui par son éclat, il tira deux bouffées de la cigarette et la glissa entre les lèvres de la femme qui l'accepta sans avoir recours au fume-cigarette.

– Qu'est-ce qui vous a amené sur le *Cap Polonio* ?

– Les pourboires... Et un contrat, naturellement. Avant, j'ai navigué sur d'autres navires. Les lignes de Buenos Aires et de Montevideo ont une bonne ambiance. Il s'agit de voyages longs, et les passagères veulent se divertir à bord. Mon aspect latin, le fait de bien danser le tango et autres musiques à la mode aident. Les langues aussi.

– Quelles autres langues parlez-vous ?

– Le français. Et je me défends en allemand.

Elle avait jeté la cigarette.

– Vous vous conduisez en parfait gentleman, bien que vous ayez commencé comme chasseur dans des hôtels... Où avez-vous appris les bonnes manières ?

Max éclata de rire. Il regardait s'éteindre la minuscule braise aux pieds de la femme.

– En lisant des magazines illustrés : ceux qui parlent du grand monde, de la mode, des réceptions... En regardant autour de moi. En suivant les conversations et en observant les manières de ceux qui en ont. Et aussi grâce à quelques amis qui m'ont aidé.

– Est-ce que votre travail vous plaît ?

– Parfois. Danser n'est pas seulement une façon de gagner sa vie. C'est aussi un prétexte pour tenir des jolies femmes dans ses bras.

– Et toujours en frac ou en smoking, impeccable ?

– Évidemment. Ce sont mes uniformes de travail. – Il fut sur le point d'ajouter : « que je n'ai toujours pas payés à un tailleur de la rue Danton », mais il se retint. – Aussi bien pour un tango, un fox ou un black-bottom.

– Vous m'ôtez mes illusions. Je vous avais imaginé dansant des tangos crapuleux dans les pires endroits de Pigalle... Des endroits qui ne s'animent qu'au moment où s'allument les réverbères sous lesquels déambulent les filles, les souteneurs et les apaches.

– Je vois que vous êtes bien informée sur ce milieu.

– Je vous ai dit que ma visite à La Ferroviaria n'était pas la première que je faisais dans un lieu équivoque. Certains appellent cela le plaisir canaille de la promiscuité.

– Mon père avait l'habitude de dire : « Il s'était fait dompteur et il a été tué par le lion qu'il avait dressé. »

– Votre père était un homme de bon sens.

Ils rebroussèrent chemin, lentement, vers la petite lampe qui éclairait l'entrée de La Ferroviaria. Elle semblait vouloir presser un peu le pas, visage penché. Énigmatique.

– Et qu'en pense votre mari ?

– Armando est aussi curieux que moi. Ou presque.

Le danseur mondain analysa les implications du mot *curieux*. Il pensait à un dénommé Juan Rebenque, debout devant la table dans la pose provocante du *compadrón* dangereux et vindicatif, et à la froide arrogance avec laquelle elle avait accepté le défi. Il pensait aussi à ses hanches que moulait la soie légère de la robe, se balançant autour du corps du voyou. « À votre tour, à présent », avait-elle lancé comme un nouveau défi, délibérément, en revenant.

– Je connais Pigalle et tout le reste, dit Max. Mais, professionnellement, j'ai fréquenté d'autres lieux. J'ai travaillé jusqu'à mars dernier dans un cabaret russe de la rue de Liège, près de Montmartre : le Shéhérazade. Avant, j'ai exercé au Kasmet et au Casanova. Également aux thés dansants du Ritz et, à la belle saison, à Deauville et à Biarritz.

– Bravo. À ce que je vois, vous ne manquez pas de travail !

– Je ne me plains pas. Avec le tango, être argentin est à la mode. Ou semble l'être.

– Pourquoi avez-vous vécu en France et non en Espagne ?

– C'est une longue histoire. Elle vous ennuierait.

– Je n'en suis pas sûre.

– Ou alors c'est peut-être moi qu'elle ennuierait.

Elle s'arrêta. Maintenant, la petite lanterne éclairait un peu mieux ses traits. Des lignes parfaites, constatat-il encore une fois. Extraordinairement sereines. Même sous cette faible lumière, chaque pore de cette femme transpirait la haute société. Jusqu'à ses gestes les plus banals semblaient dus à un instant de distraction d'un peintre ou d'un sculpteur de l'ancien temps. À la négligence élégante d'un maître.

– Peut-être nous y sommes-nous croisés un jour, dit-elle.

– C'est possible mais peu probable.

– Pourquoi ?

– Je vous l'ai dit sur le bateau : je m'en souviendrais.

Elle le regardait fixement, sans répondre. Un double reflet sur ses pupilles immobiles.

– Vous savez une chose ? commenta-t-il. J'aime votre façon d'accepter avec naturel qu'on vous dise que vous êtes belle.

Mecha Inzunza resta encore un moment sans parler, en continuant de le regarder. Mais maintenant elle semblait sourire : un léger pli sombre au coin des lèvres, accentué par la lumière électrique.

– Je comprends votre succès auprès des femmes. Vous êtes bel homme… Ça ne trouble pas votre conscience d'avoir brisé certains cœurs, qu'il s'agisse de dames mûres ou de jeunes péronnelles ?

– Pas le moins du monde.

169

– Vous avez raison. Le remords est peu fréquent chez les hommes s'il y a de l'argent ou du sexe à gagner, et chez les femmes s'il y a des hommes en jeu… D'ailleurs, nous n'éprouvons pas tellement de gratitude, comme les hommes se l'imaginent, pour les comportements et les sentiments chevaleresques. Et nous le démontrons souvent en nous amourachant de voyous ou de parfaits butors.

Elle se dirigea vers l'entrée de la gargote et s'arrêta devant, comme si elle n'avait jamais ouvert une porte elle-même.

– Surprenez-moi, Max. Je suis patiente. Capable d'attendre aussi longtemps qu'il le faut pour que l'on m'étonne.

Il tendit la main pour pousser la porte, faisant appel à tout son sang-froid. S'il n'avait pas su que le chauffeur les observait depuis la voiture, il aurait tenté de l'embrasser.

– Votre mari…

– Au nom du ciel, oubliez mon mari.

Le souvenir de la nuit précédente à La Ferroviaria accompagnait le passage de la lame sur le menton du danseur mondain. Il restait encore à raser une portion de mousse sur la joue gauche, quand on frappa à la porte. Il alla ouvrir sans se préoccuper de son aspect – il portait son pantalon et des chaussures, mais il était en maillot de corps et ses bretelles pendaient –, et il resta figé sur place, la main collée à la poignée, bouche bée, stupéfait et incrédule.

– Bonjour, dit-elle.

Elle était vêtue pour sortir en ville : coupe simple et droite, foulard à pois blancs sur fond bleu, chapeau cloche qui encadrait l'ovale du visage. Et elle regardait d'un air amusé, avec un léger sourire, le rasoir qu'il tenait dans la main droite. Puis son regard remonta jusqu'à rencontrer le sien, en s'arrêtant sur le maillot collé au corps, les bretelles défaites, le reste de mousse sur la figure.

– Je vous dérange peut-être, ajouta-t-elle avec un calme déconcertant.

Max avait déjà repris son contrôle. Avec une louable présence d'esprit, il murmura des excuses pour sa tenue, la fit entrer, ferma la porte, posa le rasoir dans la cuvette, recouvrit le lit défait, passa ses bretelles et enfila une chemise sans col, qu'il boutonna tout en essayant de réfléchir très vite et de recouvrer son calme.

– Excusez le désordre. Je ne pouvais imaginer...

Elle n'avait rien dit de plus et le regardait faire, en semblant jouir de sa confusion.

– Je suis venue chercher mon gant.

Max ouvrit de grands yeux, ahuri.

– Votre gant ?

– Oui.

Encore déconcerté, après avoir enfin réalisé ce qu'elle voulait dire, il ouvrit l'armoire. Le gant était là, dépassant de la poche supérieure de la veste qu'il avait portée la nuit précédente. Celle-ci était pendue à côté du complet trois pièces gris, d'un pantalon de flanelle et des deux habits de soirée, frac et smoking, qu'il portait pour travailler ; il y avait aussi des chaussures noires, une demi-douzaine de cravates et de chaussettes – le matin même, il en avait reprisé une paire en s'aidant d'une calebasse à maté –, trois chemises blanches et une demi-douzaine de cols et de manchettes amidonnés. Et c'était tout. Dans la glace de la porte de l'armoire, il put voir que Mecha Inzunza observait ses mouvements, et il eut honte qu'elle puisse constater l'indigence de sa garde-robe. Il fit mine d'endosser une veste pour ne pas rester en bras de chemise, mais il vit qu'elle faisait non de la tête.

– Ce n'est pas la peine... Je vous en prie. Il fait trop chaud.

Après avoir refermé l'armoire, il alla vers la femme et lui remit le gant. Elle le prit sans même y prêter attention et le garda dans sa main, en le frappant à petits coups contre son sac en maroquin. Elle restait debout, ignorant délibérément l'unique chaise, aussi sereine que dans le salon d'un hôtel qu'elle aurait fréquenté toute sa vie. Elle regardait autour d'elle et prenait le temps d'étudier chaque détail : le rectangle de soleil que la fenêtre laissait tomber sur le carrelage ébréché du sol, encadrant la malle usée couverte d'étiquettes de lignes maritimes et d'hôtels de troisième catégorie prévus par contrat ; le réchaud Primus sur le marbre de la commode ; les instruments pour se raser, la petite boîte de poudre dentifrice et le tube de gomina Stacomb posés près de la cuvette. Sur la table de nuit, sous la lampe à kérosène – à la pension Caboto, le courant électrique était coupé à onze heures du soir –, il y avait le passeport de la République française, l'étui à cigarettes dont les initiales n'étaient pas les siennes, une boîte d'allumettes du *Cap Polonio* et un portefeuille – son contenu n'était pas visible, pensa Max avec soulagement – avec, à l'intérieur, sept billets de cinquante pesos et trois de vingt.

– Un gant, c'est important. Ça ne s'abandonne pas à la légère.

Elle continuait de tout regarder. Puis elle ôta son chapeau avec beaucoup de calme tandis que ses yeux, apparemment par hasard, s'arrêtaient sur le danseur mondain. Elle inclinait un peu la tête sur le côté, une fois de plus il admira la ligne effilée et élégante du cou, qui semblait encore plus nu sous les cheveux coupés au ras de la nuque.

– Un endroit intéressant, celui d'hier... Armando veut y retourner.

Non sans effort, Max revint à ce qu'elle lui disait.

– La nuit prochaine ?

– Non. Ce soir, nous devons assister à un concert au théâtre Colón... Ça vous irait, demain ?

– Bien sûr.

172

Elle s'assit sur le bord du lit avec une assurance parfaite, ignorant la chaise libre. Elle tenait le gant et le chapeau dans les mains, puis les posa à côté d'elle, avec le sac. Dans cette position, le bas de sa robe laissait à découvert ses chevilles sous les bas couleur chair qui revêtaient les jambes minces et longues.

– J'ai dû lire un jour, dit Mecha Inzunza, quelque chose à propos de gants de femme abandonnés.

Elle semblait réellement songeuse, comme si c'était la première fois qu'elle se le remémorait.

– Une paire de gants n'est pas un gant, ajouta-t-elle. Deux, ce serait un banal oubli. Un, c'est...

Elle laissa la suite en suspens, regardant Max.

– Délibéré ? risqua celui-ci.

– Ce qui me plaît chez vous, c'est que je ne pourrai jamais vous trouver stupide.

Le danseur mondain soutenait, sans ciller, la fixité des yeux couleur de miel.

– Et moi, ce qui me plaît, c'est votre manière de me regarder, dit-il doucement.

Il la vit froncer les sourcils comme si elle analysait les implications de la réplique. Puis Mecha Inzunza croisa les jambes et posa les mains de part et d'autre sur le couvre-lit. Elle paraissait gênée.

– Vraiment... Allons : vous me décevez. – Il y avait une pointe de froideur dans le ton. – Je vous trouve un peu présomptueux, je le crains. Déplacé.

Cette fois, il ne répondit pas. Il restait debout devant la femme, immobile. Dans l'attente. Au bout d'un instant, elle haussa les épaules, indifférente, comme quelqu'un qui donne sa langue au chat face à une devinette absurde.

– Alors dites-moi comment je vous regarde, fit-elle.

Max sourit tout de suite, avec une simplicité apparente. C'était sa meilleure expression de gentil garçon, répétée des

173

centaines de fois devant les miroirs d'hôtels bon marché ou de pension minables.

– Je plains les hommes qu'une femme n'a jamais regardés ainsi.

Il lui fallut prendre sur lui pour dissimuler son désarroi en la voyant se lever, prête à partir. Désespéré, il réfléchit à toute allure, cherchant l'erreur qu'il avait commise. Le geste ou le mot de trop. Mais Mecha Inzunza, au lieu de prendre ses affaires et de sortir de la chambre, fit trois pas vers lui. Max avait oublié qu'il avait encore du savon à barbe sur la figure ; de sorte qu'il resta interloqué quand la femme tendit une main pour lui frôler la joue et, ramassant un peu de mousse blanche sur son index, lui donna un petit coup sur le nez.

– Vous ressemblez à un joli clown, dit-elle.

Ils se jetèrent l'un sur l'autre, sans prononcer un mot, abandonnant toute retenue, se dépouillant de tout ce qui les empêchait de se toucher et de se caresser. Et lorsqu'ils retirèrent le couvre-lit, l'odeur de la femme se mêla à celle de l'homme qui imprégnait les draps froissés au cours de la nuit. Ce fut ensuite un dur combat des sens : un long assaut de désirs pressants trop longtemps réfrénés que chacun prolongea sans la moindre pitié pour l'autre et qui exigea de Max tout son sang-froid pour se battre sur trois fronts : garder le calme nécessaire, contrôler les réactions de la femme et étouffer ses gémissements, afin d'éviter que toute la pension Caboto ne soit au courant de leurs étreintes. Le rectangle de soleil de la fenêtre s'était déplacé lentement jusqu'au lit et, dans sa lumière, ils s'immobilisaient parfois, langue, bouche, mains et hanches épuisées, ivres de la salive et de l'odeur de l'autre, luisants des sueurs mêlées qui prenaient la forme de cristaux de givre sous cette clarté aveuglante. Et, chaque fois, ils se regardaient pleins de défi ou d'étonnement, incrédules devant le plaisir sauvage qui les liait, reprenant haleine à la manière des lutteurs qui font une pause dans le combat, la respiration entrecoupée et le sang martelant leurs tympans, avant de se précipiter de nouveau l'un contre l'autre, avec l'avidité de ceux qui mettent un point final, presque avec désespoir, à un terrible dilemme personnel sans cesse reporté.

Pour sa part, dans les éclairs de lucidité, en même temps qu'il se cramponnait à des détails concrets ou à des pensées qui pouvaient lui permettre de garder plus longtemps le contrôle de lui-même, Max retint de cette matinée deux faits singuliers : aux moments les plus intenses, Mecha Inzunza murmurait des obscénités qui ne convenaient guère à une dame ; et sur sa chair douce et chaude, délicieusement tendre dans les coins les plus secrets, il y avait des marques bleutées qui ressemblaient à des traces de coups.

Les ampoules se sont allumées dans leurs lampions de carton et de papier quand le soleil s'est caché derrière les falaises qui encadrent la Marina Grande de Sorrente. Avec cette lumière artificielle, moins précise et moins fidèle que celle qui vient de s'éteindre après un dernier éclat rouge vif dans le ciel et au bord de l'eau, les traits de la femme que Max Costa a devant lui semblent perdre leurs stigmates les plus récents. L'éclairage tamisé de la trattoria Stefano efface les traces du passage des ans et fait revivre l'ancien dessin précis et la beauté parfaite du visage de Mecha Inzunza.

– Jamais je n'aurais pu imaginer que les échecs changeraient à ce point ma vie, est-elle en train de dire. En réalité, ce qui a changé ma vie, c'est mon fils. Les échecs ne sont qu'affaire de circonstances… S'il avait été musicien ou mathématicien, le résultat aurait probablement été le même.

La température est encore agréable près de la mer. La femme a les bras nus, sa veste légère de couleur crème est posée sur le dossier de sa chaise, et elle porte une robe simple, toute d'une pièce, en coton violet, longue et élégante, qui souligne sa silhouette qui est restée mince et ignore délibérément la mode des jupes courtes et des couleurs vives que même les femmes d'un certain âge adoptent ces derniers temps. À son cou brillent les trois tours du collier de perles. Assis en face d'elle, Max demeure immobile, montrant un intérêt qui dépasse la simple politesse. Il faudrait se livrer à un examen très minutieux pour reconnaître le chauffeur du docteur Hugentobler dans le gentleman tranquille à cheveux gris qui écoute, attentif, légèrement penché au-dessus de la table, devant un verre dans lequel il a à peine trempé les lèvres, fidèle à sa vieille habitude : le moins d'alcool possible quand une partie importante est en jeu. Ses manières sont impeccables, avec son blazer croisé bleu marine, sa chemise Oxford et sa cravate en tricot marron.

– Ou peut-être pas, continue Mecha Inzunza. Les échecs professionnels sont un monde compliqué. Exigeant. Ils requièrent un environnement particulier. Un mode de vie spécial. Ils conditionnent fortement tous ceux qui forment l'entourage des joueurs.

Elle s'arrête et baisse la tête pendant qu'elle passe un doigt – les ongles sont polis et soignés, sans vernis – sur le bord de sa tasse à café vide.

– Dans ma vie, ajoute-t-elle après quelques instants, j'ai connu des ruptures radicales et des tournants qui ont marqué les étapes suivantes. La mort d'Armando pendant la guerre d'Espagne a été l'un d'eux. Elle m'a redonné une certaine forme de liberté que peut-être je ne souhaitais pas ou dont même je n'avais pas besoin. – Elle s'interrompt, regarde Max et fait un geste ambigu, comme résigné. – Un autre de ces tournants a été quand j'ai découvert que mon fils était un enfant surdoué pour les échecs.

– Tu lui as consacré ta vie, d'après ce que j'ai compris.

Elle écarte la tasse et se laisse aller en arrière, contre le dossier de sa chaise.

– Il est peut-être un peu excessif de l'exprimer ainsi. Un fils, c'est quelque chose qu'on ne peut expliquer à des tiers. Tu n'en as jamais eu?

Max sourit. Il se rappelle très bien qu'elle lui a posé la même question à Nice, il y a trente ans. Et qu'il a fait la même réponse.

– Pas que je sache... Pourquoi les échecs?

– Parce que c'est ce qui a obsédé Jorge depuis tout petit. Sa joie et son tourment. Imagine que tu vois quelqu'un que tu aimes passionnément, de toute ton âme, tentant de résoudre un problème inexact et complexe à la fois. Tu brûles de l'aider, mais tu ne sais pas comment. Tu cherches alors la personne qui pourra faire pour lui ce que, toi, tu es incapable de faire. Des maîtres, des assistants...

Elle regarde autour d'elle avec un sourire, pendant que Max est suspendu à chacun de ses gestes, à chacune de ses paroles. Plus loin, vers le petit quai des bateaux de pêche, les tables du restaurant voisin, la trattoria Emilia, sont désertes, et un garçon qui a l'air de s'ennuyer ferme bavarde devant la porte avec la cuisinière. Seul un groupe d'Américains parle fort à la terrasse d'un troisième établissement situé tout au bout de la plage, où résonne, venant d'un juke-box ou d'un tourne-disque, la voix d'Edoardo Vianello chantant *Abbronzatissima*.

– C'est comme pour une mère dont le fils serait dépendant d'une drogue... Incapable de l'en écarter, elle décide d'en prendre elle-même.

Son regard se perd au-delà de Max et des barques de pêcheurs échouées sur le sable, vers les lointaines lumières qui entourent la baie et s'échelonnent sur le versant noir du Vésuve.

– C'était insupportable de le voir souffrir devant un échiquier, poursuit-elle. Encore aujourd'hui cela me fait mal. Au début, j'ai voulu éviter ça. Je ne suis pas de ces mères qui poussent leurs enfants à dépasser leurs limites, en projetant sur eux leur propre ambition. Au contraire. J'ai tenté de l'écarter du jeu... Mais quand j'ai été convaincue que c'était impossible, quand j'ai vu qu'il jouait en cachette et que cela pouvait le séparer de moi, je n'ai pas hésité.

Lambertucci, le patron, vient voir s'ils désirent quelque chose, et Max fait non de la tête. Quand il lui a téléphoné dans l'après-midi pour réserver une table, il l'a prévenu : Tu ne me connais pas. Je viendrai à huit heures quand le *capitano* sera parti, et cache l'échiquier. Officiellement, je ne suis venu chez toi que deux ou trois fois, donc ce soir pas de familiarités. Je veux un dîner discret et tranquille : pâtes aux clovisses, poisson du jour grillé, vin blanc bon et frais, et surtout pas question de voir débarquer ton neveu avec sa guitare pour esquinter *O sole mio*. Le reste, je te l'expliquerai plus tard. Ou peut-être jamais.

– Quand je le punissais, continue Mecha Inzunza, il allait parfois dans sa chambre et je l'y voyais immobile sur son lit, les yeux au ciel. Je me suis rendu compte qu'il n'avait pas besoin de voir les pièces. Il jouait en imagination, en se servant du plafond comme échiquier... Et c'est comme ça que j'ai choisi de me mettre de son côté, avec tous les moyens dont je disposais.

– Comment était-il, quand il était petit ?... J'ai lu qu'il a commencé à jouer très tôt.

– Au début, c'était un enfant très nerveux. Il pleurait, inconsolable, quand il commettait une erreur et perdait. Moi d'abord, ses professeurs ensuite, nous avons dû le forcer à réfléchir avant de déplacer une pièce. Déjà pointait ce qui allait être plus tard son style de joueur : élégant, brillant et rapide, toujours disposé à sacrifier des pièces dans les attaques.

– Un autre café ? propose Max.

– Oui, merci.

– À Nice, tu vivais de café et de cigarettes.

Elle esquisse un vague sourire. Indolent.

– Ce sont les seules anciennes habitudes que j'ai gardées. Mais quand même, aujourd'hui, je les modère.

Lambertucci revient et sert la commande avec une expression impénétrable et une correction légèrement exagérée, en regardant la femme sans en avoir l'air. Il semble approuver son allure, puis il fait un clin d'œil discret avant d'aller s'installer près du garçon et de la cuisinière de l'autre trattoria pour bavarder avec eux. De temps en temps il se tourne à demi et Max devine ce qu'il pense : Qu'est-ce que le vieux pirate est en train de manigancer ce soir ? Comme ça, tout d'un coup, sans crier gare, et accompagné.

– On croit souvent que les échecs consistent en improvisations de génie, dit Mecha Inzunza, mais ce n'est pas vrai. Ils requièrent des méthodes scientifiques : explorer toutes les situations possibles en cherchant de nouvelles idées… Un grand joueur connaît les mouvements de milliers de parties, les siennes et celles des autres, qu'il essaye d'améliorer avec de nouvelles ouvertures ou de nouvelles variantes, étudiant ses prédécesseurs comme on apprend une langue ou le calcul algébrique. Pour cela, il s'appuie sur des assistants, des préparateurs, des analystes dont je t'ai parlé ce matin. Selon le moment, Jorge s'entoure de plusieurs d'entre eux. Mais son maître, Emil Karapétian, est avec nous en permanence.

– Le Russe aussi a des assistants ?

– De toutes sortes. Il y a même un fonctionnaire de l'ambassade à Rome, tu te rends compte ? Pour l'Union soviétique, les échecs sont une affaire d'État.

– J'ai entendu dire qu'ils occupent un bâtiment entier, près du jardin de l'hôtel. Et qu'il y a même des agents du KGB.

– N'en sois pas surpris. La suite de Sokolov atteint la douzaine de personnes, bien que le prix Campanella ne constitue qu'un simple galop d'essai avant le championnat du monde… Dans quelques mois, à Dublin, Jorge disposera de quatre ou cinq analystes et assistants personnels. Imagine alors le nombre de personnes qu'amèneront les Russes.

Max boit une brève gorgée de vin.

– Et vous, vous en avez combien ?

– Ici, nous sommes trois, si tu me comptes aussi. À part Karapétian, nous avons avec nous Irina.

– La jeune fille ?… Je croyais qu'elle était la fiancée de ton fils.

– Elle l'est. Mais c'est aussi une joueuse d'échecs exceptionnelle. Elle a vingt-quatre ans.

Max fait comme s'il n'en avait jamais rien su.

– Russe ?

– De parents yougoslaves, mais née au Canada. Elle a fait partie de l'équipe de ce pays à l'olympiade de Tel-Aviv et compte parmi les douze ou quinze meilleures joueuses du monde. Elle a le titre de grand maître. Elle et Emil Karapétian forment le noyau dur de notre équipe d'analystes.

– Elle te plaît, comme belle-fille ?

– Ça pourrait être pire, répond-elle, impassible, sans accepter le jeu que lui propose le sourire de Max. C'est une fille compliquée, comme tous les joueurs d'échecs. Et ce qu'ils ont dans la tête ni toi ni moi ne l'aurons jamais… Mais elle et Jorge s'entendent bien.

– Elle est compétente comme assistante, analyste, ou quel que soit le mot ?

180

– Oui. Très.

– Et comment le maître Karapétian le prend-il ?

– Bien. Au début il était jaloux et aboyait comme un chien qui défend son os. Une fille… grognait-il. Et tout ça. Mais elle est maligne. Elle a su le mettre dans sa poche.

– Et toi ?

– Oh, moi, c'est différent. – Mecha Inzunza boit le reste de son café. – Je suis la mère, tu comprends ?

– Oui.

– Moi, je regarde ça de loin… Attentivement, mais de loin.

On entend les voix des Américains qui passent derrière Max et s'éloignent en direction de la montée conduisant à la partie haute de Sorrente. Puis, tout reste silencieux. La femme fixe, pensive, les carreaux rouges et blancs de la nappe, d'un air qui rappelle celui d'un joueur devant un échiquier.

– Il y a des choses que je ne peux donner à mon fils, ajoute-t-elle soudain, en relevant la tête. Et il ne s'agit pas seulement d'échecs.

– Jusqu'à quand ?

Aussi longtemps qu'il le voudra, répond-elle sans vaciller. Aussi longtemps qu'il aura besoin de l'avoir près de lui. Quand ce ne sera plus nécessaire, elle espère s'en rendre compte à temps et se retirer discrètement, sans drame. À Lausanne, elle possède une maison confortable, pleine de livres et de disques. Une bibliothèque, et une existence qu'elle a toujours reportée à plus tard mais qu'elle a préparée tout au long de ces années. Un lieu où s'éteindre en paix le moment venu.

– Tu en es encore bien loin. Je t'assure.

– Tu as toujours été un flatteur, Max… Un vaurien élégant et un charmant enjôleur.

181

Il baisse la tête, modeste, comme accablé par l'excès d'éloges ironiques. Que répondre à cela ? affiche son expression d'homme du monde. À nos âges.

– J'ai lu il y a très longtemps, ajoute-t-elle, quelque chose qui m'a fait songer à toi. Je te le répète de mémoire, mais c'est à peu près ça : « Les hommes caressés par d'innombrables femmes traverseront la vallée des ombres délivrés de la souffrance et de la peur... » Qu'en penses-tu ?

– Trop rhétorique.

Un silence. Elle étudie maintenant les traits de Max comme si elle tentait de le reconnaître derrière tous les changements. Ses yeux brillent doucement à la lumière des lampions en papier.

– Vraiment, tu ne t'es pas marié ?

– Cela aurait limité, je suppose, ma capacité à traverser la vallée des ombres quand mon tour viendra.

Elle éclate de rire. Un rire spontané et vigoureux comme celui d'une jeune fille, qui fait tourner la tête à Lambertucci, au garçon et à la cuisinière, toujours en train de bavarder dans la trattoria voisine.

– Quel roublard ! Tu as toujours excellé dans ce genre de répliques... Capable de t'approprier immédiatement tout ce qui ne t'appartient pas.

Il tâte les manchettes de sa chemise pour s'assurer qu'elles dépassent correctement des manches de la veste. Il déteste la manière moderne de montrer la quasi-totalité de son poignet, comme aussi les tailles trop ajustées, les cravates trop voyantes, les chemises à col en pointe et les pantalons moulants qui s'évasent vers le bas.

– Durant toutes ces années, est-ce que tu as réellement pensé quelquefois à moi ?

Il pose la question en regardant les iris dorés de la femme.

– Oui, je l'avoue. Quelquefois.

Max fait appel au plus efficace de ses moyens : le trait blanc qui illumine son visage, en apparence spontané, et qui jadis produisait des effets dévastateurs sur la résistance de ses destinataires.

– Tango de la Vieille Garde mis à part ?

– Mais oui.

La femme a acquiescé d'un mouvement de la tête et d'un sourire ténu, acceptant le jeu. Cela encourage un peu Max et lui fait reprendre espoir comme le torero qui, sentant que le public est de son côté, prolonge la *faena*. Le pouls bat à un bon rythme dans ses vieilles artères, décidé et ferme comme aux temps de l'aventure ; avec un zeste d'euphorie optimiste semblable à celle que procurent, après une nuit de mauvais sommeil, deux aspirines prises avec un café.

– Pourtant, argumente-t-il avec un calme parfait, c'est seulement la troisième fois que nous nous rencontrons, toi et moi : sur le *Cap Polonio*, à Buenos Aires en 1928, et à Nice, neuf ans plus tard.

– J'ai peut-être toujours eu une faiblesse pour les canailles.

– Non, Mecha, j'étais jeune, c'est tout.

L'expression qui accompagne sa réponse est un autre des morceaux choisis de son répertoire : il baisse modestement la tête tout en faisant avec la main gauche un geste affectant d'écarter tout le superflu ; c'est-à-dire tout ce qui n'est pas la femme qu'il a devant lui.

– Oui, c'est bien ce que j'ai dit : une jeune et élégante canaille. Et tu en vivais.

– Non, proteste-t-il poliment. Ça m'aidait à vivre, ce qui n'est pas la même chose... Les temps étaient durs. Et, au fond, ils le sont tous.

Il a dit cela en regardant le collier, et Mecha Inzunza s'en aperçoit.

– Tu te souviens de lui ?

183

Max prend une mine de gentleman offensé, ou tout près de l'être.

– Évidemment, je m'en souviens.

– Le contraire m'aurait étonné. – Elle touche un instant les perles. – C'est le même que celui de Buenos Aires… et qui a fini à Montevideo. Il ne m'a jamais quitté.

– Comment aurais-je pu l'oublier ? – L'ancien danseur mondain observe la pause mélancolique appropriée. – Il est toujours aussi magnifique.

Mais elle semble ne pas lui prêter attention, plongée dans ses propres évocations.

– Cette histoire, à Nice… Comme tu t'es servi de moi, Max !… Et quelle idiote j'ai été. Ta seconde escroquerie m'a coûté l'amitié de Suzi Ferriol, entre autres choses. Et je n'ai plus eu de nouvelles de toi. Plus jamais.

– Ils me cherchaient, souviens-toi. Je devais filer au plus vite. Il y avait des morts… Ç'aurait été de la folie de rester.

– Je me souviens très bien. De tout. Même au point de comprendre que c'était pour toi un prétexte parfait.

– Tu te trompes. Je…

Maintenant, c'est elle qui lève une main.

– Ne poursuis pas dans cette voie, Max. Tu gâcherais cet agréable dîner.

Prolongeant son geste, elle tend avec naturel la main par-dessus la table et frôle le visage de Max. Instinctivement, il effleure les doigts d'un léger baiser pendant qu'elle la retire.

– Mon Dieu… C'est vrai. Tu étais la plus belle femme que j'aie jamais vue.

Mecha Inzunza ouvre son sac, sort un paquet de Muratti et en porte une à ses lèvres. Se penchant au-dessus de la table, Max l'allume avec le Dupont en or qui était encore quelques jours plus tôt dans le bureau du docteur Hugentobler. Elle exhale la fumée et se redresse.

– Ne sois pas stupide.

184

– Tu es toujours belle, insiste-t-il.

– N'en rajoute pas. Regarde-toi plutôt. Est-ce que tu imagines que tu es resté le même ?

En cet instant, Max est sincère. Ou il pourrait bien l'être.

– Dans d'autres circonstances, je…

– Tout n'a été qu'une suite de hasards. Dans d'autres circonstances tu n'aurais pas eu la moindre chance.

– De quoi ?

– Tu sais de quoi. De m'approcher.

Une pause plus longue. La femme évite les yeux de Max et fume en regardant les lampions, les maisons de pêcheurs qui se succèdent le long de la plage, les tas de filets et les barques échouées dans la pénombre du rivage.

– Ton premier mari, lui, était une vraie canaille, dit-il.

Mecha Inzunza tarde à répondre ; deux bouffées de cigarette et un silence qui s'éternise.

– Laisse-le en paix, répond-elle enfin. Armando est mort depuis presque trente ans. C'était un compositeur extraordinaire. Et il s'est contenté de me donner ce que je désirais. Comme moi avec mon fils, en quelque sorte.

– J'ai toujours été persuadé que…

– Qu'il me corrompait. Ne dis pas de sottises. Il avait ses goûts bien à lui, naturellement. Spéciaux, parfois. Mais rien ne m'obligeait à entrer dans son jeu. J'avais aussi les miens. À Buenos Aires, comme partout, j'ai toujours gardé le contrôle absolu de mes actes. Et souviens-toi qu'à Nice il n'était plus avec moi. Ils l'avaient tué en Espagne. Ou ils étaient sur le point de le faire.

– Mecha…

Il a mis la main sur celle que la femme a posée sur la table. Elle la retire lentement, sans violence.

– Pas question de ça, Max. Si tu me dis que j'ai été le grand amour de ta vie, je me lève et je pars.

5

Une partie ajournée

– Ce n'est pas la ville que j'avais imaginée, dit Mecha.

La chaleur était forte, accentuée par la proximité du Ria-chuelo. Max avait ôté son chapeau pour en aérer le fond humide et marchait en le tenant dans une main, l'autre glissée à demi dans la poche de sa veste. Ses pas et ceux de la femme s'accordaient par moments, les rapprochant jusqu'à se frôler pour se séparer de nouveau.

– Il y a beaucoup de Buenos Aires, observa-t-il. Encore que, pour l'essentiel, on puisse seulement distinguer deux villes : celle du succès et celle de la défaite.

Ils avaient déjeuné ensemble près de La Ferroviaria, au restaurant El Puentecito, à un quart d'heure en voiture de la pension Caboto. Avant, en descendant de la Pierce-Arrow – c'était toujours le silencieux Petrossi qui conduisait, et pas une fois il n'avait regardé Max dans le rétroviseur –, ils avaient pris l'apéritif dans un café situé devant la gare du chemin de fer, accoudés au comptoir en marbre sous une grande photo du Sportivo Barracas et une affiche qui disait : *Prière de ne pas enfreindre l'ordre et la décence, et de ne pas cracher par terre.* Elle avait commandé une gre-nadine avec de l'eau gazeuse, et lui un vermouth Cora avec quelques gouttes d'Amer Picon, et cela au milieu des regards de curiosité et des conversations en espagnol et en italien d'hommes qui portaient des chaînes de cuivre à leurs gilets, jouaient à la *morra*, fumaient et expédiaient de puissants jets de salive dans les crachoirs. C'était elle qui avait insisté pour que Max l'emmène ensuite dans le modeste restaurant où son père réunissait jadis sa famille : celui-là même dont il avait parlé la nuit précédente. Une fois là, Mecha avait semblé prendre plaisir à goûter le plat de raviolis et la viande grillée qu'ils avaient accompagnés, sur les conseils d'un alerte garçon *gallego*, d'une demi-bouteille d'un vin de Mendoza âpre et odorant.

– Faire l'amour me donne faim, avait-elle dit, sereine.

Ils s'étaient regardés longuement pendant le repas, épuisés et complices, sans rien évoquer de ce qui s'était passé dans la pension de l'avenue Almirante Brown. Mecha très décontractée – elle faisait preuve d'une maîtrise absolue d'elle-même, avait constaté Max avec étonnement –, et le danseur mondain réfléchissant aux conséquences présentes et à venir que cela signifiait pour lui. Il avait continué d'y penser durant tout le reste du déjeuner, toujours derrière sa façade de bonnes manières et d'extrême politesse, même s'il était souvent distrait dans ses calculs et frémissait au souvenir de la chair tendre et chaude de la femme qui le contemplait par-dessus le verre qu'elle portait à ses lèvres, comme si elle étudiait avec une curiosité renouvelée l'homme qu'elle avait devant elle.

– J'aimerais faire quelques pas, avait-elle dit plus tard. Du côté du Riachuelo.

Ils avaient fait un bout de trajet en voiture dans les environs de La Boca, puis il avait dit à Petrossi de s'arrêter, et ils marchaient maintenant tous les deux sur la rive nord de la Vuelta de Rocha, suivis par l'automobile, chauffeur taciturne au volant, qui roulait lentement sur le côté gauche de la rue. Au loin, au-delà de la coque d'un vieux voilier à demi submergé près de la berge, charpente

188

noircie et membrures mises à nu – Max se souvenait d'y avoir joué quand il était gamin –, se dressaient les poutrelles du pont transbordeur Avellaneda.

– Je t'ai apporté un cadeau, dit-elle.

Elle avait mis un petit paquet dans les mains de Max. Un étui allongé, constata-t-il après avoir défait l'emballage. Une boîte en cuir contenant une montre : une splendide Longines carrée, en or, avec des chiffres romains et une aiguille marquant les secondes.

– Pourquoi ? voulut-il savoir.

– Un caprice. Je l'ai vue dans une vitrine de la rue Florida et je me suis demandé l'effet qu'elle ferait à ton poignet.

Elle l'aida à mettre les aiguilles à l'heure, à la remonter et à l'ajuster. L'effet était réussi, dit Mecha. Plus que réussi même, avec le bracelet de cuir et la boucle en or sur le poignet bronzé du danseur mondain. Une montre distinguée, exactement ce qu'il fallait pour Max. Ce qu'il te fallait, insista-t-elle. Tu as des mains faites pour porter des montres comme celle-là.

– Je suppose que ce n'est pas la première fois qu'une femme te fait un cadeau.

Il la regardait, impassible. Affectant l'indifférence.

– Je ne sais pas… Je ne me souviens pas.

– J'espère bien. Si tu t'en souvenais, je ne te le pardonnerais pas.

Il y avait des bistrots et des débits de boissons près de la rive, dont certains de réputation douteuse la nuit venue. Sous le bord court du chapeau cloche qui encadrait son visage, Mecha observait les hommes oisifs en bras de chemise, gilet et casquette, assis aux tables devant les portes ou sur des bancs de la place, près des attelages et des camions stationnés là. C'était dans des endroits de ce genre, avait entendu dire Max chez lui des années plus tôt, que l'on apprenait la psychologie des peuples : les Italiens

étaient mélancoliques, les Juifs soupçonneux, les Allemands brutaux et obstinés, les Espagnols ivres de jalousie
et de morgue homicide.

– Ils débarquent encore des bateaux, comme a débarqué
mon père, dit-il. Ils viennent pour réaliser leur rêve...
Beaucoup restent en chemin et pourrissent comme la charpente de ce voilier que tu vois échoué dans la vase. Au début,
ils envoient de l'argent à la femme et aux enfants qu'ils ont
laissés dans les Asturies, en Calabre, en Pologne... Puis la
vie les écrase peu à peu et ils finissent par disparaître. Ils
s'éteignent dans la misère d'une taverne ou d'un bordel de
bas étage. Assis à une table, seuls, devant une bouteille qui
ne pose jamais de questions.

Mecha regardait quatre lavandières qui venaient à leur
rencontre avec de grands paniers pleins de linge mouillé :
visages prématurément vieillis et mains abîmées par la
lessive et le frottement. Max aurait pu mettre un nom et
une histoire sur chacune. C'étaient les mêmes visages et les
mêmes mains, ou d'autres identiques, qui avaient accompagné son enfance.

– Les femmes, en tout cas celles qui sont jolies, ont la
possibilité de mieux s'en tirer, ajouta-t-il. Pour un certain
temps, évidemment. Avant de terminer, pour les plus chan-
ceuses, en mères de famille flétries. Ou, pour celles qui
ont moins de chance (ou qui en ont plus, ça dépend de
comment on voit les choses), d'aller alimenter les boîtes à
tango...

Cette dernière réflexion avait fait se tourner Mecha vers
lui pour le regarder avec une attention renouvelée.

– Il y a beaucoup de prostituées ?

– Imagine plutôt. – Max fit un geste qui embrassait tous
les alentours. – Une terre d'émigrants, dont une bonne
partie est composée d'hommes seuls. Il existe des organisations spécialisées dans la traite des Blanches importées

d'Europe... La plus importante est juive, la Zwi Migdal. Sa spécialité est les Russes, les Roumaines et les Polonaises... Ils achètent des femmes pour deux ou trois mille pesos qu'ils amortissent en à peine un an.

Il entendit Mecha rire. Un rire sec et sans humour.

– Combien paieraient-ils pour moi ?

Il ne répondit pas et ils firent encore quelques pas en silence.

– Qu'attends-tu de l'avenir, Max ?

– Rester vivant le plus longtemps possible, je suppose. – Il haussait les épaules, sincère. – Pouvoir subvenir à mes besoins.

– Tu ne seras pas toujours jeune et beau garçon. Et quand tu seras vieux ?

– Je ne m'en soucie pas. J'ai trop de choses à faire avant d'en arriver là.

Il la regarda à la dérobée : elle marchait en observant tout, la bouche légèrement entrouverte, avec une expression proche de la surprise devant ce qu'elle voyait. Elle semblait, conclut Max, aux aguets à la manière d'un chasseur, gibecière prête, comme si elle voulait enregistrer chaque scène de façon indélébile dans sa mémoire ; les maisons de brique et de bois aux toits en tôle, peintes en vert et bleu, qui longeaient une voie de chemin de fer aux rails rouillés ; le chèvrefeuille qui montait des cours et passait au-dessus des clôtures et des murs dont le faîte était garni de tessons de bouteilles ; les bananiers et les flamboyants aux fleurs rouges qui, par endroits, égayaient la rue. Elle avançait très lentement dans ce décor, étudiant le moindre détail avec des yeux pleins de curiosité mais également une certaine indolence ; aussi naturelle dans ses mouvements que trois heures plus tôt, quand elle déambulait nue dans la chambre de Max, sereine comme une reine dans sa chambre royale. Avec le rectangle de soleil de la fenêtre, qui dessinait à contre-jour les lignes allongées du corps élégant, fascinant et flexible, posant des reflets dorés sur le duvet fin et frisé au creux de ses cuisses.

– Et toi ? s'enquit Max. Tu ne seras pas non plus toujours jeune et belle.

– Moi, j'ai de l'argent. J'en avais déjà avant de me marier. Aujourd'hui c'est de l'argent qui me vient de si loin qu'il est devenu pour moi comme une seconde nature.

Elle avait répondu sans la moindre hésitation : le ton était tranquille, objectif. Elle avait souligné ces mots d'une moue de mépris.

– Tu serais étonné de ce que l'argent peut simplifier les choses.

Il éclata de rire.

– Je peux m'en faire une idée.

– Non. Je doute que tu y parviennes.

Ils s'écartèrent pour laisser passer un vendeur ambulant, courbé sous le poids d'un énorme pain de glace posé sur son épaule que protégeait un morceau de caoutchouc.

– Tu as raison, dit Max. Ce n'est pas facile de se mettre dans la peau des gens riches.

– Armando et moi, nous ne sommes pas des gens riches. Nous sommes seulement des gens de la bonne société.

Max réfléchit à cette différence. Ils s'étaient arrêtés près d'une balustrade qui courait le long du trottoir pour suivre la courbe formée en cet endroit par le coude du Riachuelo, qu'on appelait la Vuelta de Rocha. En se retournant, il vérifia que Petrossi, toujours aussi efficace, avait également arrêté la voiture un peu plus loin.

– Pourquoi t'es-tu mariée ?

– Bah… – Elle regardait les bateaux, les chalands et la gigantesque structure métallique du pont Avellaneda. – Armando est un homme extraordinairement intéressant… Quand je l'ai rencontré, il était déjà un compositeur célèbre.

Avec lui, je peux vivre dans un tourbillon permanent. Amis, spectacles, voyages… Je l'aurais fait tôt ou tard, bien sûr. Mais lui m'a permis de le faire avant l'heure. De quitter la maison et de m'ouvrir à la vie.

– Tu l'aimais ?

– Pourquoi parler au passé ? – Mecha continuait de regarder le pont. – Et puis c'est une demande bien étrange, venant d'un danseur, familier des hôtels et des transatlantiques.

Max passa la main dans le fond de son chapeau. Il était de nouveau sec. Il le remit, légèrement de travers, incliné vers la droite.

– Et pourquoi moi ?

Elle avait suivi ses mouvements, comme si elle s'inté-ressait à chaque détail. Approbatrice. En entendant la question de Max, une lueur amusée s'alluma dans ses yeux.

– J'ai su que tu avais une cicatrice avant même de la voir.

Elle eut une ébauche de sourire devant la confusion mas-culine. Quelques heures auparavant, sans faire le moindre commentaire, Mecha avait caressé cette marque sur sa peau en posant ses lèvres dessus, léchant les gouttes de sueur qui perlaient sur son torse nu au-dessus de la trace de la balle reçue sept ans plus tôt, quand il gravissait péni-blement avec ses camarades la pente de la colline, parmi les roches et les arbustes où s'effilochait la brume du petit matin du jour des Morts.

– Il y a des hommes qui ont quelque chose dans le regard et dans le sourire, poursuivit Mecha après un instant, en guise d'explication. Des hommes qui portent une valise invisible, lourdement chargée.

Elle regardait maintenant le chapeau, le nœud de cravate, la veste fermée par le bouton du milieu. Comme pour le juger.

– Et puis tu es beau et tranquille. La beauté du diable…

Pour une raison quelconque qui échappait à Max, elle semblait apprécier qu'il ne desserre pas les lèvres en ce moment.

– J'aime que tu saches garder la tête froide, dit-elle. Autant que moi, d'une certaine manière.

Elle resta encore un moment à le contempler, perdue dans ses pensées. Hiératique et immobile. Puis elle leva une main pour lui frôler le menton, sans se soucier d'être vue par Petrossi, toujours au volant de la voiture.

– Oui, conclut-elle. J'aime qu'il me soit impossible de te faire confiance.

Elle se remit à marcher et Max l'imita, en se tenant à sa hauteur pendant qu'il tentait d'assimiler tout cela. S'efforçant de réduire son trouble à des proportions raisonnables. Ils passèrent devant un vieil homme qui tournait la manivelle d'un ancien orgue de Barbarie Rinaldi ; il moulinait la musique d'*El choclo*, tandis que le cheval qui tirait le charreton déversait un torrent d'urine sur la chaussée.

– Est-ce que nous retournerons après-demain à La Ferroviaria ?

– Si ton mari le veut, oui.

Le ton de Mecha avait changé. Il était presque frivole.

– Armando est enthousiaste… Cette nuit, quand nous sommes rentrés à l'hôtel, il ne parlait que de ça ; et il a veillé très tard en pyjama, à prendre des notes, remplir des cendriers et chantonner des airs. Je l'ai rarement vu dans cet état… « Ce farceur de Ravel va bouffer son boléro à la mayonnaise… » disait-il en riant. Il est très contrarié par les festivités de ce soir au théâtre Colón. L'Association patriotique espagnole, ou un nom comme ça, donne un concert en son honneur. Et pour terminer la soirée, spectacle officiel de tango dans un cabaret de luxe qui s'appelle, je crois bien, les Folies Bergère. Et en habit. Tu te rends compte de l'atrocité?

– Tu l'accompagneras?

– Naturellement. Pas question de le laisser aller seul, avec toutes ces chiennes en chaleur fardées de Garden Court qui lui tournent autour.

Ils pourraient se voir demain, ajouta-t-elle au bout d'un moment. Si Max n'avait pas d'autres engagements, ils enverraient la voiture le chercher avenue Almirante Brown vers les sept heures. Pour prendre l'apéritif au Richmond, par exemple, et dîner ensuite dans un endroit sympathique du centre. On leur avait parlé d'un restaurant élégant et très moderne: Las Violetas, croyait-elle se souvenir. Et d'un autre situé dans une tour de la rue Florida, au-dessus du passage Güemes.

– C'est inutile. – Max ne voyait pas l'intérêt de retrouver Armando de Troeye sur un terrain miné pour une conversation soutenue. – Je viendrai vous chercher au Palace et nous irons directement à Barracas... J'ai à faire dans le centre.

– Cette fois, tu me dois un tango. Pour moi seule.

– D'accord.

Ils s'apprêtaient à traverser la rue quand, derrière eux, retentit le timbre d'un tramway. Celui-ci passa en bringuebalant, son trolley suivant les câbles électriques tendus entre les poteaux et les immeubles: long, vert et vide à l'exception du wattman et du contrôleur en uniforme qui les fixait depuis la plate-forme.

– Je vois beaucoup de lacunes obscures dans ta vie, Max... Cette cicatrice et le reste. Comment tu es arrivé à Paris et comment tu en es parti.

Question dérangeante, décida-t-il. Mais elle avait probablement le droit de savoir. De l'interroger, en tout cas. Et elle s'en était abstenue jusqu'à maintenant.

– Il n'y a pas de secret là-dedans. Tu as vu la cicatrice… J'ai reçu une balle en Afrique.

Elle ne se montra pas surprise. Comme si recevoir une balle lui semblait une banalité, même pour un danseur de salon.

– Pourquoi étais-tu là-bas ?

– Rappelle-toi que j'ai été un temps soldat.

– Des soldats, j'imagine qu'il y en a dans tous les coins du monde. Pourquoi justement dans celui-là ?

– Je crois que je t'en ai déjà un peu parlé sur le *Cap Polonio*. Ça s'est passé au moment du désastre d'Anoual, dans le Rif. Après tous ces milliers de morts, on avait besoin de chair à canon.

Un très court instant, Max se demanda s'il était possible de résumer en une douzaine de mots des notions aussi complexes que celles de panique, d'horreur, de mort et de peur. De toute évidence, ça ne l'était pas.

– Je croyais avoir tué un homme, conclut-il d'un ton neutre. Et je me suis engagé dans la Légion… Puis j'ai appris qu'il n'était pas mort, mais c'était trop tard pour revenir en arrière.

– Une rixe ?

– Quelque chose comme ça.

– Pour une femme ?

– Non, rien d'aussi romanesque. Il me devait de l'argent.

– Beaucoup ?

– Suffisamment pour lui planter son propre couteau dans le corps.

Il aperçut des étincelles dans les iris dorés. De plaisir peut-être. Depuis quelques heures, Max croyait connaître ce genre de lueurs.

– Et pourquoi la Légion ?

Il ferma à demi les paupières en se remémorant la lumière violente des cours et des rues de Barcelone, la crainte de

tomber sur un policier, la peur qui finissait par le faire sursauter à la seule vue de son ombre, l'affiche collée au mur
du numéro 9 de Prats de Molló : *Pour les déçus de l'existence,
pour les sans-travail, pour ceux qui vivent sans horizon ni
espoir. Honneur et profit.*

– Ils payaient trois pesetas par jour, résuma-t-il. Et en
changeant d'identité, un homme est définitivement à l'abri.

Mecha entrouvrit de nouveau la bouche, avide comme
auparavant. Curieuse.

– C'est donc bien ça... Tu t'es engagé et tu es devenu un
autre.

– Plus ou moins.

– Tu devais être très jeune.

– J'ai menti sur mon âge. Ça n'a pas semblé leur poser
de problèmes.

– J'aime beaucoup ce système. Ils acceptent les femmes ?

Ensuite elle s'intéressa au reste de sa vie, et Max mentionna, brièvement, certaines des étapes qui l'avaient conduit
jusqu'à la salle de bal du *Cap Polonio* : Oran, le Vieux-Port
de Marseille et les cabarets parisiens de bas étage.

– Et elle, qui était-ce ?

– Elle ?

– Oui, ta maîtresse, celle qui t'a appris à danser le tango.

– Pourquoi supposes-tu qu'elle a été ma maîtresse, et
pas seulement un professeur de danse ?

– Il y a des choses qui sautent aux yeux... Rien qu'à voir
ta manière de danser.

Il resta un moment sans parler, puis alluma une cigarette
et parla un peu de Boske. En s'en tenant au strict nécessaire. À Marseille, il avait connu une danseuse hongroise,
qui l'avait par la suite emmené à Paris. Elle lui avait acheté
un frac et, durant un certain temps, ils s'étaient produits
pour danser en couple au Lapin Agile et autres lieux de
seconde catégorie.

– Elle était belle ?

Le tabac avait un goût amer et Max jeta tout de suite la cigarette dans l'eau huileuse du Riachuelo.

– Oui. Durant un certain temps, aussi.

Il n'en raconta pas plus, malgré les images qui défilaient dans sa mémoire : le corps splendide de Boske, ses cheveux noirs coupés à la Louise Brooks, le beau visage encadré par des chapeaux de paille ou de feutre, souriant dans les cafés animés de Montparnasse ; là où, assurait-elle avec une étonnante naïveté, toutes les classes sociales étaient abolies. Toujours provocante et chaleureuse, dans son français prononcé d'une voix rauque et truffé d'argot marseillais, toujours disponible, danseuse, modèle à l'occasion, assise devant un café-crème ou un verre de mauvais gin sur une chaise en osier de la terrasse du Dôme ou de la Closerie des Lilas, parmi des touristes américains, des écrivains qui n'écrivaient pas et des peintres qui ne peignaient pas. *Je danse et je pose**, disait-elle d'une voix forte, comme pour vanter son corps en quête de pinceaux et de renommée. Prenant son petit-déjeuner à une heure de l'après-midi – elle et Max se couchaient rarement avant l'aube – dans son bistrot favori, Chez Rosalie, où elle retrouvait des amis hongrois et polonais qui lui procuraient des ampoules de morphine. Guettant toujours aux alentours, avide et calculatrice, les hommes bien habillés et les femmes portant des bijoux, les manteaux de fourrure et les voitures de luxe qui circulaient sur le boulevard ; tout comme elle regardait chaque nuit les clients du médiocre cabaret où elle et Max dansaient un tango élégant, en soie et cravate blanche, ou un tango apache, en chemise rayée et bas résille noirs. Attendant toujours le prince charmant qui prononcerait les mots décisifs. La chance qui n'était jamais venue.

– Et qu'est-il arrivé à cette femme ? voulut savoir Mecha.

– Elle est restée loin derrière.

– Très loin ?

Il ne répondit pas. Mecha continuait de l'étudier, le jaugeant.

– Comment es-tu passé de là aux milieux de la bonne société ?

Max revenait très lentement à Buenos Aires. Ses yeux retrouvèrent les rues de La Boca qui venaient mourir sur la *plazoleta*, les berges du Riachuelo et le pont Avellaneda. Le visage de la femme qui l'observait, interrogateur, surpris peut-être par l'expression qui, en cet instant, crispait le sien. Le danseur mondain cligna des yeux comme si les rayons du soleil lui étaient aussi douloureux que la lumière lancinante de Barcelone, de Melilla, d'Oran ou de Marseille. Cette luminosité de Buenos Aires lui blessait la vue, imprimant sur sa rétine une autre lumière plus trouble et plus ancienne, avec Boske étendue sur le lit défait, le visage contre le mur. Son dos nu et blanc, immobile dans la pénombre grise d'une aube sale comme la vie. Et Max refermant la porte sur cette image, en silence, comme s'il fermait en catimini le couvercle d'un cercueil.

– À Paris, ce n'est pas difficile, se borna-t-il à ajouter. Là-bas, la société n'hésite pas à se mélanger. Les grandes fortunes fréquentent les mêmes lieux que la pègre… Comme ton mari et toi à La Ferroviaria, mais sans avoir besoin de prétextes.

– Allons bon : comment dois-je prendre ça ?

– J'ai eu un ami en Afrique, poursuivit-il sans s'arrêter à sa protestation. Je t'ai aussi parlé de lui sur le bateau.

– L'aristocrate russe au nom à coucher dehors ?… Je me souviens. Tu m'as dit qu'il était mort.

Il confirma, presque soulagé. C'était plus facile de parler de lui que de Boske à demi nue dans le petit jour brumeux de la rue de Fürstenberg, du dernier regard de Max à la seringue, aux ampoules brisées, aux verres, aux bouteilles et aux restes de repas sur la table, à cette pénombre sale si proche du remords. Cet ami russe, dit-il, assurait qu'il avait été un officier du tsar. Il avait combattu dans l'Armée blanche jusqu'à la retraite de Crimée, et de là il était passé en Espagne, où il s'était engagé dans la Légion après une affaire de jeu et d'argent. C'était un vrai personnage : méprisant, élégant, qui aimait les femmes à la folie. Il avait enseigné les bonnes manières à Max, en lui prodiguant une première couche de vernis indispensable : les façons correctes de nouer une cravate, comment plier un mouchoir dans une pochette, toutes les variétés précises de zakouskis, à commencer par des anchois au caviar, qui devaient accompagner une vodka glacée. Cela l'amusait, avait-il expliqué une fois, de transformer un morceau de chair à canon en quelqu'un capable de passer pour un homme du monde.

– Il avait des parents exilés à Paris, dont certains gagnaient leur vie comme portiers d'hôtel ou chauffeurs de taxi. D'autres avaient réussi à sauver leur argent : parmi eux un cousin, propriétaire d'un cabaret où l'on dansait le tango. Un jour, je suis allé voir le cousin, j'ai obtenu du travail et les choses se sont améliorées… J'ai pu acheter des vêtements convenables, vivre de façon raisonnable et voyager un peu.

– Et ton ami russe… Comment est-il mort ?

Cette fois les souvenirs de Max n'étaient pas lugubres. Pas, en tout cas, sur un mode conventionnel. Il eut un rictus de mélancolie complice en se rappelant la dernière fois qu'il avait vu le caporal de la Légion Dolgorouki-Bagration : enfermé avec trois putains et une bouteille de cognac dans la meilleure chambre du bordel de Taouima, pour entreprendre, dès qu'il aurait fini d'honorer bouteille et putains, la dernière aventure de sa vie.

– Il s'ennuyait. Il s'est tiré une balle parce qu'il s'ennuyait.

Assis à la petite terrasse du café Ercolano, sous les palmiers de la place et l'horloge du Circolo Sorrentino, Max lit les journaux, lunettes pour voir de près sur le nez. La matinée est déjà avancée, c'est l'heure où l'agitation du centre historique atteint son paroxysme et, parfois, le bruit proche d'un tuyau d'échappement interrompt sa lecture et lui fait lever la tête. Aujourd'hui, personne ne dirait que la saison touristique a jeté ses derniers feux : à la terrasse du Fauno, de l'autre côté de la rue, toutes les tables sont occupées pour l'apéritif, l'entrée de la rue San Cesareo déborde d'animation, avec ses étals de poissons, de fruits et de légumes, et les Fiat, Vespa et Lambretta circulent en essaims bruyants le long du Corso Italia. Seules les calèches restent immobiles dans l'attente de touristes, pendant que, pour tromper leur ennui, leurs cochers bavardent en groupe et regardent passer les femmes sous la statue du poète Torquato Tasso.

Il Mattino publie un reportage détaillé sur le duel Keller-Sokolov, dont plusieurs des parties prévues ont déjà été jouées. La dernière s'est terminée par un match nul : et ce résultat, semble-t-il, favorise le joueur russe. D'après ce qu'ont expliqué Lambertucci et le *capitano* Tedesco à Max, chaque partie remportée vaut un point, et les deux adversaires notent chacun un demi-point en cas de partie nulle. Ainsi Sokolov a maintenant deux points et demi, pour un point et demi seulement à Keller. Une situation incertaine, s'accordent à écrire les journalistes spécialisés. Max passe un long moment à lire toute cette prose avec beaucoup d'intérêt, tout en sautant néanmoins les explications techniques qui emploient des noms bizarres : ouvertures espagnoles, variantes Pétrossian, et défenses nimzo-indiennes. Cela l'intéresse moins que les conditions dans lesquelles se déroule la compétition. *Il Mattino* et les autres journaux insistent sur la tension qui entoure le duel, laquelle est due davantage aux circonstances politiques et diplomatiques qu'aux cinquante mille dollars que remportera le vainqueur. Selon ce que vient de lire Max, cela fait déjà vingt ans que les Russes détiennent le trophée international des tournois d'échecs et que les grands maîtres se succèdent dans une Union soviétique où ce jeu est un sport national depuis la révolution bolchevique – cinquante millions de pratiquants pour deux cents millions et quelques habitants, précise un article – et un argument de propagande à l'étranger, ce qui fait que chaque tournoi jouit du soutien de tous les services de l'État. Cela signifie, note un commentaire, que Moscou, pour le prix Campanella, met les petits plats dans les grands. D'autant plus que c'est justement Jorge Keller qui, dans cinq mois, disputera le titre mondial à Sokolov – la fantaisiste hétérodoxie capitaliste contre la rigoureuse orthodoxie soviétique –, dans ce qui s'annonce, après le prologue passionnant que suppose le duel de Sorrente, comme l'affrontement du siècle.

Max boit une gorgée de son negroni, feuillette les pages du journal et survole rapidement les titres : les Beatles projettent de se séparer, le rocker français Johnny Hallyday a tenté de se suicider, la minijupe et les cheveux longs révolutionnent l'Angleterre... À la rubrique « Politique internationale », il est question d'une autre sorte de révolutions : les gardes rouges continuent d'ébranler Pékin, les Noirs protestent en exigeant l'égalité des droits civiques aux États-Unis, et un groupe de mercenaires a été intercepté au moment où il s'apprêtait à intervenir au Katanga. À la page suivante, entre un titre sur les préparatifs du lancement d'une nouvelle mission spatiale Gemini – *Les USA en tête de la course vers la Lune* – et une publicité pour un carburant – *Mettez un tigre dans votre moteur* –, figure une photo de guerre, en noir et blanc : un soldat américain grand et fort, vu de dos, porte sur ses épaules un enfant vietnamien qui se retourne en regardant l'objectif avec appréhension.

Une Alfa Giulia passe tout près, fenêtres ouvertes, et Max croit un instant reconnaître les notes de la mélodie que diffuse la radio de bord. Il abandonne la photo du soldat et de l'enfant – elle lui a remis en mémoire l'image d'autres soldats et d'autres enfants, quarante-cinq ans en arrière – et suit des yeux, déconcerté, la voiture qui s'éloigne vers la prolongation du Corso Italia et la façade jaune et blanc de Santa Maria del Carmine, pendant que son cerveau, encore occupé par le journal, tarde quelques secondes à identifier la musique qu'a enregistrée son oreille : les accents familiers, joués par un orchestre avec des arrangements qui ajoutent une batterie et une guitare électrique, de l'air fameux, classique, connu depuis quarante ans de tout le monde sous le titre *Le Tango de la Vieille Garde*.

Quand Max marqua un *corte* au milieu du pas de danse, Mecha le regarda brièvement dans les yeux, se colla à lui outrancièrement et, son corps oscillant d'un côté et de l'autre, glissa une cuisse autour de la jambe posée en avant et immobile de l'homme. Il subit, impassible, le frôlement de la chair sous la robe légère en crépon ; un mouvement d'une extraordinaire intimité, alors même que toute La Ferroviaria – une douzaine de regards des deux sexes – semblait n'avoir d'yeux que pour eux. Pour se tirer d'embarras, le danseur mondain fit un pas latéral que la femme suivit immédiatement, avec désinvolture et une extrême élégance.

– J'aime quand c'est comme ça, murmura-t-elle. Bien lent, bien tranquille : qu'ils n'aillent pas croire que tu as peur de moi.

Max approcha sa bouche de l'oreille droite de la femme. Heureux du jeu, malgré les risques.

– Tu es une vraie femme, dit-il.

– Tu en sais quelque chose.

Sa proximité, les doux effluves du parfum de qualité dilué sur sa peau, les minuscules gouttes de transpiration sur la lèvre supérieure et à la naissance des cheveux excitaient le désir encore brûlant du souvenir récent : chair tendre et épuisée, odeur de sexe satisfait, sueur de corps féminin, qui maintenant, sous les mains de Max, imprégnait le mince tissu de la robe dont le bas oscillait au rythme du tango. Il était tard, et le local était presque vide. Les trois musiciens de La Ferroviaria jouaient *Chiqué*, et seuls restaient sur la piste deux autres couples qui dansaient sans conviction, un peu comme des tramways qui roulent lentement : une femme replète et menue, accompagnée d'un jeune homme portant une veste et une chemise sans col ni cravate, et la blonde d'apparence slave avec qui Max avait dansé la fois précédente. Elle avait le même chemisier à fleurs, et évoluait, l'air de s'ennuyer ferme, dans les bras d'un homme qui semblait être un ouvrier, en gilet et bras de chemise. Parfois, les aléas de la danse rapprochaient les couples et les yeux bleus de la *tanguera* croisaient une seconde ceux de Max. Indifférents.

– Ton mari boit trop.

– Ne te mêle pas de ça.

Il regarda, préoccupé, le collier de perles qu'elle avait mis cette nuit-là, dans l'échancrure de la robe noire qui descendait à peine jusqu'aux genoux. Puis, avec la même inquiétude – La Ferroviaria n'était pas l'endroit idéal pour porter des bijoux et boire à l'excès –, il dirigea un bref coup d'œil à la table couverte de bouteilles, de verres et de cendriers débordant de mégots, où Armando de Troeye fumait et allongeait de grands verres de gin avec l'eau d'un siphon à côté du dénommé Juan Rebenque, l'homme qui deux jours plus tôt avait dansé avec son épouse. Quand il les avait vus arriver et après les avoir longuement regardés,

204

le *compadrón* s'était approché, grave, avec sa moustache créole, ses cheveux noirs plaqués, luisants de gomina, et ses yeux sombres, dangereux, sous le bord du chapeau qu'il ne quittait jamais. Il était venu à la table en prenant son temps, un Toscani à demi fumé au coin de la bouche, de ce pas lent et arrogant qui avait été une des caractéristiques des faubourgs ; une main dans la poche droite, la bosse du couteau déformant légèrement l'autre côté de la veste étroite à revers de satin. Demandant la permission de tenir compagnie aux messieurs et à la dame pendant qu'il commandait à la serveuse, avec l'autorité du client habitué à ne pas payer l'addition, une autre bouteille de Llave cachetée et un siphon. Qu'il se faisait un plaisir de leur offrir – il regardait Max plutôt que le mari – s'ils n'y voyaient pas d'inconvénient.

Le joueur de bandonéon borgne et ses camarades observèrent une pause, et, encouragés par de Troeye, ils traînèrent leurs chaises jusqu'à la table pour s'unir au groupe, pendant que Mecha et Max revenaient occuper leurs sièges. Le vieux pianola à cylindre prit la relève de la musique, faisant retentir avec force grincements les accents de divers tangos tous plus méconnaissables les uns que les autres. Après avoir bien bu et discuté, les musiciens retournèrent à leurs instruments, attaquèrent *Noche de farra*, et Rebenque, inclinant encore davantage son feutre d'un air de défi, suggéra à Mecha de danser avec lui. Celle-ci s'excusa en alléguant la fatigue ; et tout en conservant un sourire impassible, le *compadrón* posa son regard dangereux sur Max comme s'il le rendait responsable de cet affront. Rebenque porta deux doigts au bord de son chapeau, quitta la table pour aller jusqu'à la *tanguera* blonde, qui se leva d'un air résigné et, passant un bras sur l'épaule droite du *compadrón*, se mit à danser à contrecœur. L'autre fignolait les pas à l'envi en se rengorgeant, la cigarette allumée dans la main posée sur le dos de sa partenaire tandis que, de la droite, il la guidait, masculin, sérieux, sans effort apparent. Il s'immobilisait quelques secondes pour reprendre, après un *corte*, les figures compliquées dessinées comme de la dentelle sur le plancher, interrompant chaque pas en avant ou en arrière une fois, deux fois, trois fois, puis recommençait pendant que la femme, corps docile et regard inexpressif – une de ses jambes était découverte presque jusqu'au haut de la cuisse par une échancrure trop courte de la jupe, à la mode de Paris –, acceptait, soumise, chaque mouvement imposé par l'homme, chaque fioriture, chaque façon de la ramener contre lui.

– Comment la trouves-tu ? demanda Mecha à Max.

– Je ne sais pas… Vulgaire. Et fatiguée.

– Peut-être qu'elle est tenue par une de ces ténébreuses organisations dont tu nous as parlé… Et qui l'aurait fait venir de Russie en lui faisant de fausses promesses.

– Traite des Blanches, intervint Armando de Troeye, la langue pâteuse tout en levant, appréciateur, un autre verre de gin.

Semblable possibilité paraissait l'amuser.

Max regarda Mecha pour vérifier qu'elle avait parlé sérieusement. Après un moment, il déduisit que non. Qu'elle plaisantait.

– Je crois plutôt qu'elle est du quartier, répondit-il. Et qu'elle en a fait plus que le tour.

De Troeye intervint de nouveau avec un petit rire antipathique. L'excès d'alcool, observa Max, commençait à troubler son regard.

– Elle est jolie, dit le compositeur. Vulgaire et jolie.

Mecha continuait de regarder la danseuse : celle-ci suivait, collée au corps de son partenaire, les pas félins que faisait le *compadrón* sur le plancher grinçant.

– Elle te plaît, Max ? demanda-t-elle soudain.

206

Celui-ci éteignit sa cigarette dans le cendrier en y mettant toute la lenteur possible. Il commençait à se sentir gêné par le tour que prenait la conversation.

– Elle n'est pas mal, admit-il.

– Tu fais la fine bouche ? Pourtant, l'autre nuit, ça semblait te plaire de danser avec elle.

Max regarda la trace de rouge que Mecha avait laissée au bord du verre posé sur la table et qui marquait aussi le fume-cigarette en ivoire sur le cendrier. Il pouvait sentir intensément le goût de ce rouge sur sa propre bouche : il en avait effacé jusqu'au dernier vestige sur les lèvres de Mecha en les embrassant, les léchant et les mordant, durant leurs violents assauts de la veille à la pension Caboto, où, jusqu'à la fin, il n'y avait guère eu de place pour la tendresse ; sauf quand, après une dernière étreinte, elle avait murmuré tout contre son oreille « Sors, je t'en prie », et quand, obéissant, épuisé et à l'extrême limite, il était sorti lentement de son corps et, tout humide, s'était répandu doucement sur la peau tendre et accueillante du ventre de la femme.

– Elle danse bien le tango, reconnut-il en revenant à La Ferroviaria. C'est ce que tu veux dire ?

– Elle a un joli corps, jugea de Troeye, qui contemplait la *tanguera* à travers le verre qu'il tenait d'une main mal assurée.

– Comme le mien ?

Mecha s'était tourné vers le danseur mondain et posait sa question en le regardant dans les yeux avec un demi-sourire dur et supérieur. Comme si le mari n'était pas là. Ou peut-être précisément, conclut Max, inquiet, parce qu'il était là.

– Ce n'est pas le même style, résuma-t-il, avec la même prudence que lorsqu'il avançait baïonnette au canon, dans la brume de Taxuda.

– Évidemment, dit-elle.

Max étudia le mari à la dérobée – ils se tutoyaient depuis quelques heures sur l'initiative de ce dernier, sans en avoir convenu auparavant –, en se demandant comment tout cela allait finir. Mais le compositeur semblait ne s'intéresser qu'au verre de gin dans lequel il finissait presque par tremper le nez.

– Tu es plus grande, déclara-t-il en claquant la langue. Pas vrai, Max ?... Et plus mince.

– Merci du compliment, Armando, dit-elle. Et pour ce détail.

Le mari lui dédia un toast exagérément poli, à la limite du grotesque, chargé d'intentions dont le sens échappait au danseur mondain ; après quoi, il resta silencieux. Max observa que, par moments, de Troeye s'arrêtait, le regard vide, les yeux mi-clos à cause de la fumée d'une cigarette, absorbé par une cadence musicale audible de lui seul, et qu'il comptait les notes ou les accords en pianotant sur la table avec une maîtrise technique qui n'avait rien à voir avec les gestes d'un homme qui a trop bu. En se demandant jusqu'à quel point il était réellement soûl ou s'il faisait semblant, Max regarda Mecha, puis Rebenque et la blonde. La musique s'était tue ; et le *compadrón*, tournant le dos à la *tanguera*, se dirigeait vers eux, toujours aussi guindé.

– Nous devrions partir, suggéra le danseur mondain.

Entre deux lampées, de Troeye émergea de sa rêverie pour manifester son contentement à cette idée.

– Pour un autre bistrot ?

– Pour aller dormir. J'imagine que ton tango est maintenant au point... La Ferroviaria a donné tout ce qu'on pouvait attendre d'elle.

Le compositeur protesta. Rebenque, qui s'était assis entre Mecha et lui, les regardait tous les trois avec un sourire factice qui semblait peint sur sa figure, tout en s'efforçant de suivre la conversation. Il avait l'air vexé, peut-être parce que personne ne l'avait félicité pour la perfection du tango qu'il avait dansé avec la blonde.

– Et moi dans tout ça, Max ? demanda Mecha.

Il se tourna vers elle, déconcerté. Elle avait la bouche légèrement entrouverte et un défi brillait dans le miel liquide de ses yeux. Il frissonna, pris d'un désir urgent, presque animal ; et il sut qu'en d'autres temps et dans d'autres vies antérieures il aurait été capable de tuer, sans que son pouls s'altère, tous ceux qui l'entouraient dans le seul but de se retrouver seul avec elle. De calmer l'avidité qui dévorait sa propre chair, en arrachant sauvagement la robe humide que l'atmosphère chargée de chaleur et de fumée collait au corps de la femme comme une seconde peau sombre.

– Peut-être que je n'ai pas encore sommeil, insista Mecha.

– Nous pouvons aller à La Boca, suggéra allègrement de Troeye, en terminant son gin, de l'air de quelqu'un qui revient du fin fond d'un pays lointain. Pour chercher quelque chose qui nous requinque un peu.

– D'accord. – Elle se leva et saisit l'écharpe sur le dossier pendant que le mari sortait son portefeuille. – Et prenons avec nous la blonde vulgaire et jolie.

– Ce n'est pas une bonne idée, s'insurgea Max.

Mecha et lui se défièrent du regard. Mais quelles sont donc tes intentions ? exprimait l'interrogation silencieuse du danseur mondain. La seule réponse fut le mépris. À toi de voir si tu veux jouer, semblait-elle dire. Si tu veux demander d'autres cartes ou abandonner la partie. Ça dépendra de ta curiosité ou de ton courage. Et tu connais déjà la récompense.

– Au contraire. – De Troeye comptait les billets de dix pesos entre ses doigts mal assurés. – Inviter cette demoiselle est une idée... colossale.

Rebenque proposa d'amener la danseuse et de les accompagner ; vu, dit-il, que ces messieurs-dames avaient une grande automobile et qu'il y avait de la place pour tout le monde. Il connaissait un endroit très bien à La Boca, ajouta-t-il. La Casa Margot. Les meilleurs raviolis de Buenos Aires.

– Des raviolis à cette heure ? s'étonna de Troeye, dérouté.

– De la cocaïne, traduisit Max.

– Là-bas, acheva Rebenque, plein de sollicitude, vous pourrez vous requinquer autant que vous voudrez.

Il parlait plus à l'intention de Mecha et de Max que du mari ; comme si, d'instinct, il identifiait le véritable adversaire. De son côté, le danseur mondain se méfiait du sourire inaltérable du malfrat, de la manière autoritaire dont il avait fait venir la blonde – elle s'appelait Melina, précisa-t-il, et était d'origine polonaise – et du coup d'œil qu'il lui avait vu jeter sur le portefeuille qu'Armando de Troeye avait remis dans la poche intérieure de sa veste après en avoir sorti les cinquante pesos qui, incluant un généreux pourboire, gisaient, froissés, sur la table.

– Ça fait trop de monde, dit Max à voix basse, en mettant son chapeau.

Rebenque avait dû l'entendre, car il lui adressa un sourire lent, offensé, qui ne laissait rien présager de bon. Aussi effilé qu'une lame de rasoir.

– Vous connaissez le quartier, l'ami ?

Le subtil changement de ton ne passa pas inaperçu de Max : de « monsieur » à « l'ami ». Cela sautait aux yeux que la nuit ne faisait que commencer.

– Un peu. J'ai vécu à trois rues d'ici. Il y a longtemps.

L'autre le fixait attentivement, s'attardant sur les manchettes blanches de la chemise de Max. Sur le nœud parfait de la cravate.

– Pourtant vous parlez comme un *gallego*.

– Ça représente un sacré boulot.

Ils continuèrent de s'étudier un moment en silence avec, tous les deux, la même impassibilité des natifs du faubourg, pendant que l'autre détachait l'ultime cendre de son Toscani avec l'ongle son petit doigt. Dans certains cas, il importait de ne pas se hâter, et tous deux l'avaient appris dans les mêmes rues. Max estima que l'individu avait dix ou douze ans de plus que lui. Il avait sûrement été de ces garçons plus âgés du quartier dont Max, en blouse grise, le cartable plein de livres sur le dos, enviait la liberté de traînasser à la porte des salles de billard, de se suspendre à l'arrière des tramways de la Compañía Eléctrica del Sur pour ne pas payer les dix centavos du billet, de guetter comme des bandits en embuscade les petites voitures des chocolats Águila et de voler des croissants à l'étal de la boulangerie El Mortero.

– Dans quelle rue, l'ami ?

– Rue Vieytes. Face à l'arrêt du 105.

– Mince alors ! confirma l'autre. On était presque voisins.

La blonde s'était pendue au bras du *compadrón*, ses seins pointant avec un laisser-aller professionnel sous le chemisier à demi déboutonné. Elle portait sur ses épaules un châle de mauvais fil qui imitait ceux de Manille, et contemplait Max et les de Troeye avec un intérêt tout neuf qui lui faisait ouvrir de grands yeux et arquer ses sourcils épilés, réduits à un fin trait de crayon noir. À l'évidence, quitter pour un moment La Ferroviaria lui semblait plus prometteur que la routine du tango à vingt centavos la danse.

– *Alonsanfán !* lança un de Troeye tout joyeux qui, après avoir pris son chapeau et sa canne, se dirigeait vers la porte avec des mouvements que l'alcool rendait incertains.

Ils sortirent, le chauffeur Petrossi avança la Pierce-Arrow jusqu'au seuil et ils s'installèrent tous à l'arrière de la limousine. De Troeye était sur la banquette entre Mecha et la *tanguera* ; Max et Rebenque leur faisaient face sur les strapontins. À présent, la dénommée Melina avait bien compris la situation, elle savait parfaitement qui payait la

211

fête et suivait d'un œil avisé les indications silencieuses que le *compadrón* lui donnait dans la pénombre. Max assistait à tout cela tendu comme un ressort, calculant le pour et le contre. Les problèmes qu'ils pouvaient rencontrer et la façon la plus efficace de quitter ce terrain plein de pièges quand viendrait l'heure, dans des conditions convenables et sans recevoir un coup de couteau dans l'aine. Là où, comme le savait tout natif du faubourg, une blessure à l'artère fémorale rendait inutile n'importe quel garrot.

La partie s'interrompt quand sonnent dix heures du soir. Dehors, il fait noir, et sur les grandes portes-fenêtres de l'hôtel Vittoria les reflets du salon sur les vitres se superposent aux lumières des villas et des hôtels situés sur la corniche de la falaise de Sorrente. Dans le public, Max Costa contemple le grand panneau de bois qui reproduit l'échiquier et le dernier mouvement opéré par Sokolov avant que l'arbitre ne se soit approché de la table. Le Russe a noté quelque chose qu'il a glissé dans une enveloppe et s'est levé pour quitter la salle pendant que Keller restait, étudiant l'échiquier. Peu de temps après, le Chilien a également noirci un bout de papier, mais sans avoir déplacé de pièce, et il l'a introduit dans la même enveloppe qu'il à fermée avant de la remettre à l'arbitre et de se lever à son tour. Tout cela, un moment auparavant; et maintenant, tandis que Keller disparaît par une porte latérale et que le public rompt le silence par des murmures et des applaudissements, Max se redresse et regarde autour de lui, l'esprit confus, en tentant de comprendre ce qui s'est passé exactement. De loin, il observe que Mecha Inzunza, assise au premier rang entre la jeune Irina Jasenovic et le gros homme, le grand maître Karapétian, se lève et que tous trois prennent la même direction que Keller.

Dans le couloir transformé en bruyant vestibule de la salle du jeu, Max déambule parmi les connaisseurs en écoutant les commentaires sur la partie, la cinquième du tournoi Campanella. La salle de presse se trouve dans une pièce voisine ; et quand il passe devant la porte, il entend le commentaire qu'un journaliste de la radio italienne transmet par téléphone :

– Le fou noir de Keller semblait un kamikaze... Ce n'est pas le sacrifice d'un cavalier qui a le plus attiré l'attention, mais le trajet audacieux du fou à travers un échiquier plein de dangers... L'estocade était mortelle, mais Sokolov a été sauvé par son sang-froid. Comme s'il s'y attendait, en un seul coup, la Muraille soviétique a bloqué l'attaque et a tout de suite suggéré « *Nichta ?* », proposant une partie nulle... Le Chilien a refusé et la partie est reportée à demain.

Dans un autre salon plus petit, interdit au commun des spectateurs et sur le seuil duquel se pressent les curieux, Max voit Keller assis devant un échiquier avec Karapétian, la jeune Jasenovic, l'arbitre et d'autres personnes, pour ce qui a tout l'air d'être une reconstitution ou une analyse de la partie. Ce qui surprend Max, contrastant avec la lenteur de chaque mouvement effectué tout à l'heure dans la salle, c'est la rapidité avec laquelle Keller, Karapétian et la jeune fille déplacent maintenant les pièces, presque violemment, en avançant une pour la retirer immédiatement et tenter d'autres coups, tout en en discutant chaque fois la pertinence.

– On appelle ça une « analyse post mortem », dit Mecha.

Il se retourne et la voit à côté de lui, devant la porte. Il ne l'a pas entendue venir.

– L'expression a quelque chose de funèbre.

La femme regarde en direction du petit salon, songeuse. Comme d'habitude à Sorrente – il sait que ça n'a pas toujours été le cas –, elle est habillée d'une façon qui n'a rien

213

de commun avec la mode actuelle. Aujourd'hui, elle porte une jupe noire et des mocassins, et plonge les mains dans les poches d'une veste en daim très jolie et sûrement très chère. À elle seule cette veste, calcule Max, doit coûter deux cent mille lires. Au moins.

– Elle est parfois funèbre pour de bon, dit-elle. Surtout après une défaite. On étudie les coups, en considérant s'ils ont été les plus appropriés ou s'il y avait de meilleures variantes.

De l'intérieur continue de venir le bruit répété des pièces déplacées à toute vitesse. Par moments, on entend un commentaire ou une plaisanterie de Keller, suivis de rires. Le martèlement se poursuit, rapide, y compris quand une pièce tombe par terre et que le joueur la ramasse vite en la replaçant sur l'échiquier.

– C'est incroyable, une telle rapidité.

Elle acquiesce avec complaisance. Ou peut-être avec fierté, en l'exprimant selon sa discrétion habituelle. Comme tout grand maître de la classe de son fils, explique-t-elle, Jorge Keller peut se rappeler chaque mouvement de la partie, et aussi chaque variante. En réalité, il est capable de reproduire toutes les parties qu'il a jouées dans sa vie. Et une bonne part de celles qu'a jouées chacun de ses adversaires.

– Pour l'heure, il analyse ce qu'il a bien ou mal fait, et également ce qu'a fait Sokolov ; mais ça, c'est pour la galerie : les amis et les journalistes. Plus tard viendra une autre analyse, à huis clos, avec Emil et Irina. Quelque chose de beaucoup plus sérieux et de beaucoup plus compliqué.

Elle s'arrête là, le regard concentré sur son fils.

– Il est inquiet, dit-elle sur un ton différent.

Max observe Jorge Keller.

– En tout cas, ça ne se voit pas, conclut-il.

– Il a été décontenancé quand il a compris que l'autre avait prévu le déplacement du fou.

– J'ai entendu quelque chose là-dessus tout à l'heure : le fou kamikaze.

– Oh, bon... C'est ce qu'on est censé attendre de Jorge. Des supposés traits de génie. En fait, le coup a été minutieusement préparé. Lui et ses assistants l'avaient depuis longtemps en tête, au cas où se présenterait une situation favorable... Profiter de ce qui pourrait être une faiblesse qu'ils ont détectée chez Sokolov quand il est confronté au gambit Marshall.

– Je crains de ne rien savoir de ce Marshall, admet Max.

– Je veux dire que même les champions du monde ont des points faibles. Le travail des analystes consiste à aider leur joueur à les découvrir et à les exploiter à son propre bénéfice.

La porte vitrée d'un petit salon contigu s'ouvre et les Soviétiques apparaissent : deux assistants précèdent le champion du monde, entouré d'une douzaine de personnes. Au fond, on voit une table et un jeu d'échecs en désordre. Ils viennent sûrement de faire leur propre analyse, bien qu'à la différence de Keller ils aient procédé porte close en la seule présence de quelques journalistes de leur pays, qui se dirigent à présent vers la salle de presse. Sokolov, cigarette entre les doigts, passe tout près de Max, croise son regard bleu humide avec celui de la mère de son adversaire et adresse à celle-ci un bref salut de la tête.

– Les Russes ont l'avantage d'être subventionnés par leur fédération et soutenus par l'appareil d'État, explique Mecha. Regarde ce petit gros avec une veste grise, c'est l'attaché à la culture et aux sports de leur ambassade à Rome... Parmi ceux qui sont là, il y a le grand maître Kolishkin, président de la Fédération soviétique des échecs. Le grand blond s'appelle Rostov, il a été à deux doigts d'être champion du monde et est maintenant analyste de Sokolov... Et sois bien sûr que, dans ce groupe, il y a au moins deux ou trois agents du KGB.

Ils restent à regarder les Russes, qui s'éloignent dans le couloir, en direction du hall et des appartements indépendants loués par la délégation soviétique à côté des jardins de l'hôtel.

– Les joueurs occidentaux, eux, ajoute la femme, doivent gagner pour vivre, ou consacrer du temps à une autre activité qui le leur permette... Jorge a eu de la chance.

– Bien sûr. Il t'avait, toi.

– Bah... on peut le dire comme ça.

Elle regarde encore dans le couloir, paraît hésiter, ne sachant si elle doit poursuivre. Finalement, elle se tourne vers Max et sourit, l'air soucieuse.

– Que se passe-t-il ? interroge-t-il.

– Rien, je suppose. Rien que de normal, en tout cas, dans ce genre de situation.

– Tu sembles préoccupée.

Elle hésite de nouveau. Puis les mains fines et élégantes font un geste indécis.

– Tout à l'heure, en sortant, Jorge a dit : « Il y a quelque chose qui cloche. » Et je n'ai pas aimé le ton sur lequel il l'a dit... Ni la manière dont il me regardait.

– Pourtant ton fils m'avait l'air tout sauf inquiet.

– Il est comme ça. Et c'est aussi l'image de lui qu'il aime donner. Sympathique et sociable, enfin tu vois le genre. Insouciant, comme si tout cela était facile. Mais tu n'imagines pas les heures d'effort, d'étude et de travail. La tension épuisante.

À voir son expression de fatigue, on dirait qu'elle aussi cette tension l'épuise.

– Viens. Allons prendre l'air.

Ils sortent par le couloir sur la terrasse, où presque toutes les tables sont occupées. Au-delà de la balustrade, au-dessus de laquelle brille une lanterne, la baie de Naples est un cercle d'obscurité où clignotent des lumières lointaines. Max fait un signe affirmatif au maître d'hôtel, qui leur propose une table, et ils s'y installent. Après quoi, il commande deux cocktails au champagne au serveur obséquieux qui prend la relève.

– Que s'est-il passé aujourd'hui ? Pourquoi la partie a-t-elle été interrompue ?

– Parce qu'ils étaient arrivés à la fin du temps réglementaire. Chaque joueur dispose pour jouer de quarante déplacements ou de deux heures et demie. Quand l'un des deux a épuisé son temps ou qu'il a atteint les quarante déplacements, la partie est ajournée jusqu'au lendemain.

Max se penche au-dessus de la table pour allumer la cigarette qu'elle vient de glisser entre ses lèvres. Puis il croise une jambe sur l'autre en prenant garde de ne pas déformer le pli de son pantalon ; un réflexe machinal qui date de l'époque où l'élégance était encore un outil professionnel.

– Je n'ai pas compris ce que signifiait cette enveloppe fermée.

– Avant de partir, Sokolov a noté la position des pièces sur l'échiquier pour la reproduire demain. C'est à Jorge que revient de jouer le coup suivant. C'est pourquoi, après avoir décidé quel sera son prochain déplacement, il l'a noté secrètement et l'a confié à l'arbitre dans l'enveloppe. Demain, l'arbitre l'ouvrira, exécutera sur l'échiquier ce que Jorge a noté, mettra la pendule en marche et ils reprendront la partie.

– Et donc ce sera ensuite au Russe de jouer ?

– C'est ça.

– Je suppose que ça va lui donner de quoi méditer cette nuit.

Il devra réfléchir à tous les cas de figure, répond Mecha. Quand une partie est ajournée, le déplacement secret devient

217

un problème pour les deux adversaires : l'un cherchant à savoir à quel coup il devra faire face ; l'autre voulant établir si ce qu'il a noté a bien été le meilleur déplacement possible ; si l'adversaire l'a découvert et s'il a prévu une parade qui le mettra en danger.

— Ce qui implique, conclut-elle, dîner, prendre son petit-déjeuner et son déjeuner avec un échiquier de poche à portée de main, travailler des heures et des heures avec les assistants, y penser sous la douche, en se brossant les dents, en se réveillant en pleine nuit... La pire des obsessions d'un joueur d'échecs est une partie ajournée.

— Comme la nôtre, note Max.

Ignorant le cendrier, fidèle à ses habitudes, Mecha laisse tomber par terre la cendre de la cigarette qu'elle reporte à ses lèvres. Comme chaque fois que la lumière est tamisée, sa peau semble rajeunie et son visage s'embellit. Les yeux couleur de miel, identiques à ceux que Max garde en mémoire, ne s'écartent pas des siens.

— Oui, en un sens, répond-elle. La nôtre aussi a été une partie ajournée... À deux reprises.

À trois, pense Max. Aujourd'hui, nous en jouons une troisième. Mais il ne le dit pas.

Quand l'automobile s'arrêta entre les rues Garibaldi et Pedro de Mendoza, une lune à peine levée brisait l'obscurité et rivalisait avec le halo rose pâle d'une lanterne dont l'éclairage traversait les branches. En descendant de voiture, Max s'approcha de Mecha en catimini et la retint par le bras pour lui enlever le collier de perles, qu'il fit passer dans son autre main et mit dans une poche de sa veste. Il parvint à voir les yeux de la femme, surpris et grands ouverts dans l'ombre à demi éclairée par la lointaine lumière électrique, et il posa deux doigts sur ses lèvres pour lui signifier de garder le silence. Ensuite, pendant que les autres s'éloignaient de l'automobile, le danseur mondain se dirigea vers la fenêtre ouverte.

– Rangez ça, dit-il à voix basse.

Petrossi prit le collier sans faire de commentaire. La visière de la casquette laissait son visage dans l'ombre, et Max ne put voir vraiment son expression. Juste la lueur d'un regard. Vaguement complice, crut-il deviner.

– Pouvez-vous me prêter votre pistolet ?

– Bien sûr.

Le chauffeur ouvrit la boîte à gants et déposa dans les mains de Max un browning lourd et trapu, dont le nickel brilla un instant dans la pénombre.

– Merci.

Max rejoignit les autres en faisant semblant de ne pas voir le regard inquisiteur que Mecha lui adressa à son arrivée.

– Tu es un garçon intelligent, chuchota-t-elle.

Elle dit cela en lui prenant le bras avec le plus grand naturel. À deux pas devant eux, Rebenque commentait les vertus de l'éther Squibb, en vente dans les pharmacies, dont il suffisait, disait-il, de verser quelques gouttes dans un verre et de l'inhaler de temps en temps pour monter au septième ciel. Même si les raviolis de Margot – ajouta-t-il avec le rire canaille qu'autorisait à présent leur solide amitié – étaient véritablement imbattables. À condition, bien entendu, que ces messieurs-dames ne préfèrent pas quelque chose de plus fort.

– Comment ça, plus fort ? voulut savoir de Troeye.

– De l'opium, mon ami. Ou du hachisch, selon vos goûts. Et même de la morphine… Il y a de tout.

Ils traversèrent la rue, en essayant de ne pas buter sur les rails du chemin de fer abandonné entre lesquels poussaient des mauvaises herbes. Max sentait le poids réconfortant de l'arme dans sa poche tandis qu'il regardait le dos du *compadrón*, à côté duquel marchait de Troeye avec autant d'insouciance que s'il se promenait dans la rue Florida, le chapeau rejeté en arrière et la danseuse pendue à son bras, qui faisait claquer ses talons sur la chaussée. Ils arrivèrent de la sorte à la Casa Margot, une construction décrépite portant les traces d'une ancienne splendeur, près d'un petit restaurant fermé à cette heure, dont le porche, barré par du linge étendu, était tapissé de restes de crevettes et de déchets divers. Cela sentait l'humidité, les arêtes et les têtes de poisson, les gâteaux moisis et aussi la vase du Riachuelo, le goudron et la rouille.

– La meilleure taule de La Boca, dit Rebenque – Max crut être le seul à déceler l'ironie.

Une fois à l'intérieur, tout se passa sans cérémonies inutiles. Le lieu était un ancien bordel transformé en fumerie ; et Margot une femme d'âge mûr bien en chair et teinte en rouge cuivre qui, après quelques mots du *compadrón* glissés à son oreille, se répandit en amabilités. Il y avait au mur de l'entrée, observa Max, trois portraits insolites de San Martín, Belgrano et Rivadavia[1] ; comme si, lors de la précédente fréquentation de la maison par une clientèle plus sélecte, on avait prétendu donner un certain air de sérieux au lupanar. Mais c'était bien là tout ce qu'on pouvait y trouver de respectable. Le rez-de-chaussée se prolongeait par un salon enfumé, obscur, qui était éclairé par de vieilles lampes dont les exhalaisons raréfiaient l'atmosphère. Il y régnait une odeur de pétrole mêlé d'insecticide Bufach, et aussi de tabac et de haschich, qui imprégnait les vêtements, les rideaux et les meubles ; et à cela s'ajoutait la sueur d'une demi-douzaine de couples – certains formés de deux hommes – qui dansaient très lentement, enlacés et presque

1. José de San Martín et Manuel Belgrano sont des généraux de la guerre d'Indépendance et Bernardino Rivadavia le premier président de la République argentine.

immobiles, indifférents à la musique qu'un jeune Chinois aux rouflaquettes taillées en pointe comme un traître de cinéma faisait jouer sur un phonographe qu'il surveillait pour changer le disque et tourner la manivelle. La Casa Margot, conclut Max, confirmé ainsi dans ses appréhensions, était un de ces lieux où, à la première altercation, couteaux et rasoirs pouvaient sortir des vestes, des ceintures, des pantalons et même des chaussures.

– Merveilleux et authentique, admira de Troeye.

Mecha, elle aussi, semblait ravie du cadre. Elle observait tout avec un sourire vague, les yeux brillants et la bouche entrouverte, comme si respirer cette atmosphère ravivait ses sens. Parfois son regard rencontrait celui du danseur mondain, laissant percer un mélange d'excitation, de remerciement et de promesses. Brusquement, le désir de Max se fit plus pressant et plus physique, reléguant au second plan l'inquiétude que lui causaient l'endroit et la compagnie. Il contempla tout son soûl, de très près, les hanches de Mecha, pendant que la patronne les conduisait tous à l'étage, dans une chambre meublée à la turque avec deux veilleuses vertes posées sur une table basse, des tapis semés de brûlures de mégots et deux grands divans. Un serveur énorme, la raie au milieu, l'aspect d'un hercule de foire, apporta deux bouteilles d'un prétendu champagne et deux paquets de cigarettes, et tous s'installèrent sur les divans à l'exception de Rebenque, qui disparut avec la patronne pour chercher, dit-il en souriant, du millet pour les canaris. À ce moment, le danseur mondain avait déjà pris sa décision : aussi sortit-il dans le couloir pour attendre son retour. D'en bas, par l'escalier, arrivait la musique de *Caminito del taller*, arrachée aux sillons du disque par l'aiguille du gramophone. Le *compadrón* réapparut bientôt : il rapportait du tabac mélangé à du haschich et une demi-douzaine de sachets d'un demi-gramme chacun, bien plié dans du papier huilé.

– Je vais vous demander un service, dit Max. D'homme à homme.

Le malfrat le regardait avec une soudaine méfiance, cherchant à deviner ses intentions. Le sourire encore figé sous la moustache créole devenait glacial.

– Je m'occupe de la dame, poursuivit Max, sans sourciller. Et le mari a envie de Melina.

– Et ?

– Et alors, cinq est un nombre impair.

L'autre semblait réfléchir sur les chiffres pairs et impairs.

– Mais, putain, dit-il enfin, vous me prenez pour une bille, l'ami !

Le ton brutal n'inquiéta pas Max. Pas encore. Pour le moment, ils étaient seulement deux chiens de faubourg, l'un mieux habillé que l'autre, en train de se flairer dans une ruelle. L'heure était encore aux mises au point.

– Tout sera payé, précisa-t-il, en appuyant sur le *tout*, et en désignant les sachets et le haschich. Ça et le reste. Avec tout ce qu'il a sur lui.

– Le mari est un abruti d'espingouin, dit Rebenque, comme s'il tenait à faire partager ses réflexions. Vous avez vu ses bottines ?… Un pigeon plein aux as, un rupin.

– Il rentrera à son hôtel le portefeuille vide. Vous avez ma parole.

La dernière affirmation parut plaire à l'autre, car il observa Max avec une attention renouvelée. À Barracas ou à La Boca, engager sa parole était sacré pour tout le monde ; on y respectait plus ce qui avait été dit qu'à Palermo ou à Belgrano.

– Et le collier de la dame ? – À cette évocation, le *compadrón* porta la main au foulard blanc noué autour de son cou en place d'une cravate. – Il n'est plus sur elle.

– Disons qu'elle l'a perdu. Mais, pour moi, il reste en dehors de notre accord. Ça n'a rien à voir.

Le malfrat continuait de le regarder dans les yeux, sans perdre son sourire glacé.

– Melina est une poule qui coûte cher… Dans les trente biffetons la nuit. – Il rallongeait chaque mot en insistant dessus, comme si la convoitise renforçait encore son accent du cru. – Un vrai bijou.

– Bien sûr. Mais ne vous inquiétez pas. On paiera ce qu'il faut.

L'autre toucha le bord de son chapeau, le rejetant un peu en arrière, et alla chercher le mégot de Toscani coincé derrière son oreille. Il continuait à dévisager Max, soucieux.

– Vous avez ma parole, répéta ce dernier.

Rebenque se pencha sans rien dire et gratta une allumette contre la semelle de sa chaussure. Puis il se remit à étudier son interlocuteur à travers la fumée du tabac. Max glissa la main dans une poche de son pantalon, juste sous le poids du browning.

– Vous pourriez consommer quelque chose en bas, suggéra-t-il, en écoutant la jolie musique et en fumant un bon cigare. En toute tranquillité… Et on se reverrait plus tard.

L'autre regardait la main disparue. Ou devinait peut-être l'arme à la bosse qu'elle faisait.

– Je suis pas vraiment en fonds, l'ami. Filez-moi un peu d'oseille à titre d'avance.

Max sortit calmement la main de sa poche. Quatre-vingt-dix pesos. C'était tout ce qui lui restait, à part les quatre billets de cinquante cachés derrière la glace, dans la chambre de la pension. Rebenque s'empara de l'argent sans le compter, et lui remit en échange les six raviolis de cocaïne. Trois pesos chaque, dit-il indifférent, et le haschich était un cadeau de la maison. Ils feraient les comptes plus tard. Quand on en serait au total définitif.

– Beaucoup de bicarbonate ? s'enquit Max en regardant les sachets.

– Rien de plus que la normale. – Le malfrat se donnait des légers coups sur le nez avec l'ongle allongé du petit doigt. – Mais broyé très fin, juste pour servir de liant. De l'extrafine, qui entre toute seule.

– Laisse-la t'embrasser sur la bouche, Max.

Le danseur mondain refusa. Il était debout, veste boutonnée et dos au mur, à côté d'un des divans turcs et de la fenêtre ouverte sur l'obscurité de la rue Garibaldi. L'odeur pénétrante du haschich, qui montait en se dispersant en délicates spirales, l'obligeait à plisser les paupières. Il n'avait tiré qu'une brève bouffée de la cigarette qui se consumait entre ses doigts.

– Je préfère qu'elle embrasse ton mari… Il lui plaît davantage.

– D'accord, rit Armando de Troeye, tout en vidant une coupe de champagne. Qu'elle vienne donc m'embrasser.

Le compositeur était assis sur l'autre divan, en gilet et bras de chemise, les manchettes retournées sur les poignets et la cravate dénouée, la veste jetée par terre n'importe comment. Les abat-jour des veilleuses répandaient dans la pièce une pénombre verdâtre, qui posait sur la peau des deux femmes des reflets changeants, comme des lueurs huileuses. Mecha était à côté de son mari et se laissait aller d'un air indolent sur les coussins de faux damas, bras nus et jambes croisées. Elle avait ôté ses chaussures et, de temps en temps, portait à sa bouche la cigarette de haschich en aspirant profondément.

– Vas-y, embrasse-le. Embrasse mon homme.

Melina la *tanguera* se tenait debout entre les deux divans. Elle avait exécuté, un moment auparavant, un simulacre de danse au rythme supposé de la musique qui venait d'en bas, à peine audible à travers la porte. Elle était pieds nus, étourdie par le haschich, le chemisier déboutonné sur les seins qui se balançaient, lourds et fermes. Ses bas et sa combinaison formaient des petits tas de soie noire sur le tapis, et après les derniers déhanchements lascifs et silencieux qu'elle venait d'exécuter, elle tenait encore à deux mains, remontée jusqu'à mi-cuisses, la jupe étroite fendue à la manière apache.

– Embrasse-le, insista Mecha.

– J'embrasse pas sur la bouche, protesta Melina.

– Lui, si… Ou tu fiches le camp.

De Troeye rit, pendant que la danseuse allait vers lui et, écartant ses cheveux blonds de sa figure, montait sur le divan et, à califourchon sur l'homme, l'embrassait sur la bouche. Pour parvenir à cette position, elle avait dû remonter encore plus la jupe, et la lumière verte et huileuse de la veilleuse glissa sur sa peau, le long de ses jambes nues.

– Tu avais raison, Max, dit le compositeur, cynique. Je lui plais plus que toi.

Il avait mis les mains sous le chemisier et caressait la poitrine de la *tanguera*. Grâce à l'effet de deux sachets de cocaïne ouverts et vides sur la petite table orientale, le compositeur avait l'air parfaitement requinqué malgré la quantité d'alcool qu'il avait dans le sang. On notait seulement, observa le danseur mondain avec une curiosité quasi professionnelle, une certaine lourdeur dans ses mouvements et dans sa façon de s'interrompre pour s'efforcer de trouver un mot qu'il avait sur le bout de la langue.

– Vraiment, tu ne veux pas essayer ? proposa de Troeye. Très calme, Max refusa d'un sourire.

– Plus tard… Peut-être plus tard.

Mecha se taisait, cigarette aux lèvres, balançant un de ses pieds déchaussés. Max constata que ce n'était ni Melina ni de Troeye qu'elle regardait, mais lui. Elle n'exprimait rien, comme si le spectacle de son mari et de l'autre femme lui était indifférent, ou comme si elle ne l'avait provoqué que pour en faire l'offrande au danseur mondain. Dans le but exclusif de l'observer, lui, durant tout ce temps.

– Pourquoi attendre ? dit-elle brusquement.

Elle se leva lentement, aplanissant le bas de sa robe d'un geste machinal, la cigarette de haschich toujours aux lèvres, et, saisissant Melina par les épaules, elle la força à se relever en la séparant de son mari, pour la conduire jusqu'à Max. L'autre se laissait faire, obéissante comme un animal soumis, ses seins nus se balançant entre les pans de son chemisier déboutonné que la transpiration collait sur sa peau.

– Jolie et vulgaire, dit Mecha en regardant Max dans les yeux.

– J'en ai rien à foutre, répondit celui-ci, presque avec douceur.

C'était la première fois qu'il proférait une grossièreté devant les de Troeye. Elle soutint son regard un moment, les deux mains sur les épaules de Melina, puis poussa en avant la *tanguera* jusqu'à ce que ses seins humides et chauds viennent se coller à la poitrine de Max.

– Sois gentille avec lui, murmura Mecha à l'oreille de la femme. C'est un brave garçon du quartier… Et il danse merveilleusement bien.

Melina chercha d'un mouvement maladroit et avec une expression abrutie les lèvres de Max, mais celui-ci l'évita avec dégoût. Il avait jeté la cigarette par la fenêtre et soutenait le regard de Mecha brouillé par la lueur verdâtre des veilleuses qui brûlaient derrière elle. Il se rendit compte qu'elle l'étudiait avec une apparente froideur. Pendant ce temps, la *tanguera* avait déboutonné la veste et le gilet de Max et s'attaquait aux boutons des bretelles et à ceux qui fermaient le pantalon.

– Un inquiétant brave garçon, insista Mecha, énigmatique.

Elle pesait de tout son poids sur les épaules de Melina, en l'obligeant à s'agenouiller devant lui et à approcher son visage de son sexe. À ce moment, on entendit la voix de De Troeye derrière les femmes :

– Ne me laissez pas à l'écart, salopes.

Rarement, Max avait vu autant de mépris dans les étincelles qui passèrent dans les yeux de Mecha avant qu'elle ne se retourne vers son mari pour le dévisager sans desserrer les lèvres. Et plaise au ciel, se dit-il fugacement, qu'aucune femme ne me regarde jamais de cette façon. Pour sa part, haussant les épaules, résigné à son rôle de spectateur, de Troeye remplit une autre coupe de champagne, la vida d'un trait et déplia un autre sachet de cocaïne. Mecha était revenue de nouveau à Max ; et tandis que la danseuse, docilement agenouillée, parvenait à l'objet de sa manœuvre sans trop forcer sur le zèle professionnel – mais elle avait au moins la langue mouillée et chaude, apprécia Max, objectif –, Mecha laissa tomber la cigarette sur le tapis et approcha ses lèvres de celles de l'homme juste assez pour les frôler, tandis que dans ses iris se reflétait la clarté verdâtre des veilleuses. Elle resta ainsi un long moment, à le scruter de près, son cou et son visage se dessinant dans la pénombre et sa bouche à quelques millimètres de celle de Max, pendant que celui-ci sentait ses sens comblés par le léger battement ailé de sa respiration, par la proximité du corps mince et souple, par l'odeur de haschich, parfum dilué et douce sueur se mélangeant sur la peau de la femme. Ce fut cela, et non la gauche prestation de Melina, qui aviva réellement son désir, et quand la chair se durcit enfin, Mecha, qui devait guetter ce moment, écarta brusquement la *tanguera* et colla avec une violence avide sa bouche sur celle de Max, l'entraînant sur le divan tandis que derrière elle résonnait le ricanement de plaisir du mari.

– Vous ne pourrez pas partir comme ça, dit Juan Rebenque. Pas si vite.

Son sourire dangereux s'interposait entre eux et la porte,
plein de méchanceté. Il se tenait debout au milieu du couloir,
d'un air de défi, le chapeau de travers, les mains dans les
poches de son pantalon. De temps en temps, il baissait
les yeux pour regarder ses chaussures, comme s'il voulait
s'assurer que leur lustre était à la hauteur des circonstances. Max, qui avait prévu la scène, observa la bosse que
formait le couteau sur le côté gauche de la veste fermée du
compadrón. Puis il se tourna vers de Troeye.

– Combien avez-vous sur vous ?

Le visage du compositeur portait les traces de la nuit :
yeux rougis, menton où la barbe commençait à pointer,
cravate nouée n'importe comment. Melina avait lâché son
bras et s'adossait au mur du couloir, l'air écœurée, indifférente, comme si la seule idée qu'elle avait en tête était
un bon lit pour se jeter dessus et y dormir douze heures
d'affilée.

– Il me reste à peu près cinq cents pesos, murmura
de Troeye, piteux.

– Donnez-les-moi.

– Tout ?

– Tout.

Le compositeur était trop fatigué et trop abruti par l'alcool
pour protester. Docile, mains tremblantes, il sortit le portefeuille de la poche intérieure de sa veste et laissa Max
le vider froidement. Ce dernier sentait les yeux de Mecha
rivés sur lui – elle se tenait un peu en arrière dans le couloir,
l'écharpe sur les épaules, ne perdant rien du spectacle –,
mais il ne lui adressa pas un regard. Il avait besoin de se
concentrer sur des choses plus urgentes. Et plus dangereuses. La principale étant d'arriver à la Pierce-Arrow où
les attendait Petrossi, avec le moins de dégâts possible.

228

– Voilà, dit-il au *compadrón*.

Celui-ci compta les billets, sans broncher. Cela fait, il les tapota un moment avec les doigts d'une main, songeur. Après quoi, il les glissa dans une poche avec un sourire.

– Il y a eu plus de frais que prévu, dit-il, impavide, en forçant encore sur son accent.

Il ne regardait pas de Troeye, mais Max. Comme s'il s'agissait d'une affaire personnelle qui ne concernait qu'eux deux.

– Je ne crois pas, dit Max.

– Eh bien, je vous conseille de le croire, l'ami. Melina est une jolie poulette, pas vrai?... Et puis il a fallu trouver les sachets et tout le reste. – Il lança un regard rapide et insolent à Mecha. – La dame, vous, et le crétin ici présent, vous avez passé une sacrée bonne soirée... Tâchons qu'elle se termine aussi bien pour tout le monde.

– Il ne reste plus un *mango*[1], dit Max.

L'autre parut s'arrêter sur ce dernier mot, comme s'il appréciait l'emploi de l'argot local.

– Et la dame?

– Elle n'a pas d'argent sur elle.

– Elle avait bien un collier, non?

– Elle ne l'a plus.

Le malfrat sortit les mains de ses poches et déboutonna sa veste. Ce faisant, le manche en corne du couteau apparut dans l'échancrure du gilet.

– Va falloir vérifier ça. – Il regardait la chaîne en or qui brillait sur les vêtements de De Troeye. – Et j'aimerais aussi pouvoir lire l'heure, parce que ma montre, elle est arrêtée.

Max fixa les poignets de la chemise et les poches du malfrat.

– Je ne vous vois pas de montre.

1. Un *mango*: «un sou» en *lunfardo*.

– Elle s'est arrêtée y a des années… Pourquoi je porterais une montre qui marche pas ?

Ça ne vaut vraiment pas la peine, pensait Max, de se faire tuer pour une montre. Ni même pour un collier de perles. Mais il y avait quelque chose dans le sourire du *compadrón* qui l'irritait. Trop de suffisance, peut-être. Trop de certitude, chez le dénommé Juan Rebenque, d'être le seul à se sentir sur son territoire.

– Je ne vous ai pas déjà dit que je suis né rue Vieytes ?

Le sourire de l'autre s'obscurcit, comme si soudain la moustache créole lui faisait de l'ombre. Qu'est-ce que ça vient foutre là-dedans ? semblait-il dire. À cette heure de la nuit ?

– Cherche pas à m'embrouiller, dit-il sèchement.

L'expression de son visage rendait le brusque tutoiement plus inquiétant encore. Max l'analysa lentement, situant la menace sur le terrain où elle était proférée. L'attitude du personnage, le vestibule, la porte, la rue avec la voiture en stationnement. Il ne pouvait écarter l'éventualité que Rebenque ait un ami dans les parages, déterminé à lui prêter main-forte.

– Si je me souviens bien, dans le quartier, nous avions notre propre code, ajouta Max, très calme. Les gens tenaient parole.

– Et alors ?

– Quand on voulait une montre, on se l'achetait.

Le sourire avait complètement disparu du visage de l'autre. Il avait été remplacé par un rictus menaçant. De loup cruel, sur le point de mordre.

– Tu veux jouer au plus fin avec moi ?

Un pouce glissait le long du gilet, parti à la recherche du manche en corne. D'un coup d'œil, le danseur mondain calcula les distances. Trois pas le séparaient du couteau de l'autre ; lequel, pour sa part, devait encore le tirer de sa gaine. Presque imperceptiblement, Max se tourna de côté en lui présentant son flanc gauche, ce qui lui permettrait de mieux se protéger avec un bras et une main. Il avait appris ce genre de précautions – la silencieuse et utile chorégraphie préalable – dans les bordels pour légionnaires d'Afrique, tandis que volaient les bouteilles cassées et les poignards. Quitte à aboyer, mieux vaut être chien.

– Oh, mon Dieu… arrêtez de jouer aux coqs de basse-cour, retentit la voix de Mecha derrière lui. J'ai sommeil. Donne-lui la montre et partons d'ici.

Max savait trop bien que ce n'était pas une histoire de coqs, mais l'heure n'était pas aux explications. Tout cela était resté depuis trop longtemps en travers de la gorge du *compadrón*, probablement à cause de Mecha. Depuis la première fois qu'il l'avait vue, sûrement. Depuis le tango. Il ne pardonnait pas l'exclusion dont il avait fait les frais cette nuit ; et l'alcool qui n'avait pas manqué de lui tenir compagnie pendant qu'il attendait en bas n'arrangeait rien. La montre, le collier confié à Petrossi, les quatre-vingt-dix pesos de Max et les cinq cents que venaient de sortir de Troeye n'étaient que des prétextes pour le malfrat de tirer enfin le couteau qui lui chatouillait l'aisselle. Il voulait venger son honneur, et il voulait avoir Mecha pour témoin.

– Sortez, dit Max sans se retourner, à la femme et à son mari. Courez tout droit à la voiture.

Ce fut peut-être son ton. Sa façon de soutenir le regard torve de Rebenque. Mecha ne dit pas un mot. Quelques secondes plus tard, Max s'assura du coin de l'œil qu'elle et son mari s'étaient postés à côté de lui, près de la porte, collés au mur.

– Vous pressez pas, putain, dit le malfrat. On a tout le temps devant nous.

Je le méprise parce que je le connais de fond en comble, pensa Max. Nous pourrions même être interchangeables.

Son erreur est de croire qu'un costume bien coupé nous rend différents. Que ça efface la mémoire.

– Filez dans la rue, répéta-t-il aux de Troeye.

Le pouce du malfrat se rapprocha encore du couteau. Max mit la main droite dans la poche de sa veste pour tâter le métal tiède du browning. C'était un 6,35, et il avait subrepticement fait glisser une balle dans le canon avant de descendre dans le vestibule. Du doigt, et sans le sortir de sa poche, il libéra le cran de sécurité. Sous le bord du chapeau de Rebenque, les yeux noirs et scrutateurs suivaient, intéressés, chaque mouvement du danseur mondain. Du fond, à travers le nuage de fumée du salon, parvinrent les premières mesures de *Mano a mano*.

– Personne ne sortira d'ici, annonça le malfrat, exaspéré.

Puis il fit un pas en avant, prélude manifeste à une grande démonstration de coups de couteau dans l'air. Il plongeait la main droite dans la ceinture du gilet, quand Max lui braqua le browning en pleine figure. Le visant entre les yeux.

– Depuis qu'on a inventé ça, dit-il, serein, fini de jouer aux durs.

Il l'avait prononcé sans forfanterie ni arrogance, sur un ton calme et discret, comme s'il s'agissait d'une confidence entre copains. L'autre contemplait le trou noir du canon avec une expression sérieuse. Celle d'un joueur professionnel, pensa Max. Calculant combien il restait d'as dans le paquet de cartes posé sur la table. Il dut conclure qu'il n'y en avait pas assez, car au bout d'un instant il écarta les doigts du manche du couteau.

– Tu ne serais pas aussi faraud si nous étions à égalité, commenta-t-il en le regardant fixement d'un œil noir.

– Bien sûr que non.

– Taille-toi.

Le sourire était revenu sur ses lèvres. Résigné, mais toujours dangereux.

– Montez dans la voiture, ordonna Max à Mecha et à son mari sans cesser de viser le malfrat.

Les de Troeye partirent – un rapide piétinement de talons féminins sur le plancher – sans que l'autre daigne même les regarder. Ses yeux restaient rivés sur ceux du danseur mondain, pleins de promesses sinistres et improbables.

– T'aurais pas envie d'essayer, l'ami ?... Tu sais, ce sont pas les couteaux qui manquent dans le quartier. Ça au moins, c'est des armes d'hommes. Je pourrais même t'en prêter un.

Max esquissa un sourire. Presque complice.

– Une autre fois, peut-être. Aujourd'hui, je suis pressé.

– Dommage.

– Oui.

Il sortit dans la rue sans hâter le pas, tout en remettant le pistolet en place, aspirant avec délices l'air frais et humide du petit matin. La Pierce-Arrow stationnait devant le porche, moteur en marche et phares allumés, et lorsque le danseur mondain entra dedans en faisant claquer la portière Petrossi libéra le frein à main, embraya et démarra dans un violent crissement de pneus. La brusquerie du mouvement fit choir Max sur la banquette arrière, entre les de Troeye.

– Mon Dieu, murmurait le mari, consterné. Quelle nuit !

– Vous vouliez la Vieille Garde, non ?

Adossée aux coussins de cuir, Mecha riait à gorge déployée.

– Je crois que je suis amoureuse de Max... Ça ne te gêne pas, Armando ?

– Pas du tout, ma chère. Moi aussi je l'aime.

Un corps éblouissant. Splendide. Tels étaient peut-être les mots qui convenaient pour définir la femme immobile dans son sommeil, que Max contemplait dans la pénombre de la chambre, sur les draps en désordre. Il n'existait pas de peintre ni de photographe, se dit le danseur mondain, qui fût capable de rendre fidèlement ces lignes longues et superbes associées par la nature, avec une perfection exquise, au dos nu, aux bras formant un angle précis pour étreindre l'oreiller, à la douce courbe des hanches prolongée à l'infini par les jambes minces, qui, un peu écartées, laissaient voir entre elles la naissance du sexe. Et, pour centre idéal vers lequel convergeaient toutes ces lignes et ces courbes délicieuses, juste au-dessous des cheveux coupés à ras, la nuque nue et vulnérable que le danseur mondain avait frôlée de ses lèvres avant de se lever, pour être certain que Mecha dormait.

Achevant de s'habiller, Max éteignit la cigarette qu'il venait de fumer, alla dans la salle de bains – marbre et carreaux de faïence blancs émaillés de bleu – et noua sa cravate devant le grand miroir situé au-dessus de la cuvette du lavabo. Puis il traversa la chambre en boutonnant son gilet pour aller prendre la veste et le chapeau qu'il avait laissés dans le living-room de l'immense suite du Palace, près de la lampe allumée et du canapé en acajou où Armando de Troeye, les vêtements en désordre, faux-col détaché et chaussettes à l'air, dormait recroquevillé comme un clochard soûl sur un banc public. Au bruit de pas, le compositeur ouvrit les yeux et s'agita lourdement sur la garniture de velours rouge.

– Qu'est-ce qui se passe... Max ? bredouilla-t-il, la langue pâteuse.

– Rien. Petrossi a gardé le collier de Mecha et je vais le chercher.

De Troeye ferma les yeux et se retourna. Max demeura un instant à l'observer. Le mépris que lui inspirait cet homme n'avait d'égal que l'étonnement que lui avait causé son comportement au cours des heures précédentes. Un moment, il se sentit l'envie de le frapper sans pitié ni remords. Mais cela, conclut-il froidement, n'apporterait rien de positif à la situation. Son intérêt allait à des choses plus urgentes. Il y avait longtemps réfléchi, immobile contre le corps épuisé et endormi de Mecha, assailli de sensations et de souvenirs récents qui roulaient en lui comme les galets d'un torrent : la façon dont ils avaient traversé le hall de l'hôtel en soutenant le mari, le concierge de nuit qui leur avait remis la clef, l'ascenseur et l'arrivée dans la chambre, les chuchotements et les rires étouffés. Et ensuite, de Troeye regardant avec des yeux vitreux d'animal stupide sa femme et Max se déshabiller pour se jeter frénétiquement l'un contre l'autre avec une absence totale de pudeur, bouches et corps se dévorant mutuellement, se bousculant pour reculer jusqu'à la chambre à coucher où, sans fermer la porte, ils avaient arraché le couvre-lit avant que Max ne se noie dans le corps de la femme avec une violence désespérée, plus proche d'un règlement de comptes que d'un acte de passion et d'amour.

Il ferma avec force précautions la porte derrière lui, évitant de faire le moindre bruit, et sortit dans le couloir où le tapis étouffa le bruit de ses pas. Évitant l'ascenseur, il descendit par le vaste escalier de marbre en réfléchissant à ses prochains mouvements. Ce n'était pas vrai que le collier de Mecha était resté dans la Pierce-Arrow. En sortant de l'automobile devant l'hôtel, tandis qu'il demandait au chauffeur de l'attendre pour le conduire ensuite à la pension Caboto, Max avait restitué le pistolet à Petrossi et récupéré les rangées de perles, qu'il avait glissées dans une de ses poches sans que ni Mecha ni le mari s'en aperçoivent. Elles y étaient restées tout le temps et s'y trouvaient encore : Max pouvait en sentir la présence en tâtant la poche gauche de sa veste pendant qu'il passait entre les colonnes du hall, saluait d'un léger haussement de sourcils le concierge de nuit et sortait dans la rue, où Petrossi somnolait dans la voiture sous la lueur d'un réverbère : la casquette sur le siège avant, juste sur un exemplaire plié de *La Nación* ; il releva la tête qui reposait, renversée, sur le dossier de cuir, quand Max cogna à la vitre.

– Conduisez-moi avenue Almirante Brown, s'il vous plaît... Non, laissez ça, ne mettez pas votre casquette. Après, vous pourrez rentrer chez vous.

Ils n'échangèrent pas une parole durant le trajet. De temps en temps, lorsque les phares éclairaient une façade ou un mur, se confondant ainsi avec la lumière grisâtre qui précédait le lever du jour, Max apercevait dans le rétroviseur le regard du chauffeur qui, parfois, croisait le sien. Lorsque la Pierce-Arrow s'arrêta devant la pension, Petrossi sortit pour ouvrir la portière à Max. Celui-ci descendit, son chapeau à la main.

– Merci, Petrossi.

Le chauffeur le regardait, impassible.

– De rien, monsieur.

Max fit un pas vers le porche et s'arrêta aussitôt pour se retourner.

– Ç'a été un vrai plaisir de vous connaître, dit-il.

La lumière indécise rendait difficile de s'en assurer, mais il eut l'impression que Petrossi souriait.

– Mais au contraire, monsieur... Presque tout le plaisir a été pour moi.

Ce fut alors au tour de Max de sourire.

– Ce browning est excellent. Prenez-en soin.

– Je suis heureux qu'il vous ait été utile.

Une lueur de surprise passa dans le regard du chauffeur en voyant que, dans un geste spontané, le danseur mondain ôtait la Longines de son poignet.

– Ce n'est pas grand-chose, dit-il en la lui remettant. Mais je n'ai plus un peso en poche.

Petrossi faisait tourner la montre entre ses doigts.

– Ce n'était pas nécessaire, protesta-t-il.

– Je sais que ce ne l'était pas. Et ça le rend encore plus nécessaire.

Deux heures plus tard, après avoir fait ses bagages et pris un taxi à la pension Caboto, Max Costa se rendit à l'embarcadère du vapeur à roues de la Carrera qui relie les deux rives du río de La Plata ; et peu après, une fois passées les formalités de l'immigration et de la douane, il débarquait à Montevideo. L'enquête policière qui, au bout de quelques jours, retraça la brève activité du danseur mondain dans la capitale uruguayenne devait indiquer qu'au cours du trajet depuis Buenos Aires il avait rencontré une femme de nationalité mexicaine, chanteuse professionnelle, engagée par le théâtre Royal Pigalle. Max avait logé avec elle dans une chambre luxueuse de l'hôtel Victoria Plaza, d'où il avait disparu une semaine plus tard, en laissant derrière lui ses bagages et une note salée – séjour, services divers, dîner avec champagne et caviar – à laquelle la Mexicaine, furieuse, avait dû faire face quand, le lendemain, elle avait été réveillée par une employée apportant le manteau d'hermine que Max avait acheté la veille chez le meilleur fourreur de la ville ; et que, selon ses instructions, n'ayant pas assez d'argent sur lui au moment de l'achat, il fallait livrer à l'hôtel le matin suivant, dès que les banques seraient ouvertes.

Dans l'intervalle, Max avait déjà embarqué à bord du transatlantique sous pavillon italien *Conte Verde*, qui faisait route vers l'Europe avec escale à Rio de Janeiro ; et, trois jours après, il débarquait dans la cité *carioca*, où sa piste se perdait. La dernière chose que l'on avait pu établir était qu'avant de quitter Montevideo Max avait vendu le collier de perles de Mecha Inzunza à un bijoutier roumain qui tenait une boutique d'antiquités rue Andes et était connu comme receleur d'objets volés. Le Roumain, qui s'appelait

Troianescu, admit dans sa déposition à la police avoir payé le collier – deux centaines de perles naturelles et parfaites – la somme de trois mille livres sterling. Ce qui ne représentait, au prix du marché, guère plus que la moitié de sa valeur réelle. Mais le jeune homme qui le lui avait vendu au café Vaccaro, recommandé par l'ami d'un ami, semblait être pressé de régler l'affaire. Un garçon aimable, à coup sûr. Bien habillé et bien élevé. Avec un sourire sympathique. S'il n'y avait pas eu deux cents perles en jeu et l'urgence qu'il manifestait, on l'aurait pris pour un parfait gentleman.

6
La Promenade des Anglais

Profitant de la température agréable, ils sortent pour faire un tour après avoir dîné au Vittoria. Mecha a présenté Max aux autres – « Un ami cher, depuis tant d'années que j'en ai perdu le compte » – et il s'est intégré sans effort au groupe, avec l'aplomb qu'il a toujours eu pour se débrouiller dans n'importe quelle situation : une sympathie naturelle, faite de bonnes manières et de prudente intelligence, qui lui a ouvert tant de portes en d'autres temps, quand chaque jour était un défi et une lutte pour la survie.

– Ainsi, vous vivez à Amalfi ? s'intéresse Jorge Keller.

Le calme de Max est parfait.

– Oui, par périodes.

– Un endroit superbe. Vraiment je vous envie.

Un garçon charmant, conclut Max. En excellente forme physique comme ces jeunes Américains qui remportent des trophées à l'université, mais avec la patine d'un bon vernis européen. Il a ôté sa cravate, relevé les manches de sa chemise et, avec sa veste sur l'épaule, il ne correspond guère à l'idée que l'on se fait d'un candidat au titre de champion mondial d'échecs. Et la partie ajournée ne semble pas l'inquiéter. Durant le dîner, il s'est montré amusant et désinvolte, plaisantant avec Karapétian. Au dessert, ce dernier a voulu se retirer pour analyser les variantes du coup secret et prendre de l'avance sur le travail que lui et Irina Jasenovic doivent aborder demain au petit-déjeuner avec Keller. C'est Karapétian qui, avant de partir, lui a suggéré de faire une promenade. Ce sera une bonne chose, a-t-il dit au jeune homme, pour te dégager la tête. Amuse-toi un moment, et fais-toi accompagner par Irina.

– Depuis combien de temps êtes-vous avec lui ? a voulu savoir Max pendant que le grand maître s'éloignait.

– Trop longtemps, a soupiré Keller, sur le ton espiègle de l'élève qui parle d'un professeur dès que celui-ci a le dos tourné. Et cela signifie plus de la moitié de ma vie.

– Il lui attache plus d'importance qu'à moi, intervient Mecha.

Le jeune homme éclate de rire.

– Toi, tu es seulement ma mère... Emil, lui, est le gardien de la prison.

Max regardait Irina Jasenovic en se demandant jusqu'à quel point elle pouvait être la clef de cette prison qu'évoquait Keller. Elle n'était pas précisément jolie, décida-t-il. Attirante, peut-être, par sa jeunesse, avec cette jupe si courte et si *swinging-London*, ses grands yeux noirs en amande. Elle semblait taciturne et douce. Une fille intelligente. Plus que d'amoureux, elle et Keller avaient l'allure de jeunes camarades qui s'entendaient en échangeant des signes et des regards à l'insu des adultes, comme si les échecs qui les avaient réunis étaient une transgression qui les rendait complices. Un divertissement intelligent et compliqué.

– Prenons donc quelque chose, propose Mecha. Là-bas.

Tout en parlant, ils sont descendus par Sant Antonino et la via San Francesco vers les jardins de l'hôtel Imperial Tramontano, où, dans un kiosque situé parmi les bougainvillées, les palmiers et les magnolias éclairés par des lanternes vénitiennes, un groupe musical joue devant une trentaine de personnes – polos, sweaters sur les épaules, minijupes et jeans – qui occupent des tables autour de la piste située non loin de la corniche, dominant le paysage noir de la baie et les lointaines lumières de Naples au fond.

– Je ne me souviens pas que ma mère ait jamais parlé de vous... Où vous êtes-vous connus ?

– Sur un navire, à la fin des années vingt. En allant à Buenos Aires.

– Max était le danseur mondain du bord, ajoute Mecha.

– Mondain ?

– Professionnel. Il dansait avec les dames et les demoiselles et il le faisait très bien... Il est pour beaucoup dans le fameux tango de mon premier mari.

Le jeune Keller accueille cette information avec indifférence. Max en déduit soit que les tangos sont le cadet de ses soucis, soit qu'il n'aime guère entendre évoquer le précédent mariage de sa mère.

– Ah oui... commente-t-il froidement. Le tango.

– Et que faites-vous, maintenant ? s'intéresse Irina.

Le chauffeur du docteur Hugentobler se compose une expression adéquate, qui se veut à la fois convaincante et imprécise.

– Des affaires, répond-il. J'ai une clinique dans le Nord.

– Pas mal, commente Keller. Passer de danseur de tango à propriétaire d'une clinique et d'une villa à Amalfi.

– Avec des étapes intermédiaires pas toujours prospères, souligne Max. Quarante ans, c'est long.

– Vous avez connu mon père ? Ernesto Keller ?

Une expression vague, comme pour faire un effort de mémoire.

– C'est possible... Je n'en suis pas sûr.

Le regard de Max rencontre celui de Mecha.

– Tu l'as connu sur la Riviera, rappelle-t-elle. Durant la guerre d'Espagne, chez Suzi Ferriol.

– Ah oui, c'est vrai... Bien sûr.

Tous quatre commandent des boissons fraîches ; des jus de fruits, de l'eau minérale et un negroni pour Max. Pendant que le garçon revient, le plateau chargé, le fracas de la batterie redouble, deux guitares électriques jouent et le chanteur – un bellâtre d'âge mûr avec une perruque et une veste fantaisie, qui imite le style de Gianni Morandi – commence à chanter *Fatti mandare dalla mamma*. Jorge Keller et la jeune fille échangent un rapide baiser et partent danser sur la piste, parmi les gens, évoluant, agiles, au rythme rapide du twist.

– Incroyable, commente Max.

– Qu'est-ce que tu trouves incroyable ?

– Ton fils. Sa manière d'être. De se comporter.

Elle le regarde ironiquement.

– Tu penses au postulant au titre de champion du monde d'échecs ?

– Exactement.

– Je vois. J'imagine que tu t'attendais à un garçon pâle et fuyant la société, vivant en permanence dans un nuage de soixante-quatre cases.

– Quelque chose comme ça. Oui.

Mecha hoche la tête. Ne te fais pas d'illusions, le prévient-elle. Le nuage aussi est là. Même si ça ne se voit pas, le garçon continue à jouer la partie ajournée. Ce qui le différencie sans doute des autres, c'est la façon dont il va l'affronter. Certains grands maîtres s'isolent du monde et de la vie en se concentrant comme des moines. Mais Jorge Keller n'est pas ainsi. Sa manière de jouer, précisément, consiste à projeter les échecs dans le monde et dans la vie.

– Sous cette apparence faussement normale, débordante de vitalité, conclut-elle, il y a une conception de l'espace et des choses qui n'a rien à voir avec la tienne, ou la mienne.

Max, qui observe Irina Jasenovic, acquiesce.

– Et elle ?

– Elle, c'est une fille étrange. Moi-même, je n'arrive pas
à comprendre ce qu'elle a dans la tête... C'est une grande
joueuse, ça ne fait aucun doute. Efficace et lucide... Mais
je suis incapable de savoir jusqu'à quel point son comportement vient d'elle-même ou s'il est influencé par Jorge.
J'ignore comment elle était avant.

– Je n'aurais jamais pensé que des femmes pouvaient
être de bonnes joueuses d'échecs... J'ai toujours cru que
c'était un jeu masculin.

– Eh bien, tu te trompes. Beaucoup de femmes figurent
dans la catégorie de grand maître, surtout en Union soviétique. Simplement, très peu accèdent à des titres mondiaux.

– Pourquoi ?

Mecha avale une gorgée d'eau et demeure un moment
pensive. Emil Karapétian, dit-elle ensuite, a une théorie
là-dessus. Ce n'est pas la même chose de jouer des parties
ordinaires et de jouer un tournoi ou un championnat du
monde ; cela exige un effort continu, une concentration
extrême et une grande stabilité émotionnelle. Pour les
femmes, qui sont souvent soumises à des variations bio-
logiques,ʼ maintenir uniformément cette stabilité durant
les semaines ou les mois que dure une compétition de
haut niveau, c'est trop demander. Des facteurs comme la
maternité, ou les cycles menstruels, peuvent briser l'équilibre indispensable à une épreuve suprême. Voilà pourquoi
peu de femmes arrivent à un tel niveau.

– Et c'est aussi ton avis ?

– Oui, plus ou moins.

– Et Irina pense de même ?

– Non, pas du tout. Elle soutient qu'il n'y a pas de différence.

– Et ton fils ?

– Il est d'accord avec elle. Il dit que c'est une question
de comportement et d'habitudes. Il croit que les choses
changeront beaucoup dans les prochaines années, pour

les échecs comme pour tout le reste. Qu'elles sont déjà en train de changer, avec la révolte des jeunes, la lune à portée de main, la musique, la politique et tout le reste.

– Il a sûrement raison, admet Max.

– Tu le dis comme si tu ne le regrettais pas.

Elle l'observe, intéressée. La remarque de Max relevait plus de la provocation que d'un banal commentaire. Il répond par un geste élégant. Mélancolique.

– Chaque époque correspond à un moment, exprime-t-il sur un ton posé. Et ses personnages aussi. La mienne s'est achevée ça fait un bon bout de temps, et je déteste les fins qui se prolongent interminablement. Avec elles, les manières se perdent.

Mecha – il en a la confirmation sous les yeux – rajeunit dès qu'elle sourit, sa peau paraît toute lisse. Ou peut-être est-ce la lueur complice qu'il lit dans son regard qui la rend maintenant identique à celle dont il conserve le souvenir.

– Tu continues à faire de belles phrases, mon bon ami. Je me suis toujours demandé d'où tu les sortais.

L'ancien danseur mondain minimise l'importance de sa réponse, comme si elle allait de soi.

– Glanées ici et là, je suppose… Ensuite, toute la question est de les placer à bon escient.

– En tout cas, tes manières demeurent intactes. Tu es toujours le parfait *charmeur** que j'ai connu, il y a quarante ans, sur ce navire si propre et si blanc qu'il semblait tout neuf… Et tu viens de parler de ton époque sans m'y inclure.

– Toi, tu restes pleine de vie. Il suffit de te voir avec ton fils et les autres.

Il y a eu comme un regret dans la première phrase, et Mecha l'observe, peut-être subitement alertée. Pendant une seconde, Max sent faiblir ses défenses; aussi gagne-t-il du temps en se penchant au-dessus de la table pour remplir d'eau le verre de la femme. Quand il se redresse, il contrôle la situation. Mais elle continue de l'étudier, d'un regard pénétrant.

– Je ne comprends pas que tu parles comme ça. Ce ton désabusé. Tu n'as pourtant pas eu à te plaindre de la vie.

Max fait un geste vague. Ça aussi, se dit-il, c'est une façon de jouer aux échecs. Et peut-être n'a-t-il jamais rien fait d'autre dans toute sa vie.

– La lassitude, voilà probablement le mot, répond-il, prudent. Un homme doit savoir quand approche le moment d'abandonner le tabac, l'alcool et la vie.

– Encore une belle phrase. De qui est-elle ?

– J'ai oublié. – Maintenant il sourit, de nouveau maître du terrain. – Elle pourrait même être de moi, tu sais ? Je suis trop âgé pour me le rappeler.

– Et aussi pour te rappeler les femmes que tu as abandonnées ?… Il y a eu un temps où tu étais expert en la matière.

Il la contemple avec un mélange calculé d'affection et de reproche ; mais Mecha fait un geste de dénégation, écartant ce regard. Refusant la complicité qu'il lui propose.

– Je ne sais pas de quoi tu te plains, insiste-t-elle. Ou de quoi tu fais semblant de te plaindre. Tu as vécu dangereusement… Tu pouvais finir très différemment.

– Tu veux dire, dans la misère ?

– Ou en prison.

– J'ai connu l'une et l'autre, admet-il. Peu souvent et pas longtemps, mais suffisamment.

– C'est étonnant, que tu aies pu changer de vie… Comment as-tu fait ?

De nouveau Max esquisse un geste ambigu, qui englobe toutes sortes de possibilités imaginaires. Trop fréquemment, un seul détail superflu peut ruiner les meilleures affabulations.

– J'ai eu quelques coups de chance après la guerre. Des amis, des affaires.

– Et peut-être aussi quelques femmes avec de l'argent?

– Je ne crois pas… Je ne me souviens pas.

L'homme que fut Max allumerait maintenant une cigarette avec une élégante économie de gestes, provoquant la pause opportune. Mais il ne fume plus; de plus, le gin du negroni lui a donné comme un coup à l'estomac. Aussi se borne-t-il à se montrer impassible. L'esprit tendu vers l'envie d'une cuillerée de sels de fruits dilués dans de l'eau à la température ambiante.

– Tu n'éprouves pas de nostalgie, Max?… De cette époque.

Elle observe son fils et Irina, qui continuent de danser sous les lumières du parc. Un rock, maintenant. Max suit leurs évolutions sur la piste, puis reporte son regard sur les feuilles qui jaunissent dans la pénombre ou tapissent, sèches, les abords des tables.

– J'ai la nostalgie de ma jeunesse, répond-il, ou plutôt de ce que cette jeunesse rendait possible… Par ailleurs, j'ai découvert que l'automne exerce une influence bienfaisante. À mon âge, il fait qu'on se sent à l'abri, loin des soubresauts que produit le printemps.

– Ne sois pas aussi stupide, en plus d'être gentil. Dis *à notre âge*.

– Jamais.

– Tu es un idiot.

Un silence heureux, complice. Mecha sort de la poche de sa veste un paquet de cigarettes et le pose sur la table, mais sans en allumer une.

– Je sais à quoi tu penses, dit-elle enfin. Moi aussi, ça m'arrive. Un jour, je me suis rendu compte qu'il y avait davantage de gens désagréables dans les rues, que les hôtels n'étaient pas si élégants et les voyages pas si amusants. Que les villes étaient plus laides et les hommes plus grossiers et moins séduisants… Et pour finir, la guerre en Europe a balayé ce qui restait.

Par chance, j'ai Jorge, ajoute-t-elle après une pause.

Max acquiesce, absorbé, réfléchissant à tout ce qu'il vient d'entendre. Il ne l'exprime pas à haute voix, mais il pense qu'elle se trompe. En ce qui le concerne, tout au moins. Son problème n'est pas la nostalgie du monde d'hier, mais quelque chose de plus prosaïque. Durant la plus grande partie de sa vie, il a essayé de survivre dans ce monde en s'adaptant à un scénario qui, en s'effondrant, l'a entraîné dans sa chute. Quand c'est arrivé, il était trop tard pour tout recommencer à zéro ; la vie avait cessé d'être un vaste terrain de chasse peuplé de casinos, d'hôtels chers, de transatlantiques et de luxueux trains express, où la manière de faire sa raie ou d'allumer une cigarette pouvait influer sur la fortune d'un jeune audacieux. Mecha avait parlé avec une singulière précision d'hôtels, de voyages, de lieux, d'hommes plus grossiers et moins séduisants. Il était bien fini, le temps de cette vieille Europe, celle qui avait dansé dans les salles et les palaces sur *Le Boléro* de Ravel et *Le Tango de la Vieille Garde*, et que l'on pouvait contempler au travers de la lumière tamisée d'une coupe de champagne.

– Mon Dieu, Max… Tu étais si joli garçon. Avec cet aplomb que tu avais, tellement élégant et voyou à fois.

Elle le contemple avec une extrême attention, comme si elle cherchait sur ce visage vieilli le beau jeune homme qu'elle a connu. Et lui, docile, avec une passivité pleine de distinction – et sur les lèvres une légère moue d'homme du monde résigné à l'inévitable –, il se soumet à l'examen.

– Une singulière histoire, non ? conclut-elle enfin avec douceur. Toi et moi… Nous, le *Cap Polonio*, Buenos Aires et Nice.

Avec un sang-froid parfait, sans prononcer un mot, Max se penche un peu sur la table, prend la main de la femme et y pose un baiser.

– Ce que je t'ai dit l'autre fois n'est pas vrai. – Mecha

récompense le geste d'un regard radieux. – Tu es encore très bien pour ton âge.

Il hausse les épaules avec la modestie qui convient.

– C'est faux. Je suis un vieux, comme n'importe quel autre vieux qui a connu l'amour et la défaite.

Elle éclate d'un rire qui attire les regards des occupants des tables voisines.

– Sacré pirate. Ça non plus, ce n'est pas de toi.

Max ne sourcille même pas.

– Prouve-le.

– En le disant, tu as rajeuni de trente ans... Tu avais le même air impassible quand la police t'interrogeait ?

– Quelle police ?

Maintenant ils rient tous les deux. Max, très fort. Franchement.

– Toi oui, tu es très bien, dit-il ensuite. Tu étais... tu es la femme la plus belle que j'aie jamais vue. La plus élégante et la plus parfaite. Tu paraissais aller dans la vie avec un projecteur qui suivait tes pas, en t'éclairant continuellement. Comme les stars de cinéma qui semblent interpréter le mythe qu'elles ont elles-mêmes créé.

D'un coup, Mecha est redevenue sérieuse. Au bout d'un instant, il la voit sourire avec tristesse. Comme si ce sourire venait de très loin.

– Le projecteur s'est éteint depuis longtemps.

– Ce n'est pas vrai, proteste Max.

Elle rit de nouveau, mais c'est un rire différent.

– Écoute, restons-en là. Nous sommes deux vieux hypocrites qui se racontent des mensonges pendant que les jeunes dansent.

– Tu veux danser ?

– Ne sois pas stupide... Vieux, effronté et stupide.

Le rythme de la musique a changé. Le chanteur à la perruque et à la veste fantaisie fait une pause : les instruments

248

ont entamé les premières mesures de *Crying in the Chapel* et les couples s'enlacent sur la piste. Jorge Keller et Irina aussi. La jeune fille appuie sa tête contre l'épaule du joueur d'échecs, les mains croisées derrière la nuque de ce dernier.

– Ils semblent amoureux, commente Max.

– Je ne sais si c'est le mot. Tu devrais les voir quand ils analysent une partie devant un échiquier. Elle peut être implacable, et lui se débat comme un tigre furieux... Souvent, c'est Emil Karapétian qui doit faire l'arbitre. Mais la combinaison s'avère efficace.

Max s'est tourné pour la regarder avec attention.

– Et toi ?

– Oh, moi... Comme je te l'ai dit, je suis la mère. Je reste en dehors, comme en ce moment. Je les observe. Je suis là pour subvenir aux besoins. Assurer la logistique... Mais je n'oublie jamais quelle est ma place.

– Tu pourrais vivre ta propre vie.

– Et qui te dit que cette vie n'est pas celle que je veux vivre ?

Ses doigts tapotent légèrement du bout des ongles le paquet de cigarettes. Finalement elle en prend une, et Max, empressé, la lui allume.

– Ton fils te ressemble beaucoup.

Mecha souffle la fumée en le regardant avec une soudaine méfiance.

– En quoi ?

– Le physique, sans aucun doute. Mince, grand. Il y a quelque chose dans ses yeux quand il sourit qui rappelle les tiens... Comment était son père, le diplomate ? Je me souviens à peine de lui. Un homme agréable et élégant, non ?... Ce dîner à Nice. C'est à peu près tout.

Elle écoute avec curiosité, à travers les spirales grises que disperse la brise légère de la mer proche.

– Ce pourrait être toi le père... Cette idée ne t'est jamais venue ?

– Ne dis pas d'absurdités. Je t'en prie.

– Ce n'est pas absurde. Réfléchis un peu. L'âge de Jorge. Vingt-huit ans… Ça ne te suggère rien ?

Il s'agite sur sa chaise, mal à l'aise.

– S'il te plaît… Ce pourrait être…

– Ce pourrait être n'importe qui : c'est bien ce que tu veux dire ?

Soudain, elle semble fâchée. Sombre. Elle éteint la cigarette brusquement, en l'écrasant dans le cendrier.

– Rassure-toi. Ce n'est pas ton fils.

Malgré tout, Max ne parvient pas à chasser cette pensée. Il continue de réfléchir, désemparé. Faisant des calculs absurdes.

– Cette dernière fois, à Nice…

– Oh, je t'en prie… Au nom du ciel… Allez au diable, toi et Nice.

La matinée était fraîche et resplendissante. Devant la fenêtre de la chambre de l'Hôtel de Paris, à Monte-Carlo, les arbres agitaient leurs branches et perdaient les premières feuilles de l'automne sous l'effet du mistral, qui soufflait depuis deux jours dans le ciel sans nuages. Minutieux, attentif à chaque détail de son habillement, Max – cheveux lissés avec un fixateur, senteur récente de crème pour le visage – acheva de se vêtir, boutonna son gilet et endossa la veste de son costume en cheviotte brune à sept guinées, fait sur mesure cinq mois plus tôt à Londres par Anderson & Sheppard. Puis il introduisit un mouchoir blanc dans la pochette, arrangea une dernière fois sa cravate à rayures rouges et grises, vérifia le lustre de ses chaussures en cuir marron et remplit ses poches avec les objets disposés sur la commode : un stylo Parker Duofold, un étui en écaille – celui-là portait bien, gravées, ses propres initiales – garni de vingt cigarettes turques, et un portefeuille en cuir contenant deux mille francs, la *carte de saison** pour le cercle privé du casino et la carte de membre du Sporting Club. Le briquet à essence Dunhill plaqué or était sur la tablette du petit-déjeuner près de la fenêtre, sur un journal qui donnait les dernières nouvelles de la guerre d'Espagne, avec pour titre : *Les troupes de Franco tentent de reprendre Belchite*. Il mit le briquet dans sa poche, jeta le journal dans la corbeille, prit son feutre et sa canne en bois de Malacca, et sortit dans le couloir.

Il vit les deux hommes au moment où il descendait les dernières marches du superbe escalier, sous la coupole vitrée du hall. Ils étaient assis, chapeau sur la tête, sur un des sofas situés à droite, près de la porte du bar, et il les prit d'abord pour des policiers. À trente-cinq ans – cela faisait sept ans qu'il avait cessé de travailler comme danseur mondain dans des palaces et sur des transatlantiques –, Max possédait un instinct professionnel aigu quand il s'agissait de détecter les situations à risque. Un rapide coup d'œil en direction des deux individus le convainquit que c'en était une : en le voyant apparaître, ils avaient échangé quelques mots et ils le regardaient maintenant avec un intérêt évident. Prenant l'air le plus naturel possible, afin d'éviter une scène déplacée dans le hall – peut-être une arrestation, bien qu'à Monaco il fût vierge de tout antécédent –, Max alla à la rencontre des deux hommes en faisant semblant de se diriger vers le bar. Quand il arriva à leur hauteur, ils se levèrent tous les deux.

– Monsieur Costa ?

– Oui.

– Mon nom est Mauro Barbaresco et mon ami est Domenico Tignanello. Pourrions-nous discuter un moment ?

Celui qui avait parlé – dans un espagnol correct mais avec un accent italien marqué – était large d'épaules, avec un nez aquilin et des yeux vifs, et le pantalon de son costume gris un peu étriqué faisait des poches aux genoux. L'autre, plus petit et plus gros, avait un visage méridional mélancolique, une tache de vin sur la joue gauche, et il portait un complet sombre à rayures – froissé et luisant aux coudes, observa Max –, agrémenté d'une cravate trop large et de chaussures sales. Tous deux devaient avoir dépassé la trentaine.

– Je ne dispose que d'une demi-heure. Après, j'ai un rendez-vous.

– Ce sera suffisant.

Le sourire de l'homme au nez aquilin semblait trop amical pour être rassurant : Max savait, d'expérience, qu'un policier souriant est plus dangereux qu'un policier sérieux. Mais si ces deux-là étaient du côté de l'ordre et de la loi, conclut-il, ce n'était pas sur un mode conventionnel. Par ailleurs, le fait qu'ils connaissent son nom n'avait rien d'étonnant. À Monaco, il était enregistré sous celui de Máximo Costa, son passeport vénézuélien était authentique et il était en règle. Il avait aussi un compte de quatre cent trente mille francs à l'agence de la Barclays Bank ; et, dans le coffre-fort de l'hôtel, encore cinquante mille francs, qui garantissaient sa qualité de client honorable ; ou, tout au moins, solvable. Pourtant, ces deux-là ne lui disaient rien qui vaille. Son flair habitué aux terrains difficiles détectait des problèmes.

– Pouvons-nous vous inviter à prendre un verre ?

Max jeta un coup d'œil à l'intérieur du bar : Emilio, le barman, agitait un shaker derrière le comptoir américain et divers clients prenaient leur apéritif installés sur des sièges en cuir entre les murs ornés d'appliques en cristal et de panneaux de bois vernis. Ce n'était pas l'endroit idoine pour converser avec ces deux personnages, aussi désigna-t-il la porte tournante qui donnait sur la rue.

– Allons en face. Au Café de Paris.

Ils traversèrent la place devant le casino, dont le portier, qui gardait la mémoire des bons pourboires, salua Max. Le vent du nord teintait la mer proche d'un bleu plus intense que d'habitude, et les montagnes qui disloquaient le relief de la côte en gris et en ocres abrupts semblaient plus nettes et plus proches dans ce vaste paysage de villas, d'hôtels et de casinos qu'était la Côte d'Azur : un boulevard de soixante kilomètres de long habité par des portiers d'hôtels tranquilles qui attendaient les clients, des croupiers lents qui attendaient les joueurs, des femmes rapides qui attendaient les hommes fortunés et des chevaliers d'industrie agiles qui, comme Max lui-même, attendaient l'occasion de profiter de tout cela.

– Le temps va changer, dit le dénommé Barbaresco à son compagnon en regardant le ciel.

Pour une raison qu'il ne se donna pas la peine d'analyser, Max eut l'impression que cette remarque contenait quelque chose comme une menace ou un avertissement. De toute manière, la certitude de complications imminentes se confirmait de plus en plus. Tentant de garder la tête froide, il choisit une table sous les parasols de la terrasse du café, dans la partie la plus tranquille. La façade imposante du casino se dressait à leur gauche, et l'Hôtel de Paris ainsi que le Sporting Club étaient de l'autre côté de la place. Ils s'assirent ; quand le garçon s'approcha, Barbaresco et Tignanello commandèrent de patriotiques Cinzano, et Max un cocktail Riviera.

– Nous avons une proposition à vous faire.

– Quand vous dites *nous*, de qui parlez-vous ?

L'Italien ôta son chapeau et passa une main sur son crâne, lequel était chauve et bronzé. S'ajoutant à la largeur de ses épaules, cela lui donnait un aspect athlétique. Sportif.

– Nous sommes des intermédiaires, dit-il.

– Pour le compte de qui ?

Un sourire las. L'Italien contemplait, sans y toucher, le liquide rouge que le garçon avait posé devant lui. Son compagnon mélancolique avait pris le sien et l'approchait de ses lèvres, prudemment, comme s'il se méfiait de la rondelle de citron qui flottait à la surface.

– Chaque chose en son temps, répliqua Barbaresco.

– Bien. – Max s'apprêtait à allumer une cigarette. – Voyons alors la proposition.

– Un travail dans le sud de la France. Très bien payé.

Sans actionner le briquet, Max se leva avec beaucoup de calme, appela le garçon et demanda l'addition. Il avait trop l'expérience des provocateurs, des indicateurs et des policiers camouflés pour prolonger cette situation.

– Heureux de vous avoir rencontrés, messieurs. Comme je vous l'ai dit, j'ai un rendez-vous. Je vous souhaite une bonne journée.

Les deux individus restèrent assis, impavides. Barbaresco sortit de sa poche une carte et la lui montra.

– C'est sérieux, monsieur Costa. Officiel.

Max regarda la carte. Elle portait la photo de son propriétaire et le drapeau italien avec le sigle SIM.

– Mon ami a la même… Pas vrai, Domenico ?

L'autre confirma sans dire mot, comme si, au lieu de lui poser une question sur une carte d'identité, on lui avait demandé s'il avait la tuberculose. Il avait également ôté son chapeau, et ses cheveux frisés et gras accentuaient son aspect méridional. Sicilien ou Calabrais, imagina Max. Avec toute la mélancolie des races du Sud peinte sur le visage.

– Et elles sont authentiques ?

– Comme des hosties consacrées.

– Qu'elles le soient ou non, votre juridiction s'arrête à Vintimille.

– Nous sommes juste venus en visite.

Max se rassit. Avec tout ce qu'il avait lu dans les journaux, il était au courant des prétentions territoriales de l'Italie, qui depuis la prise du pouvoir par Mussolini réclamait le rétablissement de l'ancienne frontière dans le sud de la France en étendant sa revendication jusqu'au Var. Il ne lui échappait pas non plus qu'avec le climat créé par la guerre d'Espagne et les tensions politiques en Europe et en Méditerranée, la bande côtière qui incluait Monaco et le littoral français jusqu'à Marseille était une fourmilière d'agents italiens et allemands. Il savait, de même, que le sigle SIM signifiait *Servizio Informazioni Militari*, et que ce nom recouvrait les services secrets du régime fasciste.

– Avant d'entrer en matière, monsieur Costa, permettez-moi de vous dire que nous sommes au courant de tout ce qui concerne votre personne.

– Tout, mais encore?

– Jugez vous-même.

Après ce préambule, Barbaresco but son vermouth: trois longues gorgées comme autant de pauses, entre lesquelles il résuma avec une remarquable efficacité en approximativement dix minutes la trajectoire professionnelle de Max en Italie au cours des dernières années. Y étaient inclus, entre autres faits de moindre importance, le vol des bijoux d'une Américaine du nom de Howells dans son appartement de la via del Babuino à Rome, un autre vol au Grand Hôtel de la même ville au détriment d'une ressortissante belge, l'ouverture d'un coffre-fort dans une villa de Bolzano, pro-priété de la marquise Greco de Andreis, et un vol de bijoux et d'argent appartenant à la soprano brésilienne Florinda Salgado dans une suite du Danieli à Venise.

– J'ai fait tout ça, moi? – Max prenait le récit avec calme. – Vous m'en direz tant.

– Eh bien oui: je vous le dis.

– C'est quand même bizarre que vous ne m'ayez pas arrêté jusqu'aujourd'hui. Avec autant de délits et de preuves contre moi.

– Personne n'a parlé de preuves, monsieur Costa.

– Ah!

– En réalité, rien n'a jamais été confirmé officiellement, pas même le moindre soupçon vous concernant.

Croisant les jambes, Max alluma enfin sa cigarette.

– Vous ne pouvez savoir à quel point je suis rassuré d'entendre ça... Et maintenant, dites-moi ce que vous me voulez.

Barbaresco tournait son chapeau entre ses mains. Comme celles de son compagnon, celles-ci étaient fortes, avec des ongles plats. Et certainement, en cas de nécessité, dangereuses.

– Il y a une affaire... commença l'Italien. Un problème que nous devons résoudre.

– Ici, à Monaco?

– À Nice.

– Et qu'est-ce que j'ai à voir là-dedans?

– Bien que votre passeport soit vénézuélien, vous êtes d'origine argentine et espagnole. Vous avez d'excellentes relations et vous évoluez à votre aise dans certains cercles. Autre avantage : vous n'avez jamais eu de problèmes avec la police française ; pas comme avec la nôtre. Voilà qui vous donne une couverture respectable... Pas vrai, Domenico?

L'autre acquiesça de nouveau avec la même passivité. Dans le travail, il semblait habitué à ce que ce soit l'autre qui parle.

– Et qu'attendez-vous que je fasse?

– Que vous vous serviez de vos talents à notre bénéfice.

– Mes talents sont divers.

– Concrètement – Barbaresco regarda encore une fois son acolyte comme pour lui demander son accord, sans pour autant que l'autre prononce un mot ou modifie en rien son expression –, nous sommes intéressés par votre talent pour vous introduire dans la vie de certaines personnes imprudentes, particulièrement les femmes qui ont de l'argent.

En plusieurs occasions, vous avez aussi fait preuve d'une étonnante habileté pour escalader des murs, fracturer des fenêtres et ouvrir des coffres contenant des fonds importants... Ce dernier détail nous a surpris, vraiment, jusqu'à ce que nous ayons une conversation avec une de vos vieilles connaissances, Enrico Fossataro, qui a dissipé nos doutes.

Max, qui éteignait sa cigarette, demeura impassible.

– Je ne connais pas cet individu.

– C'est étrange, parce qu'il semble avoir beaucoup d'estime pour vous. Pas vrai, Domenico ?... Il vous décrit, littéralement, comme un excellent garçon et un gentleman accompli.

Max garda son expression impénétrable, tout en souriant intérieurement au souvenir de Fossataro : un grand type, maigre, très correct dans ses manières, qui avait travaillé chez Conforti, une société de fabrication de coffres-forts, avant d'employer ses connaissances techniques à les vider. Ils s'étaient rencontrés au café de l'hôtel Capsa à Bucarest en 1931 et avaient mis leurs compétences en commun en plusieurs occasions lucratives. C'était lui qui avait enseigné à Max l'usage de pointes de diamant pour couper vitres et vitrines, de même que le maniement d'outils de serrurerie pour l'ouverture de coffres. Enrico Fossataro mettait un point d'honneur à œuvrer avec la plus grande délicatesse en causant le moins de dégâts possible chez ses victimes. « Les gens riches, on peut les voler, mais pas les maltraiter, disait-il. Ils sont assurés contre le vol, pas contre le manque d'égards. » Jusqu'à sa réhabilitation sociale – il avait fini, comme tant d'autres de ses compatriotes, par adhérer au parti fasciste –, Fossataro avait été une légende dans le monde de la pègre distinguée européenne. Passionné de lecture, il lui était arrivé un jour d'interrompre en plein travail un cambriolage dans une maison de Vérone, laissant tout tel qu'il l'avait trouvé, en découvrant que le propriétaire était Gabriele D'Annunzio. Et l'épisode nocturne était resté fameux au cours duquel, après avoir endormi une nurse avec un mouchoir imbibé d'éther, Fossataro était allé donner le biberon à un bébé qui s'était réveillé dans son berceau, pendant que ses complices dévalisaient la maison.

— Bref, conclut Barbaresco, outre que vous êtes une personne pétrie de charme et bien introduite dans la bonne société, où vous faites office de gigolo, vous êtes un pion parfait. Ce que les Français, avec leur délicatesse, appellent un *cambrioleur**. Même si vous l'êtes en gants blancs.

— Je devrais me montrer surpris ?

— C'est inutile, car nous avons, en ce qui nous concerne, peu de mérite à être renseignés sur vous. Mon compagnon et moi, nous avons l'appareil de l'État à notre disposition. Comme vous savez, la police italienne est la plus efficace d'Europe.

— Rivalisant, à ce que j'en sais, avec la Gestapo et le NKVD. En matière d'efficacité.

Les traits de l'autre se renfrognèrent.

— Vous parlez sans doute des gens de l'OVRA, la police politique fasciste. Mais mon ami et moi nous sommes carabiniers. Vous comprenez ?... Notre service dépend de l'armée.

— Voilà qui me rassure énormément.

Durant quelques secondes de silence, Barbaresco considéra avec une visible mauvaise humeur l'ironie contenue dans la réplique de Max. Finalement, il fit semblant de laisser ça pour plus tard.

— Il existe des documents qui sont pour nous d'une extrême importance, expliqua-t-il. Ils sont en possession de quelqu'un de très connu dans le monde de la finance internationale. Pour des raisons compliquées, en relation avec la situation de l'Espagne, ces documents se trouvent dans une maison de Nice.

– Et votre idée est que je les obtienne pour vous les remettre ?

– Exact.

– En les volant ?

– Ce n'est pas un vol, c'est une récupération. Il s'agit de les restituer à leur propriétaire légitime.

Sous l'indifférence apparente de Max, son intérêt allait croissant. Il lui était impossible de ne pas éprouver de la curiosité.

– De quels documents parlons-nous ?

– Vous le saurez en temps voulu.

– Et pourquoi précisément moi ?

– Comme je l'ai dit tout à l'heure, vous êtes bien introduit dans ce genre de milieu.

– Vous me prenez pour Rocambole, ou quoi ?

Pour quelque raison inconnue, le nom du héros de feuilletons fit apparaître un léger sourire sur le visage du dénommé Tignanello, qui, un instant, abandonna son expression funèbre, tout en grattant la tache de sa joue. Puis il continua de regarder Max avec l'expression de quelqu'un qui s'attend tout le temps à recevoir une mauvaise nouvelle.

– C'est de l'espionnage. Vous êtes des espions.

– Ne soyez pas mélodramatique. – En le pinçant entre deux doigts, Barbaresco tentait vainement de rétablir le pli disparu de son pantalon. – En réalité, nous sommes de simples fonctionnaires de l'État italien. Avec salaire, notes de frais et *tutti quanti*. – Il se tourna vers l'autre. – Pas vrai, Domenico ?

Max, lui, ne trouvait pas cela si simple. En ce qui le concernait, en tout cas.

– L'espionnage en période de guerre est passible de la peine de mort, dit-il.

– La France n'est pas en guerre.

– Mais elle peut l'être très bientôt. Les temps s'annoncent très noirs.

– Les documents que vous devez récupérer concernent l'Espagne… Dans le pire des cas, tout ce que vous risquez, c'est l'expulsion.

– Mais je n'ai aucune envie d'être expulsé. J'aime la France.

– Je vous assure que le risque est minime.

Max les regardait tous les deux avec un étonnement non feint.

– Je croyais que les agents secrets disposaient de leur propre personnel pour des affaires de ce genre.

– C'est justement ce que nous essayons de faire en ce moment. – Barbaresco souriait, patient. – Obtenir de vous que vous fassiez partie de notre personnel. Comment croyez-vous, sinon, que ça se passe ?… Les candidats ne déboulent pas comme ça pour dire tout bonnement : « Je veux être espion. » Parfois on fait appel à leur patriotisme, parfois on leur offre de l'argent… Il ne semble pas que vous ayez montré de sympathie particulière pour l'un ou l'autre des deux camps qui se battent en Espagne. À vrai dire, ça vous laisse parfaitement indifférent.

– La réalité, c'est que je suis plus argentin qu'espagnol.

– Ça doit être la raison. Quoi qu'il en soit, le mobile patriotique écarté, il reste le mobile économique. Et sur ce terrain, on peut dire sans se tromper que vous avez manifesté des convictions très fermes. Nous sommes autorisés à vous proposer une somme respectable.

– Respectable ? Mais encore ?

Se penchant légèrement au-dessus de la table, Barbaresco baissa la voix.

– Deux cent mille francs dans la monnaie de votre choix, et une avance de dix mille pour vos frais, sous forme d'un chèque sur l'agence du Crédit lyonnais de Monte-Carlo… Vous pouvez disposer de ce chèque immédiatement.

Max contempla distraitement, avec une sympathie toute professionnelle, l'enseigne de la bijouterie voisine du café. Son propriétaire, un juif du nom de Gompers avec qui il était épisodiquement en affaires, rachetait chaque soir aux joueurs du casino une bonne partie des bijoux qu'il leur avait vendus le matin.

– J'ai des affaires personnelles en cours. Ça supposerait de les paralyser.

– Nous estimons que la somme offerte les compense plus que largement.

– J'ai besoin de temps pour réfléchir.

– Vous ne disposez pas de ce temps. Nous avons seulement trois semaines pour régler la question.

Le regard de Max se déplaça de gauche à droite, de la façade du casino à l'Hôtel de Paris et au bâtiment contigu du Sporting Club, avec sa file permanente de Rolls, de Daimler et de Packard étincelantes stationnées autour de la place et leurs chauffeurs bavardant en petits groupes près des escaliers. Trois soirs plus tôt, ici même, la fortune lui avait doublement souri : d'abord sous la forme d'une Autrichienne d'âge mûr mais encore très belle, divorcée d'un fabricant de cuir artificiel de Klagenfurt, avec laquelle il avait convenu de se retrouver quatre jours plus tard dans le Train Bleu, et ensuite sous celle d'un *cheval** au Sporting, quand la boule d'ivoire s'était arrêtée sur le 26 en lui faisant gagner dix-huit mille francs.

– Je vais vous dire ça autrement. J'agis très facilement seul. Je vis à ma guise et je n'aurais jamais l'idée de travailler pour un gouvernement. Ça m'est égal qu'il soit fasciste, national-socialiste, bolchevique ou de Foumanchou.

– Naturellement, vous êtes libre d'accepter ou pas.– L'expression de Barbaresco suggérait tout le contraire. – Mais

261

vous devez également considérer deux ou trois petits faits. Votre refus serait fort mal pris par notre gouvernement. Pas vrai, Domenico?... Cela modifierait à coup sûr l'attitude de notre police à votre sujet, lorsque, pour une raison quelconque, vous décideriez de franchir la frontière italienne.

Max se livra à un rapide calcul mental. Une Italie interdite, cela signifiait pour lui renoncer aux Américaines excentriques de Capri et de la côte amalfitaine, aux Anglaises oisives qui louaient des villas dans les environs de Florence, aux riches Allemands et Italiens, habitués du casino et du bar de l'hôtel, qui laissaient leurs femmes seules à Cortina d'Ampezzo et au Lido de Venise.

– Et ça ne s'arrête pas là, poursuivait Barbaresco. Ma patrie entretient d'excellentes relations avec l'Allemagne et d'autres pays d'Europe centrale. Ajoutez-y la victoire plus que probable du général Franco en Espagne... Comme vous le savez, les polices savent être plus efficaces que la Société des Nations. Il leur arrive de collaborer entre elles. Un trop vif intérêt porté à votre personne alerterait sûrement d'autres pays. Auquel cas, le territoire sur lequel vous dites travailler seul et si facilement pourrait bien se rétrécir comme une peau de chagrin... Vous vous imaginez?

– Je m'imagine, en effet, admit Max, imperturbable.

– Maintenant, imaginez le cas opposé. Les possibilités d'avenir. De bons amis et un vaste terrain de chasse... Sans compter l'argent que vous toucherez pour ça.

– Il me faudrait plus de détails. Voir jusqu'à quel point ce que vous proposez est possible.

– Vous aurez ces informations après-demain, à Nice. Vous avez une chambre réservée pour trois semaines au Negresco: nous savons que c'est toujours là que vous descendez. Il continue d'être un bon hôtel, non?... Bien que, pour notre part, nous préférions le Ruhl.

– Vous serez au Ruhl?

– On aimerait bien. Mais nos chefs pensent que le luxe doit être réservé à des stars dans votre genre. Nous, nous bénéficions d'une modeste maison louée à proximité du port. Pas vrai, Domenico ?... Les espions bien sapés avec un gardénia à la boutonnière, ça se voit surtout au cinéma... Comme ceux de cet Anglais qui fait des films, Hitchcock, et d'autres imbéciles comme lui.

Quatre jours après la conversation au Café de Paris, assis sous un parasol de La Frégate sur la Promenade des Anglais à Nice, Max – pantalon de coutil blanc, veste croisée bleu marine, canne et panama sur la chaise – fermait à demi les yeux, aveuglé par l'intense réverbération de la lumière sur la baie. Tout, aux alentours, n'était que superbes édifices clairs aux tons blancs, roses ou crème, et la mer reflétait le soleil avec une telle force que les nombreux passants qui parcouraient la Promenade, de l'autre côté de la chaussée, semblaient être une succession d'ombres anonymes défilant à contre-jour.

La fin de la saison, constata-t-il, se faisait à peine sentir. Les employés municipaux balayaient davantage de feuilles mortes, et le paysage prenait, au lever et au coucher du soleil, des nuances automnales grises et nacrées. Néanmoins, il restait des oranges aux arbres, le mistral maintenait le ciel sans le moindre nuage et la mer couleur indigo, et le bord de la plage de galets, face à la rangée d'hôtels, de restaurants et de casinos, se couvrait tous les jours de passants. À la différence d'autres points de la côte, où les boutiques de luxe commençaient à fermer, où l'on démontait les cabines de bain et où les stores disparaissaient des jardins des hôtels, à Nice la *saison** se prolongeait durant l'hiver. Malgré le tourisme des congés payés qui, depuis la victoire du Front populaire, envahissait le sud de la France – un million et demi de personnes avaient profité cette année-là des réductions sur les billets de chemin de fer –, la ville conservait ses habitants de toujours : retraités aisés, couples anglais chien compris, vieilles dames qui dissimulaient les outrages du temps sous des chapeaux et des voiles de Chantilly, ou familles russes qui, obligées de vendre leurs luxueuses villas, occupaient encore de modestes appartements dans le centre de la ville. Jamais, même en pleine saison des vacances, Nice ne se déguisait vraiment en été ; ici les dos nus, les pyjamas de plage et les espadrilles qui faisaient fureur dans des lieux proches étaient mal vus ; et les touristes américains, les Parisiens bruyants et les Anglaises *middle class* qui affectaient des airs distingués passaient sans s'arrêter, en route pour Cannes ou Monte-Carlo, tout comme les hommes d'affaires allemands ou italiens qui infestaient la Riviera avec leur grossièreté de nouveaux riches engraissés à l'ombre du nazisme et du fascisme.

Une de ces silhouettes qui se découpaient en ombres chinoises se détacha des autres et, à mesure qu'elle approchait de la terrasse et de Max, elle acquit des contours, des traits personnels et un parfum de Worth. Déjà, il s'était levé, en ajustant le nœud de sa cravate, et avec un sourire large et rayonnant comme la lumière qui inondait tout, tendait les deux mains vers la nouvelle venue.

– Grand Dieu, baronne ! Vous êtes superbe.

– *Flatteur**.

Asia Schwarzenberg s'assit, ôta ses lunettes de soleil, commanda un scotch avec de l'eau Perrier et regarda Max de ses grands yeux en amande, vaguement slaves. Celui-ci désigna la carte du menu servi sur la terrasse, qui était sur la table.

– Est-ce que nous allons dans un restaurant, ou bien préfères-tu déjeuner léger ?

– Léger. Ici, ce sera bien.

Max consulta la carte, qui portait, imprimés au dos, un dessin du Palais de la Méditerranée et des palmiers de la Promenade peints par Matisse.

– Foie gras, château-d'yquem ?

– Parfait.

La femme souriait en montrant une dentition très blanche, légèrement tachée aux incisives par le rouge qu'elle avait l'habitude de laisser partout ; cigarettes, bords de verre, cols de chemise des hommes qu'elle embrassait en leur disant au revoir. Mais c'était là – le Worth mis à part, s'accordant certes à sa manière de se vêtir, mais trop lourd, comme parfum, au goût de Max –, chez elle, l'unique concession qui pouvait choquer. À la différence des faux titres de noblesse que de nombreuses aventurières promenaient sur la Riviera, celui de la baronne Anastasia Alexandrovna von Schwarzenberg était authentique. Un sien frère, ami du prince Youssoupov, avait fait partie des assassins de Raspoutine, et son premier mari avait été exécuté par les bolcheviques en 1918. Le titre de baronne, cependant, venait de son second mariage avec un aristocrate prussien, mort d'une crise cardiaque en apprenant qu'il était ruiné quand son cheval Marauder avait perdu d'une tête le Grand Prix de Deauville en 1923. Sans autres ressources que ses relations mondaines, grande, fine et élégante, Asia Schwarzenberg avait travaillé un temps comme mannequin pour certaines des plus importantes maisons de mode françaises. Les anciennes collections reliées de *Vogue* et de *Vanity Fair* que l'on pouvait encore rencontrer dans les salons de lecture des transatlantiques et des grands hôtels abondaient en photographies sophistiquées d'elle, prises par Edward Steichen ou par les Séeberger. Et il fallait bien admettre que, bien qu'approchant de la cinquantaine, sa façon de s'habiller – un boléro bleu sombre sur un ample pantalon couleur crème, que l'œil exercé de Max identifia comme venant de chez Hermès ou Schiaparelli – continuait de la rendre éblouissante.

– J'ai besoin d'un contact, dit Max.

– Homme ou femme ?

– Une femme. Ici. À Nice.

– Difficile ?

– Assez. Beaucoup d'argent et excellente position. Je veux m'introduire dans son cercle.

La femme écoutait attentivement, distinguée. Calculant ses bénéfices, supposa Max. Cela faisait des années que, mis à part la vente d'objets anciens dont elle assurait qu'ils avaient appartenu à sa famille russe, elle vivait de ses facilités à établir les relations : invitations à des réceptions, contacts pour pouvoir louer une villa ou réserver une table dans un restaurant sélect, reportages dans des revues de mode et autres services du même genre. Sur la Riviera, la baronne Asia Schwarzenberg était une sorte d'entremetteuse mondaine.

– Je ne t'interroge pas sur tes intentions, dit-elle, car je n'ai pas de mal à les imaginer.

– Cette fois, ce n'est pas si simple.

– Je la connais ?

– Je ne viendrais pas t'embêter si ce n'était pas le cas… D'ailleurs, existe-t-il quelqu'un que tu ne connaisses pas, toi, Asia Alexandrovna ?

Le foie gras et le vin arrivèrent et Max fit une pause délibérée, le temps de les goûter, sans que la femme manifeste d'impatience. Ils avaient eu un bref *flirt* cinq ans plus tôt, quand ils s'étaient rencontrés à la fête de la Saint-Sylvestre à l'Embassy de Saint-Moritz. L'histoire n'avait pas eu de suite, car au même moment chacun s'était rendu compte que l'autre était un aventurier sans le sou, si bien que le petit matin les avait trouvés, elle avec un manteau de vison passé par-dessus une robe en lamé, lui en frac impeccable, en train de manger des gâteaux au chocolat chaud chez Hanselmann. Depuis lors, ils entretenaient une relation amicale, pour leur mutuel bénéfice, sans jamais empiéter sur le terrain de l'autre.

— Vous avez été photographiées ensemble cet été à Longchamp, dit finalement Max. J'ai vu la photo dans *Marie Claire* ou dans une revue du même genre.

La baronne haussait ses sourcils très épilés, tracés au pinceau après le passage de la pince et de la cold-cream, avec un étonnement non feint.

— Susana Ferriol ?

— Elle-même.

L'osier du siège de la baronne grinça légèrement pendant qu'elle s'appuyait contre le dossier, croisant une jambe sur l'autre.

— Ça, c'est vraiment du gros gibier, chéri.

— C'est bien pourquoi je m'adresse à toi.

Max avait sorti son étui et le lui offrait, ouvert. Il se pencha pour lui donner du feu, puis il alluma sa propre cigarette.

— Aucun problème en ce qui me concerne. — La baronne fumait tout en réfléchissant. — Je connais Suzi depuis des années... Qu'est-ce qu'il te faut ?

— Rien de particulier. Une occasion qui me permette d'entrer chez elle.

— Juste ça ?

— Oui. Le reste est mon affaire.

Une bouffée de fumée. Lente. Prudente.

— Le reste, je ne veux rien en savoir, précisa-t-elle. Mais je te préviens que ce n'est pas une femme facile. On ne lui connaît pas une seule aventure... Mais c'est vrai aussi qu'avec cette guerre d'Espagne le monde est sens dessus dessous. Un tas de gens n'arrêtent pas d'aller et de venir, réfugiés et autres... Tout part à vau-l'eau.

Ce mot, *réfugiés*, était équivoque, pensa Max. Lui, il avait plutôt en tête les pauvres gens que l'on voyait sur les photos des correspondants étrangers : larmes des paysans coulant sur leurs faces ravinées, familles fuyant les bombardements, enfants sales dormant sur de misérables baluchons de vêtements, désespoir et misère de ceux qui avaient tout perdu à part la vie. Pourtant, une bonne partie des Espagnols qui cherchaient refuge sur la Riviera n'avaient rien à voir avec ces images. Confortablement installés sous un climat semblable à celui de leur patrie, ils louaient des villas, des appartements ou des chambres d'hôtel, se bronzaient au soleil et fréquentaient les restaurants chers. Et pas seulement ici. Un mois auparavant, en préparant un coup qui ne s'était finalement pas concrétisé – il ne rencontrait pas que des succès dans sa carrière –, Max avait été en relation avec quelques-uns de ces exilés à Florence : apéritif à Casone et dîner au Picciolo ou au Betti. Pour ceux qui avaient pu se mettre à l'abri et garder leurs comptes en banque à l'étranger, la guerre civile n'était qu'un ennui passager. Un orage lointain.

– Tu connais aussi Tomás Ferriol ?

– Bien sûr que je le connais. – La femme leva un doigt en manière d'avertissement. – Et sois prudent, avec lui.

Max se rappelait la conversation qu'il avait eue le matin même avec les deux espions italiens au café Monnot de la place Masséna, près du casino municipal. Les dénommés Barbaresco et Tignanello étaient installés devant deux inoffensifs sorbets au citron, le premier lui exposant les détails du travail à réaliser, et l'autre toujours muet et mélancolique comme à Monaco. Susana Ferriol est la personne clef, avait expliqué Barbaresco. Sa villa de Nice, au pied du mont Boron, est une espèce de secrétariat privé pour les affaires confidentielles de son frère. C'est là que réside Tomás Ferriol quand il vient sur la Côte d'Azur, et il y garde ses documents dans le coffre-fort de son bureau. Votre travail consiste à vous introduire dans le cercle de leurs amis, à étudier le milieu et à vous procurer ce dont nous avons besoin.

Asia Schwarzenberg continuait d'observer Max avec curiosité, comme si elle faisait un calcul de probabilités. Elle ne semblait pas prête à parier un jeton de cinq francs sur lui.

— Ferriol, ajouta-t-elle après une brève pause, n'est pas du genre à permettre qu'on fasse la cour à sa sœur.

Max encaissa l'avertissement, impassible.

— Il est à Nice ?

— Il va et il vient. Il y a un mois, nous nous sommes croisés deux fois : la première en dînant à La Réserve, et la seconde à une réception dans la maison que Dulce Martínez de Hoz a louée cet été à Antibes... Mais il passe une bonne partie de son temps entre l'Espagne, la Suisse et le Portugal. Sa relation avec le gouvernement de Burgos est étroite. On dit, et je le crois, qu'il continue d'être le principal banquier du général Franco. Tout le monde sait que c'est lui qui a pourvu aux premières dépenses du soulèvement des militaires en Espagne...

Max regardait au-delà de la terrasse les voitures arrêtées au bord du trottoir et les ombres qui continuaient de défiler à contre-jour sur la Promenade. À une autre table, il y avait un couple avec un chien maigre, couleur cannelle et museau aristocratique. Sa maîtresse, une jeune femme portant une robe légère et coiffée d'un turban en soie, tirait sur la laisse pour que l'animal ne lèche pas les chaussures de l'homme qui se tenait à la table voisine, occupé à bourrer une pipe, le regard perdu vers l'enseigne de l'agence Cook.

— Donne-moi deux ou trois jours, dit la baronne. Je dois étudier la façon de procéder.

— Je ne dispose pas de beaucoup de temps.

269

– Je ferai tout mon possible. Je suppose que tu t'occupes des frais.

Il acquiesça, l'air absent. L'homme à la table proche avait allumé sa pipe et les regardait maintenant d'une façon qui était peut-être fortuite mais qui mit Max mal à l'aise. Il y avait, décida-t-il, chez cet inconnu, quelque chose de vaguement familier, sans qu'il parvienne à préciser quoi.

– Tu ne t'en tireras pas à bon marché, insista la baronne. Et je te préviens qu'avec Suzi Ferriol, ça montera très haut.

Max la regardait de nouveau.

– Très haut?... C'est-à-dire? J'avais pensé à six mille francs.

– Huit mille, chéri. Tout est hors de prix.

L'individu à la pipe semblait avoir perdu tout intérêt pour eux et fumait en contemplant les silhouettes qui passaient sur la Promenade. Discrètement, dissimulé par la table, Max sortit l'enveloppe qu'il tenait toute prête dans la poche intérieure de sa veste et ajouta mille francs de son portefeuille.

– Je suis sûr que tu t'arrangeras avec sept mille.

– Oui, sourit la baronne. Je m'arrangerai.

Elle glissa l'enveloppe dans son sac et ils se séparèrent. Il attendit debout qu'elle soit partie puis régla l'addition, mit son chapeau et chemina entre les tables en passant devant l'homme à la pipe, qui ne paraissait pas lui accorder plus d'attention. Un instant plus tard, alors qu'il franchissait la dernière des trois marches qui menaient de la terrasse au trottoir, il se souvint enfin. Cet homme, il l'avait vu le matin assis devant le café Monnot en train de faire cirer ses chaussures, pendant que lui-même conversait avec les espions italiens.

– Il y a un problème, dit soudain Mecha Inzunza.

Cela fait un moment qu'ils se promènent en parlant de choses banales, près de la via San Francesco et des jardins de l'hôtel Imperial Tramontano. L'après-midi est avancée et un soleil voilé décline le long des falaises de la Marina Grande, à gauche, teintant d'or la brume de chaleur sur la baie.

– Un problème sérieux, ajoute-t-elle au bout d'un instant.

Elle vient de terminer une cigarette et, après en avoir écrasé la braise sur la rambarde en fer, elle l'a jetée dans le vide. Max, surpris par le ton et l'attitude de la femme, étudie son profil immobile. Elle plisse les yeux en regardant la mer avec une fixité obstinée.

– Ce coup de Sokolov, dit-elle enfin.

Max reste attentif, sans comprendre. Sans savoir à quoi elle fait allusion. Hier, la partie ajournée a été jouée, avec pour résultat un match nul. Un demi-point pour chaque joueur. C'est tout ce qu'il sait de la question.

– Les crapules, murmure Mecha.

La confusion de Max cède la place à l'interrogation. Le ton est méprisant, avec une note de rancœur. Un ton nouveau, conclut-il. Bien que peut-être *nouveau* ne soit pas le mot exact. Des souvenirs d'un passé lointain, commun, surgissent peu à peu de l'oubli. Max a déjà connu cela, jadis. Tout un monde, toute une vie avant. Ce dédain froid et distingué.

– Il connaissait le coup.

– Qui ?

Les mains dans les poches du cardigan, elle hausse les épaules comme si la réponse était évidente.

– Le Russe. Il savait ce que Jorge allait jouer.

L'idée met un moment à se frayer un passage.

– Tu es en train de me dire…

– Que Sokolov était prévenu. Et ce n'est pas la première fois.

Un long silence. Stupéfait.

– Il est champion du monde. – Max fait un terrible effort d'imagination pour tenter de digérer l'information. – C'est donc normal que ça puisse arriver.

La femme écarte son regard de la baie pour le poser sur lui sans desserrer les lèvres. Cela n'a rien de normal, dit son regard, que de telles choses puissent arriver ou se passer de cette façon.

– Pourquoi me le racontes-tu ? demande-t-il.

– À toi, précisément ?

– Oui.

Elle penche la tête, songeuse.

– Parce que j'aurai peut-être besoin de toi.

La surprise de Max, la main posée sur le garde-fou de la falaise, ne fait que croître. Il y a une pointe d'hésitation dans son geste, semblable à la subite prise de conscience d'un vertige inattendu, quasi menaçant. Le chauffeur du docteur Hugentobler a des plans précis concernant sa fausse vie sociale à Sorrente et ceux-ci ne prévoient pas que Mecha Inzunza ait besoin de lui, mais bien le contraire.

– Pour faire quoi ?

– Chaque chose en son temps.

Il tente de mettre de l'ordre dans ses idées. De prévoir une nouvelle tactique face à ce qu'il ignore encore.

– Je me demande…

Mecha l'interrompt, sereine.

– Ça fait un bout de temps que je réfléchis à ce dont tu es capable.

Elle l'a dit avec douceur soutenant son regard comme à l'affût d'une réponse parallèle. Tacite.

– Concernant quoi ?

– Me concernant, moi.

Un geste de protestation négligente, à peine exprimée. C'est le meilleur Max, celui de la grande époque, qui se montre maintenant légèrement blessé. Écartant le moindre doute que l'on pourrait concevoir sur sa réputation.

– Tu sais très bien…

– Oh, non. Je ne sais pas.

Elle s'est écartée de la rambarde et marche sous les palmiers vers San Francesco. Après un bref instant d'immobilité, presque théâtrale, il la suit et la rejoint avec un reproche silencieux.

– Non, réellement, je ne sais pas, répète Mecha, pensive. Mais je ne parle pas de ça… Ce n'est pas ça qui m'inquiète.

La curiosité de Max a raison de sa pose de noble indignation. D'un geste affable, il écarte du chemin de son interlocutrice deux Anglaises qui piaillent en se prenant en photo.

– Ça a à voir avec ton fils et les Russes ?

La femme ne répond pas tout de suite. Elle s'est arrêtée à un angle de la façade du couvent, devant le petit arc qui conduit au cloître. On dirait qu'elle hésite sur la nécessité de poursuivre, ou sur la pertinence d'exprimer ce qu'elle à l'intention de dire.

– Ils ont un mouchard. Chez nous. Quelqu'un d'infiltré qui les informe des coups que prépare Jorge.

Max écarquille les yeux, abasourdi.

– Un espion ?

– Oui.

– Ici, à Sorrente ?

– Où cela, sinon ?

– C'est impossible. Vous êtes seulement Karapétian, Irina et toi… Y a-t-il quelqu'un d'autre que je ne connaîtrais pas ?

Elle hoche la tête, l'air sombre.

– Personne. Rien que nous trois.

Elle passe sous l'arc et Max la suit. Après avoir franchi le couloir dans la pénombre, ils débouchent sur la lumière verdoyante du cloître désert, entre les piliers et les ogives de pierre qui encadrent les arbres du jardin. Il y a eu ce coup secret, explique Mecha en baissant la voix. Celui que son fils a laissé dans une enveloppe fermée, entre les mains de

273

l'arbitre du duel quand la partie a été interrompue. Pendant la nuit et la matinée qui ont suivi, ils ont analysé ce coup et tout ce qui en découlerait, passant en revue toutes les parades possibles de Sokolov. Systématiquement, Jorge, Irina et le maître Karapétian ont étudié toutes les variantes, en préparant une réponse pour chacune d'entre elles. Ils ont conclu que le plus probable était que, après avoir étudié l'échiquier – ce qui exigeait au moins vingt minutes –, Sokolov répondrait par la prise d'un pion par un fou. Cela donnait l'occasion de lui tendre un piège avec un cavalier et la reine, dont l'unique échappatoire serait un déplacement risqué du fou, lequel correspondait bien au style de jeu et à l'imagination kamikaze de Keller ; mais pas du tout au jeu conventionnel de son adversaire. Et pourtant, quand l'arbitre avait ouvert l'enveloppe et joué le coup secret, Sokolov avait répondu par un mouvement qui le conduisait directement au piège, en prenant le pion avec son fou. Keller avait joué son cavalier et sa reine, en tendant le guet-apens prévu. Et alors, sans s'émouvoir, après à peine huit minutes d'analyse pour une situation dont l'étude avait pris toute une nuit à Keller, Irina et Karapétian, Sokolov avait joué la variante la plus risquée avec son fou. Très exactement ce qu'ils avaient pensé qu'il ne ferait jamais.

– Ce peut être un hasard ?

– Aux échecs, il n'y a pas de hasards. Seulement des erreurs et des réussites.

– Ce que tu me dis, c'est que Sokolov savait ce que ton fils jouerait, et comment l'éviter ?

– Oui. Le mouvement de Jorge était un coup très sophistiqué et très brillant. Un coup qui défiait toute logique. Impossible de trouver la parade en huit minutes.

– Ne serait-il pas possible que d'autres personnes soient au courant, comme par exemple des employés de l'hôtel ?... Ou qu'il y ait des micros cachés ?

– Non. J'ai vérifié. Tout reste entre nous.

– Bon Dieu!... C'est la seule possibilité? Karapétian ou la fille?

Mecha se tait en contemplant les arbres du petit jardin.

– C'est incroyable, proteste-t-il.

Elle tourne vers lui un visage presque surpris, où se dessine une expression d'étonnement et de mépris.

– Pourquoi, incroyable?... Simplement, c'est la vie, avec ses trahisons ordinaires. – Elle s'assombrit soudain. – Ce n'est quand même pas toi que ça devrait surprendre.

Max décide de contourner l'écueil.

– Ce doit être Karapétian, je suppose.

– Il y a autant de possibilités qu'il s'agisse d'Irina.

– Tu parles sérieusement?

En guise de réponse, elle affiche un sourire froid, écœuré, qui peut donner lieu aux interprétations les plus diverses.

– Pourquoi son maître ou sa fiancée iraient-ils trahir Jorge? demande Max.

Mecha a un geste las, comme si elle n'avait aucune envie d'énumérer des évidences. Puis elle débite d'une voix neutre diverses éventualités: motifs personnels, politiques, financiers. Bien que, ajoute-t-elle après un instant, les raisons de la trahison restent pour le moment secondaires. On aura toujours le temps de les éclaircir ensuite. Ce qui urge, c'est de protéger son fils. Le duel de Sorrente est arrivé à mi-parcours, et la sixième partie se joue demain.

– Tout cela, au seuil du titre mondial. Imagine les dégâts. La catastrophe.

Les deux Anglaises aux photos viennent d'entrer. Mecha et Max s'éloignent dans le cloître.

– Si ces soupçons ne m'étaient pas venus, poursuit-elle, nous serions allés à Dublin vendus à l'ennemi.

– Pourquoi te confies-tu à moi?

– Je te l'ai dit. – Derechef, le sourire froid. – Il est possible que j'aie besoin de toi.

– Je ne comprends pas ce que je peux y faire. Moi, les échecs...

– Il ne s'agit pas seulement d'échecs. Je te l'ai dit aussi : chaque chose en son temps.

Ils se sont de nouveau arrêtés. La femme s'adosse à un pilier, et Max, une fois de plus, ne peut empêcher l'ancienne fascination de remonter dans sa mémoire. Malgré tant d'années écoulées, Mecha Inzunza demeure fidèle à ce qui faisait sa beauté racée. Elle n'est plus belle comme il y a trente ans, mais son aspect lui rappelle toujours celui d'une gazelle tranquille, aux mouvements harmonieux et élégants. Une confirmation qui suscite chez lui un sourire de tendre mélancolie. Son observation attentive accomplit le miracle de superposer, jusqu'à se confondre, les traits de la femme qu'il a devant lui à ceux dont il se souvient : une de ces femmes singulières dont, dans un passé devenu lointain, la haute société était la complice soumise, la débitrice résignée et le brillant décor. La magie de cette ancienne splendeur affleure sous ses yeux émerveillés, presque triomphante malgré la peau flétrie, les marques et les taches du temps et de la vieillesse.

– Mecha...

– Tais-toi. N'insiste pas.

Il garde le silence un instant. Nous ne pensons pas à la même chose, conclut-il. Ou du moins je le crois.

– Qu'allez-vous faire avec Irina ou avec Karapétian ?

– Mon fils y a réfléchi toute la nuit, et nous en avons reparlé ce matin... Nous allons préparer un leurre.

– Un leurre ?

Elle lui explique en baissant la voix, car les Anglaises approchent de cette partie du jardin. Il s'agit de planifier un mouvement déterminé, ou plusieurs, et de vérifier la réaction de l'autre joueur. Selon la réponse de Sokolov, il sera possible d'établir si l'un de ses analystes l'a prévu d'avance.

— C'est une méthode sûre ?

— Pas vraiment. Le Russe peut feindre d'être déconcerté ou en difficulté pour dissimuler qu'il le savait. Ou trouver tout seul la solution du problème. Mais il peut quand même nous donner un indice. L'assurance manifestée par Sokolov peut, elle aussi, nous être utile. Tu as remarqué l'air dédaigneux qu'il prend à l'égard de Jorge ?... Mon fils l'exaspère par sa jeunesse et ses manières insolentes. C'est peut-être là un des points faibles du champion. Il se croit à l'abri. Et maintenant je commence à comprendre pourquoi.

— Sur qui feras-tu l'essai ?... Irina ou Karapétian ?

— Sur les deux. Jorge a découvert deux nouveautés théoriques : deux idées nouvelles pour une même position, très compliquée, qui n'ont jamais été jouées dans la pratique. Les deux correspondent à l'une des ouvertures favorites de Sokolov, et c'est avec elles qu'il a l'intention de tendre le piège... Il chargera Karapétian d'analyser une de ces idées, et Irina l'autre. Pour leur faire croire que tous deux travaillent sur la même, il leur interdira d'en parler entre eux, sous le prétexte de ne pas s'influencer mutuellement.

— Et tu veux dire qu'ensuite il jouera l'une ou l'autre ? Pour découvrir qui trahit ?

— C'est plus compliqué que ça, mais tu peux le prendre comme un résumé... Et oui : selon la réponse de Sokolov, Jorge saura de laquelle des deux idées il a été averti.

— Je te vois très sûre de toi en ce qui concerne Irina : comment être certaine qu'elle ne soupçonnera rien de ce que prépare ton fils ?... Partager l'oreiller, c'est partager les secrets.

— C'est ta vieille expérience qui parle ?

277

– C'est le bon sens. Les hommes et les femmes...
Tu ne connais pas Jorge, répond-elle avec un léger sourire.
Sa capacité à rester hermétique, quand il s'agit d'échecs.
Sa méfiance de tous et de tout. De sa fiancée, de son maître.
Y compris de sa mère. Et ça, en temps normal. Alors rends-
toi compte ces jours-ci, avec l'inquiétude qui le travaille.

– Incroyable.

– Non. Ce sont les échecs, c'est tout.

Maintenant qu'il a saisi le procédé, Max considère avec
calme les possibilités. Karapétian et la fille, les secrets qui
résistent à l'intimité de l'oreiller, les doutes et les trahisons.
Autant de leçons de la vie.

– Je continue à ne pas savoir pourquoi tu me racontes
cela. Pourquoi tu te confies à moi. Cela fait trente ans que
nous ne nous sommes pas revus... Aujourd'hui, c'est à
peine si tu me connais.

Elle s'est écartée du pilier, pour approcher son visage
du sien. Elle l'effleure presque, en murmurant ; l'espace
d'un instant, par-delà le passage des ans, les empreintes du
temps et la vieillesse, Max sent vibrer en lui le passé, parcouru par l'ancienne excitation que lui cause la proximité
de cette femme.

– Le leurre d'Irina et de Karapétian n'est pas le seul coup
prévu... Il y en a un autre ultérieur, en cas de nécessité,
qu'un analyste doué d'un peu de sens de l'humour pourrait
baptiser *la défense Inzunza*... Ou peut-être *la variante Max*.
Et celui-là, mon cher, c'est toi qui le joueras.

– Pourquoi ?

– Tu sais pourquoi... À moins que tu ne sois devenu trop
stupide pour le comprendre.

7
Voleurs et espions

La Baie des Anges gardait sa couleur bleue intense. Les hauts rochers du château de Nice protégeaient le rivage du mistral, qui ridait à peine l'eau sur cette partie de la côte. Accoudé au parapet de pierre du Rauba-Capeu, Max cessa de suivre les voiles blanches d'un yacht qui s'éloignait du port et contempla Mauro Barbaresco à côté de lui, la veste ouverte et le nœud de la cravate desserré, les mains dans les poches de son pantalon froissé et le chapeau rejeté en arrière. Il y avait des cernes de fatigue sous les yeux de l'Italien, dont le visage avait grandement besoin du rasoir et du savon d'un barbier.

– Il s'agit de trois lettres, disait celui-ci. Écrites à la machine, rangées dans un dossier dans le coffre-fort du bureau que Ferriol possède dans la villa de sa sœur… Il y a d'autres documents, naturellement. Mais seules ces trois lettres nous intéressent.

Max regarda l'autre homme. L'aspect de Domenico Tignanello n'était pas plus brillant que celui de son compagnon : il se tenait à quelques pas de là, adossé, l'air las, à la porte d'une vieille Fiat 514 noire avec des plaques françaises et des garde-boue sales, contemplant d'un air abattu le monument aux morts de la Grande Guerre. Leur allure à tous deux était celle d'hommes qui ont passé une mauvaise nuit. Max les imagina éveillés, gagnant leur maigre salaire d'espions de dernière catégorie, surveillant quelqu'un – lui-même, peut-être –, ou au volant d'une voiture roulant depuis la frontière proche, fumant cigarette sur cigarette à la lueur des phares qui éclairaient le ruban sinueux de l'asphalte jalonné par les traits de peinture blanche sur les arbres bordant la route.

– Vous ne pouvez pas faire erreur en ce qui concerne les lettres, poursuivit Barbaresco. Il y en a trois, et pas une de plus. Vous devez vous assurer, en les prenant, de bien laisser le dossier à sa place... Il importe que Tomás Ferriol ne se rende compte de leur disparition que le plus tard possible.

– J'ai besoin d'une description précise.

– Elles seront faciles à identifier, parce qu'elles portent l'en-tête officiel. Elles lui ont été adressées entre le 20 juillet et le 14 août de l'année dernière, à quelques jours du soulèvement militaire en Espagne. – L'Italien hésita un instant, s'interrogeant sur la pertinence d'en révéler davantage. – Elles sont signées du comte Ciano.

Max reçut l'information en restant impassible, pendant qu'il coinçait sa canne sous un bras, sortait son étui de sa poche, tapotait légèrement l'extrémité d'une cigarette et la portait à ses lèvres sans l'allumer. Il était au courant, comme tout le monde, de ce que représentait le comte Galeazzo Ciano. Son nom faisait les titres des journaux et l'on voyait fréquemment sa tête dans les magazines et aux actualités cinématographiques : brun, beau, élégant, toujours en uniforme ou en costume de cérémonie, le gendre du Duce – il était marié à une fille de Mussolini – était ministre des Affaires étrangères de l'Italie fasciste.

– Il serait utile d'en savoir un peu davantage. De quoi il est question dans ces lettres.

– Vous n'avez pas besoin d'en savoir beaucoup plus. Ce sont des communications confidentielles sur les premières opérations militaires en Espagne et la sympathie avec laquelle mon gouvernement a observé la rébellion patriotique des généraux Mola et Franco... Pour des raisons qui ne nous concernent ni vous ni moi, cette correspondance doit être récupérée.

Max écoutait avec une extrême attention.

– Pourquoi ces lettres sont-elles ici ?

– Tomás Ferriol se trouvait à Nice l'an dernier, pendant les événements de juillet. Il résidait à la villa du Boron, et l'aéroport de Marseille lui servait pour effectuer de nombreux vols dans un avion qu'il avait loué et qui faisait la liaison entre Lisbonne, Biarritz et Rome. Il est normal que le courrier confidentiel soit passé par ici.

– J'imagine qu'il doit s'agir de lettres compromettantes... Pour lui ou pour d'autres.

D'un geste impatient, Barbaresco passa une main sur ses joues pas rasées.

– Nous ne vous payons pas pour imaginer, monsieur Costa. Mis à part les aspects techniques utiles à votre travail, le contenu de ces lettres n'est pas de votre ressort. Ni même du nôtre. Employez votre talent à réfléchir à la manière de les obtenir.

Sur ces derniers mots, il fit un signe à son compagnon et celui-ci s'écarta de l'automobile pour les rejoindre, sans pour autant se hâter. Il avait retiré une enveloppe de la boîte à gants de la voiture et ses yeux mélancoliques étudiaient Max avec méfiance.

– Voilà les informations que vous nous avez demandées, dit Barbaresco. Elles comprennent un plan de la maison et un autre du jardin. Le coffre-fort est un Schützling, scellé au fond d'un placard du grand bureau.

– De quelle année ?

– De 1913.

Max tenait l'enveloppe dans ses mains. Elle était fermée. Il la rangea dans une poche intérieure de sa veste, sans l'ouvrir.

– Combien y a-t-il de domestiques dans la maison ?

Sans desserrer les lèvres, Tignanello leva une main, doigts levés.

– Cinq, interpréta Barbaresco ; femme de chambre, gouvernante, chauffeur, jardinier et cuisinière. Seuls les trois premiers vivent dans la maison. Ils couchent à l'étage. Il y a aussi un gardien dans le pavillon de l'entrée.

– Des chiens ?

– Non. La sœur de Ferriol les déteste.

Max calcula le temps nécessaire pour ouvrir un Schützling. Grâce aux enseignements de son vieux compagnon Enrico Fossataro, l'ancien danseur mondain avait dans son curriculum deux coffres-forts Ficher et un Rudi Meyer, sans compter une demi-douzaine de coffres à fermeture conventionnelle. Les Schützling étaient des coffres de fabrication suisse, dont le mécanisme était déjà quelque peu ancien. Dans des conditions optimales et sans commettre d'erreurs, en appliquant la technique adéquate, cela ne devrait pas lui prendre plus d'une heure. Tout en étant bien conscient que le problème ne résidait pas dans cette heure, mais dans la façon d'arriver jusqu'à ce coffre et d'en disposer. De travailler dans le calme et sans être dérangé. Sans inquiétude.

– J'aurai besoin de Fossataro.

– Pourquoi ?

– Pour les clefs. C'est un coffre à combinaisons. Dites-lui qu'il me faut un trousseau de Saint-Pierre.

– Un trousseau de quoi ?

– Il sait. Et il me faut aussi une nouvelle avance. Je dois faire face à trop de frais.

Barbaresco garda le silence, comme s'il n'avait pas entendu la dernière phrase. Il contemplait son compagnon, qui était retourné s'adosser à la Fiat et regardait de nouveau le mémorial des morts de la Grande Guerre : une grande urne blanche sous un arc creusé dans la paroi rocheuse, au-dessus de l'inscription *La ville de Nice à ses fils morts pour la France.*

– Cela rappelle de tristes souvenirs à Domenico, commenta Barbaresco. Il a perdu deux frères à Caporetto.

Il avait ôté son chapeau pour se passer une main sur le crâne, avec une expression de fatigue. Maintenant, il regardait Max.

– Vous n'avez jamais été soldat ?

– Jamais.

Il n'avait pas même cillé. L'Italien semblait l'étudier pendant qu'il faisait tourner son chapeau comme si cela l'aidait à juger de la sincérité de la réponse. Peut-être qu'avoir été soldat imprime une trace visible, pensa Max. Comme le sacerdoce. Ou la prostitution.

– Moi je l'ai été, dit Barbaresco après réflexion. Sur l'Isonzo. Contre les Autrichiens.

– Comme c'est intéressant !

L'autre porta sur lui un nouveau regard interrogateur et méfiant.

– Dans cette guerre, nous étions les alliés des Français, dit-il après un moment de silence. Pour la prochaine, ça ne sera pas le cas.

Max haussa les sourcils avec toute la candeur adéquate.

– Parce qu'il y en aura une autre ?

– Ça ne fait aucun doute. Toute cette arrogance anglaise unie à la stupidité française... Avec les juifs et les communistes qui conspirent dans l'ombre. Vous comprenez ce que je vous dis ?... Ça ne peut que mal finir.

– Bien sûr. Les juifs et les communistes. Heureusement il y a ce Hitler en Allemagne. Sans oublier votre Mussolini.

– N'en doutez pas. L'Italie fasciste...

Il s'interrompit soudain, soupçonneux, comme s'il venait de découvrir que la tranquille approbation de Max avait quelque chose de louche. Il regarda l'entrée du vieux port

283

et le phare qui se dressait à la pointe de la jetée, puis la longue ligne incurvée de la plage et de la ville, qui s'étendait par-delà le Rauba-Capeu, sous les collines vertes semées de villas roses et blanches.

– Cette ville sera de nouveau à nous. – Il fermait à demi les yeux, l'air sombre. – Tôt ou tard.

– Je n'y vois pas d'objection. Mais je vous rappelle que j'ai besoin d'une nouvelle avance.

Encore un silence. Non sans un effort visible, l'Italien revenait lentement de ses rêveries patriotiques.

– Combien ?

– Dix mille francs de plus. Qu'elle reste française ou qu'elle redevienne italienne, cette ville est très chère.

L'autre fit une moue qui ne le compromettait pas trop.

– On va voir ce qu'on peut faire… Est-ce que vous avez déjà fait la connaissance de Susana Ferriol ? Vous avez trouvé un moyen de l'approcher ?

Formant un creux de ses mains, Max alluma la cigarette qu'il tenait depuis un moment entre ses doigts.

– Je suis invité à dîner chez elle demain soir.

Le regard appréciateur de Barbaresco fut immédiat.

– Comment l'avez-vous obtenu ?

– C'est sans importance. – Il souffla une bouffée de fumée que la brise emporta sur-le-champ. – À partir de là, quand j'aurai exploré le terrain, je vous raconterai.

Avec un sourire torve, l'Italien examinait le complet taillé sur mesure et impeccablement repassé, la chemise et la cravate de Charvet, le lustre des souliers Scheer achetés à Vienne. On sentait pointer dans ce regard, crut remarquer Max, une lueur simultanée d'admiration et de rancœur.

– En tout cas, n'attendez pas trop longtemps pour nous le raconter ni pour agir. Le temps joue contre nous, monsieur Costa. En nous causant beaucoup d'ennuis. – Il mit son chapeau et fit un mouvement de la tête en direction de

284

son compagnon. – Ça inclut Domenico et moi. Et ça vous inclut vous aussi.

– Les Russes jouent à Sorrente bien plus qu'un prix, explique Lambertucci. Avec toutes ces histoires de guerre froide, de bombes nucléaires et le reste, ils ne risquent pas de laisser les échecs à l'écart... C'est dans l'ordre des choses qu'ils ne laissent rien au hasard.

De la cuisine, amorti par un rideau de rubans en plastique multicolores, arrive le son de la radio avec la voix de Patty Pravo chantant *Ragazzo triste*. À une table proche de la porte sur la rue, le *capitano* Tedesco ramasse les pièces de l'échiquier d'un air maussade – il a perdu les deux parties de l'après-midi – pendant que le maître des lieux remplit trois verres avec une fiasque de vin rouge.

– Les gens du Kremlin, poursuit Lambertucci en posant les verres sur la table, veulent démontrer que leurs grands maîtres sont meilleurs que les Occidentaux. Cela prouverait que l'Union soviétique l'est aussi et qu'elle finira par remporter la victoire politique et, si besoin est, militaire.

– Ils ont raison ? demande Max. Est-ce que les Russes sont vraiment les plus forts aux échecs ?

Il est en bras de chemise, le col ouvert, la veste sur le dossier de la chaise, et il écoute avec attention. Lambertucci fait un geste d'assentiment qui confirme son opinion sur les Russes.

– Les motifs de le supposer ne manquent pas. La Fédération internationale leur est tout acquise, ils l'ont dans la poche... Actuellement, seuls Jorge Keller et Bobby Fischer représentent une menace sérieuse.

– Mais, tôt ou tard, ils s'imposeront, fait valoir le *capitano*, qui a fermé la boîte contenant les pièces et boit son vin. Ces garçons hétérodoxes, qui se moquent des formes, apportent un jeu nouveau. Plus imaginatif. Ils tirent les vieux dinosaures de leur habituel schéma clos, de leur guerre de position, et les obligent à s'engager sur des terrains inconnus.

– Tu as beau dire, note Lambertucci, jusqu'à présent ce sont ceux-là qui commandent. Untel, qui était letton, a été battu par Borvinnik, qui a perdu contre l'Arménien Pétrossian un an plus tard. Tous des Russes. Ou plus exactement des Soviétiques. Et maintenant, c'est Sokolov qui est champion du monde : des Russes, et encore des Russes, l'un après l'autre. Et à Moscou, ils sont bien décidés à ce que ça ne change pas.

Max porte le verre à ses lèvres et regarde dehors. Sous le toit de cannisses, la femme de Lambertucci dispose des nappes à carreaux et des bougies dans des bouteilles de vin, dans l'attente de clients que la saison avancée rend improbables à cette heure de l'après-midi.

– Donc, aventure Max prudemment, dans un tel contexte, l'espionnage ne doit pas être rare…

Lambertucci fait peur à une mouche posée sur son avant-bras et gratte son vieux tatouage abyssin.

– Il est tout à fait normal, confirme-t-il. Chaque compétition est un nid de conspirations dignes d'un film d'espions… Et les joueurs subissent des pressions terribles. Pour un joueur d'élite soviétique, il s'agit de continuer à mener une existence de privilégié comme champion officiel ou de risquer des représailles s'il perd. Le KGB ne pardonne pas.

– Souvenez-vous de Streltsov, dit Tedesco. Le footballeur.

La fiasque refait le tour de la table pendant que le *capitano* et Lambertucci commentent le cas Streltsov : un des meilleurs joueurs de football du monde, du niveau de Pelé, liquidé pour avoir transgressé la règle officielle : il a refusé de quitter son équipe, celle du Torpedo, pour le Dinamo de Moscou, équipe officieuse du KGB. Là-dessus, il a été l'objet d'un procès en justice pour une tout autre raison, et expédié dans un camp de travail en Sibérie. Quand il est revenu, cinq ans plus tard, sa carrière sportive était finie.

– Ce sont leurs méthodes, conclut Lambertucci. Et avec Sokolov ce sera pareil. Il a tout d'un type tranquille quand il est devant l'échiquier, mais la pression intérieure ne le quitte jamais… Avec toute cette équipe d'analystes et d'assistants, les gardes du corps et les appels téléphoniques de Khrouchtchev pour l'encourager et lui rappeler que le paradis du prolétariat a les yeux fixés sur lui.

Tedesco acquiesce.

– Le véritable miracle soviétique, précise-t-il, est que, avec tout ça sur le dos, il y en ait encore qui soient capables de bien jouer aux échecs. De se concentrer.

– Ça inclut des coups tordus ? veut savoir Max, toujours prudent.

L'autre a un sourire sardonique, en clignant de son œil unique.

– Tout particulièrement. Depuis des enfantillages jusqu'à des manœuvres élaborées et compliquées.

Et il en cite quelques-unes. Lors du précédent championnat du monde, quand Sokolov affrontait Cohen à Manille, un fonctionnaire de l'ambassade soviétique était assis au premier rang et prenait des photos au flash pour gêner l'Israélien. On dit aussi qu'à l'olympiade de Varna les Russes avaient un parapsychologue dans le public pour influencer le moral des adversaires de leur équipe. Et l'on assure que, lorsque Sokolov a défendu son titre face au Yougoslave Monfilovic, ses assistants lui passaient des indications de jeu avec les yoghourts qu'il consommait pendant les parties.

– Mais la meilleure de toutes, termine-t-il, c'est celle de Bobkov, un joueur qui avait déserté l'Union soviétique au cours du tournoi de Reykjavik : ils ont infecté ses caleçons dans la buanderie de l'hôtel avec la bactérie qui provoque la chaude-pisse.

C'est le moment idéal, décide Max. Celui d'entrer dans le vif du sujet.

– Et peut-il exister, dit-il d'un air détaché, des espions infiltrés parmi les analystes de l'adversaire ?

– Les analystes ? – Lambertucci le regarde avec curiosité. – Dis donc, Max… Je te trouve bien au courant des termes techniques.

– J'ai lu un peu, ces derniers jours.

Ça peut arriver, confirment les autres. Il y a des cas connus, comme les déclarations d'un des assistants du Norvégien Aronsen, qui a affronté Pétrossian peu avant que Sokolov lui arrache le titre. L'analyste était un Anglais du nom de Byrne, et il a avoué avoir transmis des informations à de prétendus parieurs russes qui misaient deux mille roubles par partie. Ensuite, on a su que ces informations allaient en réalité au KGB, et de ce dernier aux assistants de Pétrossian.

– Est-ce qu'une chose du même genre pourrait se passer ici ?

– Avec ce qui est en jeu entre Sorrente et le titre mondial, dit Tedesco, il peut se passer tout et n'importe quoi… Les échecs ne se jouent pas toujours sur un échiquier.

La femme de Lambertucci entre avec un balai et une pelle à poussière et les jette à la rue pour pouvoir aérer le local et nettoyer entre les tables. Ils vident leurs verres et sortent. Au-delà des tables et du toit de cannisses, la Silver Cloud du docteur Hugentobler exhibe son ange argenté sur le capot couleur cerise.

– Ton patron est toujours en voyage ? demande Lambertucci, en admirant la voiture.

– Pour le moment.

– J'envie ton système. Tu n'es pas de mon avis, *capitano* ? Une période de travail et ensuite une autre de tranquillité pour toi seul, en attendant que le patron revienne.

Ils rient tous les trois tandis qu'ils se promènent le long du brise-lames et du quai en pierre, auquel vient de s'amarrer une barque de pêche. Quelques oisifs s'approchent pour voir ce qu'elle rapporte.

– Qu'est-ce que Keller et Sokolov ont de si particulier ? s'étonne Lambertucci. Avant, Max, les échecs ne t'intéressaient pas.

– Le prix Campanella pique ma curiosité.

Lambertucci adresse un clin d'œil à Tedesco.

– Le Campanella, et peut-être aussi cette dame avec laquelle tu es venu dîner l'autre soir.

– À ce que j'ai pu en voir, ça n'était pas la gouvernante, intervient l'autre.

Max regarde le *capitano* dont le sourire manque de conviction. Puis il se tourne de nouveau vers Lambertucci.

– Tu le lui as déjà raconté ?

– Bien sûr, voyons. À qui, sinon, je le raconterais ? En plus, je ne t'ai jamais vu aussi élégant que pour ce dîner. Et moi, qui devais faire comme si je ne te connaissais pas… Dieu sait ce que tu manigançais !

– Ça ne t'a pas gêné de tendre l'oreille pour l'apprendre.

– J'avais du mal à ne pas rigoler en te voyant faire le galant, à ton âge !… Tu me rappelais Vittorio de Sica quand il joue à l'aristocrate bidon.

Ils restent arrêtés sur le quai, près de la barque de pêche, pendant que l'équipage débarque les caisses. La brise qui souffle entre les filets et les palangres entassés sent les écailles de poisson, le sel et le goudron.

– Vous êtes deux vieilles concierges… Deux pies.

Lambertucci acquiesce, d'un air complice.

– Épargne-nous les préliminaires, Max. Va au fait.

– Elle est seulement… Ou elle a été. Il s'agit d'une ancienne connaissance.

Les deux amateurs d'échecs échangent un regard entendu.

– Elle est aussi la mère de Keller, rétorque Lambertucci. Et ne fais pas cette tête : nous avons vu sa photo dans les journaux. Elle était facile à reconnaître.

– Ça n'a rien à voir avec les échecs. Ni avec son fils… Je vous ai dit qu'il s'agit d'une ancienne amitié.

Ces derniers mots suscitent une double moue sceptique.

– Une ancienne amitié… commente Lambertucci. Et c'est à cause de ça que, depuis une demi-heure, nous ne faisons que parler de joueurs russes et du KGB ?

– Un sujet passionnant, d'ailleurs, assure Tedesco. Rien à objecter.

– Bon. D'accord… Laissez tomber.

Lambertucci consent, tout en continuant de rire sous cape.

– Comme tu voudras. Nous avons tous nos petits secrets, et c'est ton affaire. Mais tu ne t'en tireras pas comme ça… Nous voulons des entrées pour assister aux parties dans le Vittoria. Elles sont très chères, et c'est pour ça que nous n'y sommes pas allés. Maintenant que tu es quelqu'un d'influent, la situation a changé.

– Je ferai ce que je pourrai.

L'autre tire sur sa cigarette jusqu'à ce que la braise lui brûle les doigts. Puis il la jette à l'eau.

– C'est triste, l'âge. Elle a été une très belle femme, hein ? Ça saute aux yeux.

– Oui, pour ça je suis d'accord. – Max regarde le mégot qui flotte dans l'eau, en bas du quai. – C'était une très belle femme.

À travers une large fenêtre ouverte sur la Méditerranée, le soleil de midi traçait un grand rectangle de lumière aux pieds de la table de Max. Il se trouvait à son emplacement préféré du restaurant de la Jetée-Promenade : une luxueuse construction sur pilotis plantés dans la mer, devant l'hôtel Ruhl, d'où l'on pouvait contempler le littoral de Nice, la plage et la Promenade des Anglais, comme si l'observateur se tenait sur un bateau ancré à quelques mètres du rivage. La fenêtre, contiguë à sa table, donnait à l'est sur la Baie des Anges ; et, au loin, on pouvait voir nettement les hauteurs du château, l'entrée du port et, plus éloigné encore, le cap de Nice où serpentait, entre les rochers couverts de verdure, la route de Villefranche.

Il vit l'ombre avant l'homme. Puis il remarqua l'odeur de tabac anglais. Max était penché sur son assiette, terminant une salade, quand lui parvinrent les effluves de la fumée d'une pipe, tandis que les planches grinçaient légèrement et qu'une silhouette se profilait dans le rectangle lumineux. Il leva les yeux et rencontra un sourire poli, des lunettes rondes à monture d'écaille et une main, celle qui tenait la pipe – dans l'autre il y avait un panama froissé –, désignant la chaise libre de l'autre côté de la table.

– Bonjour… Me permettez-vous de m'asseoir un moment ?

Le caractère inhabituel de la demande, exprimé dans un espagnol parfait, déconcerta Max. Il regarda un instant le nouveau venu – l'intrus était le mot exact –, la fourchette encore levée, sans trouver de repartie à cette incongruité.

– Certainement pas, finit-il par rétorquer en se ressaisissant. Non, vous ne pouvez pas.

L'autre demeura debout, l'air indécis, comme s'il n'avait pas envisagé cette réponse. Il continuait de sourire, bien que son expression fût maintenant plus contrariée et perplexe. Il ne semblait pas très grand. Il devait faire une tête de moins que lui, calcula Max. Il avait un aspect soigné et inoffensif, accentué par les lunettes et le costume trois pièces marron assorti d'un nœud papillon, qui paraissait un peu

291

trop large pour son physique osseux, d'apparence fragile. Une raie parfaite, au milieu, si droite qu'elle paraissait tracée au cordeau, partageait en deux parties exactes les cheveux noirs coiffés en arrière, luisants de brillantine.

– Je crains d'avoir raté mon entrée, dit l'inconnu au sourire figé. C'est pourquoi je vous prie de me pardonner ma maladresse et de m'accorder une seconde chance.

Sur ces mots, avec beaucoup de désinvolture et sans attendre de réponse, il s'éloigna de quelques pas avant de revenir vers Max. Soudain, pensa ce dernier, il ne paraissait plus aussi inoffensif. Ni aussi fragile.

– Bonjour, monsieur Costa, dit-il tranquillement. Mon nom est Rafael Mostaza et je souhaite m'entretenir avec vous d'une affaire importante. Si je pouvais m'asseoir, nous pourrions parler plus commodément.

Le sourire restait le même, mais il y avait maintenant un reflet supplémentaire, presque métallique, derrière les verres des lunettes. Max avait reposé la fourchette sur l'assiette. Remis de sa surprise, il se carra contre le dossier du fauteuil d'osier en se passant une serviette sur les lèvres.

– Nous avons des intérêts communs, insistait l'autre. En Italie et ici, à Nice.

Max regarda les garçons aux longs tabliers blancs qui étaient loin, près des grands pots de plantes à côté de la porte. Il n'y avait personne d'autre dans le restaurant.

– Asseyez-vous.

– Merci.

Quand l'étrange personnage eut occupé la chaise et vidé sa pipe en en frappant à petits coups le fourneau contre l'encadrement de la fenêtre, Max avait enfin réussi à se rappeler. Il avait vu cet homme à deux reprises dans les derniers jours: pendant qu'il discutait avec les agents italiens au café Monnot, et durant la rencontre avec la baronne Schwarzenberg à la terrasse de La Frégate, face à la Promenade.

– Poursuivez votre repas, je vous en prie, dit l'autre en adressant un signe de tête négatif à un garçon qui s'approchait.

Adossé à sa chaise, Max l'étudia avec une inquiétude dissimulée.

– Qui êtes-vous ?

– Je viens de vous le dire. Rafael Mostaza, voyageur de commerce. Si vous préférez, appelez-moi Fito… C'est comme ça qu'ils ont l'habitude de m'appeler.

– Qui ?

L'autre cligna de l'œil sans répondre, comme s'ils partageaient un secret amusant. Max n'avait jamais entendu ce nom.

– Voyageur de commerce, dites-vous.

– Exact.

– Quel genre de commerce ?

Mostaza élargit encore un peu plus son sourire, qu'il semblait arborer avec la même désinvolture que le nœud papillon : visible, sympathique et peut-être légèrement trop large. Mais il y avait toujours dans ses yeux le même reflet métallique, comme si les verres de lunettes donnaient plus de froideur à son regard.

– Au jour d'aujourd'hui, tous les commerces ont des liens communs, vous ne croyez pas ?… Mais la question n'est pas là. L'important, c'est que j'ai une histoire à vous raconter… Elle concerne le financier Tomás Ferriol.

Max encaissa, impavide, tout en portant à ses lèvres le verre de vin : un bourgogne parfait. Il le reposa exactement sur la marque que celui-ci avait imprimée sur la nappe de fil blanc.

– Excusez-moi… Quel nom avez-vous dit ?

– Oh, allons donc. S'il vous plaît, croyez-moi. Je vous assure que c'est une histoire intéressante... Vous me permettez de vous la raconter ?

Max toucha le verre de vin, sans le saisir, cette fois. Malgré la fenêtre ouverte, il ressentait une chaleur soudaine. Pénible.

– Vous avez cinq minutes.

– Ne soyez pas mesquin... Écoutez, et vous verrez que vous m'en accorderez plus.

Sur un ton feutré, en mordillant de temps en temps sa pipe éteinte, Mostaza débuta son récit. Tomás Ferriol, rapporta-t-il, faisait partie du groupe de monarchistes qui, l'an passé, avaient soutenu le coup d'État militaire en Espagne. En réalité, c'était lui qui avait couvert les premiers frais, et il continuait. Comme tout le monde le savait, son immense fortune avait fait de lui banquier officiel du parti rebelle.

– Reconnaissez, s'interrompit-il en pointant sur Max le tuyau de sa pipe, que mon récit commence à vous intéresser.

– C'est possible.

– Je vous l'avais dit. Je raconte très bien les histoires.

Et Mostaza poursuivit. L'opposition de Ferriol à la République n'était pas seulement idéologique : en plusieurs occasions, il avait tenté de pactiser avec les gouvernements républicains successifs, sans jamais aboutir à des résultats concrets. Ils se méfiaient de lui, et non sans raison. En 1934, il avait été l'objet d'une enquête judiciaire qui avait failli l'envoyer en prison et dont il ne s'était tiré qu'en dépensant beaucoup d'argent et en faisant jouer toutes les influences possibles. Depuis lors, sa position politique pouvait se résumer par ces quelques paroles prononcées lors d'un dîner entre amis : « La République ou moi ! » Et là-dessus, cela faisait un an et demi qu'il employait tous ses efforts à anéantir la République. Chacun savait que son argent avait été derrière les événements de juillet de l'an passé. Après une rencontre qu'il avait eue à Saint-Jean-de-Luz avec un émissaire des conspirateurs, Ferriol avait payé de sa poche, par le biais d'un compte à la banque Kleinwort, l'avion et le pilote qui avaient amené le général Franco des Canaries au Maroc. Et pendant que cet avion était en l'air, cinq pétroliers de la Texaco, qui naviguaient en haute mer avec vingt-cinq mille tonnes destinées à la compagnie d'État Campsa, avaient changé de route pour se diriger vers la zone sous le contrôle des rebelles. L'ordre expédié par télégramme était: *Don't worry about payment* – ne vous inquiétez pas pour le paiement. Ce paiement avait été couvert par Tomás Ferriol, et il continuait de l'être. On calculait que, rien qu'en livraisons de pétrole et de combustible aux rebelles, le financier avait investi un million de dollars.

– Mais il ne s'agit pas uniquement de pétrole, ajouta Mostaza après une pause, pour que Max ait le temps de bien digérer cette information. Nous savons que Ferriol a rencontré le général Mola à son quartier général de Pampelune, dans les premiers jours du soulèvement, pour lui montrer une liste où figuraient des avals pour une valeur de six cents millions de pesetas... Curieux détail, bien propre au personnage, c'est qu'il ne lui a pas versé d'argent, ni même proposé de le faire. Il s'est borné à lui montrer la solidité d'une position qui lui permettait de donner son aval. À s'offrir pour tout soutenir... Étaient inclus dedans ses contacts avec des hommes d'affaires et des financiers en Allemagne et en Italie.

Il s'interrompit, suçotant sa pipe éteinte et sans quitter Max des yeux, pendant qu'un garçon enlevait l'assiette vide de ce dernier et qu'un autre servait la suite, qui consistait en une *entrecôte à la niçoise**. Le rectangle de soleil s'était déplacé un peu, remontant du sol pour atteindre la nappe blanche de la table. Maintenant il éclairait d'en bas le

295

visage de Mostaza, révélant une vilaine cicatrice sur le côté gauche du cou, sous la mâchoire, que Max n'avait pas remarquée avant.

– Les rebelles, continua de raconter Mostaza quand ils furent de nouveau seuls, ont également besoin d'une aviation. D'un appui aérien militaire, d'abord pour le transport des troupes soulevées du Maroc à la péninsule, et ensuite pour des bombardements. À quatre jours de la rébellion, le général Franco en personne a demandé dix Junker 52 à l'Allemagne, en passant par l'attaché militaire nazi pour la France et le Portugal. Ferriol, lui, s'est chargé de l'Italie. – Il se penchait légèrement, posant les coudes sur la table. – Vous voyez que nous finissons par y arriver.

Max s'était efforcé de continuer à manger avec naturel, mais cela se révélait difficile. Après deux bouchées, il reposa le couteau et la fourchette du même côté de l'assiette, dans la position exacte des aiguilles d'une pendule indiquant cinq heures vingt-cinq. Puis il se passa la serviette sur les lèvres, posa les manchettes amidonnées de sa chemise sur le bord de la nappe et regarda Mostaza sans faire de commentaire. La proposition italienne, poursuivait celui-ci après une brève pause, avait été faite par le biais du ministre des Affaires étrangères, le comte Ciano. D'abord lors d'une conversation privée que Ferriol et lui avaient eue à Rome, puis par un échange de lettres qui détaillaient l'opération. L'Italie disposait en Sardaigne de douze avions Savoia ; et Ciano, s'étant concerté avec Mussolini, promit qu'ils seraient à Tétouan à la disposition des militaires rebelles dans la première semaine d'août, après règlement d'un million de livres sterling. Mola et Franco ne disposaient pas d'une telle somme, mais Ferriol si. De sorte qu'il en avait avancé une partie et donné son aval pour le reste. Le 30 juillet, les douze avions décollaient pour le Maroc. Trois se perdirent au-dessus de la mer, mais le reste arriva à temps pour transporter des troupes maures et des légion-naires dans la péninsule. Quatre jours plus tard, le navire marchand *Emilio Morlandi*, qui était parti de La Spezia affrété par Ferriol avec des armes et du combustible pour ces avions, accostait à Melilla.

– Comme je vous l'ai dit, l'Italie avait demandé un million de livres pour les Savoia ; mais Ciano est un homme dont le train de vie est élevé. Très élevé. Sa femme, Edda, est la fille de Mussolini, et si cela lui procure d'innombrables avantages, cela l'oblige aussi à dépenser énormément d'argent... Vous me suivez ?

– Parfaitement.

– J'en suis heureux, car nous arrivons maintenant à la partie de cette histoire qui vous concerne.

Un garçon enlevait l'assiette de Max presque intacte. Celui-ci restait immobile, les mains sur le bord de la table, regardant son interlocuteur.

– Et qu'est-ce qui vous fait penser que j'ai quelque chose à voir là-dedans ?

Mostaza ne répondit pas tout de suite. Il s'était penché pour examiner la bouteille de vin couchée dans son berceau d'osier.

– Pardonnez ma curiosité, mais qu'est-ce que vous buvez ?

– Un chambertin, répliqua Max, toujours impavide.

– Quelle année ?

– 1911.

– Il n'est pas bouchonné ?

– Non. Pas celui-là.

– Magnifique... J'en boirais volontiers un peu.

Max fit signe au garçon, qui apporta un verre et le remplit. Mostaza posa la pipe sur la nappe et contempla le vin en transparence, admirant la couleur intense du bourgogne. Puis il porta le verre à ses lèvres, le savourant avec un plaisir visible.

– Cela fait un temps que je vous suis, dit-il soudain, comme s'il venait de se rappeler la question de Max. Ces deux types, les Italiens…

Il n'alla pas plus loin, lui laissant le loisir d'imaginer à quel moment une piste l'avait conduit à une autre.

– Ensuite, j'ai enquêté du mieux que j'ai pu sur vos antécédents.

Sur ces mots, Mostaza reprit le fil de son récit. Hitler et son gouvernement détestaient Ciano. Celui-ci, qui ne manquait pas de bon sens, s'était toujours montré partisan de ce que l'Italie demeure en marge de certains intérêts de Berlin. Et il continuait. Aussi, en homme prévoyant, maintenait-il de discrets dépôts bancaires dans des pays adéquats. À toutes fins utiles. Un compte bien approvisionné qu'il avait ouvert en Angleterre avait dû être transféré, pour des raisons politiques, mais maintenant il s'arrangeait avec des banques du continent. Principalement suisses.

– Ciano a demandé quatre pour cent de commission pour lui sur l'affaire des Savoia : quarante mille livres. Presque un million de pesetas, qui ont été avalisées par Ferriol sur un compte de la Société suisse de Zurich jusqu'à son règlement en liquidités grâce à l'or saisi dans la Banque d'Espagne de Palma de Majorque… Qu'est-ce que vous en dites ?

– Que ça fait beaucoup d'argent.

– Bien pire que ça. – Mostaza but encore. – C'est un scandale politique à grande échelle.

Malgré son sang-froid, Max ne cherchait plus à dissimuler son intérêt.

– Je comprends, commenta-t-il. Je veux dire : dès que cela deviendra public.

– Exactement. – D'un doigt, Mostaza empêcha une goutte de vin de glisser le long du verre jusqu'à la nappe. – Ceux qui m'ont parlé de vous, monsieur Costa, vous ont décrit comme un beau garçon et un type très malin... Pour le premier point, permettez-moi de vous dire que je m'en fiche. J'ai, en général, des goûts conventionnels. Mais je suis heureux de voir le second se confirmer.

Il marqua une pause, savourant une autre gorgée de bourgogne.

– Tomás Ferriol est un vieux renard, poursuivit-il, et il a voulu que tout soit fait par écrit. Il y avait urgence, l'affaire était sûre, et d'ailleurs, à Rome, les commissions de Ciano ne sont un secret pour personne. Le beau-père est au courant de tout et ne s'y oppose pas, tant que les choses se passent, comme jusqu'à maintenant, dans la discrétion... Et donc Ferriol a fait en sorte que l'affaire des avions soit rédigée en bonne et due forme, y compris les lettres, portant la signature manuscrite de Ciano, où sont stipulés ses quatre pour cent... Le reste, vous n'aurez pas de mal à l'imaginer.

– Pourquoi veut-on, aujourd'hui, récupérer ces lettres ?

Avec une expression satisfaite, Mostaza contemplait son verre presque vide.

– Les raisons peuvent être multiples. Des tensions internes dans le gouvernement italien, où la position de Ciano est contestée par d'autres familles fascistes. Une précaution de celui-ci pour l'avenir, dès lors que la victoire des rebelles entre dans le domaine du possible. Ou peut-être le désir de priver Ferriol de documents qui pourraient lui servir pour des chantages diplomatiques... Quoi qu'il en soit, le fait est que Ciano veut ces lettres et que vous avez été engagé pour les reprendre.

Tout cela se présentait avec une évidence si écrasante que Max dut laisser de côté ses réserves antérieures.

– Je continue à ne pas comprendre une chose que j'ai probablement déjà dite aux autres. Pourquoi moi... L'Italie doit avoir des espions mieux appropriés.

– Je vois cela très simplement. – Mostaza avait pris sa pipe et, après avoir sorti une blague à tabac en caoutchouc, remplissait le fourneau en appuyant avec le pouce. – Nous sommes en France, et la situation politique internationale est délicate. Vous êtes un individu sans appartenance politique. Un apatride, en quelque sorte.

– J'ai un passeport vénézuélien.

– Sans me vanter, c'est le type de passeport dont je peux acheter une demi-douzaine. Et, de plus, vous avez des antécédents policiers, prouvés ou non, dans plusieurs pays d'Europe et d'Amérique… Si tout ne marchait pas comme prévu, vous seriez le seul responsable. Les autres pourraient nier en bloc.

– Et quel rôle jouez-vous dans tout ça ?

Mostaza, qui avait sorti une boîte d'allumettes et allumait sa pipe, le regarda à travers les premiers nuages de fumée. Presque avec surprise.

– Voyons, je croyais qu'au point où nous en sommes, vous vous en étiez rendu compte. Je travaille pour la République espagnole. Je suis du côté des bons… À supposer que l'on puisse parler d'un bon côté dans ce genre d'histoires…

Lecteur très superficiel – transatlantiques, trains et hôtels – de récits publiés en feuilleton dans les revues illustrées, Max avait toujours associé le mot *espion* à d'inextricables intrigues internationales, avec des individus sinistres dont le but était de se montrer le moins possible à la lumière du jour. C'est pourquoi il fut surpris par le naturel avec lequel Fito Mostaza lui proposa de le raccompagner à l'hôtel Negresco en faisant une agréable balade – *agréable* étant l'adjectif employé par Mostaza lui-même – le long de la Promenade. Il n'y vit pas d'objection et ils firent un bout de chemin en conversant comme deux connaissances qui s'occuperaient d'affaires banales, à l'instar de tous les gens qui, à cette heure, déambulaient entre les façades des hôtels et le rivage. De telle sorte que, fumant sa pipe avec le plus grand calme, son panama froissé jetant de l'ombre sur ses lunettes, Mostaza termina d'exposer les détails de l'affaire tout en répondant aux questions que Max – qui, malgré l'apparente tranquillité de la situation, ne baissait pas la garde – formulait de temps en temps.

– Pour résumer: nous vous paierons plus que les fascistes... Sans compter la reconnaissance logique de la République.

– Ce qui me fera une belle jambe, se permit d'ironiser Max.

Mostaza rit doucement, sans desserrer les dents. Presque bonasse. La cicatrice sous la mâchoire donnait un ton ambigu à ce rire.

– Ne soyez pas blessant, monsieur Costa. En fin de compte, je représente le gouvernement légitime de l'Espagne. Vous savez: la démocratie contre le fascisme.

Balançant sa canne, l'ancien danseur mondain l'observait du coin de l'œil. S'il n'y avait pas eu les lunettes, l'agent espagnol aurait eu l'allure d'un jockey vêtu de ses habits de tous les jours, et il paraissait encore plus petit et fragile debout et en mouvement. Néanmoins, Max, par réflexe professionnel, avait l'habitude de classer les hommes et les femmes en tenant compte de détails non exprimés, ou non formulés. Dans son monde incertain, un geste ou un mot ordinaire avait aussi peu de valeur, en matière d'information utile, que le comportement d'un joueur de cartes expérimenté qui parvient à découvrir une main que son adversaire garde secrète. Les codes de lecture que Max avait acquis à force d'expérience étaient différents. Et les trois quarts d'heure passés près de Fito Mostaza suffisaient pour l'avertir que ce ton bon enfant, ce naturel sympathique de l'homme qui disait travailler pour le bon côté pouvaient être plus dangereux que la rugosité des agents du gouvernement italien. Lesquels, par ailleurs, il était surpris de ne pas découvrir embusqués derrière des journaux sur un banc de la Promenade, les suivant à la trace pour constater, avec une logique décourageante, comment Fito Mostaza leur compliquait la vie.

– Pourquoi vos services ne se chargent-ils pas de voler eux-mêmes les lettres ?

Mostaza fit quelques pas sans répondre. Puis il eut un geste désinvolte.

– Savez-vous ce que dit souvent Tomás Ferriol ?... Que ça ne l'intéresse pas d'acheter des hommes politiques avant les élections, sans savoir s'ils arriveront au pouvoir. Cela lui revient moins cher de les acheter quand ils sont au gouvernement.

Il tira sur sa pipe, énergiquement, laissant dans son sillage une traînée de fumée.

– Nous sommes dans une situation semblable, ajouta-t-il enfin. Pourquoi organiser une opération, avec son coût et ses risques, si nous pouvons profiter d'une autre qui est déjà en route ?

Sur ce, Mostaza continua de marcher, toujours en riant doucement. Il paraissait se réjouir du tour pris par la conversation.

– La République n'est guère riche, monsieur Costa. Et notre peseta se dévalue beaucoup. Je vois une certaine justice poétique dans le fait que ce soit Mussolini qui vous paye la plus grande partie de vos honoraires.

Max regardait les Rolls-Royce et les Cadillac stationnées devant la façade imposante du Palais de la Méditerranée, la succession des grands établissements hôteliers qui semblaient s'aligner à l'infini, le long de l'arc gracieux que formait la Baie des Anges. Dans cette partie de Nice, tout ce qui aurait pu offusquer la vision confortable du monde telle que pouvait l'avoir le visiteur fortuné avait été soigneusement gommé. Il n'y avait là que des hôtels, des casinos, des bars américains, la plage magnifique, le centre immédiat de la ville avec ses cafés et ses restaurants, et toutes les luxueuses villas sur les collines résidentielles. Pas une seule usine, pas un seul hôpital. Les ateliers, les maisons des employés et des ouvriers, la prison et le cimetière, et même les manifestants qui, ces derniers temps, s'affrontaient en chantant *L'Internationale* ou *La Marseillaise*, distribuant *Le Cri des travailleurs* ou criant « Mort aux juifs ! » sous le regard complice des gendarmes, étaient bien plus loin, dans des quartiers où la plupart des gens qui fréquentaient la Promenade des Anglais ne mettraient jamais les pieds.

— Et qu'est-ce qui m'empêche de refuser votre proposition ?... Ou de la raconter aux Italiens ?

— Rien ne vous en empêche, admit Mostaza, objectif. Vous voyez jusqu'à quel point nous sommes disposés à jouer franc jeu, dans les limites de cette opération. Sans menaces ni chantages. Vous êtes libre de collaborer ou pas.

— Et si je refuse ?

— Ah, ça, c'est une autre affaire. Dans ce cas, vous comprendrez que nous ferons tout notre possible pour changer le cours des événements.

Max toucha le bord de son chapeau, saluant deux visages connus – un couple hongrois, voisin de chambre au Negresco – qui venaient en sens inverse.

— Si vous n'appelez pas ça des menaces... ironisa-t-il à voix basse.

Mostaza répondit par un geste de résignation exagérée.

— C'est un jeu compliqué, monsieur Costa. Nous n'avons rien contre vous, sauf si vous décidez d'œuvrer pour le parti ennemi. Tant qu'il n'en sera pas ainsi, vous jouirez de toute notre bonne volonté.

– Matérialisée par plus d'argent que les Italiens, avez-vous dit tout à l'heure.

– Évidemment. À condition de ne pas demander la lune.

Ils continuaient de cheminer sur la Promenade. À tout moment, ils croisaient des gens élégants, hommes en vêtements de demi-saison bien coupés, jolies femmes qui promenaient nonchalamment des chiens au pedigree irréprochable.

– Curieuse ville, commenta Mostaza devant deux dames fort bien vêtues accompagnées d'un lévrier russe. Pleine de femmes auxquelles les hommes ordinaires ne peuvent accéder. Sauf si, naturellement... Dans ce cas, la différence est que moi, je dois payer ; alors que vous, c'est tout le contraire.

Max regarda les alentours : femmes, hommes, tous étaient pareils. Quels qu'ils soient, pour eux avoir cinq billets de mille francs dans leur portefeuille était d'une banalité totale. Les automobiles aux chromes étincelants qui circulaient lentement sur la chaussée voisine contribuaient à embellir le panorama. Toute la Promenade était un vaste bruissement de moteurs biens réglés, de conversations exemptes d'inquiétudes. De douceur de vivre coûteuse et paisible. Il m'a fallu me donner beaucoup de mal, pensa-t-il amèrement, pour arriver jusqu'ici. Pour faire partie de ce paysage confortable, loin de ces faubourgs aux odeurs de nourriture rance que des quartiers comme celui-là ont exilés aux périphéries. Et je ferai ce qu'il faut pour que jamais personne ne me force à y retourner.

– Ne croyez pas que tout se réduise au simple fait de plus ou de moins payer, disait Mostaza. Au jugement de mes chefs, compte aussi, je suppose, mon charme personnel. Je dois être persuasif avec vous. Vous convaincre que ce n'est pas la même chose de travailler pour des crapules comme Mussolini, Hitler ou Franco, que pour le gouvernement légitime de l'Espagne.

– Épargnez-moi cette partie du discours.

Mostaza rit de nouveau. Doucement et sans desserrer les dents.

– D'accord. Laissons les idéologies à l'écart... Tenons-nous-en à mon charme personnel.

Il s'était arrêté pour vider sa pipe en la cognant à petits coups contre la balustrade qui séparait la Promenade de la plage. Puis il la remit dans une poche de sa veste.

– Vous me plaisez, monsieur Costa... Dans le cadre de vos troubles activités, vous êtes ce que les Anglais appellent un *decent chap*. Ou, en tout cas, vous semblez l'être. Cela fait un certain temps que je me penche sur votre biographie et aussi que j'observe vos manières. Ce sera un plaisir de travailler avec vous.

– Et que se passera-t-il avec la concurrence ? objecta Max. Les Italiens peuvent se fâcher. Et non sans raison.

Pour toute réponse, l'autre accentua son sourire. Un instant, pas davantage : un éclair dévastateur, à la limite de l'odieux. La cicatrice au cou semblait se creuser encore dans la lumière crue de la Promenade.

– Je ne peux pas répondre maintenant, dit Max. Il me faut réfléchir.

Les verres des lunettes miroitèrent deux fois sous l'ombre du panama. Mostaza acquiesçait, compréhensif.

– Bien sûr. Réfléchissez tranquillement, tout en continuant à voir vos amis fascistes. Je veillerai discrètement en suivant vos progrès, sans vous mettre la pression. Loin de nous l'intention, comme je l'ai déjà dit, de forcer le cours des choses. Nous préférons faire confiance à votre bon sens et à votre conscience... À n'importe quel moment, et jusqu'à la fin, vous aurez la possibilité d'accepter ma proposition. Inutile de nous presser.

– Où puis-je vous trouver, en cas de besoin ?

Mostaza fit un geste large, vague, qui pouvait aussi bien désigner l'endroit où ils se trouvaient que le sud de la France en général.

– Dans les jours qui viennent, pendant que vous prendrez votre décision, je dois m'occuper d'une autre affaire à Marseille. Et donc je devrai faire des allers-retours. Mais ne vous inquiétez pas… Nous resterons en contact.

Il tendit la main droite à Max, qui, en la serrant, sentit une pression forte et franche. Trop forte, se dit-il. Trop franche. Puis Fito Mostaza partit d'un pas vif. Durant quelques instants, Max put suivre des yeux sa silhouette menue et agile, qui esquivait les passants avec une singulière aisance. Ensuite, il parvint seulement à distinguer le chapeau clair qui se déplaçait parmi les gens, et bientôt il le perdit de vue.

Le jour s'est levé clair et ensoleillé comme les précédents et la baie de Naples resplendit, toute en bleus et en gris. Les serveurs sillonnent la terrasse de l'hôtel Vittoria avec des plateaux chargés de cafetières, de petits pains, de marmelade et de beurre, entre les tables en fer recouvertes de nappes blanches. Max Costa et Mecha Inzunza prennent leur petit-déjeuner à celle qui est située à l'angle ouest de la balustrade de pierre. Elle porte une veste en daim, une robe noire et des mocassins belges. Lui, son habituel vêtement du matin depuis qu'il loge à l'hôtel : pantalon de flanelle, blazer bleu marine et foulard de soie au cou. Les cheveux gris encore humides, soigneusement peignés après la douche.

– Tu as trouvé une solution au problème ? s'enquiert Max.

Ils sont seuls à la table, et les plus proches ne sont pas occupées.

– Il peut y en avoir une… Cette après-midi, nous verrons si elle marche.

– Ni Irina, ni Karapétian n'ont de soupçons ?

– Aucun soupçon. L'excuse de ne pas s'influencer l'un l'autre fonctionne parfaitement, pour le moment.

Max étale un peu de beurre sur un toast coupé en triangle, tout en réfléchissant. La rencontre avec la femme n'était pas prévue. Elle lisait un livre, maintenant posé sur la table – *The Quest for Corvo* : le titre ne lui dit rien – entre une tasse à café vide et un cendrier portant l'emblème de l'hôtel et deux mégots de Muratti. Elle a fermé le livre et éteint la deuxième cigarette quand il a franchi la porte vitrée du salon Liberty pour venir la saluer, puis l'a invité à s'asseoir près d'elle.

– Tu as dit que j'aurais quelque chose à faire.

Elle le regarde quelques secondes, attentive, cherchant à se rappeler. Puis elle se carre sur sa chaise en souriant.

– La variante Max ?… Chaque chose en son temps.

Il mord dans son toast et boit une gorgée de café au lait.

– Est-ce que Karapétian et Irina travaillent déjà sur les idées de ton fils ? demande-t-il après s'être essuyé les lèvres avec la serviette. Sur le leurre dont tu m'as parlé ?

– Ils sont en plein dedans. Chacun de son côté, comme prévu. Ils croient tous les deux qu'ils analysent la même situation, mais ce n'est pas le cas… Jorge continue à exiger qu'ils n'en parlent pas entre eux, sous le prétexte qu'il ne veut pas qu'ils se contaminent l'un l'autre.

– Qui a le plus avancé ?

– Irina. Et cela convient bien à Jorge, car l'hypothèse que ce serait elle est celle qui lui plaît le moins… De sorte que, dans la prochaine partie, il jouera cette nouveauté théorique, pour se débarrasser de ses soupçons le plus tôt possible.

– Et Karapétian ?

307

– À Emil, il a dit de continuer à analyser sa version plus longuement et en profondeur, parce qu'il veut la réserver pour Dublin.

– Tu crois que Sokolov tombera dans le piège ?

– C'est probable. Il s'agit justement de ce qu'il attend de la part de Jorge : sacrifice de pièces et attaques profondes, risquées et brillantes... Le style Keller.

À ce moment, Max voit passer au loin Emil Karapétian, des journaux dans une main, se dirigeant vers le salon. Il le désigne à Mecha et elle suit le grand maître d'un regard inexpressif.

– Ce serait triste si c'était lui, commente-t-elle.

Max ne peut éviter une expression de surprise.

– Tu préférerais que ce soit Irina ?

– Emil était déjà avec Jorge quand ce dernier était encore un gamin. Ce qu'il lui doit est immense. Ce que nous lui devons.

– Mais les deux jeunes gens... Enfin. L'amour et tout le reste.

Mecha regarde le sol tapissé de la cendre de ses cigarettes.

– Oh, ça... dit-elle.

Puis, sans transition, elle se met à parler de l'étape suivante, au cas où Sokolov mordrait à l'hameçon. Il n'est pas dans ses intentions d'alerter l'informateur, quel qu'il soit. Dans la perspective du duel pour le titre mondial, il vaut mieux continuer de faire semblant d'avoir confiance dans les Soviétiques, pour que Sokolov ne soupçonne pas qu'il est piégé depuis Sorrente. Après Dublin, naturellement, l'espion cessera de travailler avec Jorge. Il existe plusieurs façons de l'écarter, avec ou sans scandale, on verra ça le moment venu. Le cas s'est déjà produit : un analyste français avait été trop bavard dans le tournoi des candidats de Curaçao, quand le jeune homme a affronté Pétrossian, Tal et Korchnoï. Et cette fois, c'est Emil Karapétian qui s'en est rendu compte et a dénoncé l'infiltré. Finalement, ils se sont arrangés pour le renvoyer sans que quiconque se doute de la vraie raison.

– Il pouvait aussi s'agir d'un bouc émissaire, remarque Max. Une manœuvre de Karapétian pour faire porter les soupçons sur un autre.

– J'y ai pensé, répond-elle, sombre. Et Jorge aussi.

Pourtant, son fils doit beaucoup au maître, ajoute-t-elle après quelques instants. Il avait treize ans quand elle a convaincu Karapétian de travailler avec lui. Quinze ans passés ensemble, échiquiers de poche posés dans tous les endroits imaginables, jouant dans les trains, les aéroports, les hôtels. Préparant des parties, étudiant des ouvertures, des variantes, des attaques et des défenses.

– Pendant plus de la moitié de la vie de Jorge, je les ai vus prendre leur petit-déjeuner, simulant un tournoi, échangeant coups et positions les yeux fermés, répétant des plans élaborés durant la nuit, ou improvisant.

– Tu préfères que ce soit elle, note Max à mi-voix.

Mecha semble ne pas avoir entendu la réflexion.

– Il n'a jamais été un enfant spécial… Ou pas trop. Les gens croient que les grands joueurs d'échecs possèdent une intelligence supérieure à celle du reste des êtres humains, mais ce n'est pas vrai. Jorge a seulement montré très tôt qu'il était exceptionnel par sa capacité à prêter attention à plusieurs choses à la fois, ce que les Allemands définissent par un mot très long qui se termine en *verteilung*, et par sa pensée abstraite face à des séries numériques.

– Où se sont-ils connus, Irina et lui?

– Au tournoi de Montréal, cela fait un an et demi. Elle sortait avec Henry Trench, un joueur d'échecs canadien.

– Et comment cela s'est-il passé?

– Après s'être rencontrés dans une fête donnée par les organisateurs, Irina et Jorge ont passé toute une nuit assis

sur le banc d'un parc à parler d'échecs jusqu'au petit matin…
Après quoi, elle a quitté Trench.

– Elle donne l'impression de lui faire du bien, non ? Elle
lui permet de rester normal dans des situations comme
celle-ci.

– Elle y contribue, admet Mecha. De toute manière, Jorge
n'est pas un joueur obsessionnel. Pas de ceux qui se laissent
envahir par le doute et la tension dans une longue partie.
Il y est aidé par son sens de l'humour et un certain déta-
chement. Une de ces phrases favorites est : « Je ne suis pas
prêt à devenir fou à cause de ça »… Cette attitude limite
beaucoup les côtés pathologiques de la question. Comme
tu dis, elle lui permet de rester normal.

Elle s'arrête pour réfléchir, tête penchée.

– J'imagine que oui, conclut-elle enfin. Qu'Irina y
contribue aussi.

– Si c'est sa fiancée qui passe les informations aux Russes,
je suppose que ça pourrait influer sur sa concentration.
Sur son rendement.

Cet aspect de la question n'inquiète pas Mecha. Son
fils, explique-t-elle, est capable de travailler avec la même
intensité sur divers problèmes, de façon apparemment
simultanée ; mais il ne perd jamais le contrôle du principal. Les échecs. Sa faculté de concentration selon l'ordre
des priorités de chaque moment est étonnante. Il semble
perdu dans des rêveries lointaines, et soudain il ouvre les
yeux, revient, sourit et est de nouveau là. Cette capacité de
partir et de revenir est ce qui le caractérise le plus. Sans ces
courts-circuits de normalité, sa vie serait très différente.
Il deviendrait un personnage excentrique ou malheureux.

– Et donc, ajoute-t-elle après un silence, le même garçon
qui peut se concentrer jusqu'à l'inhumain est capable de
se plonger dans des divagations qui n'ont rien à voir avec
la partie en cours. Jouer mentalement d'autres parties

pendant qu'il attend. Analyser froidement l'affaire de l'infiltré, penser à un voyage ou à un film… Résoudre un autre problème ou le relativiser. Un jour, quand il était petit, il est resté vingt minutes immobile et muet devant l'échiquier, analysant un coup. Et quand l'adversaire a donné des signes d'impatience, il a levé les yeux et dit : «Ah, parce que c'était à moi de jouer ? »

– Tu ne m'as toujours pas livré le fond de ta pensée… Si tu crois que c'est elle qui fait passer les informations.

– Je te l'ai dit : il y a autant de probabilités que ce soit Irina ou Karapétian.

Il hausse les sourcils pour avoir l'air aussi naturel que possible devant l'évidence.

– Elle semble amoureuse.

– Mon Dieu, Max. – Elle l'étudie, ironique, presque surprise. – C'est toi qui dis ça ?… Depuis quand l'amour a-t-il été un obstacle à la trahison ?

– Donne-moi une raison précise. Pourquoi le vendrait-elle aux Russes ?

– Encore une question qui m'étonne de toi… Pourquoi serait-ce Emil qui le vendrait ?

Elle a levé les yeux, inexpressive, et Max suit son regard. Trois étages plus haut, sous les arcs du bâtiment voisin, Jorge et la jeune fille sont sortis pour contempler le paysage. Ils portent des peignoirs blancs et semblent venir tout juste de se lever. Elle a passé un bras sous celui du jeune homme et s'appuie contre son épaule. Au bout d'un moment, ils s'aperçoivent de la présence de Max et de Mecha, et agitent les mains dans leur direction. Il répond, tandis que la femme reste immobile, en se contentant de les regarder.

– Combien de temps a duré ton mariage avec son père, le diplomate ?

– Pas beaucoup, dit-elle après un instant de silence. Et je t'assure que j'ai essayé. Je suppose que le fait d'avoir un enfant m'a imposé ce mariage… En fin de compte, il y a toujours un moment dans la vie d'une femme où elle devient la victime passagère de son utérus ou de son cœur. Mais avec lui, rien de cela n'était possible… Il était seulement un brave homme qui se rendait insupportable, non par son excès de qualités, mais par son insistance à ne renoncer à aucune. Et à en tirer fierté.

Elle s'interrompt pendant qu'un sourire étrange passe sur ses lèvres. Elle pose la main droite sur la nappe, à côté de la tache laissée par une goutte de café. Il y a d'autres petites taches semblables sur le dos de sa main. Tavelures des ans, de la vieillesse, sur la peau flétrie. Soudain, le souvenir de cette peau, lisse et chaude trente ans plus tôt, redevient insupportable à Max. Pour dissimuler son désarroi, il se penche au-dessus de la table et inspecte le contenu de la cafetière.

– Tu n'as jamais été comme ça, Max. Tu as toujours su… Oh, par tous les diables ! Combien de fois me suis-je demandé d'où tu sortais tant de sérénité. Toute cette prudence.

Il fait mine de lui verser plus de café et elle hoche négativement la tête.

– Si beau… ajoute-t-elle. Mon Dieu ! Tu étais si beau… Si prudent, si canaille et si beau…

Mal à l'aise, il examine attentivement l'intérieur de sa tasse vide.

– Parle-moi encore du père de Jorge.

– Je te l'ai dit : je l'ai connu à Nice. Ce dîner chez Suzi Ferriol… Tu t'en souviens ?

– Vaguement.

D'un geste fatigué, Mecha retire lentement sa main de la table.

– Ernesto était extrêmement bien élevé et distingué, mais il était totalement dépourvu du talent et de l'imagination d'Armando… Un de ces hommes que tu côtoies qui ne parlent que d'eux-mêmes, en se servant de toi comme prétexte. Il peut arriver que ce qu'ils disent t'intéresse vraiment, mais ils n'ont aucune envie de le savoir.

– Ça arrive souvent.

– Mais toi, ça n'a jamais été ton cas… Toi, tu as toujours su écouter.

Max fait un geste mondain, d'humilité professionnelle.

– Ce sont les tactiques du métier, admet-il.

– Toujours est-il que cela a mal tourné, continue-t-elle, et j'ai fini par pratiquer cette rancœur mesquine dont nous sommes capables, nous les femmes, lorsque nous souffrons… En réalité, je ne souffrais pas beaucoup, mais ça non plus il n'avait aucune envie de le savoir. À plusieurs reprises il a essayé d'échapper à ce qu'il appelait la médiocrité et le fiasco de notre relation ; et comme la plupart des hommes, il n'a pas réussi à aller plus loin que dans le vagin d'autres femmes.

Dit par elle, cela n'avait rien de vulgaire, a remarqué Max. Pas plus que bien d'autres choses qu'il gardait en mémoire. Il l'avait entendue employer des mots plus obscènes, en d'autres temps, avec la même froideur quasi technique.

– Moi oui, j'étais allée très loin, comme tu sais, poursuit Mecha. Je parle d'un certain degré d'immoralité. L'immoralité comme conclusion… Comme la conscience de ce qu'il y a de stérile et de passivement injuste dans la moralité.

Elle observe de nouveau la cendre sur le sol, indifférente. Puis elle relève les yeux vers le serveur qui, après les avoir informés que le service du petit-déjeuner est sur le point de fermer, demande s'ils désirent encore quelque chose. Mecha le regarde comme si elle ne comprenait pas ce qu'il dit ou qu'elle se trouvait très loin de là. Finalement, elle fait non de la tête.

— En réalité, j'ai échoué deux fois, dit-elle, le serveur parti. Comme femme immorale avec Armando et comme femme morale avec Ernesto. C'est mon fils qui, par chance pour moi, a tout changé. Son existence m'a offert une autre possibilité. Une troisième voie.

— Tu te souviens davantage de ton premier mari ?

— Armando ?... Comment pourrais-je l'oublier ? Son fameux tango m'a poursuivie toute ma vie. Comme toi, en un sens. Et ça continue.

Max cesse de contempler sa tasse vide.

— Avec le temps, j'ai su ce que nous ne savions pas encore à Nice, commente-t-il. Qu'ils l'ont tué.

— Oui. Dans un endroit appelé Paracuellos, près de Madrid. Ils l'ont sorti de prison pour le fusiller là. – Elle hausse imperceptiblement les épaules, assumant des tragédies survenues depuis trop longtemps, cicatrisées juste aux limites du possible. – Un camp a promené en procession le pauvre García Lorca, en le canonisant, et l'autre camp mon mari... Sa légende en a aussi été grandie d'autant, naturellement. Elle a consacré sa musique.

— Tu n'es pas retournée en Espagne ?

— Ce pays triste, rancunier, qui sent la sacristie, gouverné par des trafiquants de marché noir et une bande de minables ?... Jamais. – Elle regarde vers la baie et sourit amèrement. – Armando était un homme cultivé, savant et libéral. Un créateur de mondes merveilleux... S'il avait vécu, il aurait méprisé ces militaires sanguinaires et ces brutes en chemise bleue, pistolet à la ceinture, autant que les analphabètes qui l'ont assassiné.

Après un silence, elle se tourne vers lui pour l'interroger.

— Et toi ? Comment as-tu vécu pendant ces années ?... Est-ce vrai que tu es allé en Espagne ?

Max prend une expression de circonstance, censée survoler des temps intenses, des occasions avec les nouveaux

314

riches avides de luxe, des villages et des villes à recons-
truire, des hôtels rendus à leurs propriétaires, des affaires
florissantes sous l'égide du nouveau régime et beaucoup
de perspectives à portée de main pour qui savait les voir
venir. Et cette expression discrète est sa façon de résumer
des années d'action et de possibilités, quand des tonnes
d'argent circulaient en tous sens, à la disposition de quiconque avait assez de talent et de courage pour les suivre
à la trace : marché noir, femmes, hôtels, trains, frontières,
réfugiés, mondes qui s'écroulaient dans les ruines de la
vieille Europe, passant d'un conflit à un autre encore plus
effroyable, avec la certitude fiévreuse que rien ne serait
jamais plus pareil quand tout serait fini.

– Quelquefois. Durant la guerre, il m'est arrivé de faire
la navette entre l'Espagne et l'Amérique.

– Sans avoir peur des sous-marins ?

– Avec toute la peur du monde, mais je n'avais pas le
choix. Les affaires, tu sais.

Elle sourit de nouveau, presque complice.

– Oui, je sais… Les affaires.

Il penche la tête avec une simplicité délibérée, conscient
du regard de la femme. Tous les deux savent que le mot
affaires n'est qu'une façon de résumer les choses, encore
que Mecha ignore jusqu'à quel point. En réalité, durant
les années de guerre en Europe, la péninsule ibérique a
constitué pour Max Costa un terrain de chasse rentable.
Avec son passeport vénézuélien – il avait dépensé beaucoup
d'argent pour acquérir cette nationalité qui le mettait à
l'abri quasiment de tout –, il avait exercé sa désinvolture et
son entregent dans des restaurants, des dancings, des thés
dansants, des bars américains, aux sports d'hiver ou l'été,
tous lieux d'intense vie mondaine fréquentés par des jolies
femmes et des hommes aux portefeuilles bien garnis. À cette
époque, son aplomb professionnel avait atteint un degré de

raffinement inégalable, avec pour résultat un déferlement de succès impressionnants. Les temps de la défaite et de la décadence, les revers qui devaient le conduire tout au fond du trou étaient encore loin. Cette nouvelle Espagne franquiste s'offrait à lui : diverses opérations lucratives à Madrid et Séville, une escroquerie triangulaire très élaborée entre Barcelone, Marseille et Tanger, une richissime veuve à Saint-Sébastien et une affaire de bijoux au casino de l'Estoril avec conclusion appropriée dans une villa de Sintra. À l'occasion de ce dernier épisode – la femme, peu attirante au demeurant, était cousine du prétendant à la couronne d'Espagne, don Juan de Borbón –, Max avait recommencé à danser, et beaucoup. Y compris sur *Le Boléro* de Ravel et sur *Le Tango de la Vieille Garde*. Et il avait dû les danser diablement bien ; car, une fois l'affaire terminée, elle avait été la première à le disculper auprès de la police portugaise. Impossible de douter de Max Costa, avait-elle affirmé. De ce parfait gentleman.

– Oui, commente Mecha en suivant ses propres pensées et en regardant la terrasse d'où se sont retirés les deux jeunes gens. Armando était différent.

Max sait qu'elle ne parle pas de lui. Que la femme continue à penser à cette Espagne qui a tué Armando de Troeye et où elle n'a jamais voulu revenir. Même ainsi, il éprouve une certaine amertume. Un reste de sa vieille irritation envers l'homme que, en réalité, il n'a connu que pendant quelques jours : à bord du *Cap Polonio* et à Buenos Aires.

– Tu l'as déjà dit. Il était cultivé, imaginatif et libéral… Je me souviens encore des marques de coups sur ton corps.

Elle a remarqué le ton et lui lance un regard de reproche. Puis elle se tourne vers la baie, en direction du cône noirâtre du Vésuve.

– Beaucoup de temps a passé, Max… Cela ne te ressemble pas de jouer au petit saint.

Il ne répond pas. Il se borne à la regarder. L'expression

de la femme, paupières mi-closes sous le flamboiement du soleil, multiplie les ridules autour des yeux.

– Je me suis mariée très jeune, ajoute Mecha. Et il a fait ce qu'il fallait pour que je découvre les abîmes de noirceur que je portais en moi.

– Il t'a corrompue, d'une certaine manière.

Elle fait non de la tête avant de répondre.

– Non. Même s'il se peut que la nuance soit dans ton «d'une certaine manière». Tout était déjà en moi avant que je le connaisse… Armando s'est borné à mettre un miroir devant moi. À me guider dans mes propres profondeurs obscures. Ou même pas ça, probablement. Son rôle s'est peut-être réduit à me les montrer.

– Et toi, c'est ce que tu as fait avec moi.

– Tu aimais regarder, comme moi. Souviens-toi de ces miroirs d'hôtel.

– Non. J'aimais te regarder pendant que tu te regardais.

Un rire subit, sonore, semble rajeunir les yeux dorés de la femme. Elle est toujours tournée vers la baie.

– Ne te fais pas d'illusions, mon ami… Tu n'as jamais été un garçon comme ça. Au contraire. Toujours si net, malgré tes canailleries. Si sain. Si loyal et droit dans tes mensonges et tes trahisons. Un brave petit soldat.

– Bon Dieu, Mecha. Tu étais…

– Aujourd'hui, ce que j'étais n'a plus d'importance. – Elle s'est retournée vers lui, soudain sérieuse. – Mais tu restes toujours le même enjôleur. Et ne me regarde pas comme ça. Je connais trop bien ce regard. Bien mieux que tu ne l'imagines.

– Je dis la vérité, proteste Max. Je n'ai jamais cru que tu m'accordais la moindre attention.

– C'est pour ça que tu as filé de cette façon à Nice ? Sans attendre la suite ?… Mon Dieu ! Tu as été aussi stupide que les autres. C'était ça, ton erreur.

Elle reste un moment silencieuse, comme si elle cherchait un souvenir précis dans les traits vieillis de l'homme qu'elle a en face d'elle.

— Tu vivais en territoire ennemi, ajoute-t-elle finalement. En pleine et continuelle guerre : il suffisait de voir tes yeux. Dans de telles situations, les femmes se rendent compte que les hommes sont mortels et ne font que passer, pour rejoindre un front quelconque. Et nous nous sentons prêtes à vous aimer encore un peu plus.

— Je n'ai jamais eu de goût pour les guerres. Les types comme moi les perdent toujours.

— Aujourd'hui, ça n'a plus d'importance. – Elle acquiesce froidement. – Mais je suis heureuse que tu n'aies rien gâché de ton sourire de gentil garçon… Cette élégance que tu conserves comme le dernier carré de Waterloo. Tu me rappelles l'homme que j'avais oublié. Tu as vieilli et je ne parle pas du physique. Je suppose que ça arrive à tous ceux qui ont atteint un certain degré de certitude… Tu as beaucoup de certitudes, Max ?

— Peu. Je sais seulement que les hommes doutent, se souviennent et meurent.

— Ça doit être ça. C'est le doute qui maintient les gens jeunes. La certitude est comme un virus sournois. Elle est contagieuse et c'est elle qui rend vieux.

Elle a reposé la main sur la nappe. La peau tachetée par la vie et les ans.

— Tu as dit « souvenirs ». Les hommes se souviennent et meurent.

— À mon âge, oui, confirme-t-il. Il n'y a plus que ça.

— Et les doutes ?

— Je n'en ai guère. Seulement des incertitudes, ce qui n'est pas la même chose.

— Et moi, qu'est-ce que je te rappelle ?

— Des femmes que j'ai oubliées.

Elle semble remarquer son irritation, car elle penche un peu la tête de côté, l'observant avec curiosité.

– Tu mens, finit-elle par dire.

– Prouve-le.

– Je le ferai. Je t'assure que je le ferai. Donne-moi seulement quelques jours.

Il trempa ses lèvres dans le gin-fizz et observa les autres invités. Ils étaient pratiquement tous arrivés et ne dépassaient pas la vingtaine. C'était une réunion en cravate noire : les messieurs en smoking et la plupart des femmes le dos nu. Bijoux peu nombreux et discrets dans presque tous les cas, conversations polies le plus souvent en français ou en espagnol. Des amis et des relations de Susana Ferriol. Il y avait là quelques réfugiés du fait de la guerre en Espagne, mais pas dans le genre qu'on avait l'habitude de voir sur les images des actualités ; le reste était composé de membres de la classe cosmopolite installée en permanence à Nice et aux alentours. L'hôtesse donnait ce dîner pour présenter à ses amis locaux les époux Coll, un couple de Catalans qui avait réussi à sortir de la zone rouge. Par chance, outre un appartement dans un immeuble de Barcelone construit par Gaudí, une tour à Palamós et quelques usines et entrepôts aujourd'hui gérés par les travailleurs eux-mêmes, les Coll avaient dans des banques européennes tout l'argent nécessaire pour attendre que les choses redeviennent ce qu'elles avaient toujours été. Quelques minutes plus tôt, Max avait assisté à une conversation animée par Mme Coll – hanches larges et grands yeux, petite et toute guillerette –, au cours de laquelle elle avait conté à plusieurs invités comment elle et son mari avaient d'abord hésité entre Biarritz et Nice, puis s'étaient décidés pour cette dernière à cause de la clémence du climat.

– Cette chère Suzi a été si complaisante, en nous cherchant une villa à louer. Ici même, sur le mont Boron... Le

319

Savoy était bien, mais ce n'est pas la même chose. Une maison à soi est toujours une maison à soi… Et puis, avec le Train Bleu, nous sommes à un pas de Paris.

Max laissa son verre vide sur une table, près d'une des grandes portes-fenêtres par lesquelles on pouvait voir les alentours de la maison éclairés ; le chemin de gravier et la rotonde avec de grandes plantes vertes devant l'entrée principale, les automobiles alignées sous les palmiers et les cyprès, reflétant la lumière des lampes électriques, les chauffeurs concentrant les braises de leurs cigarettes sur un côté des marches de pierre ; Max était arrivé dans la Chrysler Imperial de la baronne Schwarzenberg, qui était maintenant assise dans le salon voisin, bavardant avec un acteur de cinéma brésilien. Au-delà des arbres qui peuplaient le jardin, Nice s'ouvrait sur la baie en formant un arc lumineux autour de la tache sombre de la mer, avec la Jetée-Promenade incrustée dedans comme un joyau éclatant.

– Un autre cocktail, monsieur ?

Il hocha négativement la tête et, pendant que le serveur s'éloignait, il promena un regard autour de lui. Un petit jazz-band jouait dans le salon, recevant les invités dans le parfum des bouquets de fleurs garnissant des vases en verre bleu et rouge. Le dîner ne devait commencer que dans vingt minutes. Dans la salle à manger, que l'on pouvait apercevoir à travers la porte vitrée, le couvert était mis pour vingt personnes. Selon le plan de table affiché à l'entrée sur un chevalet, M. Costa était placé presque en bout de table. En fin de compte, la seule raison de sa présence en ces lieux était d'accompagner la baronne Schwarzenberg ; et cela, sur le plan mondain, ne supposait pas grand-chose. Quand il lui avait été présenté, Susana Ferriol lui avait adressé le sourire de rigueur et les mots appropriés, en hôtesse efficace et consciente de ses obligations – « Ravie de faire votre connaissance, c'est un plaisir de vous avoir chez moi » –, avant de l'introduire auprès de quelques invités, de le placer près des serveurs et de l'oublier sur-le-champ. Susana Ferriol – Suzi pour les intimes – était une femme brune et très mince, presque aussi grande que Max, avec des traits anguleux, durs, au milieu desquels se détachaient des yeux d'un noir intense. Elle n'était pas en robe de soirée, mais portait un élégant ensemble pantalon blanc strié d'argent qui soulignait son extrême sveltesse, et Max aurait volontiers parié une paire de ses boutons de manchettes en nacre que, cousue quelque part sur la doublure, figurait une étiquette de Chanel. La sœur de Tomás Ferriol circulait entre ses amis avec une affectation languide et sophistiquée, dont, sans nul doute, elle était parfaitement consciente. À en croire les commentaires de la baronne Schwarzenberg, affalée sur le siège arrière de la voiture pendant le trajet, l'élégance pouvait s'obtenir avec de l'argent, de l'éducation, de l'application et de l'intelligence ; mais y arriver avec un naturel parfait, chéri – la lueur des phares éclairait son sourire malicieux –, exigeait que l'on eût, tout petit, marché à quatre pattes sur d'authentiques tapis d'Orient. Et au moins plusieurs générations de suite. Et les Ferriol – le père s'était fait son premier argent durant la Grande Guerre dans la contrebande de tabac à Majorque – n'étaient vraiment très riches que depuis une seule.

– Il y a des exceptions, bien sûr. Et toi tu en es une, mon ami. Ils sont bien peu nombreux, ceux que j'ai vus traverser le hall d'un hôtel, donner du feu à une femme et commander du vin à un sommelier comme tu sais le faire. N'oublie pas que je suis née à l'époque où Leningrad s'appelait encore Saint-Pétersbourg... Imagine ce que j'ai vu, et ce que je vois.

Max fit quelques pas, parcourant le salon avec une prudence de chasseur. Bien que la villa soit une construction typique du début du siècle, l'intérieur était meublé de façon fonctionnelle et sobre, selon la mode la plus récente : lignes droites et nettes, murs nus sauf quelques rares tableaux modernes, meubles en acier, bois poli, cuir et verre. Les yeux vifs de l'ancien danseur mondain, formés au métier de chevalier d'industrie, ne perdaient pas un détail du lieu ni des invités. Vêtements, bijoux vrais ou de fantaisie, conversations. Fumée de tabac. Sous le prétexte de sortir fumer une cigarette, il s'arrêta entre le salon et le vestibule pour jeter un coup d'œil à l'escalier qui menait à l'étage supérieur. Au-delà, d'après les plans qu'il avait étudiés dans sa chambre du Negresco, se trouvaient la bibliothèque et le bureau utilisé par Ferriol quand il venait à Nice. Gagner la bibliothèque n'était pas difficile : la porte était ouverte, et au fond on voyait luire les dorures des livres sur leurs rayons. Il fit encore quelques pas, l'étui à cigarettes ouvert dans la main, et s'arrêta de nouveau, cette fois en feignant de prêter attention aux cinq musiciens en habit de soirée qui jouaient un swing langoureux – *I Can't Get Started* – entre les pots de plantes vertes, près d'une verrière qui donnait sur cette partie du jardin. Adossé à la porte de la bibliothèque, près d'un couple de Français qui discutaient à voix basse – la femme était blonde et attirante, les paupières trop maquillées –, il alluma enfin sa cigarette, regarda l'intérieur de la pièce et repéra la porte du bureau, qui, selon ses informations, devait être fermée à clef. L'accès n'était pas difficile, conclut-il. Tout était au premier étage, et il n'y avait pas de verrous. Le coffre-fort se trouvait dans un placard encastré dans le mur, près d'une fenêtre. À défaut de pouvoir l'examiner de l'extérieur, cette fenêtre était une voie possible. Une autre : la verrière près de laquelle jouaient les musiciens, qui donnait sur une terrasse. Pointe de diamant ou tournevis pour la fenêtre, rossignol pour la serrure du bureau. Une heure à l'intérieur, un peu de chance, et l'affaire était dans le sac. Pour cette phase, au moins.

Cela faisait trop longtemps qu'il était seul dans le vestibule, et ce n'était pas opportun. Il aspira la fumée de la cigarette pendant qu'il regardait les alentours d'un air nonchalant. Les derniers invités arrivaient. Il avait déjà eu quelques contacts préalables, avec sourires adéquats et paroles aimables. Expressions idoines à destination des dames, franche sympathie apparente pour les maris et les accompagnateurs. Après le dîner, certains couples n'hésiteraient pas à danser ; en général, cela donnait à Max des occasions quasi infaillibles – surtout avec les femmes mariées : elles avaient souvent des problèmes, ce qui aplanissait la voie et lui évitait d'avoir à faire la conversation. Mais il n'était pas disposé, ce soir-là, à s'aventurer sur ce genre de terrain dangereux. Il ne pouvait pas attirer l'attention. Surtout pas ici, avec ce qui était en jeu. Cependant, en se déplaçant, il sentait de temps en temps le regard des femmes posé sur lui. Des commentaires à voix basse : qui est ce bel homme, et cetera. À cette époque, Max avait trente-cinq ans, et il en avait passé quinze à interpréter les regards. Tous attribuaient sa présence à une vague *liaison* avec Asia Schwarzenberg, et mieux valait qu'ils continuent de le croire. Il décida de s'approcher d'un groupe formé par deux hommes et une femme qui discutaient sur un canapé en cuir et acier, elle et un des hommes assis, et l'autre debout. Il avait déjà plaisanté avec celui qui était assis, peu après son arrivée : un type replet, avec une petite moustache blonde, cheveux en brosse et visage sympathique, qui lui avait donné sa carte : Ernesto Keller, vice-consul du Chili à Nice. La femme également lui était familière, mais d'avant cette soirée. Une actrice, crut-il se souvenir. Espagnole, aussi. Belle et sérieuse. Conchita quelque chose. Monteagudo, peut-être. Ou Montenegro. Un instant, encore immobile, il se vit dans un grand miroir au cadre plat et ovale, placé au-dessus d'une table étroite en verre : la blancheur éclatante de la chemise entre les revers de satin noir, le mouchoir qui débordait juste ce qu'il fallait de la pochette, la portion exacte de manchette amidonnée qui dépassait de chaque manche de la veste de smoking fendue à la taille ; une main glissée avec négligence dans la poche droite du pantalon, l'autre à demi levée tenant la cigarette, laissant voir une partie de la chaîne et du boîtier en or d'un chronomètre extra-plat Patek Philippe, qui valait huit mille francs. Puis il regarda le tapis à losanges blancs et marron sous ses souliers vernis, et il pensa – il continuait à y penser souvent – à son ami le caporal légionnaire Boris Dolgorouki-Bagration. Ce qu'il aurait dit, ou comment il aurait ri, entre deux verres de cognac, s'il était resté vivant, en le voyant là, mis de la sorte. Depuis l'enfant qui jouait sur les berges du Riachuelo à Buenos Aires, ou depuis le soldat qui gravissait, fusil à la main, au milieu des cadavres momifiés sous le soleil, la côte calcinée de Monte Arruit, Max Costa avait parcouru un long chemin avant de fouler le tapis de cette villa de la Côte d'Azur. Et il lui restait encore à faire un difficile trajet jusqu'à la porte du bureau qui l'attendait, fermée, au fond de la bibliothèque, insondable comme le Destin. Il aspira une bouffée courte et précise de fumée, pendant qu'il concluait aussi que les hasards et les risques de certains chemins ne disparaissaient jamais complètement – le souvenir de Fito Mostaza, superposé à celui des espions italiens, vint de nouveau jeter le trouble dans son esprit – et que le seul jour véritablement facile dans son existence était celui que, chaque soir, au moment de sombrer dans un sommeil toujours indécis et inquiet, il parvenait à laisser derrière lui.

C'est alors qu'il sentit un parfum féminin, sucré et proche. *Arpège*, l'identifia-t-il d'instinct. Et, en se retournant – neuf ans étaient passés depuis Buenos Aires –, il vit, à côté de lui, Mecha Inzunza.

8

La vie est brève[*]

– Tu fumes toujours ces cigarettes turques, observa-t-elle.

Le regard était plus curieux que surpris, comme si elle tentait de remettre à leur place les pièces dispersées d'un puzzle : son smoking de bonne coupe, ses traits. Des reflets de lumière semblaient suspendus aux cils de la femme. Le même effet lumineux des lampes proches glissait sur le satin couleur ivoire de la robe de soirée qui modelait ses épaules et ses hanches, les bras nus et le décolleté du dos qui descendait jusqu'aux reins. Elle était bronzée et coiffée à la mode, les cheveux un peu plus longs qu'à Buenos Aires, légèrement ondulés, avec une raie, découvrant son front.

– Qu'est-ce que tu fais ici, Max ?

Elle le dit après un instant de silence. Ce n'était pas une question mais une conclusion, et le sens en était évident : absolument rien ne pouvait permettre d'imaginer une chose pareille. Rien dans l'existence de l'homme que Mecha Inzunza avait connu à bord du *Cap Polonio* ne pouvait l'avoir conduit d'une façon naturelle jusqu'à cette maison.

– Réponds… Qu'est-ce que tu fais ici ?

Le ton, maintenant, était dur et insistant. Et Max, qui après sa première stupeur – avec une pointe de panique – commençait à recouvrer son sang-froid, comprit que continuer à se taire serait une erreur. Réprimant l'envie de reculer et de se protéger – il se sentait comme une clovisse crue qui viendrait de recevoir un jet de citron –, il regarda les deux iris couleur de miel pendant qu'il tentait de tout démentir par un sourire.

– Mecha, dit-il.

Ce n'était qu'une tentative pour gagner du temps. Son nom et la surprise. Il réfléchissait très vite, ou essayait de le faire. Sans résultat. Il promena un regard bref et prudent, quasi imperceptible, sur les alentours, au cas où leur dialogue attirerait l'attention de quelque invité. La femme remarqua son mouvement, car les reflets dorés se durcirent dans ses yeux, sous les sourcils épilés, réduits à deux fines lignes de crayon marron. Elle restait toujours aussi belle, pensa-t-il absurdement. Plus sûre d'elle-même et plus femme. Puis il regarda la bouche légèrement entrouverte, d'un rouge intense – elle continuait, cependant, de se montrer moins furieuse que désireuse d'une réponse –, et son regard finit par glisser jusqu'au cou. Alors il aperçut le collier : les belles perles au doux éclat presque mat, sur trois rangs. Cette fois, la stupéfaction se peignit sur son visage. Ou il était identique à celui qu'il avait vendu neuf ans plus tôt, ou c'était le même.

Ce fut peut-être cela qui le sauva, devait-il penser plus tard. Son expression d'étonnement en voyant le collier. La lueur subite de triomphe dans les yeux de Mecha quand elle parut pénétrer ses pensées. Le regard ironique, d'abord, se substituant au mépris ; et ensuite le petit rire, contenu, qui avait agité sa gorge et ses lèvres jusqu'à frôler le franc éclat de rire. Elle avait levé une main – dans l'autre elle tenait un sac-baguette en peau de serpent – et les doigts longs et minces aux ongles vernis dans le même ton que le rouge à lèvres, sans autre bijou que l'alliance en or, s'étaient posés sur les perles.

– Je l'ai récupéré une semaine après, à Montevideo. Armando l'a cherché pour moi.

L'image du mari passa fugacement dans les souvenirs de Max. Depuis Buenos Aires, il l'avait vu en photo dans des magazines ; et aussi deux fois aux actualités cinématographiques, sur fond musical de son fameux tango.

– Et lui, où est-il ?

Il regarda autour de lui, inquiet, se demandant jusqu'à quel point la présence d'Armando de Troeye pouvait aggraver la situation ; mais il se rassura en la voyant hausser les épaules d'un air sombre.

– Loin d'ici.

Max était un homme de ressource : les années avaient forgé son caractère à force de difficiles combats. Garder le contrôle de ses émotions supposait, très souvent, de dénicher la faille étroite qui permettrait d'échapper au désastre. En ce moment, pendant qu'il tentait de réfléchir avec rapidité et précision, la conviction que manifester son inquiétude pouvait le rapprocher plus qu'il ne convenait d'une prison française l'aida à trouver la parade nécessaire. Une issue pour reprendre le contrôle de la situation, ou limiter les dégâts. Paradoxalement, lui souffla son instinct, c'était le collier qui pouvait le sauver.

– Le collier… dit-il.

Il prononça le mot sans savoir ce qu'il dirait ensuite, juste pour gagner encore du temps et établir une ligne de défense. Mais ce fut suffisant. Elle toucha de nouveau les perles. Cette fois elle ne rit pas, mais retrouva son regard de défi. Son sourire triomphant.

– La police argentine s'est très bien comportée avec nous. Ils se sont occupés de mon mari quand il est allé porter plainte pour la disparition des perles, et ils l'ont mis en contact avec leurs collègues uruguayens… Armando est allé

327

à Montevideo et a récupéré le collier auprès de l'homme à qui tu l'avais vendu.

Elle avait terminé sa cigarette et regardait autour d'elle, le mégot entre les doigts, cherchant où le poser, comme si cela exigeait toute son attention. Elle finit par l'écraser dans un cendrier en épais cristal posé sur une table proche.

– Tu ne danses plus, Max?

Il lui fit face, enfin. La regardant dans les yeux avec toute la sérénité qu'il put rassembler. Et il dut le faire avec suffisamment d'aplomb, car après la question, formulée sur un ton acide, elle resta à le contempler, l'air de réfléchir, avant de hocher la tête en une affirmation silencieuse concernant des pensées qu'il ne put deviner. Comme admirative et amusée en même temps du calme de l'homme. De sa tranquille effronterie.

– Je mène un autre genre de vie, dit-il.

– La Riviera n'est pas mal choisie pour ça… Comment connais-tu Suzi Ferriol?

– Je suis venu avec une amie.

– Quelle amie?

– Asia Schwarzenberg.

– Ah!

Les invités commençaient à se diriger vers la salle à manger. La jeune femme blonde qui avait discuté en français passa tout près, suivie de son compagnon : elle, abandonnant dans son sillage une traînée de parfum vulgaire, et lui, regardant l'heure à sa montre de poche.

– Mecha, tu es…

– Laisse, Max.

– J'ai entendu le tango. Mille fois.

– Oui. Je suppose que oui.

– Il y a des choses que j'aimerais t'expliquer…

– M'expliquer? – Un autre double éclat doré. – Ça ne te va pas du tout… En te voyant, j'ai pensé que les années t'avaient un peu amélioré. Je préfère ton cynisme à tes explications.

Max crut préférable de ne pas faire de commentaire. Il se tenait près de la femme, bien droit et en apparence tranquille, quatre doigts de la main droite glissés dans la poche de sa veste. Alors il la vit sourire légèrement, comme si elle se moquait d'elle-même.

– J'ai passé un moment à t'observer de loin, dit-elle, avant de t'approcher.

– Je ne t'ai pas vue. Je regrette.

– Je sais que tu ne m'as pas vue. Tu étais concentré, tu réfléchissais. Je me suis demandé à quoi... Ce que tu faisais ici et à quoi tu pensais.

Elle ne va pas me dénoncer, conclut Max. Pas ce soir, au moins. Ou pas avant le café et les cigarettes. Malgré ce sentiment de sécurité momentanée, il était conscient d'être sur un terrain glissant. Il avait besoin de temps pour mettre de l'ordre dans ses idées. Pour établir si l'entrée en scène de Mecha Inzunza compliquait la situation.

– Je t'ai reconnu tout de suite, poursuivait-elle. Je me demandais seulement ce que je devais faire.

Elle indiqua, de l'autre côté du vestibule, un escalier qui conduisait à l'étage. Au pied des marches, il y avait des pots avec de grands ficus et une table qu'un serveur débarrassait.

– Je t'ai remarqué pendant que je descendais l'escalier, parce que tu ne t'asseyais pas. Tu es du petit nombre qui ne l'a pas fait... Il y a des hommes qui s'assoient, d'autres qui restent debout. J'ai l'habitude de me méfier de ces derniers.

– Depuis quand ?

– Depuis que je t'ai rencontré... Je ne me souviens pratiquement pas de t'avoir vu jamais vu assis. Ni à bord du *Cap Polonio*, ni à Buenos Aires.

Ils firent quelques pas en direction de la salle à manger, s'arrêtant sur le seuil pour avoir la confirmation de leur place sur le plan de table. Max se reprocha de ne pas avoir regardé les noms inscrits autour de la table. Pourtant, celui de Mecha y figurait : *Madame Inzunza*.

– Et toi, qu'est-ce que tu fais ici ? s'enquit-il.

– Je me suis installée dans les environs, à cause de la situation en Espagne… J'ai loué une maison à Antibes, et je rends parfois visite à Suzi. Nous nous connaissons depuis le collège.

Dans la salle à manger, les invités prenaient place autour de la table, où des couverts en argent brillaient sur la nappe, ainsi que des chandeliers de verre en forme de spirales, rouges, vertes et bleues. Susana Ferriol, qui recevait ses invités, remarqua, quelque peu déconcertée, Mecha et Max ; surprise de voir cet homme – il était sûr que leur hôtesse ne se souvenait même pas de son nom – converser en aparté avec son amie.

– Et toi, Max ?… Tu ne m'as toujours pas dit ce que tu fais à Nice. Bien que je puisse le supposer.

Il sourit. Lassitude mondaine, sympathique. Calculée au millimètre.

– Peut-être te trompes-tu dans tes suppositions.

– Je vois que tu as perfectionné ce sourire… – Elle l'étudiait à présent de bas en haut avec une admiration ironique. – Qu'as-tu encore perfectionné de plus, toutes ces années ?

Il voit de loin Irina Jasenovic près de la cathédrale de Sorrente, lunettes de soleil, minijupe imprimée, sandales plates. La jeune femme regarde la devanture d'un magasin de vêtements sur le Corso Italia et Max reste à proximité, la guettant depuis l'autre côté de la rue, avant qu'elle ne continue en direction de la piazza Tasso. En réalité, il ne la suit pas dans un but précis : il a seulement envie de l'observer discrètement, maintenant qu'il connaît la possibilité d'un lien clandestin entre elle et l'entourage du joueur russe. Curiosité, peut-être. Désir de se rapprocher un peu plus des nœuds de la trame. Il a déjà eu l'occasion de le faire avec Emil Karapétian quand, après le petit-déjeuner, il l'a trouvé dans un des salons de l'hôtel, entouré de journaux, sa forte corpulence enfoncée dans un fauteuil. Tout s'est réduit à des saluts courtois, à quelques considérations sur le beau temps et à un court échange sur le déroulement des parties, qui a obligé l'autre à poser sur ses genoux le journal qu'il avait ouvert et à converser brièvement, sans enthousiasme excessif – y compris à propos d'échecs, Karapétian semblait peu enclin à aller plus loin que quelques syllabes –, avec le personnage bien élevé, élégant, cheveux gris et sourire aimable, qui, selon toute apparence, est un vieil ami de la mère de son pupille. Et à la fin, quand Max s'est levé et a laissé l'autre tranquille, le nez plongé de nouveau dans son journal, la seule conclusion qu'il en a tirée est que l'Arménien a une confiance aveugle en la supériorité de son ancien élève sur son adversaire russe et que, quel que soit le résultat du duel de Sorrente, Karapétian est sûr que Jorge Keller sera champion du monde dans quelques mois.

– Ce sont les échecs du futur, a-t-il résumé pour Max – la phrase la plus longue qu'il ait prononcée depuis le début de la conversation. – Après son passage devant les échiquiers, le style défensif des Russes sentira la naphtaline.

Karapétian ne ressemble pas à un traître, telle est l'appréciation de Max. Il n'est pas du genre à vendre son ancien disciple pour trente roubles d'argent. Pourtant, la vie a enseigné au chauffeur du docteur Hugentobler, à ses dépens et à ceux d'autrui, combien sont fragiles les fils qui maintiennent l'être humain loin de la trahison et du mensonge. Combien il est facile, surtout, que le traître qui en est encore à méditer sa décision la prenne finalement sous l'impulsion, en manière de renfort extérieur, de celui qu'il trahit. Personne n'est à l'abri de cela, conclut-il presque avec soulagement, pendant qu'il marche sur le Corso Italia derrière la fiancée de Jorge Keller. Qui pourrait dire, en se regardant dans les yeux devant un miroir « je n'ai jamais trahi », ou « je ne le ferai jamais » ?

La jeune femme s'est assise à une table du Fauno. Après un instant de réflexion, Max s'approche, l'air de passer par hasard, et engage la conversation. Auparavant, par instinct, il jette un coup d'œil discret sur les alentours. Non parce qu'il s'attend à découvrir des agents soviétiques embusqués derrière les palmiers de la place, mais parce que ce genre de précautions fait partie de ses vieilles pratiques et de ses automatismes utiles. Qu'un vieux loup ait perdu ses crocs et que son pelage soit râpé, décide-t-il avec un humour personnel qui ne manque pas d'amertume, ne signifie pas que le terrain sur lequel il chasse soit moins prodigue en surprises.

Souvenirs de jeunes femmes, réfléchit-il en s'asseyant. Ce qu'il en a retenu. Ce qu'il en sait. C'est une autre génération, se dit-il en observant la jupe courte de la fille, ses genoux nus, pendant qu'il commande un negroni et parle de la première chose qui lui passe par la tête.

– Sorrente est agréable… Vous avez visité Amalfi ? Et Capri ? – Vieux sourires efficaces, expressions polies mille fois essayées et éprouvées. – À cette époque, il y a moins de touristes… Je vous assure que ça en vaut la peine.

Pas spécialement jolie, constate-t-il une fois de plus. Pas laide non plus. Jeune, en réalité. Une fraîcheur de peau et d'allure, comme sur les publicités de Peggy Sage. Le charme des vingt ans, en somme, pour ceux que cela attire. Irina a ôté ses lunettes de soleil – démesurément grandes, monture blanche – et le maquillage se limite au noir épais autour des grands yeux expressifs. Les cheveux sont réunis par un large ruban, qui porte les mêmes dessins *op* que la jupe courte. Un visage quelconque, pour le moment aimable. Les échecs ne laissent pas de traces particulières, conclut Max pour lui-même. Ni chez les hommes, ni chez les femmes. Une intelligence supérieure, un esprit mathématique, une mémoire prodigieuse peuvent tout à fait aller de pair avec un sourire convenu, un mot anodin, une expression banale. Avec des aspects communs à d'autres hommes et d'autres femmes, comme l'est le cours même de la vie. Les joueurs d'échecs ne sont pas plus intelligents que le reste des mortels, lui a dit Mecha Inzunza il y a quelques jours. Il s'agit seulement d'un autre genre d'intelligence. Des radios qui émettent sur une longueur d'onde différente.

— Je n'avais jamais imaginé Mecha suivant ainsi son fils, parmi les joueurs d'échecs, remarque Max, tâtant le terrain. Mon souvenir d'elle est différent. Antérieur à tout ça.

Irina semble intéressée. Elle se penche et pose ses coudes sur la table, à côté d'un verre de Coca-Cola où flottent des glaçons.

— Vous êtes restés longtemps sans vous voir?

— Des années, confirme-t-il. Et notre amitié remonte loin.

— Quel heureux hasard, alors : Sorrente!

— Oui, très heureux.

Un garçon arrive avec sa boisson. La jeune femme observe Max avec curiosité pendant qu'il porte le verre à ses lèvres.

— Vous avez connu le père de Jorge?

— Brièvement. Peu avant la guerre. – Il repose le verre sur la table, lentement. – En réalité, j'ai mieux connu le premier mari.

— De Troeye? Le musicien?

— Oui. Celui qui a composé le fameux tango.

— Ah, bien sûr. Le tango.

Elle regarde les calèches stationnées sur la place, dans l'attente de clients. Les cochers qui s'ennuient à l'ombre des palmiers.

– Ça devait être un monde fascinant. Cette manière de s'habiller, cette musique... Mecha a dit que vous étiez un danseur exceptionnel.

Max fait un geste désinvolte, à mi-chemin entre la protestation polie et la modestie distinguée. Il l'a appris il y a trente ans, dans un film d'Alessandro Blasetti.

– Je me défendais.

– Et elle, comment était-elle, à l'époque ?

– Élégante. Merveilleusement belle. Une des femmes les plus séduisantes que j'aie connues.

– Cela me fait tout drôle de l'imaginer ainsi. Elle est la mère de Jorge.

– Et comment est-elle, quand elle est sa mère ?

Un silence. Irina touche du doigt un glaçon de son verre, sans boire.

– Je ne suis pas la mieux placée pour le dire, il me semble.

– Trop accaparante ?

– Elle l'a forgé, d'une certaine manière. – La jeune femme reste quelques secondes silencieuse. – Sans elle, Jorge ne serait pas ce qu'il est. Ni ce qu'il peut parvenir à être.

– Vous voulez dire qu'il serait plus heureux ?

– Oh, non, s'il vous plaît. Pas du tout. Jorge est un homme heureux.

Max acquiesce, poli, pendant qu'il porte de nouveau son verre à ses lèvres. Il n'a pas besoin de faire beaucoup d'efforts de mémoire pour se rappeler tous ces hommes heureux que leurs femmes, en d'autres temps, ont trompés avec lui.

– Elle n'a jamais voulu créer un monstre, comme d'autres mères, continue Irina. Elle a toujours tout fait pour l'élever comme un garçon normal. Et elle y est en partie parvenue.

Elle l'a dit en regardant du côté de la place, se pressant pour prononcer les derniers mots d'un air inquiet, comme si Mecha Inzunza pouvait apparaître d'un instant à l'autre.

– Il a vraiment été un enfant exceptionnel ?

– Imaginez un peu. À quatre ans il a appris à écrire en regardant faire sa mère, et à cinq ans il savait par cœur tous les pays et toutes les capitales du monde... Elle s'est très vite rendu compte non seulement de ce qu'il pouvait arriver à être, mais aussi de ce qu'il ne devait absolument pas être... Et elle y a travaillé dur.

Le mot *dur* semble crisper un moment ses traits.

– Elle continue à le faire, dit-elle. Tout le temps... Comme si elle avait peur qu'il ne tombe dans l'oubli.

Elle n'a pas dit *qu'on ne l'oublie*, remarque Max, mais *qu'il ne tombe dans l'oubli*. Le bruit d'une Lambretta qui passe en pétaradant tout près la fait sursauter.

– Elle n'a pas tort, ajoute-t-elle plus bas, d'un air sombre. J'en ai vu beaucoup y tomber.

– Vous exagérez. Vous êtes jeune.

Elle module un sourire qui lui donne dix ans de plus : rapide, presque brutal. Avant de se détendre de nouveau.

– Je joue depuis l'âge de six ans, précise-t-elle. J'ai vu quantité de joueurs mal finir. Se transformer en caricatures d'eux-mêmes, en dehors de l'échiquier. Être le premier exige un travail infernal. Surtout quand on ne parvient jamais à l'être.

– Vous avez rêvé d'être la première ?

– Pourquoi parlez-vous au passé ?... Je continue à jouer aux échecs.

– Pardonnez-moi. Je croyais qu'un analyste était comme ces péons des toreros en Espagne. Des gens qui n'ont pas réussi à être les premiers et restent assistants. Mais je n'avais pas l'intention de vous offenser.

Elle regarde les mains de Max. Taches de vieillesse sur le dos. Ongles bien coupés et soignés.

– Vous ne savez pas ce que c'est que la défaite.

– Pardon ? – Il réprime à grand-peine un éclat de rire. – Qu'est-ce que je ne sais pas ?

335

– Il n'y a qu'à vous regarder. Votre aspect.

– Ah !

– Être face à un échiquier et voir la conséquence d'une erreur tactique. Constater avec quelle facilité votre talent et votre vie peuvent partir en fumée.

– Je comprends… Mais je vous conseille de ne pas parier là-dessus. En matière de défaites, les joueurs d'échecs n'ont pas l'exclusivité.

Elle paraît ne pas l'avoir entendu.

– Moi aussi je savais par cœur tous les pays et toutes les capitales du monde, dit-elle. Ou des bricoles du même genre. Mais les choses ne sont pas toujours comme elles devraient être.

Elle sourit, presque héroïque. Pour le respectable public. Seule une jeune fille, pense Max, peut sourire ainsi. Confiante dans l'effet produit.

– C'est difficile, quand on est une femme, ajoute-t-elle, pendant que son sourire s'efface. Ça le reste encore.

Le soleil, dont les rayons se sont déplacés de table en table sur la terrasse, la cueille en plein visage. Plissant les paupières, gênée, elle met ses lunettes.

– Connaître Jorge m'a donné une nouvelle chance. Vivre tout cela de très près.

– Vous l'aimez ?

– Ne soyez pas impertinent… C'est l'âge qui vous en donne le droit ?

– Évidemment. Il faut bien qu'il ait au moins un avantage.

Un silence. Bruits de circulation. Un coup d'avertisseur, au loin.

– Mecha dit que vous avez été un bel homme.

– Je l'ai été, sûrement. Si elle le dit.

La lumière du soleil atteint à présent Max, qui se voit reflété dans les grands verres des lunettes noires de la jeune femme.

– Oh, oui, dit-elle, d'une voix neutre. Bien sûr que j'aime Jorge.

Elle croise les jambes et Max regarde les genoux jeunes et nus. Les sandales plates en cuir laissent également nus les pieds aux ongles vernis en rouge très sombre, presque brun.

– Parfois je l'observe devant l'échiquier, poursuit-elle, déplaçant une pièce, prenant des risques comme il sait le faire, et je pense que je l'aime très fort… D'autres fois je le vois commettre une erreur, quelque chose que nous avons préparé ensemble et qu'il décide de changer à la dernière minute, ou qu'il hésite à exécuter… Et alors je le déteste de tout mon cœur.

Elle se tait un moment et semble réfléchir à la véracité de ce qu'elle vient de dire.

– Je crois que, quand il ne joue pas aux échecs, je l'aime davantage.

– C'est naturel. Vous êtes jeunes tous les deux.

– Non… La jeunesse n'a rien à voir.

Le silence est si long que Max croit la conversation terminée. Il attire l'attention du garçon, et, deux doigts levés, il fait, comme s'il écrivait en l'air, le geste de demander l'addition.

– Vous savez une chose ? dit soudain Irina. Chaque matin quand Jorge doit disputer un tournoi, sa mère descend dix minutes avant le petit-déjeuner, pour s'assurer que tout est bien prêt.

Il croit percevoir une certaine tristesse. L'écho d'un ressentiment. Et il s'y connaît en la matière.

– Et alors ? demande-t-il avec douceur.

– Et alors rien. – Irina hoche la tête et le reflet de Max oscille dans les verres noirs. – Elle descend et elle est là, avec tout bien en place : jus d'orange, fruits, café et toasts. L'attendant.

Les feux rouge et vert d'un navire qui s'éloignait du port de Nice se déplaçaient lentement entre le ciel et les coulées sombres de la mer, se découpant sur les faisceaux du phare. Séparée du port par la masse noire de la colline du château, la ville s'étendait de l'autre côté en suivant le contour de la Baie des Anges en une ligne lumineuse légèrement incurvée vers le sud, dont quelques points isolés se seraient détachés pour se hisser vers les invisibles hauteurs proches.

– J'ai froid, frissonna Mecha Inzunza.

Elle était au volant de la voiture, sa robe et son châle de soie bordé de longues franges formaient des taches claires. Assis à côté d'elle, Max se pencha au-dessus du tableau de bord pour enlever sa veste et la posa sur les épaules de la femme. En bras de chemise et léger gilet de smoking, il sentit lui aussi le froid du petit matin qui s'infiltrait par les interstices de la capote fermée.

Mecha fouillait dans son sac, dans le noir. Il l'entendit froisser un paquet de cigarettes vide. Elle avait fumé la dernière après qu'ils avaient arrêté la voiture ici. Une éternité semblait s'être écoulée, songea Max. Depuis qu'il avait pris place à table entre une dame française très mince, d'âge mûr et élégante, dessinatrice de bijoux pour Van Cleef & Arpels, et la jeune femme blonde au parfum vulgaire : une chanteuse du nom d'Eva Popescu, qui s'était révélée une convive sympathique. Durant le dîner, Max avait prodigué son attention et sa conversation aux deux femmes, mais il avait fini par parler davantage avec la blonde, ravie que le beau et charmant monsieur assis à sa gauche fût d'origine argentine : «Je suis folle de tango», avait-elle proclamé. La jeune femme avait souvent ri, surtout quand Max avait fait une imitation discrète, fort réussie, des différentes manières d'allumer une cigarette ou de tenir un verre chez des acteurs de cinéma comme Leslie Howard ou Laurence Olivier, ou quand il avait glissé quelques anecdotes amusantes – c'était un conteur agréable et son accent espagnol en français plaisait beaucoup aux dames – qui avaient fait sourire et se pencher vers eux, intéressée, la dessinatrice de bijoux. Et à chaque rire de la jeune Popescu, comme en d'autres occasions au cours du dîner, Max dissimulait l'inquiétude qu'éveillait en lui le regard de Mecha Inzunza depuis l'autre bout de la table, où elle était assise à côté du Chilien à la moustache blonde. Au dessert, il l'avait vue boire deux cafés et fumer quatre cigarettes.

Tout s'était passé ensuite fort convenablement. Elle et Max s'étaient évités au moment où tout le monde quittait la salle à manger. Et plus tard, alors qu'il conversait avec les époux Coll, la jeune Popescu et le diplomate chilien, la maîtresse de maison avait rejoint le groupe et dit à la baronne qu'une de ses très chères amies était venue seule de sa maison d'Antibes, qu'elle se disposait à rentrer parce qu'elle ne se sentait pas bien, et qu'elle, Susana, serait très reconnaissante si Asia Alexandrovna permettait à Max de raccompagner cette amie car elle venait d'apprendre qu'ils étaient de vieilles connaissances. Max donna son accord, et Asia Schwarzenberg l'imita, après une brève et presque imperceptible hésitation. Bien entendu, elle n'y voyait aucun inconvénient, avait-elle déclaré, enchantée de coopérer. Max était la compagnie parfaite pour une dame qui se trouvait mal – ou même bien, avait-elle ajouté avec malice. Il y avait eu des sourires compréhensifs, des excuses, des remerciements, et sous un long regard approbateur de la baronne à Max – c'est extraordinaire la manière dont tu te débrouilles pour réussir ce genre de choses, semblait-elle lui signifier, admirative – celui-ci s'était éloigné, escorté par Suzi Ferriol, qui l'étudiait du coin de l'œil avec une curiosité toute neuve et mal dissimulée, vers le vestibule où se trouvait Mecha Inzunza, enveloppée dans son châle. Après des adieux dans les formes, ils étaient allés dehors où, à sa grande surprise, ne les attendait pas une berline avec chauffeur, mais un coupé Citroën 7C, moteur allumé, que venait d'amener un domestique. Mecha avait sorti un petit miroir de son sac et s'était arrêtée devant la portière ouverte pour se remettre un peu de rouge à lèvres, à la lumière des lampes qui éclairaient les marches de la rotonde. Puis ils étaient montés dans la voiture et elle avait conduit en silence pendant cinq minutes, Max contemplant son profil grâce au reflet des phares sur les murs des villas, jusqu'à ce que l'auto s'arrête près de la mer, sur un terreplein situé non loin du Lazaret, entre les pins et les agaves. On y apercevait les feux du phare et l'entrée du port, la masse obscure de la colline du château et les lumières de Nice derrière. Alors elle avait coupé le contact et ils avaient parlé. Ils continuaient de le faire, entre de longs silences, tout en fumant dans l'ombre. Sans à peine se voir. – Juste quelques lueurs lointaines ou le brasillement des cigarettes. – Sans se regarder.

– Donne-moi une de tes turques, s'il te plaît.

Elle conservait quelque chose du ton et des manières désinvoltes que Max avait appréciés à bord du *Cap Polonio*, propre aux jeunes femmes de sa génération, alimenté par le cinématographe, les romans et les magazines féminins. Mais, neuf ans plus tard, elle n'était plus une jeune fille. D'après ses souvenirs, elle devait avoir trente-deux ou trente-trois ans, calcula-t-il. Deux de moins que lui.

– Bien sûr. Excuse-moi.

Il sortit l'étui de la poche intérieure de la veste, chercha une cigarette à tâtons et l'alluma avec le Dunhill. Il la glissa ensuite entre les lèvres de Mecha après en avoir tiré une première bouffée. Avant d'éteindre le briquet, il distingua encore une fois son profil immobile tourné vers la mer,

LA VIE EST BRÈVE

que le faisceau du phare éclairait par intermittence dans la pénombre.

– Tu ne m'as pas dit où est ton mari.

Il avait passé toute la soirée à retourner cette question dans sa tête. Malgré le temps écoulé, trop de souvenirs se bousculaient dans sa mémoire. Trop d'images intenses. L'absence d'Armando de Troeye amputait en quelque sorte la situation. Elle la rendait incomplète. Plus irréelle.

La braise de la cigarette brilla deux fois avant que Mecha parle de nouveau.

– Il est en prison à Madrid... Il a été arrêté quelques jours après la rébellion des militaires.

– Avec sa réputation?

Elle eut un rire amer. Presque inaudible.

– Dis plutôt à cause d'elle. C'est l'Espagne, tu l'as oublié?... Le paradis de la jalousie, de la barbarie et de la méchanceté.

– Même ainsi, je trouve ça absurde. Pourquoi lui?... Je ne savais pas qu'il avait une activité politique.

– Il n'en a jamais eu. Mais tout comme il a des amis républicains et de gauche, il en a qui sont monarchistes et de droite. À cela, ajoute les rancœurs suscitées par ses succès internationaux... Pour ne rien arranger, des déclarations qu'il a faites au *Figaro* à propos du désordre et du manque d'autorité du gouvernement lui ont valu un certain nombre d'ennemis supplémentaires. Et comme si ça ne suffisait pas, le chef des services de renseignements de la République est un communiste, compositeur lui aussi, et d'une médiocrité insondable. Avec ça, tout est dit.

– Je croyais que son prestige le maintiendrait à l'abri. Les amis influents, sa célébrité à l'étranger...

– Il le pensait. Et moi aussi. Mais nous nous sommes trompés.

– Tu étais là-bas?

Mecha acquiesça. Le soulèvement des militaires les avait surpris à Saint-Sébastien ; et quand Armando de Troeye avait vu la tournure que prenaient les événements, il l'avait convaincue de passer la frontière. Il avait prévu de la rejoindre à Biarritz, mais avant il avait voulu aller à Madrid en voiture pour régler certaines affaires familiales. À peine arrivé, il avait été arrêté, dénoncé par la concierge.

– Tu as de ses nouvelles ?

– Seulement une lettre écrite de la prison, la *Carcel Modelo*. Je ne sais pas s'il y est encore. J'ai fait des démarches à travers des amis, Picasso et la Croix-Rouge internationale s'en occupent aussi… Nous tentons d'obtenir un échange avec un autre prisonnier de la zone nationaliste, mais sans résultat jusqu'à maintenant. Les nouvelles d'exécutions qui arrivent des deux camps sont nombreuses.

– Tu as les moyens de conserver ton train de vie ?

– On voyait venir les événements d'Espagne, aussi Armando avait-il pris ses précautions. Et je connais assez de gens biens placés pour que tout se passe normalement jusqu'à la fin de cette folie.

Max regarda les éclats du phare, sans rien dire. Il réfléchissait à ces gens bien placés que leur argent mettait à l'abri, et aussi à ce que, du point de vue des invités au dîner de Susana Ferriol, il fallait comprendre par « normalement ». Il rejeta cette pensée lorsqu'il ressentit un petit pincement familier, très ancien, de rancœur diffuse. À voir ce qui se passait dans le monde, conclut-il, Armando de Troeye dénoncé par sa concierge et conduit entre des miliciens en prison n'était pas quelque chose de si délirant. Quelqu'un devait bien payer, de temps en temps, au nom ou pour le compte des gens « bien placés ». Et c'était encore trop bon marché. Même ainsi, le mot *folie* appliqué par Mecha à la situation en Espagne ne manquait pas d'exactitude. Avec son passeport vénézuélien, Max s'était rendu à Barcelone pour affaires, quelques mois plus tôt. Cinq jours lui avaient suffi pour évaluer le triste spectacle de la République sombrant dans le chaos : séparatistes catalans, communistes, anarchistes, agents soviétiques, chacun agissant séparément, s'entre-tuant à des centaines de kilomètres du front. Réglant leurs comptes entre eux avec plus d'acharnement que celui qu'on mettait à combattre les franquistes. Jalousie, barbarie et méchanceté, avait pointé Mecha, lucide et précise. Un bon diagnostic.

– Par chance je n'ai pas d'enfant, était-elle en train de dire. Ce n'est pas commode de courir avec eux dans les bras quand Troie brûle... Tu as eu des enfants ?

– Non, pas à ma connaissance.

Un bref silence. Presque prudent, crut-il remarquer. Il devinait la question suivante.

– Et tu ne t'es pas marié ?

Il sourit pour lui-même. Mecha ne pouvait voir son visage.

– Pas à ma connaissance, non.

Elle ne réagit pas à la plaisanterie et un autre silence s'instaura. Les lumières de Nice scintillaient sur l'eau noire et calme, dix mètres au-dessous du parapet de pierre du terre-plein.

– Un jour, j'ai cru te voir de loin. À l'hippodrome de Longchamp, il y a trois ans... C'est possible ?

– C'est possible, mentit-il, car il n'avait jamais été à Longchamp.

– J'ai demandé ses jumelles à mon mari, mais je n'ai rien pu vérifier. Je t'avais perdu.

Max contemplait l'obscurité dans la direction des rochers pour l'heure invisibles du Lazaret. La villa de Susana Ferriol se découpait en noir dans le lointain, entre les ombres des pins. Il devrait l'approcher par là, pensa-t-il, le jour de l'action venu. En arrivant par le rivage, cela ne semblait pas difficile de trouver un endroit discret où escalader le mur. En tout cas, la nécessité s'imposait d'inspecter soigneusement l'ensemble, à la lumière du jour. D'étudier le terrain en détail. Comment entrer et surtout comment sortir.

— C'est étrange le souvenir que je garde de toi, Max... *Le Tango de la Vieille Garde*. Notre brève aventure.

Il revint lentement aux paroles de la femme. À son profil immobile dans la pénombre.

— Ça fait des années que j'entends cette mélodie, disait-elle. Partout.

— Je suppose que ton mari a gagné son pari avec Ravel?

— Vraiment, tu te souviens de ça? — Elle paraissait surprise. — Du pari du tango contre le boléro?... Ç'a été très amusant. Ravel s'est comporté comme un bon garçon. La nuit même de la première, qui a eu lieu salle Pleyel à Paris, il a accepté sa défaite en payant un dîner au Grand Véfour avec Stravinsky et d'autres amis.

— Ton mari a composé un tango magnifique. Il est parfait.

— En réalité, nous l'avons créé à nous trois... Tu as dansé dessus?

— Très souvent.

— Avec d'autres femmes, naturellement.

— Naturellement.

Mecha laissa reposer sa tête contre le dossier.

— Et mon gant?... Le blanc, tu te rappelles? Celui que tu as mis en guise de mouchoir dans la pochette de ta veste... Est-ce que je te l'ai repris, finalement?

— Je crois que oui. Je ne me souviens pas de l'avoir gardé.

— C'est dommage.

Une main posée sur le volant tenait la cigarette, et chaque passage du faisceau du phare éclairait les spirales de fumée.

— Ton mari te manque? demanda Max.

— Parfois. — Mecha avait tardé à répondre. — Mais la Riviera est un bon endroit. Une espèce de Légion étrangère où seuls sont admis les gens qui ont de l'argent: Espagnols s'évadant de l'un ou l'autre camp, ou des deux ; Italiens qui n'aiment pas Mussolini ; riches Allemands qui fuient les nazis... La seule chose qui me gêne est de ne pas être allée en Espagne depuis plus d'un an. Cette guerre est stupide et cruelle.

– Rien ne t'empêche de te rendre dans la zone nationaliste si tu le souhaites. La frontière de Hendaye est ouverte.

– La stupidité et la cruauté valent pour les uns comme pour les autres.

La braise brilla une fois encore. Puis elle baissa la vitre de la fenêtre et jeta le mégot dans la nuit.

– De toute manière, je n'ai jamais dépendu d'Armando.

– Tu parles seulement de l'argent ?

– Je vois que l'élégance de l'habit ne t'a rien fait perdre de ton impertinence, mon cher.

Il sut que la femme le regardait, mais il garda les yeux fixés au loin, vers les faisceaux du phare. Mecha bougea un peu et il sentit de nouveau la proximité de son corps. Chaud, se souvint-il. Svelte, doux et chaud. Il avait pu admirer son dos nu chez Susana Ferriol : l'échancrure du satin couleur ivoire, les bras découverts, le contour du cou quand elle inclinait la tête, ses mouvements quand elle parlait avec les autres invités, le sourire aimable. Son soudain sérieux quand, depuis l'extrémité opposée de la salle à manger ou du salon, elle était consciente qu'il l'observait et qu'elle posait sur lui ses reflets dorés.

– Quand j'ai rencontré Armando j'étais encore toute jeune, et lui il connaissait déjà le monde et il débordait d'imagination.

Dans la mémoire de Max les souvenirs se bousculaient en désordre, avec une violence insupportable. Trop de sensations, se dit-il. Il préférait ce mot à celui de sentiments. Il fit un effort pour se reprendre. Pour prêter attention à ce qu'elle disait.

– Oui, insista Mecha. Ce qu'Armando avait de plus beau, c'était son imagination… Au début, c'était ça.

Elle avait laissé la fenêtre ouverte à la brise de la nuit. Au bout d'un moment, elle remonta la vitre.

– Il a commencé en me parlant d'autres femmes qu'il avait connues, poursuivit-elle. Pour moi, c'était comme un jeu… Ça m'excitait. C'était un défi.

– Mais aussi il te battait. Le salaud.

– Ne dis pas ça… Tu ne comprends pas. Tout faisait partie du jeu.

Elle bougea et Max entendit le léger froissement de la robe contre le cuir du siège. Alors qu'ils sortaient de la maison de Susana Ferriol, il avait effleuré sa taille dans un bref geste de politesse afin de la faire passer devant lui, avant de la précéder pour descendre les marches. À ce moment-là, tendu, pris par la singularité de la situation, les sensations – c'étaient peut-être des sentiments, conclut-il – étaient restés enfouies. Maintenant, dans la pénombre intime de la voiture, l'image de ses hanches moulées dans la robe du soir lui fit éprouver un désir irrépressible. Une avidité sans limites pour cette peau et cette chair.

– Nous avons fini par passer des paroles aux actes, disait-elle. Regarder et être regardés.

Il revint à ce qu'elle disait comme s'il arrivait de très loin et tarda à se rendre compte qu'elle continuait à parler d'Armando de Troeye. De l'étrange relation dont, au moins pour quelques épisodes, Max avait été, à Buenos Aires, le témoin et le participant involontaire.

– J'ai découvert, ou il m'a aidé à le faire, des transgressions troublantes. Des désirs dont je n'avais même jamais imaginé qu'ils couvaient en moi… Et qui encourageaient les siens.

– Pourquoi me racontes-tu ça ?

– Tu veux dire : maintenant ?… Aujourd'hui ?

Elle se tut un bon moment. Elle semblait surprise par l'interruption, ou par la question. Sa voix avait une tessiture opaque quand elle se remit à parler :

– Cette dernière nuit, à Buenos Aires...

Elle s'arrêta net, ouvrit brusquement la portière et sortit de la voiture, traversant l'obscurité des pins pour gagner le parapet de pierre au-dessus des rochers et de la mer. Max attendit un temps, déconcerté, puis alla finalement la rejoindre.

– Promiscuité, l'entendit-il dire. Quel mot dégoûtant.

À l'air libre de la nuit, les lumières de Nice clignotaient au loin, effacées par intervalles par l'éclat du phare. Mecha se recroquevilla dans la veste de smoking noire, d'où dépassaient les franges claires du châle. En gilet et bras de chemise, Max eut froid. Sans rien dire, il s'approcha un peu plus, écarta les revers de la veste que la femme tenait serrés sur son cou, pour chercher l'étui dans la poche intérieure. Dans ce mouvement, il frôla un instant, sans le vouloir, les seins libres sous la soie du châle et le satin de la robe. Mecha le laissait faire, docile.

– L'argent lui rendait tout facile. Armando pouvait m'acheter n'importe quoi. N'importe quelle situation.

Max porta la cigarette, la dernière que contenait l'étui, à ses lèvres. Il imaginait sans trop d'efforts – il avait vu et agi suffisamment lors de la dernière nuit à Buenos Aires – quelles « situations » elle évoquait. À travers les doigts qui protégeaient la flamme, la brève lueur du briquet éclaira, toutes proches, les perles du collier.

– Grâce à lui j'ai découvert des plaisirs qui prolongeaient le plaisir, ajouta-t-elle. Qui le rendaient plus dense et plus intense... Peut-être plus sale.

Max s'agita, mal à l'aise. Il n'aimait pas entendre ça. Pourtant, conclut-il avec exaspération, il y avait lui-même participé. Il avait été leur jouet, ou leur complice. La

347

Ferroviaria, la Casa Margot, la *tanguera* blonde. Armando de Troeye bourré d'alcool et de cocaïne affalé sur le canapé de la suite de l'hôtel Palace pendant qu'ils s'étreignaient, impudiques, devant son regard trouble. Aujourd'hui encore, à ce souvenir, son désir s'exacerbait.

– Et alors tu es apparu, continuait Mecha, sur cette piste de bal qui bougeait en suivant le balancement du transatlantique… Avec ton sourire de bon garçon. Et tes tangos. Au moment exact où tu devais apparaître. Et pourtant…

Elle se déplaça un peu, faisant quelques pas à reculons dans le rayon lointain du phare, dont le faisceau tourna en s'éloignant au-dessus des rochers du Lazaret et des villas du bord de mer.

– Comme tu as été stupide, mon cher.

Max s'appuya au parapet. Ce n'était pas la conversation à laquelle il s'était attendu. Ni récriminations, ni menaces, constata-t-il. Il s'était préparé depuis longtemps à faire front à autre chose, pas à ça. Prêt à supporter les reproches et le ressentiment d'une femme trompée, et de ce fait dangereuse : pas l'étrange mélancolie qui se dégageait des paroles et des silences de Mecha Inzunza. Soudain, il se rendit compte que le mot *trompée* n'avait pas lieu d'être. À aucun moment Mecha ne s'était sentie trompée. Même quand ce matin-là, à l'hôtel Palace de Buenos Aires, elle s'était réveillée pour constater qu'il était parti et que le collier de perles avait disparu.

– Ce collier… commença-t-il à dire, vite réduit au silence par la brusque conscience de sa maladresse.

– Oh, s'il te plaît ! – Le mépris de la femme était infini. – Je le jetterais tout de suite à la mer, si ça valait encore la peine de te prouver quelque chose.

Tout d'un coup, le goût du tabac se fit amer dans la bouche de Max. D'abord il resta décontenancé, les lèvres entrouvertes comme au milieu d'une phrase, puis il fut pris d'une étrange et brusque tendresse. Très semblable à un remords. Il se serait, s'il l'avait pu, approché de Mecha pour lui caresser les cheveux. Si elle l'avait permis. Et il sut qu'elle ne le permettrait pas.

– Quelles sont tes intentions, Max ?

Un ton différent, maintenant. Plus dur. Son instant de vulnérabilité, conclut-il, n'avait duré que l'espace de quelques mots. Avec une inquiétude qui ne lui était pas habituelle, dont jusqu'à présent il s'était cru incapable, il se demanda combien de temps durerait le sien. Le léger battement de cœur qu'il avait remarqué depuis un moment.

– Je ne sais pas. Nous…

– Je ne parle pas de nous. – Elle avait recouvré sa méfiance. – Je te demande encore une fois ce que tu cherches ici, à Nice… Dans la maison de Suzi Ferriol.

– Asia Schwarzenberg…

– Je sais qui est la baronne. Vous ne pouvez pas être ensemble. Ça ne cadre pas avec ton personnage.

– C'est une ancienne connaissance. Il y a certaines coïncidences…

– Écoute, Max. Suzi est mon amie. Je ne connais pas tes intentions, mais j'espère qu'elles n'ont rien à voir avec elle.

– Je n'ai aucune intention. Envers personne. Je t'ai dit que j'ai changé de vie.

– Ça vaut mieux. Parce que je suis prête à te dénoncer au moindre soupçon.

Il rit du bout des lèvres. Inquiet.

– Tu ne ferais pas ça, aventura-t-il.

– Ne prends pas le risque de le vérifier. Nous ne sommes pas sur la piste de danse du *Cap Polonio*.

Il fit un pas vers elle. Ce n'était pas calculé, cette fois. Il était mû par un élan sincère.

– Mecha…

– Ne t'approche pas.

Elle avait ôté la veste, la laissant tomber par terre. Une tache noire aux pieds de Max. Le châle blanc s'éloignait très lentement, comme un fantôme, entre les ombres des pins.

– Je veux que tu disparaisses de ma vie et de celle de mes amis. Tout de suite.

Tandis qu'il se redressait, la veste dans les mains, il entendit gronder le moteur de la Citroën et les phares l'éblouirent, projetant sa silhouette sur le parapet de pierre. Puis les pneus crissèrent sur le gravier du chemin et la voiture s'éloigna en direction de Nice.

Ce fut une marche longue, difficile, pour rentrer à l'hôtel en suivant la route depuis le Lazaret jusqu'au port, les revers de la veste relevés pour se protéger du froid du petit matin. Parmi les ombres du quai Cassini, Max eut la chance de trouver une calèche, le cocher endormi sur son siège ; assis sous la capote en toile, il remonta la côte du Rauba-Capeu et se laissa bercer par le balancement de la voiture, entendant résonner les sabots du cheval sur l'asphalte pendant qu'une frange violette commençait à séparer les taches obscures de la mer et du ciel. C'est aussi l'histoire de ma vie, pensa-t-il, ou d'une partie de ma vie ; chercher un taxi au petit jour en sentant la femme ou la nuit perdue, sans qu'une chose contredise l'autre. Contrastant avec les rares lumières qui éclairaient le port et les environs de la ville, tandis qu'ils contournaient la colline du château, se dessina sous ses yeux la courbe lointaine des réverbères allumés de la Promenade des Anglais, qui semblait se prolonger à l'infini. À la hauteur des Ponchettes, il sentit qu'il avait faim et envie de fumer, et donc il renvoya le cocher, passa sous les arcades du cours Saleya et marcha dans l'odeur de cimetière des déchets du marché aux fleurs, sous les branches sombres des jeunes platanes, en quête d'un café qui fût déjà ouvert à cette heure matinale.

Il paya douze francs pour un paquet de Gauloises et trois pour un café et une tranche de pain trempée dans du lait tout juste bouilli, puis il alla s'asseoir près d'une fenêtre qui donnait sur la rue, fumant pendant que les ombres de l'extérieur tournaient au gris et que deux employés municipaux, après avoir balayé les fleurs, les tiges et les pétales secs, branchaient un tuyau terminé par un long bec en cuivre et arrosaient le sol. Max réfléchit sur les événements de la nuit et ceux qui allaient se présenter dans les jours à venir, tentant de faire tenir dans les limites du raisonnable cette nouvelle donne que Mecha Inzunza venait d'introduire inopinément dans ses plans et dans sa vie. Pour recouvrer le contrôle de ses actes et de ses sentiments, il essaya de se concentrer sur les détails de tout ce qui l'attendait : sur la discipline à observer face aux dangers et aux aléas possibles. C'était seulement ainsi, se dit-il, qu'il pourrait résister au désarroi, au risque de commettre des erreurs qui déboucheraient sur un désastre. Il pensa aux agents italiens, à l'homme qui se faisait appeler Fito Mostaza, et s'agita sur sa chaise, comme si le froid du matin pénétrait dans son corps à travers la vitre. Ce qui était en jeu avait trop d'importance, conclut-il, pour que Mecha Inzunza, son souvenir et ses conséquences troublent son jugement. Pour que ce qui s'était passé neuf ans auparavant et ce qui venait de se passer cette nuit même viennent se combiner de façon intempestive pour altérer un pouls qu'il lui fallait garder régulier pour tant d'autres choses.

Durant cinq minutes, il envisagea de fuir. Aller à l'hôtel, faire ses bagages et mettre toute la distance voulue entre lui et les autres chasseurs, en attendant des temps meilleurs. En tournant et retournant cette perspective dans sa tête, il regarda autour de lui, en quête d'idées. Il cherchait de vieilles certitudes utiles dans son métier pittoresque et sa vie hasardeuse. Deux affiches touristiques étaient punaisées au mur, l'une des chemins de fer français, l'autre de la Côte d'Azur. Max resta à les regarder, une cigarette collée aux lèvres, les yeux mi-clos. Il aimait beaucoup les trains – plus que les transatlantiques ou la société élitiste et fermée des avions de ligne – avec leur éternelle offre d'aventure, la vie en suspens entre une gare et l'autre, la possibilité de nouer des contacts lucratifs, la clientèle distinguée des wagons-restaurants. Fumer allongé sur l'étroite couchette du compartiment d'un wagon-lit, seul ou en compagnie d'une femme, en écoutant le bruit des roues passant sur les jointures des rails. À la gare de Bucarest, à quatre heures d'un matin glacial, il était descendu d'un des derniers wagons-lits qu'il gardait en mémoire – Orient Express, trajet d'Istanbul à Vienne –, après s'être habillé discrètement et avoir refermé en silence la porte du compartiment qui donnait sur le couloir du wagon, en laissant derrière lui sa valise et un faux passeport dans le réduit du conducteur, tandis que des bijoux d'une valeur de deux mille livres sterling gonflaient les poches de son manteau. Quant à la seconde affiche, il esquissa un sourire en la contemplant. Il reconnaissait l'endroit où l'artiste avait posé son chevalet : un terre-plein entre des pins avec vue sur Golfe-Juan, d'où l'on apercevait un terrain que, un an et demi plus tôt, avec une juteuse commission en qualité d'intermédiaire et la complicité d'un vieil ami hongrois du nom de Sándor Esterházy, Max avait aidé à vendre à une riche Américaine – Mrs Zundel, propriétaire de Zundel & Strauss, Santa Barbara, Californie –, en la convainquant, dans le cadre d'une relation intime alimentée à coups de roulettes du casino, de tangos et de clairs de lune, que l'acquisition de ce terrain près de la mer représentait une occasion à ne pas manquer. Mais en omettant le détail, important, qu'une bande côtière de cent mètres de large qui séparait le terrain de la plage appartenait à d'autres propriétaires et n'était pas comprise dans le lot.

Non, conclut-il, il ne partirait pas. Le monde rétrécissait de plus en plus, et les mots *partir loin* avaient de moins en moins de sens. Cet endroit était aussi bien que d'autres, et même mieux : climat agréable et voisinage approprié. Si une guerre éclatait en Europe, ce serait un lieu tout désigné pour laisser passer la tempête ou en tirer profit. Max connaissait le terrain à fond, il était exempt d'antécédents dans la région, et partout dans le monde il rencontrerait la même police, les mêmes menaces et les mêmes dangers. Toute opportunité avait son coût, décida-t-il. C'était toujours jouer à la roulette. Cela incluait les lettres du comte Ciano à Tomás Ferriol, le sourire dangereux de Fito Mostaza et le sérieux inquiétant des espions italiens. Et depuis quelques heures, comme un problème insoluble, également Mecha Inzunza.

> *La vie est brève :*
> *Un peu d'amour,*
> *Un peu de rêve*
> *Et puis, bonjour !**

Il chantonna entre ses dents, distraitement. Fataliste. Personne n'avait dit que ce serait facile de laisser derrière lui l'humble immeuble de rapport du quartier de Barracas, la côte africaine bordée de cadavres calcinés où même les hyènes n'étaient pas d'humeur à ricaner. Certains – et il en faisait partie – n'avaient d'autre alternative que les chemins sans retour. Les voyages précaires avec un aller simple. C'est sur cette pensée qu'il vida sa tasse de café et se leva, tandis que le vieil aplomb professionnel qu'il s'était lui-même forgé refaisait surface. Quelque temps auparavant, Maurizio, le concierge de l'hôtel Danieli à Venise, qui quarante ans durant avait vu s'arrêter devant son comptoir pour demander leur clef les hommes et les femmes les plus riches du monde, lui avait dit, tout en rangeant le somptueux pourboire que Max venait de lui donner : « La seule tentation sérieuse est la femme, monsieur Costa. Vous ne trouvez pas ? Tout le reste est négociable. »

Un peu d'amour,
Un peu de rêve...*

Il sortit du café sans se hâter, les mains dans les poches, la cigarette aux lèvres, et marcha jusqu'à l'arrêt du tramway. Le sol mouillé reflétait la lumière grise du petit matin. C'est agréable d'être heureux, pensa-t-il. Et de le savoir pendant qu'on l'est. Le cours Saleya ne sentait plus les fleurs mortes, mais les pavés humides et les jeunes arbres d'où perlait la rosée matinale.

Assis dans le public, sous les chérubins et le ciel d'azur peints au plafond du salon de l'hôtel Vittoria, Max suit le déroulement de la partie sur le tableau mural où sont reproduits les mouvements des joueurs. Depuis que la pendule a fait entendre son dernier clic – le treizième coup joué par Jorge Keller –, le silence est absolu. La lampe principale, qui éclaire de sa lumière tamisée l'estrade où se trouvent la table, les deux chaises, l'échiquier et les joueurs, laisse dans une quasi-pénombre le reste du salon. Dehors le soir tombe, et les branches des arbres de la route qui descend au port de Sorrente, visibles au-dessus de la falaise à travers les grandes fenêtres, se teintent d'une clarté rose.

Max n'a pas réussi à pénétrer dans les détails de la partie qui se joue sous ses yeux. Il sait, parce que Mecha Inzunza le lui a raconté, que Jorge Keller, qui a les noirs, doit déplacer un pion ou un fou d'une certaine manière, prélude à d'autres déplacements, plus risqués et compliqués. Ce sera à ce moment-là que se présenteront les ripostes possibles, et prévues, de Sokolov, si Irina lui a fourni certaines informations. Après le sacrifice du pion de la part de Keller, son adversaire devra faire face à une dangereuse attaque d'un fou contre un cavalier – que Max croit identifier comme étant celui qui est situé sur le côté gauche des pièces blanches sur l'échiquier ; en pareil cas, la réponse pour prévenir et combattre la manœuvre serait d'avancer de deux cases un des pions blancs.

– Ces deux cases dénonceraient Irina, a résumé Mecha plus tôt dans l'après-midi, quand ils se sont rencontrés dans le hall avant le début de la partie. Et tout autre mouvement désignerait Karapétian.

À la droite de Max, son œil unique rivé sur le tableau indiquant la position des pièces, le *capitano* Tedesco fume en se servant d'un cornet en papier en guise de cendrier. De temps en temps, sur les instances de Max, il se penche vers lui pour commenter à voix basse telle position ou tel coup. Près de lui, mains croisées et se tournant les pouces, Lambertucci – qui a mis une veste et une cravate pour l'événement – suit avec une attention passionnée les moindres détails de la partie.

– Sokolov a la domination absolue du centre, dit Tedesco à voix basse. Keller ne pourra modifier la situation que s'il parvient à libérer son fou. Enfin, c'est ce qu'il me semble.

– Et il le fera ?

– Je ne peux pas me prononcer. Ces types sont capables d'anticiper un tel nombre de coups que c'est impossible pour moi de les imaginer.

Lambertucci, qui écoute son ami, confirme dans un autre murmure :

– On sent venir un des coups typiques de Keller. Vu la manière dont il avance, ce fou sent la poudre.

– Et le pion noir, alors ? s'intéresse Max.

Les autres contemplent le panneau, puis le regardent, sans comprendre.

– Quel pion ? demande le *capitano*.

Plutôt que le tableau, où s'affrontent des forces inconnues dont il ignore les mécanismes, Max observe les joueurs. Sokolov, une cigarette à demi consumée entre ses doigts jaunis par la nicotine, penche sa tête blonde et triste tandis que ses yeux bleus et humides étudient la position des pièces. Pour sa part, Jorge Keller n'est pas devant l'échiquier. Le nœud de cravate relâché, la veste accrochée au dossier de la chaise, il vient de se lever – Max a constaté qu'il a l'habitude de le faire durant les longues attentes, pour se dégourdir les jambes – et, les mains dans les poches, l'air absent, les yeux baissés sur ses chaussures de sport, il arpente l'estrade comme pour la mesurer. Au commencement de la partie il est entré, décidé, sans regarder personne, avec sa sempiternelle bouteille de jus d'orange. Il a serré la main de son adversaire qui attendait assis, a posé la bouteille sur la table, observé comment Sokolov jouait son ouverture, et déplacé un pion. La plupart du temps, il reste immobile, penchant la tête jusqu'à poser son front sur ses bras croisés devant l'échiquier, boit une gorgée de jus d'orange directement au goulot, ou se lève pour faire quelques pas, comme maintenant. De son côté, le Russe n'a pas quitté une seule fois son siège. Bien carré sur sa chaise, regardant souvent ses mains comme s'il n'avait pas besoin de voir le jeu, il joue avec un calme extrême ; posément, sereinement, justifiant son surnom de Muraille soviétique.

Un léger bruit feutré sur le bois, suivi du timbre de la

pendule quand Sokolov actionne le ressort qui marque le départ du temps de son adversaire, ramène Keller à sa chaise. Un murmure contenu, presque inaudible, parcourt la salle. Le jeune homme regarde le pion noir que son adversaire vient de lui prendre et qu'il a rangé à côté des autres pièces déjà prises. Reproduit à l'instant sur le tableau par l'assistant de l'arbitre, le mouvement du Russe semble laisser la voie libre à un des fous de Keller, jusqu'alors bloqué.

– Mauvais pour le Russe, chuchote le *capitano*. Je crois qu'il a commis une erreur.

Max regarde Mecha, assise au premier rang, sans parvenir à voir son visage : seulement les cheveux courts et argentés, la tête immobile. Près d'elle, il entrevoit le profil d'Irina. Les yeux de la jeune femme ne sont pas fixés sur le tableau, mais sur l'échiquier et les joueurs. Sur le siège voisin, Emil Karapétian, la bouche entrouverte, a une expression concentrée. À l'extrémité du premier rang et occupant une partie du deuxième, la délégation soviétique est présente au grand complet : dix-huit individus, compte Max. En les observant un par un – vêtements passés de mode en Occident, chemises blanches, cravates étroites, fumant cigarette sur cigarette, visages impénétrables –, on ne peut éviter de se demander combien d'entre eux travaillent pour le KGB. Ou s'il y en a un qui ne le fait pas.

Cinq minutes ne se sont pas écoulées depuis le dernier coup du Russe quand Keller avance son fou à proximité d'un pion et d'un cavalier blanc.

– Nous y sommes, murmure Tedesco, haletant.

– Le type joue son va-tout, chuchote Lambertucci. Mais observez le sang-froid du Russe. Il ne cille même pas.

Une autre brève rumeur passe dans le public, suivie d'un silence total. Sokolov médite, impassible, excepté qu'il a allumé une cigarette et regarde maintenant plus

357

attentivement l'échiquier : peut-être le pion blanc qui, comme le sait Max, porte en lui les clefs de ce qui peut advenir. Et au moment où Keller, après avoir bu une gorgée de jus d'orange, fait mine de se lever de nouveau, l'autre déplace ce pion de deux cases. Il l'avance brusquement, agressif, et frappe le bouton de la pendule presque avec violence. Comme s'il le faisait délibérément pour retenir son adversaire sur sa chaise. Et c'est ce qui se produit. Le jeune homme s'arrête en plein mouvement, observe le Russe – pour la première fois de toute la partie, leurs regards se croisent – et se rassied, très lentement.

– Il n'a pratiquement pas hésité, murmure Tedesco, admiratif, comprenant enfin la dimension du coup.

– Qu'est-ce qui se passe ? demande Max.

Le *capitano* tarde à répondre, car il suit le rapide échange de pièces qu'effectuent à présent les joueurs, en se défiant du regard. Fou contre pion, cavalier contre fou, pion contre cavalier. Chac, chac, chac. Un clic de la pendule pratiquement toutes les trois ou quatre secondes, comme si tout cela avait été prévu de longue date. Et tout donne à penser que ça l'était probablement, conclut Max.

– Ce pion blanc a déclenché les échanges, en arrêtant l'attaque du fou, dit finalement Tedesco.

– En la stoppant net, confirme Lambertucci.

Keller a encore la main posée sur la dernière pièce prise à son adversaire. Il la met de côté, près des autres, boit un long trait de jus d'orange et incline un peu la tête, paraissant soudain accuser la fatigue d'un grand effort. Après, de façon apparemment fortuite, il se tourne un instant vers sa mère, Irina et Karapétian, le visage inexpressif. Sans abandonner son air mélancolique, Sokolov s'accoude un peu plus à la table et, penché vers le jeune homme, lui parle à voix basse.

– Qu'est-ce qui se passe ? questionne de nouveau Max.

358

Tedesco hoche la tête, comme si tout était déjà résolu.

– Je suppose qu'il lui propose *nichta*… Partie nulle.

Keller étudie le jeu. Il ne semble pas entendre ce que dit le Russe et son expression ne laisse rien deviner. Il pourrait être en train de se demander s'il y a encore un coup à jouer, se dit Max. Ou penser à autre chose. À la femme qui l'a trahi, par exemple, et pourquoi. À la fin, il acquiesce, tous deux se lèvent en même temps, et il serre la main de son adversaire sans le regarder. À cinq pas de son fils, au premier rang, Mecha Inzunza n'a pas fait le moindre mouvement au cours des dernières minutes. Pour sa part, le maître Karapétian garde la bouche entrouverte et paraît déconcerté. Entre les deux, Irina fixe l'échiquier, les chaises désertes, impassible.

9

La variante Max

Mecha Inzunza s'arrête à un kiosque de la rue San Cesareo et achète les journaux. Max est près d'elle, une main dans la poche de sa veste de sport grise, et il la regarde chercher les pages où l'on parle de la partie de la veille. Sous le titre « Partie nulle dans la sixième » sur quatre colonnes, *Il Mattino* publie une photo des joueurs au moment où ils quittent l'échiquier : le Russe sérieux, observant, impassible, le visage de Keller, et celui-ci détournant la tête comme s'il pensait à quelque chose qui n'a rien à voir avec le jeu ou regardait quelqu'un situé en dehors du champ de l'objectif.

– Cette matinée s'annonce compliquée, commente Mecha en repliant le journal. Ils sont toujours réunis tous les trois, en train de discuter : Emil, Jorge et Irina.

– Elle ne se doute de rien ?

– De rien du tout. C'est pour ça qu'ils discutent. Emil ne comprenait pas, hier, pourquoi mon fils a joué comme il l'a fait. Ils sont devant l'échiquier, à faire et à défaire... Quand je les ai quittés, Irina reprochait à Jorge d'avoir accepté la partie nulle.

– Un exercice de cynisme ?

Ils descendent la rue. Mecha a mis les journaux dans un grand sac en toile et cuir qu'elle porte pendu à l'épaule, par-dessus la veste en daim et un foulard de soie imprimé aux couleurs automnales.

– Pas vraiment, répond-elle. Telle que se présentait la partie, il aurait pu continuer ; mais il n'a pas voulu prendre davantage de risques. La confirmation qu'Irina travaillait pour Sokolov l'a quand même déstabilisé... Il n'aurait peut-être pas pu résister à la pression jusqu'à la fin. C'est pour ça qu'il a accepté la proposition du Russe.

– En tout cas, il a bien encaissé le coup. Sur l'estrade, il semblait serein.

– Ce garçon a des nerfs d'acier. Il s'y attendait.

– Et avec la fille ?... Il dissimule bien ?

– Mieux qu'elle. Et tu veux que je te dise ?... Chez lui, il n'y a rien de forcé, ni d'hypocrite. Toi ou moi, nous aurions viré Irina à coups de pied après lui avoir fait subir un interrogatoire en règle. Moi, pour tout dire, je l'aurais étranglée... Et l'envie ne me manque pas de le faire. Mais Jorge, lui, est là-bas, assis avec elle devant l'échiquier, en train d'analyser et de décomposer des coups sur lesquels il la consulte avec le plus grand naturel.

La rue, longue et étroite en certains endroits, se resserre davantage là où les boutiques ont sorti des étalages. De temps à autre, Max s'efface pour laisser passer les gens qui arrivent en face.

– Est-ce que le choc n'est pas trop dur ? s'inquiète-t-il. Est-ce qu'il pourra continuer à se concentrer et à jouer comme d'habitude ?

– Tu ne le connais pas. Cette froideur lui est naturelle. Il continue à jouer. Ce à quoi nous assistons n'est rien d'autre qu'une partie qui se décide parfois dans la salle de l'hôtel et parfois en d'autres lieux.

Ils traversent des espaces de lumière et d'ombre, éclairés çà et là par la clarté jaunâtre reflétée par les hautes façades des maisons. Les boutiques de maroquinerie et de souvenirs touristiques alternent avec les épiceries, les marchands de fruits et légumes, les poissonniers et les charcutiers, qui mêlent leurs odeurs à celles du cuir et des épices. Du linge sèche aux balcons.

– Il ne m'en a rien dit, ajoute Mecha après un court silence, mais je suis sûre que maintenant, dans sa tête, il joue contre deux adversaires. Contre le Russe et contre Irina… Un genre de simultanée.

Elle se tait de nouveau et pose son regard sur une boutique de vêtements féminins – tendance hippie, lin de Positano – sans trop y prêter attention.

– Plus tard, poursuit-elle, quand le tournoi de Sorrente sera fini, Jorge lèvera les yeux de l'échiquier et analysera véritablement ce qui s'est passé. La composante affective. C'est alors que viendra pour lui le moment difficile. Jusque-là, je ne suis pas inquiète.

– Je comprends maintenant l'assurance de Sokolov, remarque Max. Cette espèce d'arrogance au cours des dernières parties.

– Il a commis une erreur. Il aurait dû attendre plus longtemps avant de jouer. Faire un peu de théâtre. Même lui, le champion du monde, aurait dû mettre au moins vingt minutes pour assimiler l'extrême complexité de cette position et prendre la décision adéquate… Et il n'en a mis que six.

– Précipitation ?

– Vanité, je suppose. En prenant son temps, Sokolov serait peut-être parvenu à cette conclusion tout seul, ce qui nous aurait conduits à douter de la culpabilité d'Irina. Mais je suppose que Jorge l'a fait sortir de ses gonds.

– C'était pour le provoquer qu'il n'arrêtait pas de se lever de sa chaise ?

– Naturellement.

Ils sont arrivés près du Sedile Dominova, où une demi-douzaine de touristes écoutent les explications d'une guide qui parle en allemand. Après avoir évité le groupe, ils tournent à gauche et pénètrent dans l'ombre étroite de la rue Giuliani. Le campanile rouge et blanc du Duomo se dresse à l'extrémité, dans l'intense contre-jour, et son horloge marque onze heures vingt du matin.

– Je n'imaginais pas qu'un champion du monde puisse commettre ce genre d'erreur, commente Max. Je les croyais moins…

– Humains?

– Oui.

Tout le monde commet des erreurs, répond-elle. Et après quelques pas, elle ajoute, songeuse : « Mon fils l'exaspère. » La tension due au championnat mondial, explique-t-elle ensuite à Max, est énorme. Ces va-et-vient incessants de Jorge autour de la table, sa manière de jouer comme si ça ne lui coûtait aucun effort : toute cette apparente frivolité que supposent de tels comportements. Or le Russe est l'exact contraire : consciencieux, obstiné, prudent. De ces gens capables de suer sang et eau. Et hier après-midi, malgré son calme proverbial, le champion, fort de son titre, du soutien de son gouvernement et de la Fédération internationale des échecs, n'a pas pu résister à la tentation d'administrer une leçon au challenger, enfant chéri du capitalisme et de la presse occidentale. De le remettre à sa place. Il a avancé le pion juste au moment où Jorge allait de nouveau se lever. Tu vas rester là, signifiait le geste. Bien assis, et bien obligé de te creuser les méninges.

– En fin de compte, ils sont faillibles, conclut-elle en se parlant à elle-même. Ils haïssent et ils aiment comme tout le monde.

Max et elle cheminent côte à côte. Parfois leurs épaules se frôlent.

– Ou peut-être que non. – Mecha penche un instant la tête, comme si elle avait découvert une faille dans son argumentation. – Peut-être pas comme tout le monde.

– Et que fait Irina ? Est-ce qu'elle se comporte normalement ?

– Avec un culot absolu, répond-elle dans un rire sarcastique, d'une dureté soudaine. Très à l'aise dans son rôle de collaboratrice fidèle et de jeune fille amoureuse. Si nous ne savions pas ce que nous savons, on croirait à son innocence... Tu n'as pas idée de ce qu'une femme est capable de simuler quand elle joue gros jeu !

Max en a parfaitement idée, mais il n'en desserre pas les lèvres pour autant. Il se borne à esquisser une moue silencieuse pendant qu'il se souvient : des femmes parlant au téléphone d'une chambre d'hôtel avec leurs maris ou leurs amants, nues sous ou sur les draps, la tête sur le même oreiller que celui où repose la sienne tandis qu'il les écoute, admiratif. Avec une froideur parfaite et sans la moindre altération dans la voix, au cours de relations clandestines qui pouvaient durer des jours, des mois, des années. En pareilles circonstances, n'importe quel homme se serait trahi au bout de quelques mots.

– Je me demande s'il ne serait pas possible de dénoncer ce genre de trahison ? s'enquiert Max.

– Auprès de qui ? – Elle rit de nouveau, sceptique. – De la police italienne ? De la Fédération internationale des échecs ?... Nous agissons dans un cercle privé. Avec des preuves concrètes, nous pourrions causer un scandale, et peut-être faire annuler le tournoi si Jorge perdait. Mais, même avec des preuves, nous n'y gagnerions rien. Nous rendrions seulement l'ambiance irrespirable à cinq mois du championnat du monde. Et Sokolov garderait sa place.

– Et Karapétian ? Il est déjà au courant pour Irina ?

Jorge a parlé cette nuit avec son maître, confirme Mecha. Lequel ne s'est pas montré vraiment surpris. Ce sont des choses qui arrivent, a-t-il dit. D'ailleurs, ce n'est le premier cas d'espionnage auquel il est confronté. L'Arménien est un homme placide. Pratique. Et il n'est pas partisan de se débarrasser tout de suite de la fille.

– Il croit, et mon fils partage son avis, que le mieux est de laisser Irina et les Russes conserver les mêmes relations. De lui livrer une information truquée, préparer de fausses ouvertures… L'utiliser comme un agent double sans qu'elle s'en aperçoive.

– Mais ils finiront par s'en rendre compte, aventure Max.

– Le bluff peut encore se prolonger pendant plusieurs parties. Nous en sommes à six : deux gagnées par Sokolov, une par Jorge, et trois nulles, ce qui signifie une différence de seulement un point. Et il en reste quatre à jouer. Cela offre des opportunités intéressantes.

– Et qu'est-ce qui peut se passer ?

– Si nous lui préparions des pièges adéquats, et si le Russe tombait dedans, le bluff fonctionnerait encore une ou deux fois. Ils l'attribueraient peut-être à une erreur, à une imprécision ou à des changements de dernière heure. À la troisième fois, ils auraient des soupçons. Si tout devenait trop évident, ils finiraient par en déduire qu'Irina agit en accord avec Jorge, ou que nous la manipulons… Mais il existe une autre possibilité : ne pas abuser maintenant de ce que nous savons. Doser l'intoxication par le truchement d'Irina et arriver à Dublin avec elle dans l'équipe, en l'utilisant.

– C'est vraiment faisable ?

– Mais oui. Les échecs, c'est ça : l'art du mensonge, de l'assassinat et de la guerre.

Ils traversent le Corso Italia. Motocyclettes et voitures, fumée de tuyaux d'échappement. Pour parvenir de l'autre côté, Max prend Mecha par la main. Arrivés sur le trottoir, elle reste près de lui, s'appuyant sur son bras d'un geste familier. Ils se regardent ainsi dans la vitrine d'un étalage rempli de téléviseurs. Au bout d'un moment, en douceur et avec naturel, elle libère le bras de Max.

– L'important est le titre mondial, poursuit-elle avec beaucoup de calme. Nous n'en sommes qu'à une escarmouche préalable : un test, une sorte de finale officieuse avec le challenger. Ce serait formidable d'arriver à Dublin avec les Russes faisant confiance à Irina. Imagine Sokolov découvrant là-bas que nous contrôlons son espionne depuis Sorrente... Le coup peut être superbe. Mortel.

– Est-ce que Jorge supportera cette tension si la fille reste près de lui pendant encore cinq mois ?

– Tu ne connais pas mon fils : son sang-froid quand il s'agit d'échecs... Désormais, Irina n'est plus qu'une pièce sur un échiquier.

– Et que ferez-vous d'elle, ensuite ?

– Je ne sais pas. – De nouveau la dureté métallique dans la voix. – Je m'en fiche. Le championnat achevé, nous réglerons tous nos comptes, naturellement. On verra alors si ça se passera en public ou en privé. Mais comme joueuse d'échecs internationale, Irina est finie. Il ne lui restera plus qu'à aller se terrer pour toujours dans un trou. Je ferai tout ce que je pourrai pour l'y obliger... Et pour enfumer cette petite garce dans sa tanière, où qu'elle se trouve.

– Je me demande ce qui a pu la mener à agir ainsi. Depuis quand elle travaille pour Sokolov.

– Mon cher... Avec les Russes et avec les femmes, on ne peut jamais savoir.

Elle l'a dit avec un rire désabusé, presque désagréable. En guise de réponse, il a un geste élégant et désinvolte.

– Ce sont les Russes, précise-t-il, qui provoquent ma curiosité... Je les connais beaucoup moins bien que les femmes.

Elle éclate de rire.

– Mon Dieu, Max! Tu as beau ne plus avoir l'âge pour ça et ne plus te mettre de gomina sur les cheveux, tu restes toujours un insupportable mauvais garçon... Un *maquereau**
qui danse le tango.

– Ah, si je pouvais l'être encore!

C'est lui qui rit maintenant, en ajustant le foulard de soie du docteur Hugentobler qu'il porte sous le col ouvert de sa chemise.

– Ils ont pu infiltrer Irina dès le début, comme une opération à long terme, estime Mecha en revenant à la question. Ou l'avoir recrutée plus tard pour mille motifs: argent, promesses... Une jeune fille comme elle, avec le talent qui est le sien aux échecs et avec le soutien des Russes qui contrôlent la Fédération internationale, aurait devant elle un brillant avenir. Et elle est aussi ambitieuse que bien d'autres.

Ils sont devant la grille de fer de la cathédrale, qui est ouverte.

– C'est toujours dur d'être toujours second, ajoute-t-elle. Et c'est toujours tentant de passer au premier rang.

Des cloches sonnent dans le campanile de pierre. Mecha lève les yeux puis franchit le porche en se couvrant la tête de son foulard. Il la suit et ils entrent ensemble dans la vaste nef déserte, où les pas lents de Max résonnent sur les dalles en marbre.

– Et qu'est-ce que tu vas faire?

– Aider Jorge, comme toujours... L'aider à jouer. À gagner ici et à Dublin.

– Il y aura quand même une fin, je suppose.

– À quoi?

– À ta présence près de lui.

Mecha contemple le plafond décoré de l'église. La lumière latérale des vitraux fait luire l'or et le bleu autour des scènes

368

bibliques. Au fond, dans la pénombre, brille la lampe du saint sacrement.

– Où et comment viendra cette fin, je ne le saurai que quand nous y serons.

Ils contournent les piliers et marchent sans but précis le long d'un des bas-côtés, en regardant les chapelles et les tableaux. Cela sent le renfermé et la cire fondue. Dans une niche, au-dessus de cierges allumés, il y a des ex-voto représentant des scènes marines et des miracles en laiton et en cire.

– Cinq mois de bluff, ça fait beaucoup, insiste Max. Tu crois que ton fils sera capable de faire comme si de rien n'était pendant tout ce temps ?

– Et pourquoi pas ? – Elle le regarde avec une surprise non feinte. – N'est-ce pas justement ce qu'a fait Irina ?

– Je parle aussi de sentiments. Ils dorment dans la même chambre. Ils couchent ensemble.

Une moue étrange et distante. Presque cruelle.

– Il n'est pas comme nous. Je te l'ai dit. Il vit dans des mondes étanches.

Un prêtre sort de la sacristie, traverse la nef et se signe devant le grand autel après les avoir regardés avec curiosité. Mecha baisse la voix jusqu'à ne plus émettre qu'un murmure pendant qu'ils reviennent sur leurs pas, en direction de la rue.

– Quand il s'agit des échecs, Jorge peut se voir lui-même avec une objectivité stupéfiante… Comme s'il entrait et sortait de chambres différentes sans rien transporter de l'une à l'autre.

Le soleil les éblouit au sortir du porche. Mecha fait glisser le foulard sur ses épaules et le noue autour de son cou sans le serrer.

– Comment les Russes vont-ils traiter Irina quand tout sera découvert ? demande Max.

– Ça, c'est le cadet de mes soucis… Mais ça me plairait bien qu'ils la mettent à la Loubianka ou dans un endroit aussi horrible, et qu'ils la déportent ensuite en Sibérie.

Elle a passé la grille en le précédant et marche très vite sur le Corso Italia, comme si elle se souvenait d'une affaire urgente. Pressant le pas, il la rejoint.

– Ce qui nous amène, l'entend-il dire quand il arrive à sa hauteur, à la variante Max.

Sur ces mots, elle s'arrête si brusquement qu'il reste à la regarder, déconcerté. Puis, d'une façon surprenante, elle approche son visage jusqu'à presque frôler celui de l'homme. Ses iris ont la dureté de l'ambre.

– Je veux que tu fasses quelque chose pour moi, dit-elle à voix très basse. Ou soyons plus exacts : pour mon fils.

La Fiat noire s'arrêta sur la place Rossetti, près de la tour de la cathédrale Sainte-Réparate, et trois hommes en descendirent. Max, qui au bruit du moteur avait levé les yeux des pages de *L'Éclaireur de Nice* – manifestations ouvrières en France, procès et exécutions à Moscou, camps de concentration en Allemagne –, les observa de sous le bord de son chapeau et les vit s'approcher lentement, le plus maigre et le plus grand entre les deux autres. Pendant qu'ils arrivaient à sa table, située à l'angle de la rue Centrale, il replia le journal et appela le garçon.

– Deux Pernod et de l'eau.

Ils s'arrêtèrent devant lui. Flanqué de Mauro Barbaresco et de Domenico Tignanello, l'homme grand et maigre portait un élégant complet croisé de couleur brune et un borsalino gris souris, incliné sur un œil d'une façon étrangement provocante. Les pointes du col de la chemise à larges rayures bleues et blanches étaient reliées, sous la cravate, par une épingle en or. Il tenait à la main une petite mallette en cuir, semblable à celle dont se servent les médecins. Max et lui se dévisagèrent longuement, très sérieux. Les quatre hommes, l'un assis et les autres debout, n'avaient toujours pas prononcé un mot quand le garçon revint et posa sur la table deux verres de pastis et deux autres d'eau fraîche. Max versa un peu d'eau dans un des verres de pastis et le posa devant l'homme maigre.

– Je te l'ai servi comme tu l'aimes, dit-il.

Le visage de l'autre parut se creuser davantage quand un sourire le fendit, comme une soudaine entaille, montrant une rangée de dents déchaussées et jaunies. Après, il repoussa son chapeau en arrière, s'assit et porta le verre à ses lèvres.

– J'ignore ce que boivent tes amis, dit Max, en se servant à son tour. Je ne les ai jamais vus prendre un Pernod.

– Rien pour moi, dit Barbaresco en s'asseyant à son tour.

Max savoura l'anisé fort et douceâtre. Le second Italien, Tignanello, restait debout, scrutant les alentours avec son habituelle suspicion mélancolique. En réponse à un regard de son camarade, il s'écarta de la table et se dirigea vers le kiosque à journaux d'où, supposa Max, il pouvait surveiller discrètement la place.

Il se concentra de nouveau sur l'homme grand et maigre. Il avait un long nez et des yeux très enfoncés dans leurs orbites. Plus vieux que la dernière fois, pensa-t-il. Mais le sourire était le même.

– On m'a dit que tu es devenu fasciste, Enrico, dit-il doucement.

– Il faut bien faire quelque chose, par les temps qui courent.

Mauro Barbaresco se carra un peu plus sur sa chaise, comme s'il n'était pas certain que la conversation allait lui plaire.

– Venons-en aux faits, suggéra-t-il.

Max et Enrico Fossataro continuaient de se regarder. Avant de terminer son verre, l'Italien le leva légèrement, comme pour boire à la santé de son vis-à-vis, avant d'en vider le fond. Max fit de même.

– Si tu veux bien, dit-il, on va éviter les commentaires sur tout le temps qui s'est écoulé depuis qu'on ne s'est pas revus, sur notre situation réciproque et *tutti quanti*.

– D'accord, consentit Fossataro.

– Où en es-tu, maintenant ?

– Ça va plutôt bien. J'ai un poste officiel à Turin… Fonctionnaire de la province du Piémont.

– Politique ?

L'Italien composa une mimique théâtralement offusquée.

– Sécurité publique.

– Ah !

Max sourit, imaginant Fossataro dans un bureau. Le renard veillant sur les poules. Ils s'étaient vus pour la dernière fois trois ans plus tôt, à l'occasion d'un travail en commun réalisé en deux phases : une villa sur les collines de Florence et une suite de l'hôtel Excelsior – Max, à l'hôtel, usant de son charme pour les préliminaires, et Fossataro, à la villa, se chargeant du fric-frac nocturne –, avec vue sur l'Arno et les escadrons de chemises noires défilant sur la piazza Ognissanti en chantant *Giovinezza* après avoir battu à mort un certain nombre de malheureux.

– Un Schützling, dit-il avec simplicité. Année 1913.

– Ils m'ont déjà mis au courant : un coffre de style, imitation bois, avec des fausses moulures pour masquer les serrures… Tu te rappelles l'appartement de la rue de Rivoli ? Celui de cette Anglaise rousse que tu avais invitée à dîner au Procope ?

– Oui. Mais cette fois-là, c'était toi qui t'occupais de la quincaillerie et moi de la dame.

– Te fais pas de bile. Le coffre d'aujourd'hui est facile.

– Suggérer que tu t'en occupes personnellement serait inutile, je suppose. Vu ta nouvelle position.

L'autre découvrit de nouveau ses dents. Les yeux enfoncés et sombres semblaient implorer de la compréhension.

– Je te dis que ce genre de coffres n'est pas compliqué. Serrures à gorges, pas à double panneton : trois cadrans et la clé. – Il tapota la poche de sa veste et sortit des dessins copiés sur papier au ferroprussiate. – Je t'ai apporté des plans. Il te suffira d'un moment pour te mettre au parfum... Tu feras ça de jour ou de nuit ?

– De nuit.

– Tu disposes de combien de temps ?

– Pas beaucoup. J'ai besoin d'aller vite.

– Tu peux forer avec une perceuse ?

– Je ne pourrai pas me servir d'outils. Il y a du monde dans la maison.

Fossataro fit la grimace.

– Au toucher, il te faudra au minimum une heure. Tu te rappelles ce coffre Panzer, à Prague ?... Il nous avait rendus fous.

Max sourit. Septembre 1932. La moitié d'une nuit à transpirer dans le lit d'une femme, près d'une fenêtre d'où l'on voyait la coupole de Saint-Nicolas, jusqu'à ce que celle-ci s'endorme enfin. Avec Fossataro travaillant silencieusement au rez-de-chaussée à la lumière d'une torche électrique, dans le bureau du mari absent.

– Tu parles si je me rappelle ! sourit-il.

– Je t'ai apporté une liste de combinaisons d'origine de ce modèle qui pourrait t'épargner du temps et du travail. – Il se courba pour saisir la mallette qu'il avait mise entre ses jambes et la lui donna. – Je t'ai également apporté un trousseau de Saint-Pierre avec cent trente clés plates, toutes originales.

– Voyons ça… – La mallette pesait très lourd. Max la posa à ses pieds, par terre. – Comment te les es-tu procurées ?

– Tu serais étonné de ce que peut obtenir un bureau officiel en Italie.

Max sortit de sa poche l'étui en écaille et le posa sur la table. Fossataro l'ouvrit sans faire de manières et se planta une cigarette au bec.

– Tu as l'air en forme. – Il désigna de la main Barbaresco, qui suivait la conversation sans ouvrir la bouche. – Mon ami Mauro dit que tout va bien pour toi.

– Je n'ai pas à me plaindre. – Max s'était penché pour lui donner du feu avec son briquet. – Ou disons plutôt que je n'avais pas à me plaindre jusqu'à maintenant.

– Les temps sont difficiles, mon ami.

– Je ne te le fais pas dire !

Fossataro tira sur sa cigarette et la regarda avec satisfaction, appréciant la qualité du tabac.

– Ce ne sont pas de mauvais bougres. – Il indiqua Tignanello, qui était toujours près du kiosque à journaux, puis il fit un geste qui englobait Barbaresco. – Naturellement, ils peuvent aussi être dangereux. Mais qui ne l'est pas ?… Je connais moins bien le *terrone*[1] à la triste figure, mais, Mauro et moi, nous avons eu en d'autres temps des relations professionnelles… Pas vrai ?

L'autre ne dit rien. Il avait ôté son chapeau et passait une main sur son crâne chauve et bruni. Il paraissait fatigué et pressé d'en finir avec cette conversation. Lui et son camarade, pensa Max, semblaient toujours épuisés. C'était peut-être la caractéristique des espions italiens, conclut-il. La fatigue. On pouvait toujours imaginer que leurs collègues anglais et français montraient plus d'enthousiasme dans leur travail. Oui, probablement. On disait que

1. Terme péjoratif pour désigner les Italiens du Sud.

374

la foi déplaçait des montagnes. Avoir la foi devait s'avérer utile dans certains métiers.

– C'est pour ça qu'il est venu me consulter quand ton nom a été évoqué pour cette opération, continuait Fossataro. Je leur ai dit que tu es un brave garçon et que tu aimes les femmes. Que tu portes l'habit de soirée comme pas un et que, sur une piste de danse, tu éclipses les professionnels... J'ai ajouté qu'avec ton allure et ton bagout j'aurais pris ma retraite depuis belle lurette : je n'aurais plus aucun besoin de faire le caniche avec une millionnaire.

– Il me semble que tu n'y es pas allé avec le dos de la cuillère, sourit Max.

– C'est possible. Mais comprends ma situation. Le devoir pour et avec la patrie. *Credere, obbedire, combattere...* Enfin, tout ça.

Suivit une pause silencieuse, que Fossataro employa à former un rond parfait avec la fumée de sa cigarette.

– Je suppose que tu sais, ou que tu soupçonnes, que Mauro ne s'appelle pas Barbaresco.

Max regarda le Mauro en question qui les écoutait, impassible.

– Mon nom est sans importance, dit celui-ci.

– Oui, admit Max, objectif.

Fossataro fit un autre cercle de fumée, moins parfait cette fois.

– Notre pays est compliqué, expliqua-t-il. Le côté positif est qu'il y a toujours moyen de s'entendre entre Italiens. *Guardie e ladri...* Que ce soit avant Mussolini, avec lui ou après lui, si un jour il s'en va.

Barbaresco continuait d'écouter, inexpressif, et Max commença à le trouver plus sympathique. Pour en revenir à la comparaison entre espions, il imagina la même conversation tenue devant d'autres : un agent anglais se serait indigné dans un accès de patriotisme, un Allemand l'aurait regardé d'un air choqué et méprisant, et un Espagnol, après lui avoir donné raison sur tout, aurait couru le dénoncer pour se faire bien voir des autorités ou parce qu'il enviait sa cravate. Il ouvrit son étui et le tendit à Barbaresco, mais celui-ci fit non de la tête. Derrière eux, Tignanello était allé s'asseoir avec un journal sur un banc de bois de la place, comme s'il avait mal aux jambes.

– Ce sont de bonnes relations que tu t'es faites là, Max, disait Fossataro. Si tout se passe bien, tu auras de nouveaux amis… Et du bon côté. C'est toujours bénéfique de penser à l'avenir.

– Comme toi.

Il l'énonça sans intention apparente, occupé à allumer une cigarette ; mais Fossataro le regarda fixement. Quatre secondes plus tard, l'Italien ébaucha le sourire mélancolique de celui qui possède une foi inébranlable en la stupidité illimitée du genre humain.

– Je me fais vieux, mon ami. Le monde que nous avons connu, celui qui nous procurait de quoi vivre, est condamné à mort. Et si une autre guerre éclate en Europe, celle-là finira de tout balayer. Tu le crois, comme moi ?

– Je le crois.

– Alors mets-toi à ma place. J'ai cinquante-deux balais : c'est trop pour continuer à forcer des serrures et à me glisser en pleine nuit dans les maisons des autres… Et puis, sur ces cinquante-deux ans, j'en ai passé sept en prison. Je suis veuf, avec deux filles pas mariées. Rien de tel pour t'encourager à devenir patriote. Pour te faire tendre le bras en saluant à la romaine le premier chien coiffé qui passe… En Italie, il y a un avenir, nous sommes du bon côté du monde. Nous avons du travail, on construit des édifices, des stades et des cuirassés, et les communistes, nous leur donnons de l'huile de ricin et des coups de pied au cul. – Sur ces belles paroles, pour alléger le sérieux de son discours, Fossataro adressa un clin d'œil à Barbaresco, qui écoutait, imperturbable. – Et puis c'est pratique aussi d'avoir les *carabinieri* avec toi : ça te change la vie.

Deux femmes bien mises passèrent en faisant résonner leurs talons en direction de la rue Centrale : chapeaux, sacs et jupes étroites. L'une d'elles était très jolie et, un instant, ses yeux rencontrèrent ceux de Max. Fossataro les suivit du regard jusqu'au coin de la rue. Il ne faut jamais mélanger le sexe et les affaires, l'avait entendu dire souvent Max à une certaine époque. Sauf quand le sexe facilite les affaires.

– Tu te souviens de Biarritz ? lui demanda Fossataro. L'affaire de l'hôtel Miramar ?

Il souriait en se remémorant. Cela semblait le rajeunir, raviver l'expression de ses yeux enfoncés.

– Ça fait combien de temps ? ajouta-t-il. Cinq ans ?

Max confirma. La mine réjouie de l'Italien évoquait des passerelles en bois près de la mer, des bars sur la plage avec des serveurs impeccables, des femmes en pyjamas moulants s'évasant vers le bas, des dos nus et bronzés, des visages connus, des fêtes avec des artistes de cinéma, des chanteurs, des gens du monde des affaires et de la mode. Comme Deauville et Cannes, Biarritz était un bon terrain de chasse en été, offrant d'abondantes occasions pour qui savait les saisir.

– L'acteur et sa fiancée, rappela Fossataro, encore tout guilleret.

Puis il raconta à Barbaresco, avec désinvolture, comment en cet été 1933 Max et lui s'étaient livrés à un travail de haute précision avec une actrice de cinéma nommée Lili Damita, que Max avait connue au golf de Chiberta et à laquelle il avait consacré trois matinées à la plage et autant d'après-midi dans les bars et de soirées dans les salles de bal. Jusqu'à la nuit décisive, celle où tout était prêt pour qu'il l'emmène au dancing de l'hôtel Miramar pendant que Fossataro s'introduirait dans sa villa pour s'emparer de bijoux et d'argent estimés à quinze mille dollars, et où le fiancé, un acteur bien connu de Hollywood, s'était présenté à l'improviste à la porte de l'hôtel après avoir abandonné un tournage. Par chance, le hasard avait bien fait les choses : deux éléments étaient intervenus en faveur de Max. Le premier était que le fiancé jaloux avait éclusé pas mal d'alcool durant le voyage ; de sorte que, lorsque sa promise était descendue d'un taxi au bras de Max, son équilibre n'était pas des plus stables, et le coup de poing qu'il voulait expédier à la mâchoire de l'élégant séducteur s'était perdu dans le vide à cause d'un faux pas. Le second était qu'Enrico Fossataro se trouvait à dix mètres de la scène, au volant d'une automobile de location, prêt à aller cambrioler la villa. Et donc, présent lors de l'incident, il était sorti de la voiture, s'était approché du groupe, et pendant que Lili Damita s'époumonait comme une poule dont on massacre le poussin, Fossataro et Max avaient gratifié l'Américain d'une rossée tranquille, systématique, sous les yeux bienveillants des concierges et des chasseurs de l'hôtel – l'acteur, qui avait l'habitude de boire plus que de raison, n'était pas populaire parmi les employés –, maigre compensation, il est vrai, pour les quinze mille dollars qui venaient de leur filer sous le nez.

– Et tu sais comment s'appelait l'individu ? – Fossataro continuait à parler à Barbaresco, qui, arrivé à ce stade du récit, l'écoutait avec un intérêt visible. – Eh bien, rien de moins qu'Errol Flynn ! – Il rit aux éclats, en donnant de grandes tapes sur le bras de Max. – Tel que tu nous vois, mon pote et moi, nous avons cassé la gueule au capitaine Blood en personne !

– Sais-tu ce qu'est le livre, Max?... En matière d'échecs. Pas un livre, mais *le* livre.

Ils sont dans le jardin de l'hôtel Vittoria et se promènent sur le chemin latéral qui passe, à la manière d'un tunnel, sous les arbres de toutes essences que traversent de violentes taches de soleil. Au-delà des plantes grimpantes qui masquent les pergolas, les mouettes planent sur les falaises de Sorrente.

– Un joueur n'est rien sans son histoire, poursuit Mecha Inzunza. Ses parties, ses analyses. Derrière chaque déplacement sur l'échiquier, il y a des centaines d'heures d'étude, d'innombrables ouvertures, une infinité de coups et de variantes, fruit d'un travail d'équipe ou solitaire. Un grand maître connaît par cœur des milliers de choses: coups joués par ses prédécesseurs, parties livrées par ses adversaires... Tout cela, mémoire mise à part, constitue systématiquement son matériau de travail.

– Une espèce de vade-mecum? s'intéresse Max.

– Exactement.

Ils retournent sans hâte à l'hôtel. Des abeilles volettent entre les lauriers roses. À mesure qu'ils s'enfoncent dans le jardin, le bruit de la circulation de la piazza Tasso, derrière eux, se fait plus lointain.

– Il est impossible qu'un joueur voyage et opère sans ses archives personnelles, continue-t-elle. Le livre d'un grand maître contient le travail de toute une vie: ouvertures et variantes, études de ses adversaires, analyses... Il peut s'agir de cahiers ou de dossiers. Celui de Jorge est composé de huit carnets épais, reliés en cuir, où figurent ses notes des sept dernières années.

Ils s'arrêtent dans la roseraie, où un banc en azulejos entoure une table couverte de feuilles mortes. Privé du

379

livre, ajoute Mecha, qui pose son sac sur la table et s'assied, un joueur reste sans défense. Même ceux qui ont une mémoire d'éléphant ne peuvent se souvenir de tout. Le livre de Jorge contient des informations sans lesquelles il pourrait difficilement affronter Sokolov : parties, analyses d'attaques et de défenses. Le travail de toutes ces années.

— Imagine, par exemple, que ce Russe soit terriblement gêné par le gambit du roi, qui est une ouverture fondée sur le sacrifice d'un pion. Et que Jorge, qui n'a jamais utilisé le gambit du roi, décide de le jouer au championnat de Dublin.

Max est debout devant elle et l'écoute attentivement.

— Tout ça serait dans le livre ?

— Bien sûr. Figure-toi le désastre, si le livre de Jorge tombait aux mains de l'autre. Tout ce travail inutile. Ses secrets et ses analyses en possession de Sokolov.

— Et il ne pourrait pas reconstituer le livre ?

— Toute une vie n'y suffirait pas. Sans compter le coup de massue psychologique : savoir que l'autre connaît tes plans et tout ce que tu as en tête.

Elle regarde derrière Max, qui se tourne à demi en suivant la direction des yeux de la femme. Le bâtiment loué par la délégation soviétique est tout près, à trente pas.

— Ne me dis pas qu'Irina a donné le livre de Jorge aux Russes…

— Non, heureusement. Si c'était le cas, mon fils serait fini, face à Sokolov, ici et à Dublin. La question est autre.

Un bref silence. Les iris dorés, rendus plus clairs par la lumière qui pénètre à travers les tiges entrelacées de la pergola, s'immobilisent sur Max.

— C'est là que tu entres en scène, dit-elle.

Elle le dit en souriant très légèrement, d'une façon étrange. Impénétrable. Max lève une main comme s'il réclamait le silence pour écouter une note de musique ou un son indéfinissable.

– Je crains que…

Il est sur le point de s'arrêter sur la dernière syllabe, incapable d'aller plus avant ; mais Mecha le devance, impatiente. Elle a ouvert son sac et fouille dedans.

– Je veux que tu te procures le livre du Russe pour mon fils.

Max reste bouche bée. Littéralement.

– Je crois que je n'ai pas bien compris.

– Eh bien, je t'explique. – Elle sort de son sac un paquet de Muratti et glisse une cigarette entre ses lèvres. – Je veux que tu voles le livre des ouvertures de Sokolov.

Elle l'a prononcé avec un calme extrême. Max a un mouvement machinal pour chercher son briquet ; mais il demeure immobile, la main dans la poche, stupéfait.

– Et comment je m'y prends ?

– En entrant dans les appartements du Russe et en t'en emparant.

– Rien que ça ?

– Oui. Rien que ça.

Le bourdonnement des abeilles se rapproche. Indifférent au bruit, Max continue de regarder la femme. Avec une soudaine envie de s'asseoir.

– Et pourquoi est-ce moi qui dois le faire ?

– Parce que tu l'as déjà fait.

Il s'assied près d'elle, l'esprit encore en déroute.

– Je n'ai jamais volé aucun livre d'échecs russe.

– Mais tu as volé un tas d'autres choses. – Mecha a pris une boîte d'allumettes dans son sac et allume elle-même sa cigarette. – Dont une qui m'appartenait.

Il sort la main de sa poche et la passe sur son menton. Qu'est-ce que c'est que ce délire ? pense-t-il, en pleine confusion. Dans quoi diable va-t-elle se fourrer ? Dans quoi compte-t-elle m'embarquer ?

– Tu étais un gigolo et un voleur, ajoute Mecha, objective, en soufflant la fumée.

– Je ne le suis plus… Aujourd'hui, je ne fais plus ce genre de choses.

– Mais tu sais comment les faire. Souviens-toi de Nice.

– C'est de la folie. Presque trente ans ont passé depuis Nice.

La femme ne dit rien. Elle fume et le regarde avec le plus grand calme, comme si tout avait été dit et que la suite ne dépendait plus d'elle. Elle s'amuse beaucoup, se dit-il avec un subit effroi. La situation et mon accablement la font rire. Mais c'est loin d'être une plaisanterie.

– Tu voudrais que je m'introduise dans les appartements de la délégation soviétique, que je cherche le livre des échecs de Sokolov et que je te le remette?… Et comment je fais?… Bon Dieu, comment veux-tu que je fasse ça?

– Tu as les connaissances et l'expérience requises. Tu sais te débrouiller.

– Regarde-moi. – Il se penche en se touchant la tête, comme si tout y était parfaitement visible. – Je ne suis pas celui dont tu te souviens. Ni celui de Buenos Aires, ni celui de Nice. Aujourd'hui, j'ai…

– Des choses à perdre? – Elle le contemple depuis une distance infinie, méprisante et froide. – C'est bien ça que tu oses me dire?

– Cela fait longtemps que j'ai rompu avec un certain genre de risques. Ici, je vis tranquille, sans problème avec la police. Je me suis complètement retiré.

Il se lève brusquement, mal à l'aise, et fait quelque pas sous la tonnelle. Regardant avec appréhension les murs ocre – qui à présent lui apparaissent sinistres – du bâtiment occupé par les Russes.

– De plus, je suis trop vieux pour ce type de travail,

ajoute-t-il avec un découragement sincère. Je n'ai plus la force et je n'ai plus l'intelligence.

Il s'est tourné vers Mecha. Elle reste assise et le regarde en fumant, imperturbable.

– Pourquoi devrais-je faire ça ? proteste-t-il. Dis-moi… Pourquoi devrais-je prendre de tels risques, à mon âge ?

La femme entrouvre les lèvres pour dire quelque chose, mais elle se tait, le geste à peine esquissé. Elle demeure ainsi quelques secondes, étudiant Max. Et finalement, avec un insondable mépris et une soudaine violence, comme si elle laissait jaillir d'un seul coup une colère trop longtemps contenue, elle écrase brutalement la cigarette sur la table de marbre.

– Parce que Jorge est ton fils. Imbécile !

Il était allé la voir à Antibes, déguisant en prudence le besoin de se justifier vis-à-vis de lui-même. Il était dangereux, avait-il fini par reconnaître, qu'elle reste hors de sa surveillance pendant ces quelques jours. Qu'une réflexion ou qu'une confidence faite à Susana Ferriol le mette en péril. Il n'avait pas eu de mal à obtenir l'adresse. Un appel téléphonique à Asia Schwarzenberg et une brève enquête de celle-ci avaient suffi pour que, deux jours après sa rencontre avec Mecha Inzunza, Max descende d'un taxi devant la grille d'une villa entourée de lauriers, d'acacias et de mimosas, aux abords de La Garoupe. Il avait traversé le jardin en suivant un chemin de gravier blanc où était garée la Citroën cabriolet, entre des cyprès dont les cimes se découpaient sur la surface calme et éblouissante de la mer proche, jusqu'à la maison située sur un petit tertre : une construction du type bungalow, avec une vaste terrasse et une véranda solarium sous de grands arceaux ouverts sur le jardin et la baie.

Elle ne se montra pas surprise. Elle le reçut avec un naturel déconcertant après qu'une domestique lui eut ouvert la porte pour disparaître aussitôt silencieusement. Elle portait un pyjama en soie ceint à la taille qui soulignait la sveltesse de ses lignes en moulant doucement les hanches. Elle avait arrosé des plantes dans une cour intérieure, et ses pieds nus laissèrent des traces d'humidité sur les dalles blanches et noires quand elle conduisit Max au salon meublé dans le style *camping* qui faisait fureur, ces dernières années, sur la Riviera : sièges pliants, tables escamotables, meubles encastrés, verre, chrome et deux tableaux solitaires sur des murs nus et blancs, dans une belle maison d'un dépouillement et d'une simplicité de lignes que seul beaucoup d'argent pouvait permettre d'habiter. Mecha lui servit un verre, ils fumèrent et, d'un accord tacite, ils limitèrent leur conversation à des banalités, courtoisement, parlant de tout et de rien, comme si leur récente rencontre et leur séparation après le dîner chez Susana Ferriol s'étaient déroulées sur le mode le plus naturel du monde : la villa louée pour le temps qu'exigerait la situation en Espagne, les avantages de la région pour y passer l'hiver, le mistral qui maintenait le ciel bleu et exempt de nuages. Puis, quand les lieux communs furent épuisés et que la conversation superficielle commença à devenir gênante, Max proposa d'aller déjeuner quelque part dans un endroit proche, Juan-les-Pins ou Eden Roc, pour continuer à discuter. Mecha fit suivre cette suggestion d'un silence prolongé, répéta ce dernier mot avec une expression pensive, et dit finalement à Max de se servir quelque chose pendant qu'elle se préparait pour sortir. Je n'ai pas faim, dit-elle. Mais une promenade me fera du bien.

Et donc ils en étaient là : en train de se promener sous les pins enracinés dans le sable, les rochers et les paquets d'algues du rivage où brasillait le soleil à son zénith, devant la baie couleur turquoise ouverte à l'infini et la plage qui allait jusqu'aux vieux remparts d'Antibes. Mecha avait changé son pyjama pour un pantalon noir et une marinière à rayures bleues et blanches ; elle portait des lunettes de soleil – à peine une ombre de maquillage sur les paupières, sous les verres teintés – et ses sandales foulaient le gravier du sentier tout près des chaussures basses marron de Max qui était en bras de chemise, cheveux gominés et sans chapeau, la veste pliée sur un bras et les manchettes doublement remontées sur les poignets bronzés.

– Tu danses toujours des tangos, Max ?

– Quelquefois.

– Y compris celui de la Vieille Garde ?... Tu dois toujours être bon dans cet exercice, je suppose.

Il détourna les yeux, mal à l'aise.

– Pas comme autrefois.

– Tu veux dire que tu n'en as plus besoin pour gagner ta vie ?

Il choisit de ne pas répondre. Il pensait à elle, évoluant dans ses bras, la première fois, dans le salon du *Cap Polonio*. Au soleil éclairant son corps souple dans la chambre de la pension de l'avenue Almirante Brown. À sa bouche et à sa langue impudique et violente quand elle avait écarté la *tanguera* dans le bouge de Buenos Aires pour prendre sa place. Au regard abruti du mari, son rire sordide pendant qu'ils s'accouplaient sous ses yeux brouillés par l'alcool et la drogue, là et plus tard, quand ils s'étreignaient voracement, nus et obscènes, sans limites, dans la chambre de l'hôtel. Il pensa aussi aux centaines d'occasions qui lui avaient été données de se souvenir durant les neuf années écoulées depuis, chaque fois qu'un orchestre attaquait les premières mesures de la mélodie composée par Armando de Troeye, ou qu'il l'entendait jouer à la radio ou sur un phonographe. Ce tango – la dernière fois qu'il avait dansé dessus, c'était au Carlton de Cannes, cinq semaines plus tôt, avec la fille d'un magnat allemand de l'acier – avait poursuivi Max dans la moitié du monde, lui causant toujours une sensation de vide, d'absence ou de perte : une nostalgie féroce, pénétrante, physique, du corps de Mecha Inzunza. De ses yeux dorés le regardant tout proches et très ouverts, pétrifiés par le plaisir. De la peau délicieuse qui restait chaude et humide dans sa mémoire, dont il se souvenait avec une telle intensité et qu'il avait maintenant de nouveau près de lui – encore incroyablement près – de si étrange manière.

– Parle-moi de toi, dit-elle.

– De quelle part de moi ?

– Celle que je vois là. – Elle fit un geste qui semblait le désigner tout entier. – Celle qui a fait de toi ce que tu es devenu, durant ces années.

Max parla, prudent, soucieux de n'en dire ni trop ni pas assez. Il mêlait habilement réalité et fiction, enchaînant sur un ton amène les anecdotes amusantes et les situations pittoresques qui masquaient les détails plus scabreux de sa vie. Adaptant, avec la facilité qui lui était naturelle, son histoire authentique à celle du personnage qu'il était censé représenter : un homme d'affaires fortuné, mondain, habitué des chemins de fer, des paquebots et des palaces d'Europe et d'Amérique du Sud, dont le passage des ans et la fréquentation de gens distingués ou riches n'avaient fait qu'augmenter la distinction. Il parla sans savoir si elle le croyait ou non ; mais, en tout cas, il fit en sorte d'esquiver toute allusion au côté occulte ou aux conséquences de ses activités réelles : un court séjour dans une prison de La Havane, heureusement résolu ; un incident policier sans gravité à Cracovie, après le suicide de la sœur d'un riche fourreur polonais ; ou un coup de pistolet mal ajusté à la sortie d'un tripot à Berlin suite à une histoire de jeu clandestin qui avait frôlé l'escroquerie. Il ne parla pas non plus de l'argent qu'il avait gagné et dépensé avec la même facilité au cours de ces années, du compte qu'il gardait en cas d'urgence dans une banque de Monte-Carlo, ni de son ancienne et utile relation avec le revendeur de coffres-forts Enrico Fossataro. Bien entendu, il ne mentionna pas non plus les deux voleurs professionnels, homme et femme, qu'il avait connus dans le bar de La Chambre d'Amour de Biarritz en automne 1931, leur association temporaire, la rupture quand la femme – une Anglaise neurasthénique et séduisante du nom d'Edith Casey, spécialisée dans le délestage des célibataires aux portefeuilles bien garnis – avait rendu trop intime le travail en équipe avec Max, ce qui n'avait pas manqué de déplaire à son compagnon : un Écossais raffiné bien que fort brutal, qui se faisait appeler indistinctement McGill et McDonald, et dont les soupçons plus ou moins justifiés avaient mis fin à une année de fructueuse activité commune, après une scène pénible où Max, à la surprise du couple – qui l'avait toujours considéré comme un jeune homme bien élevé et pacifique –, s'était vu obligé de recourir à quelques détestables procédés appris en Afrique dans la Légion, lesquels avaient laissé le dénommé McGill, McDonald ou quel que soit son vrai nom, étendu sur le tapis d'une chambre de l'Hôtel du Golf de Deauville, saignant du nez, et Edith Casey agonissant Max d'insultes pendant qu'il s'éclipsait dans le couloir, bien décidé à disparaître de leurs vies.

– Et toi ?

– Oh... Moi.

Elle l'avait écouté en silence, attentive. Après la question de Max, elle prit une expression évasive, souriant sous les lunettes de soleil.

– Le grand monde. C'est bien comme ça qu'on dit, n'est-ce pas, dans les magazines ?

Il avait tendu une main pour lui enlever ses lunettes et voir ses yeux, mais il se ravisa.

– Je n'ai jamais compris que ton mari…

Il se tut sans aller plus loin, mais elle ne dit rien. Derrière les verres teintés qui reflétaient Max, le regard était inquisiteur. Attendait qu'il achève sa phrase.

– Cette manière de… commença-t-il, avant de s'interrompre encore, gêné. Je ne sais pas. Toi et lui.

– Avec des tiers, tu veux dire ?

Un silence. Long. On entendait chanter les cigales sous les pins.

– Buenos Aires n'a pas été la première fois, ni la dernière, poursuivit finalement Mecha. Armando a sa façon de voir la vie. Les relations entre sexes.

– Une façon bien à lui, en tout cas.

Il eut un éclat de rire sans humour. Sec. Elle leva un peu les mains, exprimant la surprise.

– Jamais je ne t'aurais imaginé si puritain dans ce domaine, Max… Personne n'aurait dit ça, à Buenos Aires.

Elle dessinait quelque chose sur le sable avec le pied. Peut-être un cœur, déduisit-il. Mais elle l'effaça juste au moment où elle semblait vouloir tracer une flèche qui le traversait.

– Au début, c'était un jeu. Une provocation. Un défi à l'éducation et à la morale. Après, ça a fait partie de l'ensemble.

Elle fit quelques pas en direction du rivage, entre les écheveaux d'algues, jusqu'à ce qu'elle se découpe dans l'aveuglante couleur turquoise de la mer.

– C'est arrivé peu à peu, dès le début. Le matin qui a suivi notre nuit de noces, Armando s'était déjà arrangé pour que la femme de chambre venue apporter le petit-déjeuner nous trouve tout nus dans le lit en train de faire l'amour. Nous avons ri comme des fous.

Ébloui, tentant de voir son visage à contre-jour, Max dut

mettre une main en visière devant ses yeux. Mais il ne parvenait pas à saisir l'expression de la femme. Rien qu'une ombre dans le rayonnement de la baie pendant qu'elle continuait de raconter, d'un ton monocorde. Presque indifférente.

– Une fois, après le dîner, nous sommes rentrés chez nous. Un ami nous accompagnait, un musicien italien très beau, les cheveux ondulés, l'air langoureux. D'Ambrosio, c'était son nom. Armando s'est arrangé pour que l'Italien et moi fassions l'amour devant lui. Il ne nous a rejoints qu'après un long moment durant lequel il s'est contenté de nous regarder attentivement, avec un sourire et une étrange lueur dans les yeux. Avec cette particulière attirance qu'il avait pour l'élégance mathématique.

– Et tu as toujours trouvé ça… agréable.

– Pas toujours. Surtout au début. Il est impossible d'oublier du jour au lendemain une éducation conventionnelle, catholique, bien comme il faut. Mais Armando aimait repousser certaines limites…

Max sentait que sa langue restait collée au palais. Le soleil était fort et il avait terriblement soif. Il éprouvait aussi un étrange désarroi, un malaise quasi physique. Il se serait assis là, à même le sol, au risque de gâcher la parfaite propreté de son pantalon. Il regretta d'avoir laissé son chapeau à la villa. Mais il savait que ce n'était pas une question de soleil ni de chaleur.

– J'étais très jeune, ajouta-t-elle. Je me sentais comme une actrice qui monte sur la scène pour y chercher l'approbation du public, en espérant entendre des applaudissements.

– Tu étais amoureuse. Ça explique beaucoup de choses.

– Oui… Je suppose qu'à cette époque je l'aimais. Très fort.

Elle avait incliné la tête en disant cela. Puis elle regarda autour d'elle, donnant l'impression d'y chercher une image ou un mot. Peut-être une explication. Après quoi, comme si elle renonçait, elle esquissa un geste ironiquement résigné.

— J'ai mis un certain temps à comprendre qu'il s'agissait aussi de moi, pas seulement de lui. De mes propres profondeurs obscures. Parfois, même, il me battait. Ou c'était moi qui le faisais. Jamais je ne serais allée si loin, sinon. Pas même pour lui plaire... Une nuit, à Berlin, il m'a fait coucher avec deux jeunes serveurs d'un bar de la Tauentzienstrasse. Cette nuit-là, il ne m'a même pas touchée. D'habitude, il venait me prendre quand les autres avaient fini ; mais cette fois il est resté là, à fumer et à regarder jusqu'à ce que tout soit terminé... C'est la première fois où j'ai vraiment joui en me sentant observée.

Elle avait raconté cela sans inflexions, d'un ton neutre. Elle aurait aussi bien pu lire, pensa Max, le texte d'un prospectus pharmaceutique. Elle semblait attentive, cependant, à l'effet que ses paroles produisaient sur lui. C'était une curiosité technique et froide, décida-t-il, sidéré. Presque anthropologique. Le contraste avec ses propres sentiments, confus à cet instant, était aussi violent que toute cette lumière découpant les contours obscurs d'une ombre. Plus effrayé que perplexe, il découvrit que cette femme lui inspirait de la jalousie. Une étrange tristesse, nouvelle, inconnue jusqu'à ce jour. Un subit désir insatisfait. Une rancune animale et forcenée.

— Armando m'a dressée, disait-elle. Avec une patience méthodique, qui n'appartenait qu'à lui, il m'a appris à me servir de ma tête pour le sexe. Les immenses possibilités que ça représentait. Le physique n'est seulement qu'une partie, disait-il. Une matérialisation nécessaire, inévitable, de tout le reste. Une question d'harmonies.

Ils firent halte un moment. Ils revenaient sur le chemin de terre qui courait entre la plage et les pins, et Mecha enleva ses sandales pour en secouer le sable, s'appuyant avec naturel sur le bras de l'homme.

– Ensuite j'allais dormir et je l'entendais travailler au piano jusqu'à l'aube. Et je l'admirais encore davantage.

Il parvint à décoller la langue de son palais.

– Tu continues à te servir de ta tête ?

Le son de sa voix était rauque. Aride. Prononcer ces mots avait presque été douloureux.

– Pourquoi me demandes-tu ça ?

– Ton mari n'est pas là. – Il dessina un geste large, englobant la baie, Antibes, le reste du monde. – Et si j'ai bien compris, il tardera à revenir. Avec son élégance mathématique.

Mecha le regardait fixement, avec prévention, hostile.

– Tu veux savoir si je couche avec d'autres hommes ? Ou avec des femmes ? Bien qu'il ne soit pas là ?… Je le fais, Max.

Je voudrais ne pas être là, pensa-t-il, s'étonnant lui-même. Pas sous cette lumière qui me paralyse le jugement. Qui me dessèche l'esprit et la bouche.

– Oui, répéta-t-elle. Ça m'arrive de le faire.

Elle s'était une nouvelle fois arrêtée, contre la réverbération aveuglante de la plage. La douce brise de mer agitait ses cheveux au-dessus de sa peau légèrement bronzée par le soleil de la Riviera.

– Comme Armando, ajouta-t-elle d'une voix opaque. Ou comme toi-même.

Dans les verres de ses lunettes noires se reflétaient la ligne de la côte, la masse verte des pinèdes de la plage bordée de bleu turquoise. Max l'observa sans se presser, s'arrêtant sur le contour de ses épaules et sur sa poitrine sous la marinière que de légères taches de sueur rendaient humide aux aisselles. Elle était encore plus belle qu'à Buenos Aires, conclut-il, presque avec désespoir. Tellement belle qu'elle semblait irréelle. Elle devait avoir maintenant trente-deux ans : l'âge parfait, épanoui, de la femme dans toute sa splendeur.

Mecha Inzunza appartenait à cette classe de femmes, en apparence inaccessibles, dont on rêvait dans l'entrepont des navires et les tranchées des fronts de bataille. Durant des milliers d'années, les hommes avaient guerroyé, incendié des villes et tué pour obtenir des femmes comme celle-là.

– Il y a un endroit près d'ici, dit-elle soudain. La pension du Sémaphore… Près du phare.

Il la regarda, d'abord interdit. Mecha montrait un chemin sur la gauche qui s'enfonçait sous les pins ; au-delà d'une villa blanche entourée de palmiers et d'agaves.

– C'est un endroit pas cher pour les touristes de passage. Avec un petit restaurant devant la porte, sous un magnolia. On y loue des chambres.

Max était un homme aux nerfs solides. Son caractère et sa vie avaient fait de lui ce qu'il était. Ce fut cette solidité qui lui permit de garder les genoux fermes et la bouche close, impassible. Craignant de rompre, par une parole maladroite ou un geste mal venu, un mince fil dont tout dépendait.

– Je veux coucher avec toi, continua Mecha, devant son silence. Et je veux le faire tout de suite.

– Pourquoi ? réussit-il à articuler.

– Parce que pendant ces neuf années tu m'es apparu trop souvent quand je me servais de ma tête.

– Malgré tout ?

– Malgré tout, sourit-elle. Collier de perles compris.

– Tu es déjà allée dans cette pension ?

– Tu poses trop de questions. Et elles sont toutes stupides.

Elle avait levé une main, mis les doigts sur les lèvres desséchées de Max. Un frôlement furtif, porteur de singulières promesses.

– Bien sûr que j'y suis allée, dit-elle après un instant. Et il y a une chambre avec un grand miroir au mur. Parfait pour s'y regarder.

La persienne était faite de lames horizontales espacées entre elles. Le soleil de l'après-midi pénétrait par ces fentes en projetant une succession de franges de lumière sur le lit et le corps endormi de la femme. À son côté, tâchant de ne pas la réveiller, Max tourna la tête pour scruter de près son profil traversé par un trait de soleil, la bouche entrouverte et les ailes du nez qu'agitait par intervalles la respiration légère, les seins nus aux aréoles sombres entre lesquels les rais lumineux faisaient miroiter de minuscules gouttes de transpiration. Et la surface de peau ferme allant en décroissant vers le ventre pour bifurquer à la hauteur des cuisses, abritant le sexe dont gouttait encore lentement, sur le drap qui sentait la chair et la douce sueur des longues étreintes, la semence de l'homme.

Levant un peu la tête de l'oreiller, Max contempla les deux corps immobiles dans le miroir du mur, très grand, au tain moucheté par le temps et le manque d'entretien, qui allait de pair avec l'ensemble de la chambre et son médiocre mobilier : une commode, un bidet, une cuvette et un pot à eau, une lampe poussiéreuse et des fils électriques tordus reliés par des prises en porcelaine au mur, où une affiche touristique décolorée invitait sans conviction – un coucher de soleil jaune entre des pins violets – à visiter Villefranche. Une de ces chambres, enfin, qui semblait faite exprès pour des voyageurs de commerce, des repris de justice, des suicidés en puissance ou des amants. Sans la femme endormie près de lui et sans les rais de soleil qui pénétraient par la persienne, tout cela aurait déprimé Max, qui se souvenait de trop de lieux semblables qu'il n'avait pas fréquentés par caprice mais par nécessité. Pourtant, depuis qu'ils avaient franchi le seuil, Mecha s'était montrée placide, amusée par la chambre sordide sans eau courante et par la patronne somnolente qui leur avait donné la clef après avoir encaissé quarante francs sans demander de papiers ni poser de questions. Sa voix était devenue rauque et sa peau brûlante dès la porte fermée ; et Max avait été pris par surprise quand, en plein milieu d'une réflexion qu'il faisait sur la vue agréable qui compensait le triste aspect de la chambre, elle s'était pratiquement collée à lui, lèvres entrouvertes, respiration haletante, et avait interrompu ce bavardage anodin en levant les bras pour ôter sa marinière, découvrant ses seins plus pâles que le reste de la peau exposée au soleil.

– Tu es si beau que ça fait mal de te regarder.

Elle avait la poitrine complètement nue et elle lui tournait le visage de côté, poussant son menton avec un doigt afin de mieux l'observer.

– Aujourd'hui, je ne porte pas de collier, ajouta-t-elle au bout d'un instant.

– Dommage, parvint-il à dire.

– Tu es une canaille, Max.

– Oui… Parfois.

Tout s'était passé ensuite dans en entremêlement de chair, de salive, de caresses et d'humidité. Depuis le moment où elle avait expédié au diable son dernier vêtement et s'était étendue sur le lit dont Max venait de retirer la courtepointe, il avait pu voir qu'elle était extraordinairement excitée, prête à le recevoir immédiatement. C'était comme si, avait-il songé, cette chambre de pension opérait des miracles. Mais il n'y avait aucune raison de se hâter, s'était-il dit en se cramponnant à un reste de lucidité. C'est pourquoi il avait tout fait pour s'en tenir aux étapes préalables, conscient que le désir qui lacérait ses nerfs et ses muscles en les secouant douloureusement – il serrait les dents jusqu'à les faire grincer, ahanant de plaisir et de fureur contenue – pouvait lui jouer un mauvais tour. Neuf ans d'attente ne pouvaient se régler en trente minutes. Il avait donc employé son énergie et son expérience à prolonger la situation, les caresses, la violence presque insoutenable qu'elle lui imposait parfois – elle le gifla à deux reprises alors qu'il tentait de la maîtriser –, les cris de jouissance, cherchant de l'air entre deux étreintes, la respiration entre-coupée, et inventant deux ou vingt manières différentes d'embrasser, de lécher et de mordre. Max avait oublié le miroir sur le mur, mais pas elle ; et il finit par surprendre ses regards dans cette direction, le visage tourné sur le côté, alors qu'il s'employait à pénétrer son corps et sa bouche : elle s'y regardait et l'y regardait, jusqu'à ce que Max se tourne à son tour et s'y voie, enlacé dans un simu-lacre de lutte à mort, arc-bouté sur le corps de la femme, les bras tellement crispés que les muscles et les tendons semblaient sur le point d'éclater pendant qu'il tentait de l'immobiliser et de se contrôler, et qu'elle se débattait avec une férocité animale, mordant et frappant ; puis soudain, ses yeux rivés sur le reflet de Max dans le miroir, guettant sa réaction, elle s'offrait, soumise, obéissante, le recevant enfin, ou de nouveau, dans la chair ruisselante de plaisir, avec des défaillances chaque fois plus longues, s'aban-donnant au très ancien rituel du don total. Et après que Max se fut regardé et l'eut regardée dans le miroir, il avait tourné la tête pour l'observer de près, image réelle à une infime distance de ses yeux et de ses lèvres, et aperçu dans les iris couleur de miel une lueur ironique et sur la bouche un sourire de défi qui démentait tout : l'apparente domi-nation de l'homme et son propre don d'elle-même. Alors la volonté de Max l'avait finalement lâché ; et, comme un gladiateur vaincu, il avait plongé son visage dans le cou de la femme, perdu la notion de tout ce qui l'entourait et s'était répandu lentement, intensément, enfin sans défense, dans le ventre obscur et accueillant de Mecha Inzunza.

10

Bruits d'ivoire

Max n'a pas passé une bonne nuit. Il en a connu de meilleures, a-t-il songé ce matin en sortant de l'état de demi-veille qui l'a empêché de dormir normalement. Il a continué d'y penser alors qu'il se rasait le menton avec le Braun électrique, en contemplant dans le miroir de la salle de bains de l'hôtel les cernes sur son visage fatigué, les marques de ses inquiétudes récentes s'ajoutant à celles du temps et de la vie. Additionnant de manière fâcheuse défaites, impuissance, surprises de dernière heure et nouvelles incertitudes quand tout se présentait, ou du moins lui apparaissait enfin apaisé ; quand il est trop tard pour coller de nouvelles étiquettes sur ce qu'il a vécu. Durant le sommeil agité de cette nuit, tandis qu'il se retournait dans ses draps en une succession hachée de torpeur et de lucidité, il a cru plusieurs fois entendre s'écrouler les vieilles certitudes dans un fracas de vaisselle tombant par terre. Tout le fruit de sa vie de hasards, tout ce que, il y a quelques heures encore, il croyait avoir sauvé de naufrages successifs, consistait en une certaine indifférence mondaine, assumée sous la forme d'une aimable sérénité. Mais ce fatalisme tranquille, cet ultime refuge, cet état d'âme qui ont constitué jusque-là son seul patrimoine viennent de partir en fumée. Dormir tranquille, avec la quiétude d'un vieux coureur fatigué, était l'ultime privilège dont, avant sa dernière conversation avec Mecha Inzunza dans le jardin de l'hôtel, il avait pu imaginer profiter, à son âge, sans que la vie vînt le lui disputer.

Sa première réaction, le vieil instinct en sentant l'odeur du danger, a été de fuir : liquider immédiatement cette absurde aventure dénuée de sens – il se refuse à la qualifier de romantique parce qu'il a toujours détesté ce mot – et retourner à son emploi à la villa Oriana avant que tout ne se complique et que le chemin ne s'effondre sous ses pieds. Oublier, faisant contre mauvaise fortune bon cœur, ce qui a été en d'autres temps, assumer ce qui est aujourd'hui, et accepter ce qui ne pourra jamais être. Pourtant, conclut-il, il y a aussi des élans incontrôlables. Il existe des instincts, des curiosités qui, parfois, perdent les hommes et, d'autres fois, font tomber la boule dans la bonne case de la roulette. Des chemins auxquels, en dépit des conseils de la plus élémentaire prudence, il est impossible de se soustraire quand ils se présentent à la vue. Et en vous tendant des réponses à des questions que vous ne vous étiez encore jamais posées.

Une de ces réponses peut se trouver dans la salle de billard de l'hôtel Vittoria. Cette réponse, il la cherche depuis un bon moment et il est surpris que ce soit justement là qu'il doive l'y trouver. C'est Emil Karapétian qui l'y a envoyé, quand Max a voulu savoir s'il avait vu Jorge Keller. Ils se sont rencontrés quelques instants plus tôt sur la terrasse : l'Arménien prenait son petit-déjeuner en compagnie d'Irina, d'un air si naturel – elle a salué Max d'un sourire aimable – qu'il apparaît évident que la jeune analyste ignore que ses liens avec les Russes ont été découverts.

– Au billard ?

Max s'est montré surpris. Cela ne colle guère à l'image qu'il s'était faite d'un champion d'échecs.

398

– Ça fait partie de son entraînement, l'a éclairé Kara-pétian. Parfois il court, ou il pratique la natation. Parfois, il s'enferme pour faire des carambolages.

– Je ne l'aurais jamais imaginé.

– Nous non plus. – L'Arménien a haussé ses fortes épaules : l'humour n'est pas son fort. Max a remarqué qu'il évitait de regarder trop longtemps Irina. – Mais Jorge est comme ça.

– Et il joue seul ?

– Presque toujours.

La salle de billard est à l'entresol, après le salon de lecture : un miroir qui renvoie la lumière d'une porte-fenêtre ouverte sur la terrasse, un marqueur avec un porte-queues et une table de billard français sous une lampe en métal étroite et horizontale. Penché sur la table, Jorge Keller enchaîne carambolage sur carambolage sans autre bruit que celui de l'extrémité capitonnée de la queue, beaucoup plus léger que celui des boules qui s'entrechoquent avec une précision qui frise la monotonie. Debout dans l'encadrement de la porte, Max observe le joueur d'échecs : il est concentré et chacun de ses coups est précis ; il enchaîne les mouvements de façon automatique, comme si chaque triple choc des boules d'ivoire préparait le suivant sur le drap vert dans une succession qui, s'il le voulait, pourrait se prolonger à l'infini.

Max scrute le jeune homme avec avidité, passant en revue jusqu'au moindre détail : attentif à relever tout ce qui a pu lui échapper lors des rencontres précédentes. Au début, par un simple réflexe défensif, il cherche dans sa mémoire les traits lointains et confus d'Ernesto Keller, le diplomate chilien qu'il a connu en cet automne de 1937 au cours du dîner chez Susana Ferriol – il se le rappelle blond, distingué et affable –, et il tente de les appliquer à celui qui, selon tous les actes officiels, en est le fils. Ensuite, il tente d'associer ce souvenir avec celui de Mecha Inzunza, l'aspect qu'elle avait vingt-neuf ans plus tôt, et avec ce que la génétique a pu transmettre d'elle à son fils, qui, pour l'heure, est immobile devant la table, étudiant la position des boules tout en frottant le bout de la queue de billard avec de la craie ; svelte, grand, se tenant très droit. Comme sa mère, naturellement. Mais aussi comme Max lui-même en d'autres temps. Ils ont la même silhouette et la même stature ; et il est évident, conclut-il, sentant soudain se former un nœud dans son estomac, que lorsque le jeune homme se penche sur la bande du billard les cheveux noirs et épais qui lui tombent sur le front correspondent aussi peu à ceux de Mecha Inzunza – depuis le *Cap Polonio*, il se les rappelle châtain très clair, presque blonds – qu'à ceux de l'homme dont il porte le nom. Si le champion d'échecs se coiffait en arrière avec du fixatif, comme le faisait Max quand il les avait aussi noirs et épais que lui, ces cheveux seraient identiques aux siens. À ceux qu'il avait au même âge quand il passait une main sur sa tempe pour les lisser, avant de se diriger lentement vers les rythmes de l'orchestre, d'exécuter un léger claquement de talons et, le sourire aux lèvres, d'inviter une femme à le suivre sur la piste.

C'est impossible, décide-t-il, furieux, refusant l'idée. Il ne sait même pas jouer aux échecs. Il s'en veut de rester là, planté sur le seuil de la salle de billard, épiant les traits d'un autre. Ce genre d'histoire n'arrive qu'au cinéma, au théâtre et dans les feuilletons radiophoniques. Il devrait bien sentir quelque chose vibrer en lui, un signe, un frisson. Une affinité, peut-être. Ou un simple souvenir. C'est difficile de croire que les instincts naturels demeurent insensibles devant des réalités de cette ampleur. Devant de supposées évidences. La voix du sang, c'est ainsi qu'on appelait ça dans les vieux mélodrames qui mettaient en scène un millionnaire et une orpheline. Mais à aucun moment Max n'a entendu une telle voix. Il ne l'entend même pas maintenant, profondément blessé par la certitude désolante d'une erreur inexplicable, d'un affreux désarroi qui le décontenance comme jamais il ne l'a encore été de sa vie. Rien de cela ne peut être. Que Mecha mente ou non – et le plus probable est qu'elle ment –, tout cela n'est qu'une énorme et dangereuse absurdité.

– Bonjour.

Il lui est facile, cependant, d'entamer la conversation. Cela ne lui a jamais posé de problème, en aucune circonstance, et le billard n'est pas une mauvaise entrée en matière. Max se débrouille convenablement depuis la lointaine époque de Barcelone, quand, chasseur dans un hôtel, il pariait trois pesetas, prélevées sur ses pourboires, au trente-et-un et au cinq quilles sur le billard d'un bouge du Barrio Chino : femmes à la porte, maquereaux avec épingle de cravate et bretelles élastiques, peaux luisantes de sueur et fumée sous la lumière verdâtre que des abat-jour couverts de mouches projetaient sur les tapis verts, cigarettes entre les doigts qui maniaient les queues, bruits de carambolages, imprécations et jurons qui n'avaient parfois rien à voir avec le jeu mais avec ce qui se passait à l'extérieur : quand tout le local restait silencieux, on entendait les gens qui couraient chaussés d'espadrilles, les sifflets des policiers, les tirs isolés du pistolet d'un syndicaliste, le choc des crosses de fusil contre le sol.

– Vous jouez au billard, Max ?

– Un peu.

Jorge Keller a un profil sympathique, accentué par la mèche qui lui tombe sur le front et renforce son allure désinvolte, sans façons. Cependant, le sourire avec lequel il accueille le nouvel arrivant contraste avec son regard distant, absorbé par les coups et les combinaisons successives des trois boules en ivoire.

– Prenez une queue, si vous voulez.

Il est bon joueur, constate Max. Méthodique et sûr. Peut-être que jouer aux échecs y est pour quelque chose : vision d'ensemble ou de l'espace, concentration et autres facteurs qui peuvent caractériser ce genre de personnes. Le jeune homme enchaîne les carambolages avec une facilité déconcertante, comme s'il était capable de les calculer avant même qu'ils se produisent dans les positions idoines, en prévoyant les coups à l'avance.

– Je ne savais pas que vous étiez également bon dans ce domaine.

– Je préfère que vous me disiez « tu », répond Keller.

– Je ne savais pas que tu étais bon au billard.

– Je ne le suis pas vraiment. Jouer ainsi n'est pas la même chose que le faire contre un autre, à trois bandes.

Max va au porte-queues et en choisit une.

– Nous poursuivons avec une série américaine ? demande le jeune homme.

– Comme tu voudras.

Son partenaire acquiesce et continue à jouer. Par petits coups légers, il enchaîne carambolage sur carambolage le long d'une bande, en veillant à toujours laisser les boules le plus près possible l'une de l'autre.

– C'est une manière de se concentrer, commente-t-il sans quitter le jeu des yeux. De réfléchir.

Max l'observe, intéressé.

– Combien de carambolages peux-tu anticiper ?

– Drôle de question, sourit Keller. Ça se remarque beaucoup ?

– Je ne m'y connais pas en échecs, mais ce doit être assez semblable. Prévoir un mouvement ou prévoir un carambolage.

– J'en prévois au moins trois. – Le jeune homme désigne les boules, les angles et les bandes. – Là, et là... Peut-être cinq.

– Est-ce que, vraiment, ça ressemble aux échecs ?

– Ce n'est pas que ça y ressemble. Mais il y a des points communs. Devant chaque situation, il existe plusieurs possibilités. J'essaye d'anticiper les mouvements suivants, et de les faciliter. Comme aux échecs, c'est une question de raisonnement logique.

– Et tu t'entraînes ainsi ?

– Parler d'entraînement est excessif... C'est utile. Ça aide à exercer son esprit avec un minimum d'efforts.

Il s'arrête après avoir manqué un carambolage facile. Il est évident qu'il l'a fait par politesse : les boules restent groupées. Max tend la queue et se penche au-dessus de la table, frappe et fait s'entrechoquer doucement l'ivoire. À cinq reprises, la boule intermédiaire va et vient le long de la bande élastique en dessinant un angle précis à chaque coup.

– Vous aussi, vous ne vous débrouillez pas mal, commente le jeune homme. Vous avez beaucoup joué ?

– Un peu. Dans ma jeunesse surtout.

Max vient de rater le sixième carambolage. Keller frotte de la craie sur l'embout.

– Nous passons à trois bandes ?

– D'accord.

Les boules s'entrechoquent plus fortement. Le jeune homme enchaîne quatre carambolages ; avec le dernier, il envoie, délibérément, la boule de jeu de Max sur un point difficile par rapport aux deux autres.

– J'ai connu ton père. – Max étudie la triple position d'un œil critique. – Il y a pas mal d'années, sur la Riviera.

– Nous n'avons pas vécu longtemps avec lui. Ma mère a vite divorcé.

Max donne un coup sec avec la queue, en tâchant d'envoyer sa boule dans le sens inverse, du côté opposé aux autres.

– Quand je l'ai rencontré, tu n'étais pas encore né.

Le garçon ne répond pas. Il reste muet pendant que Max enchaîne un deuxième carambolage et, face à la difficulté d'un troisième, expédie la boule de Keller en mauvaise position, acculée dans un angle.

– Irina… commence à dire Max.

L'autre, qui lève le talon de la queue pour piquer, interrompt son geste et regarde Max d'un air interrogateur.

– Je connais ta mère depuis des années, se justifie celui-ci.

Keller effectue plusieurs mouvements de balancier d'avant en arrière, frôlant presque la boule, comme s'il ne se décidait pas à exécuter le coup.

– Je sais, répond-il. Depuis Buenos Aires, avec son précédent mari.

Il frappe enfin, maladroitement, et rate. Il observe un moment la table puis se tourne vers Max, l'air sombre. Comme s'il le rendait responsable de son erreur.

– Je ne sais pas ce que ma mère vous a raconté sur Irina.

– Très peu… Ou juste ce qu'il faut.

– Elle a sûrement ses raisons. Mais en ce qui me concerne, ce n'est pas votre affaire. Vos conversations avec ma mère ne me regardent pas.

– Je n'avais pas l'intention…

– Bien sûr. Je sais que vous n'aviez pas l'intention.

Max étudie les mains du jeune homme : fines, les doigts longs. L'ongle de l'index légèrement bombé, comme le sien.

– Quand tu étais enfant, elle…

Keller lève la queue en l'interrompant.

– Est-ce que je peux être sincère, Max ? Ici, je joue mon avenir. J'ai mes propres problèmes, professionnels et personnels. Et, tout d'un coup, vous apparaissez, vous dont ma mère ne m'avait jamais parlé. Et avec qui, pour des raisons que j'ignore, vous avez de surprenantes affinités.

Il laisse ces derniers mots en suspens et regarde la table de billard comme s'il venait de se souvenir de sa présence. Max prend la boule rouge, qui se trouve à proximité, la soupèse distraitement et la remet à sa place.

– Elle ne t'a rien dit de plus à mon sujet ?

– Très peu : un vieil ami, l'époque du tango… Tout ça. J'ignore si vous avez eu une liaison ou non, en ce temps-là. Mais je la connais, et je sais quand quelqu'un l'émeut particulièrement. Ça n'arrive pas souvent. – Bien que ce ne soit pas son tour, Keller se penche sur la table, frappe avec la queue et la boule touche trois fois la bande avant de faire un carambolage parfait. – Le jour où elle vous a revu, ma mère n'a pas fermé l'œil de la nuit. Je l'ai entendue aller et venir… Le lendemain matin, sa chambre sentait le tabac comme jamais, et tous les cendriers étaient pleins de mégots.

L'ivoire s'entrechoque doucement. Concentré, Keller ramène ses cheveux en arrière, frotte l'extrémité de la queue sur le dos de sa main posée sur le drap vert et frappe de nouveau. Il ne s'énerve jamais, a dit Mecha la dernière fois qu'ils ont parlé de lui. Il n'a pas de sentiments négatifs et ne connaît pas la tristesse. Simplement, il joue aux échecs. Et ça c'est de toi qu'il le tient, Max, pas de moi.

– Vous comprendrez que je me méfie, explique le jeune homme. J'ai déjà plus de problèmes que je n'en peux résoudre.

– Écoutez. Je n'ai jamais eu l'intention… Je suis seulement logé ici. Il s'agit d'une coïncidence extraordinaire.

Keller ne semble pas écouter. Il étudie la boule qu'il doit jouer, qui se trouve dans une position difficile.

– Je ne veux pas être impoli… Vous êtes aimable. Vous plaisez à tout le monde. Et comme je l'ai dit, même si je trouve ça étrange, ma mère a l'air de beaucoup vous apprécier. Mais il y a quelque chose qui ne me convainc pas. Que je n'aime pas.

Le coup de queue, violent cette fois, fait sursauter Max. Les boules se dispersent en allant frapper plusieurs bandes et se placer dans une position impossible.

— C'est peut-être votre façon de sourire, poursuit Keller. Ou votre regard, qui semble ailleurs.

— Mais tu souris de la même façon.

À peine a-t-il prononcé ces mots que Max s'en repent. Pour dissimuler l'irritation que lui cause sa maladresse, il feint d'étudier les boules avec la plus grande attention.

— C'est bien ce que je veux dire, répond Keller, objectif. Comme si j'avais déjà vu ce sourire avant.

Il reste un moment sans parler, réfléchissant sérieusement à ce qu'il vient de dire.

— Ou peut-être, ajoute-t-il, est-ce la manière dont ma mère vous regarde parfois.

Cachant son trouble, Max se penche sur la table, frappe un coup à trois bandes et rate.

— Mélancolie ? – Keller applique de la craie sur l'extrémité de la queue. – Tristesse complice ?... Est-ce que ce sont les mots qui conviennent ?

— Peut-être. Je l'ignore.

— Je n'aime pas ce regard chez ma mère. Quelle sorte de complicité peut-il y avoir dans la tristesse ?

— Ça aussi, je l'ignore.

— J'aimerais savoir ce qu'il y a eu entre vous. Même si ce n'est ni le lieu ni le moment.

— Demande-le-lui, à elle.

— Je l'ai fait… « Ah, Max ! » : c'est toute la réponse que j'ai obtenue. Quand elle décide de se renfermer sur elle-même, elle est comme une horloge dans un congélateur.

Brusquement, comme s'il avait soudain perdu tout intérêt pour le jeu, le jeune homme laisse la craie sur le bord de la table. Puis il va au porte-queues sur le mur et remet la sienne à sa place.

– Tout à l'heure, nous avons parlé de la manière de prévoir des carambolages ou des mouvements, dit-il après un silence. Et c'est ce qui se passe avec vous : il y a quelque chose dans votre jeu qui me rend méfiant. J'ai déjà trop de menaces qui m'entourent… Je vous prierais bien de disparaître de la vie de ma mère, mais ce serait aller trop loin. Je n'en ai pas le droit. C'est pourquoi je vous demanderai de vous tenir à l'écart de la mienne.

Max, qui a aussi rangé sa queue, fait un geste de protestation poli.

– En aucun moment, je n'ai eu l'intention…

– Je vous crois. Mais c'est égal… Éloignez-vous, s'il vous plaît. – Keller désigne la table de billard comme si son duel avec Sokolov se décidait ici même. – Au moins jusqu'à ce que tout ça soit terminé.

Du côté du levant, au-delà du phare du port de Nice et du mont Boron, des nuages épars s'amoncelaient lentement au-dessus de la mer. Penché en avant pour allumer sa pipe à l'abri de la brise, Fito Mostaza lâcha une bouffée de fumée, jeta un regard vers l'horizon brumeux et adressa un clin d'œil à Max derrière les verres de ses lunettes.

– Le temps va tourner, dit-il.

Ils étaient sous la statue du roi Charles-Félix, près de la rambarde en fer qui courait le long de la route d'où l'on dominait le port. Mostaza avait donné rendez-vous à Max dans un petit bistrot que ce dernier, en arrivant, avait trouvé fermé ; si bien qu'il avait attendu dans la rue en contemplant les bateaux amarrés aux quais, les hautes maisons au fond et le grand panneau publicitaire des galeries Lafayette. Il avait vu venir Mostaza au bout d'un quart d'heure : sa silhouette menue et agile gravissant sans hâte la côte du Rauba-Capeu, le chapeau négligemment rejeté en arrière, la veste ouverte sur la chemise à nœud papillon, les mains dans les poches de son pantalon. En voyant le café clos, Mostaza avait fait un geste de silencieuse résignation, sorti sa blague en caoutchouc de sa poche et bourré sa pipe, tout en se plaçant près de Max avec un coup d'œil circulaire vaguement inquisiteur, comme s'il voulait vérifier ce que celui-ci avait regardé pendant qu'il l'attendait.

– Les Italiens s'impatientent, commenta Max.

– Vous vous êtes revus ?

Max eut la certitude que Mostaza connaissait déjà parfaitement la réponse.

– Hier, nous avons parlé un moment.

– Oui, reconnut l'autre après un instant, entre deux bouffées de sa pipe. Je suis plus ou moins au courant.

Il regardait les bateaux amarrés, les ballots, barils et caisses empilés le long de la voie ferrée qui suivait les quais. Puis, sans quitter le port des yeux, il se tourna à demi.

– Vous avez pris votre décision ?

– Je leur ai parlé de vous. De votre proposition.

– C'est bien naturel. – La pipe aux lèvres, Mostaza esquissait un sourire philosophe. – Vous vous couvrez comme vous pouvez. Je comprends ça.

– Je me réjouis de vous trouver aussi compréhensif.

– Nous sommes tous des humains, mon ami. Avec nos peurs, nos ambitions et nos prudences… Comment ont-ils pris la révélation ?

– Ils ne m'ont pas fait de confidences. Ils ont écouté avec attention, ont échangé quelques regards, et nous avons abordé un autre sujet.

L'autre acquiesça.

– Des types à la redresse. Des professionnels, c'est sûr. Ils s'y attendaient… C'est un plaisir de travailler avec des gens comme eux. Ou contre eux.

– J'admire tant de *fair play*, ironisa Max, amer. Vous pourriez vous réunir tous les trois et vous mettre d'accord, ou vous donner quelques poignées de main amicales, entre collègues. Ça me simplifierait drôlement la vie.

Mostaza éclata de rire.

– Chaque chose en son temps, cher ami… En attendant, dites-moi pour qui vous avez fini par vous décider : fascisme ou République ?

– J'y réfléchis encore.

– Logique. Mais le temps presse. Quand pensez-vous vous introduire dans la maison ?

– Dans trois jours.

– Pourquoi spécialement ce moment-là ?

– Un dîner en ville. J'ai appris que Susana Ferriol serait absente pendant plusieurs heures.

– Et les domestiques ?

– Je me débrouillerai.

Mostaza le regardait en tirant sur sa pipe, comme s'il évaluait la pertinence de chaque réponse. Puis il ôta ses lunettes, sortit un mouchoir de la poche supérieure de sa veste et se livra à leur nettoyage avec beaucoup d'application.

– Je vais vous demander un service, monsieur Costa… Quoi que vous décidiez, dites à vos amis italiens que vous avez finalement opté pour travailler avec eux. Donnez-leur autant de détails que vous pourrez sur moi.

– Vous parlez sérieusement ?

– Tout à fait.

Mostaza regarda ses lunettes en transparence et les remit, satisfait.

– Mieux, ajouta-t-il. Je veux vous demander de travailler réellement pour eux. En jouant franc jeu.

Max, qui avait sorti et ouvert son étui à cigarettes, en resta ébahi.

– Vous voulez dire que je dois livrer les documents aux Italiens ?

– C'est bien ça. – L'espion affrontait, impavide, son regard stupéfait. – En fin de compte, ce sont eux qui ont monté l'opération. Et qui en couvrent les frais. Ça semble n'être que justice, vous ne croyez pas ?

– Et vous, alors ?

– Oh, ne vous inquiétez pas. Ça, c'est mon problème.

Max rangea l'étui sans se servir. Il avait non seulement perdu toute envie de fumer mais aussi de rester plus longtemps à Nice. Que cache donc ce piège ? se demandait-il. À quel endroit de cette toile d'araignée vont-ils m'attraper ? Ou me dévorer ?

– C'est pour me dire ça que vous m'avez fixé rendez-vous ici ?

Mostaza lui donna un petit coup de coude, l'invitant à se rapprocher de la rambarde en fer qui protégeait la dénivellation au-dessus du port.

– Venez. Regardez. – Le ton était presque affectueux. – Le quai que vous voyez dessous est le quai Infernet… Savez-vous qui était cet Infernet ? Un marin niçois qui était à Trafalgar, où il commandait *L'Intrépide*. Il a refusé de quitter le bord avec le contre-amiral Dumanoir et s'est battu jusqu'à la fin… Vous voyez ce navire marchand amarré au quai ?

Max dit que oui, il le voyait : c'était un cargo dont la carène était noire et dont la cheminée portait deux bandes bleues. En quelques mots, Mostaza résuma l'histoire de ce bateau. Il s'appelait le *Luciano Canfora* et transportait dans ses cales du matériel de guerre destiné aux troupes de Franco : sels d'ammonium, fulmicoton et lingots de laiton et de cuivre. Il devait appareiller dans quelques jours pour Palma de Majorque et, selon toute probabilité, sa cargaison avait été payée par Tomás Ferriol. Tout était organisé, ajouta Mostaza, par un groupe d'agents franquistes qui avaient leur base à Marseille et une radio à ondes courtes à bord d'un yacht amarré à Monte-Carlo.

– Pourquoi me racontez-vous ça ? demanda Max.

– Parce que ce bateau et vous, vous avez des choses en commun. Ses armateurs croient qu'il naviguera jusqu'à sa destination des Baléares en ignorant que, sauf contretemps de dernière heure, il accostera à Valence. Je suis justement en pourparlers avec le capitaine et l'officier mécanicien pour les convaincre qu'il est plus rentable pour eux, à tout point de vue, de passer du côté de la République… Comme vous pouvez le constater, monsieur Costa, vous n'êtes pas l'objet exclusif de mes préoccupations.

– Je continue à ne pas comprendre pourquoi vous me le racontez.

– Parce que c'est la vérité… Et parce que je suis sûr que, dans un de vos accès de prudente sincérité, vous rapporterez tout à vos amis italiens dès que vous en aurez l'occasion.

Max ôta son chapeau et passa une main sur ses cheveux. Malgré les nuages qui s'amassaient au-dessus de la mer et la brise d'est, il sentait une chaleur excessive. Soudaine et pénible.

– Je suppose que vous plaisantez.

– Pas du tout.

– Ça ne mettrait pas l'opération en danger ?

Mostaza pointa le tuyau de sa pipe contre la poitrine de Max.

– Mon cher ami, cela fait justement partie de l'opération. Prenez soin de vous et laissez-moi le soin d'ajuster toutes les pièces du puzzle… Je vous demande seulement de rester ce que vous avez été jusqu'à maintenant : un brave garçon loyal envers tous ceux qui l'approchent, et qui tente de se tirer de cette embrouille du mieux qu'il peut. Personne ne pourra rien vous reprocher. Je suis sûr que les Italiens apprécieront autant votre franchise que je l'apprécie moi-même.

Max l'étudia avec méfiance.

– Vous est-il arrivé de penser qu'ils pourraient vouloir vous assassiner ?

– Bien sûr que j'y ai pensé. – L'autre riait, dents serrées, comme si c'était une évidence. – Dans mon métier, c'est un facteur de risque à ne pas négliger…

Puis il s'interrompit. Il contempla un moment le *Luciano Canfora* et se tourna vers Max. Contrastant avec le nœud papillon, son sourire évoquait un furet de bonne race en train de flairer toutes sortes de terriers.

– Ce qui peut parfois se passer dans ce genre d'embrouillaminis, ajouta-t-il en frottant la cicatrice qu'il avait sous la mâchoire, c'est que ce sont les autres qui meurent. Et soi-même, aussi modeste soit-on, on peut se révéler aussi dangereux que n'importe qui… Vous, par exemple, il ne vous est jamais arrivé d'être dangereux ?

– Pas vraiment.

– Dommage. – Il l'étudiait avec une curiosité renouvelée, comme s'il venait de découvrir un détail jusque-là négligé. – J'entrevois quelque chose dans votre caractère, vous savez ?… Certaines potentialités.

– Je n'ai peut-être pas besoin de l'être. Je me débrouille plutôt bien en restant pacifique.

– Vous l'avez toujours été ?

– Il n'y a qu'à me regarder.

– Je vous envie. Vraiment. Moi aussi, ça me plairait bien d'être ainsi.

Mostaza tira plusieurs fois sans résultat sur sa pipe et, l'enlevant de sa bouche, en contempla, contrarié, le fourneau.

– Vous savez quoi ? poursuivit-il en palpant ses poches. Une fois, j'ai passé toute une nuit dans le compartiment de première classe d'un train, à bavarder avec un monsieur très distingué… Un type très sympathique… Vous me rappelez ce monsieur… Nous nous entendions à merveille.

À cinq heures du matin, j'ai regardé ma montre et j'ai considéré que j'en savais suffisamment. Alors je suis sorti fumer une pipe dans le couloir, et quelqu'un qui attendait dehors est entré dans le compartiment et a tiré une balle dans la tête de cet homme distingué et sympathique.

Il avait sorti une boîte d'allumettes et rallumait sa pipe, concentré sur l'opération.

– Ça doit être une sensation merveilleuse, n'est-ce pas ? commenta-t-il en secouant l'allumette pour l'éteindre.

– Je ne vois pas de quoi vous parlez.

L'autre le regardait avec intérêt, en lançant d'épaisses bouffées de fumée.

– Vous connaissez Pascal ? questionna-t-il inopinément.

– Autant que les espions, admit Max. Ou même moins.

– C'était un philosophe… *La puissance des mouches*, a-t-il écrit. Elles gagnent des batailles.

– Je ne comprends pas ce que vous voulez dire.

Mostaza composa un sourire appréciateur, ironique et mélancolique à la fois.

– Croyez bien que je vous envie. Sérieusement… Ça doit être apaisant d'être ce troisième homme indifférent qui contemple le paysage. De se croire en marge de ses amis fascistes et de moi. De prétendre être sincère avec tous, sans prendre parti, et ensuite de dormir à poings fermés. Seul ou en galante compagnie, ça, je ne m'en mêle pas… Mais à poings fermés.

Max s'agita, exaspéré. Il avait envie de frapper ce sourire glacé, absurdement complice, tout près de son visage. Mais savait, malgré l'aspect fragile de son propriétaire, que ce sourire n'était pas de ceux qui se laissent frapper facilement.

– Écoutez, dit-il. Je vais être grossier.

– Ne vous en faites pas, mon vieux. Allez-y.

– Votre guerre, vos bateaux, et vos lettres du comte Ciano, je n'en ai rien à foutre.

– Je rends hommage à votre franchise, concéda Mostaza.

– Vos hommages non plus, je n'en ai rien à foutre. Vous voyez cette montre ? Vous voyez ce costume fait sur mesure à Londres ? Vous voyez ma cravate achetée à Paris ?... Ça m'a coûté beaucoup d'efforts pour obtenir tout ça. Pour le porter avec naturel. J'ai sué sang et eau pour en arriver là... Et maintenant que j'y suis, voilà qu'un tas de gens, pour une raison ou pour une autre, décident de me tomber sur le râble ?

– Je comprends... Votre Europe si convoitée et si rentable est en train de se décomposer comme un lis pourri.

– Eh bien, laissez-moi encore du temps, bande de salauds. Pour en profiter un peu.

Mostaza semblait méditer ces fortes paroles, impartial.

– Oui, admit-il. Il se peut que vous ayez raison.

Les mains sur la rambarde, Max se penchait vers le port, comme pour inspirer la plus grande quantité possible de brise marine. À se purifier les poumons. Au-delà de La Réserve, la maison de Susana Ferriol était repérable sur les rochers du rivage, au loin, entre les villas blanches et ocre qui parsemaient le versant vert du mont Boron.

– Vous m'avez piégé dans une histoire qui me dégoûte, ajouta-t-il au bout d'un instant. Et tout ce que je veux, c'est en finir une fois pour toutes. Vous voir tous disparaître.

Mostaza claqua la langue avec commisération.

– Dans ce cas, j'ai de mauvaises nouvelles, répliqua-t-il. Parce que nous voir disparaître sera impossible. Nous représentons l'avenir, tout autant que les voitures, les avions, les drapeaux rouges, les chemises noires ou brunes... Vous débarquez trop tard dans une fête condamnée à mourir. – Il pointa sa pipe vers les nuages qui continuaient de s'accumuler sur la mer. – Il y a un orage qui est en train de se former ici, tout près. Cet orage balaiera tout ; et quand ce sera fini, rien ne sera plus comme avant. Et alors, vos

414

cravates achetées à Paris, vous pourrez vous les mettre où je pense.

– Je ne sais pas si Jorge est mon fils, dit Max. En réalité, je n'ai aucun moyen de le savoir.

– C'est évident, répond Mecha Inzunza. Tu n'as que ma parole.

Ils sont assis à la table d'une terrasse de la Piazzetta de Capri, près des marches de l'église et de la tour de l'horloge qui s'élève au-dessus de la montée du port. Ils sont arrivés au milieu de l'après-midi, par le vaporetto qui fait le trajet en une demi-heure depuis Sorrente. C'était une idée de Mecha. Jorge se repose, avait-elle dit, et ça fait des années que je ne suis plus allée dans l'île. Et elle a invité Max à l'accompagner.

– À l'époque, tu… commence à dire celui-ci.

– Tu veux dire que j'avais d'autres hommes dans ma vie ?

Max ne répond pas tout de suite. Il regarde les gens qui occupent les tables voisines ou se promènent lentement en se découpant sur le soleil couchant. Des tables proches parviennent des bribes de conversations en anglais, en italien et en allemand.

– L'autre Keller était là, insiste-t-il comme s'il concluait un long et complexe raisonnement. Le père officiel.

Mecha émet un rire dédaigneux. Elle joue avec les pointes du foulard de soie qu'elle porte au cou, sur le sweater gris et le pantalon noir qui couvre ses longues jambes, plus minces qu'il y a vingt-neuf ans. Elle a chaussé des Pilgrim noires sans boucle. Le sac en toile et en cuir pend sur le dossier de la chaise.

– Écoute, Max. Je n'ai aucun intérêt à ce que tu assumes une paternité, à ton âge comme au mien.

– Je n'ai pas l'intention…

Elle lève une main pour l'interrompre.

– J'imagine aussi bien tes intentions, ainsi que celles que tu n'as pas. Je me suis limitée à répondre à une question que tu m'as posée… Tu me demandais pourquoi tu devais faire ça. Pourquoi tu devais prendre des risques en volant le livre des Russes.

– Je ne suis plus fait pour ce genre de pirouettes.

– Tu en es capable.

Mecha tend la main d'un geste distrait en direction du verre de vin qui touche celui de Max, sur la table.

– Tu étais plus intéressant, ajoute-t-elle, quand tu prenais des risques.

– Et beaucoup plus jeune, répond Max du tac au tac.

Elle le regarde, ironique.

– Tu as tellement changé ? Ou est-ce nous deux ?… Tu ne sens plus rien de cet ancien fourmillement au bout des doigts ? Du battement de ton cœur qui s'accélérait follement ?

Elle s'attarde à observer le geste d'élégante résignation qu'il fait en guise de réponse : un geste bien en accord avec le sweater bleu posé négligemment sur les épaules du polo en coton blanc, le pantalon gris en lin, les cheveux gris coiffés en arrière comme autrefois, avec une raie haute et impeccable.

– Je me demande comment tu y es arrivé, dit-elle. Quel coup de chance t'a permis de changer de vie… Et comment elle s'appelle. Ou elles : toutes celles qui en ont assuré les frais.

– Il n'y a eu personne. – Max incline un peu la tête, mal à l'aise. – J'ai eu de la chance, voilà tout. Tu l'as dit toi-même.

– Une vie sans problème.

– C'est ça.

– Comme tu la rêvais.

– Pas autant. Mais je ne me plains pas.

Mecha regarde vers l'escalier qui va de la Piazzetta au palais Cerio, comme si elle cherchait un visage connu parmi les gens qui circulent.

– C'est ton fils, Max.

Un silence. La femme vide le fond de son verre de vin par petites gorgées.

– Ne crains rien, je n'ai pas l'intention de te présenter la moindre facture, dit-elle après un moment. Tu n'es pas responsable de sa vie ni de la mienne... J'ai seulement voulu te donner une raison pour te faire comprendre que tu dois l'aider. Un argument solide.

Max fait semblant d'arranger les plis de son pantalon, une manière comme une autre de ne pas exhiber son trouble.

– Tu le feras, n'est-ce pas ? demande Mecha.

– Ses mains, peut-être, admet-il enfin. Et aussi ses cheveux, qui ressemblent aux miens... Et probablement quelque chose dans sa manière de se mouvoir.

– Ne te creuse pas davantage la cervelle, s'il te plaît. Accepte ou refuse. Mais cesse d'être pathétique.

– Je ne suis pas pathétique.

– Mais si, tu l'es. Un vieux type pathétique qui cherche comment se libérer d'une charge tardive et inattendue. Alors que de charge, il n'en a justement aucune.

Elle s'est levée, prend son sac et regarde l'horloge de la tour.

– Il y a un vaporetto à sept heures et quart. Faisons un dernier tour.

Max chausse ses lunettes pour lire l'addition. Puis il les range dans la poche de son pantalon, sort son portefeuille et laisse deux billets de mille lires sur la table.

– Jorge n'a jamais eu besoin de toi, dit Mecha. Il m'avait.

– Et avec toi, il avait ton argent. La vie sans problème.

– Ça sonne comme un reproche, mon cher. Bien que, si ma mémoire ne me trompe pas, toi, au contraire, tu as

417

toujours couru après l'argent. Tu lui donnais la priorité sur tout le reste. Et maintenant que tu sembles en avoir, tu continues à ne pas cracher dessus.

Ils marchent jusqu'au parapet en pierre. Des citronniers et des vignes descendent vers les falaises, se teintant de rouge sous la lumière qui baigne la baie de Naples. Le disque du soleil plonge déjà dans la mer et dessine au loin la forme de l'île d'Ischia.

– Pourtant, par deux fois, tu as laissé passer l'occasion… Comment as-tu pu être aussi stupide avec moi ? Aussi balourd, aussi aveugle.

– Je crois que j'étais trop occupé. Obsédé par la nécessité de survivre.

– Tu n'as pas eu la patience. Tu étais incapable d'attendre.

– Tu allais sur des chemins différents. – Max choisit les mots avec soin. – Des lieux qui ne pouvaient me convenir.

– Tu aurais pu changer cela. Tu as été lâche… Même si, bien involontairement, tu as quand même fini par obtenir ce que tu voulais.

Elle frissonne un instant, comme si elle avait froid. Max s'en aperçoit et lui propose son sweater ; mais elle fait non de la tête. Elle couvre ses cheveux courts et gris avec le foulard de soie qu'elle noue sous son menton. Puis elle s'appuie, près de l'homme, au parapet.

– M'as-tu aimée un jour, Max ?

Déconcerté, il ne répond pas. Il regarde avec obstination la mer qui se colore de plus en plus de rouge, pendant qu'il tente de séparer, intérieurement, le mot *remords* du mot *mélancolie*.

– Oh, quelle idiote je suis. – Elle lui caresse une main : rien qu'un frôlement fugace. – Mais si, bien sûr. Tu m'as aimée.

Désolation est un autre mot, et c'est bien celui qui convient, conclut-il. Une sorte de lamento humide, intime, en souvenir de ce tout ce qui a été et qui n'est plus. De la douceur et de la chair aujourd'hui impossibles.

– Tu ne sais pas ce que tu as perdu toutes ces années, continue Mecha. Voir grandir ton enfant. Voir le monde à travers ses yeux, à mesure qu'il les ouvrait.

– Et si c'est vrai : pourquoi moi ?

– Tu veux dire : pourquoi est-ce avec toi que je l'ai fait ?

Il ne répond pas tout de suite. La cloche de l'église a sonné et l'écho de son tintement se prolonge sur toutes sur les pentes de l'île. La femme regarde de nouveau l'horloge, s'écarte du parapet et se dirige vers la station du funiculaire qui relie la Piazzetta à la Marina.

– C'est arrivé, voilà tout, dit-elle quand elle s'assied à côté de lui sur le banc de la cabine dont ils sont les seuls passagers. Et après j'ai dû décider. Et j'ai décidé.

– De le garder pour toi.

– C'est le bon mot. De le garder, oui. Pour moi seule.

– Le père…

– Ah oui : ce père. Comme tu l'as dit, ça tombait plutôt bien. Utile, dans les premiers temps : Ernesto était un brave homme. Très bon avec l'enfant. Ensuite, il n'a plus été nécessaire.

Avec une légère trépidation, le funiculaire descend le long des murs recouverts de végétation, face au crépuscule qui descend sur la baie. Le reste du trajet se fait dans le silence, brisé à la fin par Max :

– Ce matin, j'ai parlé à ton fils.

– C'est curieux. – Elle semble réellement surprise. – Nous avons déjeuné ensemble et il ne m'en a rien dit.

– Il m'a demandé de me tenir à l'écart.

– Qu'est-ce que tu attendais d'autre ?… C'est un garçon intelligent. Son instinct ne fonctionne pas seulement pour les échecs. Il flaire quelque chose de pas clair. Ta présence ici, et le reste. En réalité, je suppose qu'il le flaire à travers moi. Toi, tu lui es indifférent. C'est mon attitude à ton égard qui l'alerte.

Quand ils arrivent, le soleil s'est enfin noyé dans son sang et la Marina s'enfonce dans la grisaille et l'ombre. Ils marchent le long du quai en regardant les bateaux de pêche mouillés près du rivage.

– Jorge devine qu'il existe un lien particulier entre nous, dit Mecha.

– Particulier?

– Ancien. Et mal venu.

Elle se tait un moment. Max la guette, prudent, sans oser prononcer un mot.

– Tout à l'heure, tu m'as posé une question, ajoute-t-elle finalement : pourquoi crois-tu que j'ai accepté d'avoir cet enfant?

Maintenant, c'est Max qui garde le silence. Il se tourne d'un côté et de l'autre, et finit par sourire, confus, en s'avouant vaincu. Mais elle reste toujours en attente d'une réponse.

– En réalité, toi et moi… aventure-t-il, mal assuré.

Un autre silence. Mecha le regarde tandis que la lumière décline et que le monde semble mourir lentement autour d'eux.

– Depuis ce premier tango dans le salon du navire, conclut Max, notre relation a toujours été étrange.

Elle continue de le fixer, désormais avec un tel mépris qu'il doit faire un effort presque physique pour ne pas la fuir des yeux.

– C'est tout ce que tu trouves à dire?… Étrange? Pour l'amour du ciel. Je suis tombée amoureuse de toi dès que nous avons dansé ce tango… Et je le suis restée presque toute ma vie.

La nuit tombait également vingt-neuf ans plus tôt sur la baie de Nice, pendant que Max Costa et Mecha Inzunza suivaient la Promenade des Anglais. Le ciel s'était couvert, et les derniers rayons s'éteignaient entre les nuages noirs, fusionnant en un ton unique la ligne basse du ciel et la mer agitée qui faisait rouler les galets de la plage. De grosses gouttes isolées, prélude à une pluie plus intense, parsemaient le sol en donnant un aspect triste aux feuilles immobiles des palmiers.

– Je quitte Nice, dit Max.

– Quand ?

– Dans trois ou quatre jours. Dès que j'aurai conclu une affaire.

– Tu reviendras ?

– Je ne sais pas.

Elle ne fit aucun commentaire. Ses talons martelaient le trottoir avec assurance malgré le sol mouillé. Elle marchait les mains dans les poches de son imperméable gris à la ceinture très serrée qui accentuait la minceur de sa taille, les cheveux rassemblés sous un béret noir.

– Tu restes à Antibes ? s'enquit Max.

– Oui. Probablement tout l'hiver. Au moins tant que dureront les événements d'Espagne, et en attendant des nouvelles d'Armando.

– Tu en as reçu d'autres ?

– Non. Rien.

Max pendit le parapluie à son bras. Puis il ôta son chapeau pour secouer les gouttes de pluie et le remit.

– En tout cas, il est toujours vivant.

– Il l'était. Aujourd'hui, je ne sais plus.

Le Palais de la Méditerranée venait de s'éclairer. Comme pour répondre à un signal général, les réverbères s'allumèrent d'un seul coup le long de l'ample courbe de la Promenade, alternant ombres et clartés sur les façades des hôtels et des restaurants. À la hauteur du Ruhl, s'abritant sous le vélum de la passerelle de la Jetée-Promenade où un portier en uniforme montait la garde, trois jeunes gens en habit de soirée tentaient leur chance, guettant l'arrivée des automobiles et les femmes qui en descendaient pour gagner l'intérieur, d'où parvenait de la musique. À l'évidence, aucun d'eux ne possédait les cent francs que coûtait l'entrée. Tous trois regardèrent Mecha avec une envie tranquille, et l'un d'eux s'approcha de Max pour lui demander une cigarette. Il sentait l'eau de Cologne bon marché. Il était très jeune et plutôt joli garçon, cheveux très noirs et yeux sombres, l'aspect d'un Italien. Il portait comme les autres une veste croisée ajustée à la taille, avec un col dur et un nœud papillon. Le smoking semblait loué et les chaussures laissaient à désirer, mais le garçon se conduisait avec un aplomb bien élevé et élégant qui frisait l'insolence, et l'ensemble arracha un sourire à Max. Il s'arrêta, déboutonna son Burberry, sortit l'étui en écaille et le lui tendit ouvert.

– Prenez-en d'autres pour vos amis, suggéra-t-il.

Le garçon lui jeta un regard légèrement déconcerté. Puis il prit trois cigarettes, remercia, adressa un dernier coup d'œil à Mecha et alla rejoindre ses camarades. Max poursuivit son chemin. Du coin de l'œil, il vit que la femme l'observait, amusée.

– Vieux souvenirs, dit-elle.

– C'est vrai.

Tandis qu'ils s'éloignaient, la mélodie qui venait de la Jetée-Promenade jetait ses dernières notes et l'orchestre en attaquait une nouvelle.

– Je n'arrive pas à y croire, rit Mecha en prenant le bras de Max, tu avais tout manigancé pour moi… Gigolos compris.

Max rit à son tour, aussi étonné qu'elle : les notes du *Tango de la Vieille Garde* filtraient de la salle de bal du casino, dominant le bruit des vagues sur les galets de la plage.

– Tu veux entrer danser ? plaisanta-t-il.

– Tu n'y penses pas !

Ils cheminaient très lentement. En écoutant.

– C'est beau, dit-elle, quand la musique du tango se fut éteinte. Plus beau que *Le Boléro* de Ravel.

Ils poursuivirent un moment sans parler. Puis Mecha serra un peu le bras de Max.

– Si tu n'avais pas été là, ce tango n'existerait pas.

– J'en doute, protesta-t-il. Je suis sûr que, sans toi, ton mari n'aurait jamais réussi à le composer. C'est ton tango, pas le sien.

– Ne dis pas de bêtises.

– J'ai dansé avec toi, ne l'oublie pas. Dans cette boîte de Buenos Aires… Je me rappelle la manière dont il te regardait. Dont nous te regardions tous.

La nuit était déjà complètement tombée quand ils franchirent le pont du Paillon. À gauche, au-delà du jardin, les réverbères éclairaient la place Masséna. Un tramway, dont on n'apercevait que les étincelles du trolley, passa au loin, invisible entre les arbres épais et sombres.

– Dis-moi quelque chose, Max. – Elle portait la main à son cou, sous l'imperméable. – Est-ce que tu avais prévu de t'emparer du collier dès le début, ou est-ce que tu as improvisé à la dernière minute ?

– J'ai improvisé, mentit-il.

– Tu mens.

Il la fixa droit dans les yeux avec une franchise parfaite.

– Je te jure que c'est vrai.

Il n'y avait pratiquement pas de circulation : des calèches passaient, capote relevée et lanterne allumée, piétinant les feuilles mouillées, et quelques automobiles dont les phares les éblouissaient par intervalles de leur lumière mouillée et brumeuse. Ils traversèrent prudemment sur l'asphalte, laissant derrière eux la Promenade pour pénétrer dans les rues voisines du cours Saleya.

— Comment s'appelait ce bouge ? s'intéressa Mecha. Celui du tango.

— La Ferroviaria. À côté de la gare de Barracas.

— Tu penses qu'il est toujours ouvert ?

— Je ne sais pas. Je n'y suis jamais retourné.

De grosses gouttes tombaient de nouveau sur le chapeau de Max. Cela ne valait pas la peine d'ouvrir le parapluie. Ils pressèrent le pas.

— J'aimerais encore une fois écouter de la musique comme celle-là, dans un lieu du même genre, avec toi… Est-ce qu'il y en a, à Nice ?

— Tu veux dire des endroits sordides ?

— Je veux dire des endroits spéciaux, idiot. Un peu canailles.

— Comme la pension d'Antibes ?

— Par exemple.

— Avec ou sans miroir ?

Pour toute réponse, elle l'obligea à s'arrêter et à pencher son visage. Alors elle l'embrassa sur les lèvres. Ce fut un baiser rapide et dense, chargé de souvenirs et d'envie immédiate. Max sentit monter en lui l'urgence du désir.

— Évidemment, dit-il. Des endroits comme celui-là, il en existe partout.

— Cite-m'en un.

— Ici, le seul que je connaisse est le Lions at the Kill. Une boîte dans le vieux quartier.

— Je trouve le nom charmant. – Mecha avait fait mine d'applaudir, complice. – Allons-y tout de suite.

Max lui prit le bras pour l'obliger à reprendre leur marche.

— Je croyais que nous allions dîner. J'ai réservé une table chez Bouttau, près de la cathédrale.

Mecha plongeait son visage dans le creux de son épaule, l'empêchant presque de marcher.

– Je déteste ce restaurant, dit-elle. Le patron sort toujours pour vous saluer.

– Et ça te gêne ?

– Beaucoup. Tout s'est mis à aller de travers, du jour où les modistes, les coiffeurs et les cuisiniers se sont mêlés à la clientèle.

– Sans oublier les danseurs de tango, précisa Max en riant.

– J'ai une meilleure idée, proposa-t-elle. Prenons rapidement quelque chose à La Cambuse : des huîtres et une bouteille de chablis. Ensuite, tu m'emmènes dans cette boîte.

– Comme tu voudras. Mais range ton collier et ta montre dans ton sac avant d'entrer. Ne tentons pas le diable.

Ils étaient près d'un lampadaire du cours Saleya quand elle leva la tête. Ses yeux brillaient comme s'ils étaient en laiton ou en cuivre.

– Les jeunes gens d'autrefois y seront aussi ?

– Je crains que non, sourit Max, fataliste. Ceux qui sont là-bas sont les jeunes gens d'aujourd'hui.

Lions at the Kill n'était pas un mauvais nom, mais il promettait plus qu'il ne tenait. Il y avait du champagne de mauvaise qualité dans des seaux à glace, des coins obscurs et poussiéreux, une chanteuse au sexe imprécis et à la voix rauque, vêtue de noir, qui imitait Edith Piaf, et plusieurs numéros de strip-tease à partir de dix heures du soir. L'ambiance était artificielle, délibérée, entre style apache vieillot et surréalisme suranné. Les tables étaient occupées par quelques touristes américains et allemands avides d'émotions illusoires, un petit nombre de marins venus de Villefranche et trois ou quatre individus à l'allure de gangsters de cinéma, favoris taillés en pointe et costumes sombres à rayures que Max soupçonnait d'avoir été engagés par le patron pour l'atmosphère. Mecha qui s'ennuyait en eut assez à la moitié du deuxième strip-tease – une Égyptienne opulente aux gros seins blancs et gélatineux –, et donc Max demanda l'addition, paya deux cents francs pour la bouteille qu'ils avaient à peine touchée, et ils regagnèrent la sortie.

– C'est tout ?

Mecha semblait déçue.

– Pour Nice, oui. Ou presque.

– Emmène-moi au casino, alors.

Pour toute réponse, Max ouvrit le parapluie en indiquant l'extrémité de la rue. L'eau tombait des toits à grosses gouttes. Ils étaient rue Saint-Joseph, au départ de la montée vers le château. Il y avait deux femmes près de l'unique réverbère, s'abritant sous l'auvent d'une boutique de fleurs fermée. Ils marchèrent lentement dans leur direction en se tenant par le bras, dans le crépitement de la pluie. En les voyant venir, une des femmes se retira sous un porche voisin ; mais l'autre demeura immobile pendant qu'ils approchaient. Elle était mince et grande. Elle portait un blouson à col d'astrakan et une jupe noire très ajustée jusqu'à mi-mollets. La jupe moulait étroitement ses hanches, mettant en valeur des jambes longues, rehaussées par des souliers à semelles épaisses et hauts talons.

– Elle est jolie, dit Mecha.

Max regarda la figure de la femme. À la lumière du réverbère, elle paraissait jeune sous la tache sombre de la bouche peinte. Les paupières étaient maquillées avec un épais rimmel, sous les sourcils réduits à une ligne de crayon et visibles sous le bord court du chapeau imbibé de pluie. Elle avait de minuscules gouttes sur le visage.

– Jolie, peut-être, reconnut-il.

– Elle a un beau corps, flexible… Une certaine élégance.

Ils étaient parvenus à sa hauteur et la femme les

regardait : un rapide coup d'œil professionnel destiné à Max, vite remplacé par un regard opaque, d'indifférence, en constatant que l'un et l'autre se tenaient par le bras. Un regard curieux, ensuite, pour évaluer Mecha à sa mise et à son apparence. L'imperméable et le béret ne semblaient pas révéler grand-chose ; mais Max remarqua tout de suite qu'elle observait les chaussures et le sac comme si elle lui reprochait de ne pas se soucier de les gâcher sous cette pluie.

– Demande-lui combien elle prend, murmura Mecha.

Elle s'était penchée vers Max pour le lui dire, presque avec véhémence, sans quitter la femme des yeux. Il regardait Mecha, décontenancé.

– Ça ne nous regarde pas.

– Demande-le-lui.

La femme avait entendu leur échange – ils avaient parlé en espagnol – ou elle le devinait. Ses yeux allaient de l'un à l'autre, croyant comprendre. Un début de sourire, mi-méprisant et mi-encourageant, se dessina sur le carmin violacé de la bouche. Le sac et les chaussures de Mecha avaient cessé d'avoir de l'importance. De marquer des limites ou des distances.

– *Combien ?** lui demanda Mecha, passant au français.

Avec toutes les précautions de son métier, la femme répondit que ça dépendait d'eux. Du temps passé et des goûts du monsieur. Ou de ceux de la dame. Elle s'était déplacée sur un côté pour mieux se protéger de la pluie, s'éloignant de la lumière après avoir regardé par-dessus les épaules du couple, une main posée sur les hanches.

– Pour le faire avec lui pendant que je regarde, dit Mecha, avec la plus grande froideur.

– Pas question ! protesta Max.

– Tais-toi.

La femme dit un chiffre. Max s'attarda sur les jambes

longues, minces, prises dans la jupe étroite. Bien malgré lui, il était excité. Mais moins par la prostituée que par le comportement de Mecha. Un moment, il imagina une chambre louée à l'heure non loin de là, un lit aux draps sales, lui-même entrant dans ce corps mince et flexible pendant que Mecha les observait, attentive, nue. Revenant ensuite vers elle, humide de l'autre femme, pour la pénétrer à son tour. Pour habiter de nouveau cette chair vivante, organique, animale, qu'il sentait maintenant palpiter, avide, contre son bras.

– Emmène-la avec nous, exigea brutalement Mecha.

– Non, dit Max.

Au Negresco, tandis que la pluie redoublait en tambourinant violemment sur les vitres, ils se jetèrent l'un sur l'autre avec une passion désespérée et intense semblable à un combat : une avidité silencieuse sauf pour crier, frapper ou gémir, faite de chair enflammée et tendue, de salive brûlante, alternant avec des imprécations subites, provocantes, que Mecha débitait dans l'oreille de l'homme avec une violence obscène. Le souvenir de la femme grande et mince les accompagnait tout le temps, aussi intense que si elle avait été réellement présente, en train de regarder ou d'être regardée, soumise devant leurs corps ruisselants de sueur et de désir, qui s'enlaçaient avec férocité.

– Je la fouetterais pendant que tu la baiserais, murmurait Mecha, hors d'haleine, léchant la sueur du cou de Max. Je lui mordrais le dos, je lui ferais mal… Oui. Pour la faire hurler.

Dans un moment de violence extrême, elle frappa Max au visage et le fit saigner du nez ; et quand celui-ci tenta d'épancher l'écoulement de gouttes rouges qui se répandaient sur les draps elle continua de l'embrasser avec une telle fureur qu'elle finit par lui faire encore plus mal, se tachant elle-même de sang le nez et la bouche, prise de folie comme une louve qui dévore sa proie à coups de dents cruels ; tandis que, cramponné aux barreaux du lit, il cherchait un point d'appui pour se contrôler au bord de l'abîme, forcé de serrer les mâchoires et de retenir le cri d'angoisse animale, vieux comme le monde, qui montait de ses entrailles. Retardant comme il le pouvait le désir irrésistible, le retour en arrière impossible, la hâte de plonger jusqu'à perdre conscience dans le gouffre sans âme, ni monde ni être, de cette femme qui l'entraînait dans la folie et l'oubli.

– J'aimerais bien boire quelque chose, dit-elle plus tard, en éteignant une cigarette.

Max trouva que c'était une bonne idée. Ils passèrent des vêtements, leur peau encore imprégnée de l'odeur de leur sexe et descendirent par le vaste escalier jusqu'au hall circulaire et au bar lambrissé qu'Adolfo, le barman espagnol, s'apprêtait à fermer. Les sourcils froncés de celui-ci se détendirent quand il vit Max : cela faisait des années que, pour Adolfo, il faisait partie de cette confrérie choisie, qui n'était pas définie de façon formelle ni même par le statut économique de la clientèle, mais que valets de chambre, chauffeurs de taxi, maîtres d'hôtel, fleuristes, cireurs de chaussures, concierges d'hôtel et autre personnel indispensable au fonctionnement des rouages du grand monde savaient identifier d'un seul coup d'œil, voire d'instinct. Et cette bienveillance, cette bonne volonté ne devaient rien au hasard. Conscient de l'utilité des complicités subalternes dans une existence comme la sienne, Max profitait de toutes les occasions pour nouer des liens étroits, grâce à une habile combinaison – naturelle, d'ailleurs, vu son caractère – d'élégante camaraderie, de considération dans le traitement des inférieurs et de généreux pourboires.

– Trois west-indian, Adolfo. Deux pour nous et un pour toi.

Le barman leur proposa de leur installer une table – il avait rallumé pour eux les appliques de bronze au mur –, mais ils préférèrent s'installer sur les tabourets du bar, sous la balustrade de bois du premier étage, et ils burent en silence, tout proches, en se regardant dans les yeux.

– Tu sens mon odeur, observa-t-elle. Notre odeur.

C'était vrai. Intense et très physique. Max sourit, le visage incliné : un soudain trait large et blanc dans la peau bronzée où déjà pointait la barbe. Bien qu'elle se fût poudré la figure avant de descendre, Mecha avait trois marques rouges, au menton, au cou et à la bouche.

– Que tu es beau, espèce de voyou.

Elle lui toucha le nez, qui saignait encore un peu, et imprima ensuite en rouge la trace de son doigt sur une des petites serviettes brodées qui se trouvaient sur le bar.

– Et toi, tu es un rêve, dit-il.

Il but une gorgée de son verre : froid, parfait. Adolfo avait un talent extraordinaire pour les cocktails.

– J'ai rêvé de toi quand j'étais petit, ajouta-t-il, songeur.

Il y avait dans ces mots un accent de sincérité qui ne pouvait pas tromper : sincère, il l'était réellement. Mecha le dévisagea, la bouche légèrement entrouverte, respirant avec une douceur non dépourvue d'agitation. Max avait posé une main sur sa taille et, sous le crêpe mauve, il sentait la courbe parfaite de sa hanche.

– Tout se paie, plaisanta-t-elle, en prenant la serviette tachée de sang.

– Dans ce cas, j'espère avoir déjà payé, avant. Sinon, la note finale sera dévastatrice.

Elle lui posa les doigts sur les lèvres, pour le faire taire.

– *Goûtons un peu ce simulacre de bonheur**, dit-elle en français.

Ils se turent de nouveau. Max savourait son cocktail et la proximité de la femme, la conscience physique de sa peau et de sa chair. Le silence lié au plaisir récent. Ce n'était pas un simulacre de bonheur, conclut-il en lui-même. Il se sentait réellement heureux, fou de joie d'être vivant, de ce que rien ne soit venu se mettre en travers du chemin qui l'avait conduit jusque-là. De ce long, hasardeux, interminable chemin. L'idée d'avoir à se séparer d'elle était comme une déchirure insoutenable. À la limite de la folie. Il souhaita être le plus loin possible des deux Italiens et du dénommé Mostaza. Il souhaita les voir tous morts.

– J'ai faim, dit Mecha.

Elle regardait Adolfo avec la tranquille assurance des gens qui sont habitués à avoir le monde entier, en commençant par les domestiques, à leur disposition. Le barman ne se formalisa pas du ton que son métier lui rendait familier. À cette heure, s'excusa-t-il, tout était fermé. Pourtant, ajouta-t-il après avoir réfléchi un moment, si Madame et Monsieur voulaient bien l'accompagner, il pourrait quand même faire quelque chose en ce sens. Puis il éteignit les lampes et, avec un regard de conspirateur, il les invita à le suivre en empruntant la porte de service pour descendre par un escalier mal éclairé qui menait au sous-sol. Ils marchèrent derrière lui en se tenant par la main, amusés de cette aventure inattendue, parcourant un long couloir et une cuisine déserte jusqu'à une table où, à côté d'une énorme pile de casseroles étincelantes, il y avait un jambon espagnol – un authentique *serrano* de l'Alpujara, précisa Adolfo avec fierté pendant qu'il enlevait le tissu qui l'enveloppait – à demi désossé.

– Vous savez manier le couteau, monsieur Max?

– À merveille. Je suis né en Argentine, figure-toi.

– Alors, à vous de le découper, si vous voulez bien. Moi, je vais chercher une bouteille de bourgogne.

À peine remontés dans leur chambre, Max et Mecha se dénudèrent tout de suite, impatients, s'accouplant avec une avidité renouvelée, comme si c'était la première fois. Ils passèrent le reste de la nuit dans un demi-sommeil, se caressant chaque fois qu'ils se réveillaient, chacun attentif au désir exigeant de l'autre. Puis, quand les lueurs de l'aube s'infiltrèrent dans la pièce, ils s'endormirent enfin pour de bon : d'un sommeil profond, harassé, qui les berça paisiblement jusqu'au moment où Max ouvrit les yeux et, sans regarder le réveil, alla à la fenêtre dont les rideaux laissaient entrer la clarté cendreuse et le bruit de la pluie qui continuait de tomber. Au loin, un chien solitaire courait sur les galets de la plage. Derrière les vitres semées de gouttes qui se rejoignaient en minuscules rigoles, la mer était une plaque de brume plombée et les cimes mouillées des palmiers ployaient, mélancoliques, vers l'asphalte luisant de la Promenade. Alors Max se retourna pour contempler encore une fois la femme nue, le corps superbe endormi à plat ventre entre les draps en désordre, et il sut que cette lumière bleutée et grise, cette lumière sale de la pluie automnale, était un présage de ce que, très bientôt, il la perdrait à jamais.

Max le sait, la délégation soviétique ne loge pas dans le corps de bâtiment de l'hôtel Vittoria de Sorrente, mais dans des appartements jouxtant le jardin. Toute l'annexe est occupée par les Russes, comme l'en a informé le réceptionniste Spadaro. Mihaïl Sokolov habite l'appartement du haut : un vaste séjour avec balcon d'où, par-dessus les cimes des grands pins centenaires, au-delà des principales constructions qui longent la corniche de la falaise, on embrasse tout le panorama de la baie de Naples. C'est là que le champion du monde prépare les parties avec ses assistants.

Assis sous une pergola couverte de lierre, avec de vieilles Dienstgläser de la Wehrmacht prêtées par le *capitano* Tedesco, Max étudie l'annexe en faisant semblant d'observer les oiseaux. Et la conclusion n'est guère encourageante : accéder par un chemin conventionnel semble impossible. Il a consacré la journée d'hier à s'en convaincre et l'a relaté le soir à Mecha, après le dîner, assis au même endroit du jardin. La suite du Russe occupe les étages inférieurs, a exposé Max en montrant les fenêtres éclairées. Il y a un seul escalier et un ascenseur pour tout relier à partir d'une entrée commune. Je me suis renseigné, il y a toujours un garde. Personne ne peut parvenir à la chambre de Sokolov sans être vu.

– Il doit bien y avoir un moyen, a objecté Mecha. Cette après-midi, ils jouent une partie.

– C'est trop tôt, j'en ai peur. Je ne sais pas encore comment je vais pouvoir m'y prendre.

– Après-demain, ils jouent de nouveau, et il fera nuit quand ils termineront... À ce moment-là, tu auras du temps devant toi. Et tu as toujours su te débrouiller avec les serrures. Tu as... je ne sais pas, moi : des outils ? Un passe-partout ?

Il y avait de l'aplomb professionnel dans la manière dont Max haussa les épaules.

– Les serrures ne posent pas problème. Celle de la rue est une Yale moderne. Facile à ouvrir. Celle de la suite est encore plus simple : un modèle ordinaire, ancien.

Il était resté silencieux, regardant l'immeuble dans l'ombre d'un air préoccupé. Les yeux d'un alpiniste qui contemple la face difficile d'une montagne.

– Le problème est d'arriver là-haut, a-t-il résumé. De monter sans qu'aucun de ces maudits bolcheviques s'en aperçoive.

– Bolchevique, avait-elle répété en riant. Personne n'emploie plus ce mot-là.

Une lueur. Mecha allumait une cigarette. La troisième depuis qu'ils étaient dans le jardin.

– Tu dois essayer, Max. Tu l'as fait un tas de fois.

Un silence. Une légère odeur de fumée de tabac flottait.

– Souviens-toi de Nice, a-t-elle rappelé. La maison de Suzi Ferriol.

C'était comique, a-t-il pensé. Ou paradoxal. Qu'elle utilise ça comme argument.

– Pas seulement Nice, a-t-il répondu avec calme. Mais j'étais de moitié moins âgé qu'aujourd'hui.

Il est resté un moment sans parler, calculant des probabilités improbables. Dans le silence du jardin, on pouvait entendre une musique qui venait d'un café de la piazza Tasso.

– S'ils m'attrapent…

Il a laissé la phrase en suspens, la mine sombre. En réalité, il n'avait pas eu vraiment conscience de prononcer ces mots à voix haute.

– Tu passerais un mauvais quart d'heure, a-t-elle admis. Ça, c'est sûr.

– Ce n'est pas le mauvais quart d'heure qui m'inquiète vraiment. – Il souriait, préoccupé. – Mais j'ai réfléchi. J'ai peur de la prison.

– Comme c'est étrange de t'entendre dire ça.

Elle semblait réellement étonnée. Il a eu un geste indifférent.

– Cette peur, je l'ai déjà ressentie un certain nombre de fois. Mais aujourd'hui, j'ai soixante-quatre ans.

La musique continuait à jouer au loin. Rapide, moderne. Trop éloignée pour que Max identifie la mélodie.

– Ces choses-là ne se passent pas comme au cinéma, a-t-il poursuivi. Je ne suis pas Cary Grant, dans cet absurde film sur un cambrioleur d'hôtels… Dans la vie réelle, il n'y a jamais de happy end.

– Idiot. Tu étais mille fois plus séduisant que Cary Grant.

Elle lui avait pris une main et la serrait doucement dans les siennes : fines, osseuses. Chaudes, aussi. Max continuait de tendre l'oreille à la musique lointaine. En tout cas, conclut-il avec une grimace, ce n'était pas un tango.

– Tu sais ?... C'est toi qui ressemblais à cette fille, l'actrice. Ou c'était peut-être elle qui te ressemblait... Elle m'a toujours fait penser à toi : mince, élégante. Tu lui ressembles encore. Oui... Ou elle te ressemble.

– Il est ton fils, Max. Aie au moins cette certitude.

– C'est possible qu'il le soit, a-t-il répondu. Mais rends-toi compte.

Il avait levé la main de la femme jusqu'à son visage en l'invitant à palper ses rides. À toucher le passage du temps.

– Il se peut qu'il y ait un autre chemin. – Le frôlement de ses doigts ressemblait à une caresse. – Tu devrais peut-être l'étudier demain, à la lumière du jour. Et tu trouveras le moyen.

– S'il y avait un autre moyen... – Il l'avait à peine écoutée. – Si j'étais plus jeune et plus agile... Ça fait trop de conditions, j'en ai peur.

Mecha a retiré sa main de sa figure.

– Je te donnerais tout ce que j'ai, Max. Autant que tu me demanderas.

Il s'est tourné pour la regarder, surpris. Il voyait un profil dans la pénombre et la braise de la cigarette.

– C'est une façon de parler, je suppose, a-t-il commenté.

Le profil s'est déplacé. Deux lueurs cuivrées regardaient maintenant Max. Les yeux de la femme rivés sur lui.

– Oui, c'est une façon de parler. – Le brasillement de la cigarette redoublait. – Mais je te le donnerai. Je pourrais te le donner.

– Y compris une tasse de café dans ta maison de Lausanne ?

– Évidemment.

435

– Y compris le collier de perles ?

Un autre silence. Long.

– Ne sois pas idiot.

Le mégot est tombé par terre, où il s'est éteint. Elle lui avait repris la main. La musique au loin s'était, elle aussi, arrêtée sur la place.

– Que je sois maudit, a-t-il dit. Tu me fais redevenir stupidement galant. Tu m'ôtes toutes les années qui me séparent de ce temps-là.

– C'est bien ce que j'essaye de faire.

Il a hésité un peu. Juste un peu. Ses lèvres le faisaient souffrir à force de retenir ce qu'il était sur le point d'avouer.

– Je n'ai pas un centime, Mecha.

Elle a laissé passer quelques secondes.

– Je sais.

Max en a eu le souffle coupé. Sidéré et stupéfait.

– Comment le sais-tu ? – L'explosion intérieure s'était enfin produite et la panique s'emparait de lui. – Qu'est-ce que tu sais ? Et comment ?

Il a voulu libérer sa main, se lever. S'échapper. Mais elle l'a retenu doucement.

– Je sais que tu vis à Amalfi, et non ici, à Sorrente. Que tu travailles comme chauffeur dans une maison appelée la villa Oriana. Que ces dernières années, tu as connu des moments difficiles.

Par chance, je suis assis, a pensé Max en s'appuyant de sa main libre sur le banc. Je serais tombé raide par terre. Comme un imbécile.

– J'ai fait mon enquête dès que tu es apparu dans l'hôtel, a conclu Mecha.

L'esprit en déroute, il tentait de mettre un peu de clarté dans ses pensées et ses sensations : humiliation, honte. Mortification. Tous ces jours d'imposture inutile, à se rendre ridicule. Se pavanant à la manière d'un clown.

– Tu l'as su pendant tout ce temps ?

– Presque.

– Et pourquoi, alors, as-tu joué le jeu ?

– Pour plusieurs raisons. D'abord par curiosité. C'était fascinant de reconnaître le Max de toujours : élégant, menteur et amoral.

Elle s'est tue un instant. Elle avait laissé sa main sur la sienne.

– Et puis aussi, parce que j'aime être avec toi, a-t-elle ajouté à la fin. Et j'ai toujours aimé être avec toi.

Max a libéré sa main et s'est levé.

– Les autres le savent ?

– Non. Moi seule.

Il avait besoin d'air. D'inspirer profondément, de se dégager d'émotions contradictoires. Ou peut-être lui fallait-il seulement un verre. Quelque chose de fort. Qui lui remue les tripes jusqu'à les mettre sens dessus dessous.

Mecha demeurait assise, très calme.

– S'il n'y avait pas eu Jorge, dans d'autres circonstances... Évidemment. Ça aurait pu être amusant. Être avec toi. Voir ce que tu cherchais. Jusqu'où tu comptais aller.

Elle est restée un moment sans parler.

– Quelles étaient tes intentions ?

– Aujourd'hui, je n'en suis pas sûr. Peut-être revivre les anciens temps.

– En quel sens ?

– Dans tous les sens, probablement.

– Les anciens temps sont morts. Ils sont passés de mode, tout comme notre tango. Morts comme les jeunes gens d'autrefois ou comme toi-même... Comme nous.

Elle se cramponnait à son bras, exactement comme vingt ans auparavant, la nuit où ils étaient allés au Lions at the Kill, à Nice.

437

– C'est flatteur, a-t-elle ajouté. Te voir ressusciter rien que pour moi.

Elle a saisi sa main et l'a portée à ses lèvres, très tendrement. Un souffle agréable. Il y avait comme un sourire dans sa voix.

– Et souhaiter que je te regarde de nouveau comme je t'ai regardé jadis.

Le soleil est déjà haut. Les jumelles collées au visage, Max continue d'étudier le bloc d'appartements contigu à l'hôtel Vittoria. Il vient de faire le tour du bâtiment, observant avec attention la porte qui donne sur le trottoir principal ; et maintenant il est posté entre les bougainvillées et les citronniers, scrutant l'autre côté. Tout près, il y a un petit bassin avec un kiosque et un banc. Il s'approche du kiosque et, de là, il épie la partie qui était auparavant cachée. Désormais, il peut voir toute la façade est, y compris le balcon de Sokolov et la corniche de tuiles roses, bordée d'un chéneau pour recueillir l'eau de pluie, au-dessus duquel on distingue l'antenne d'un paratonnerre. Chéneau et paratonnerre, déduit Max, nécessitent que quelqu'un monte pour assurer leur entretien. Avec une pointe d'espoir, il parcourt en détail chaque mètre de la façade. Et ce qu'il découvre lui arrache un sourire qui revient de loin et le rajeunit, comme s'il effaçait les stigmates du temps sur son visage : des barreaux en fer, scellés dans le mur, montent depuis le jardin.

Rangeant les jumelles dans leur étui, Max s'approche de l'immeuble, l'air d'un promeneur. Arrivé sous les barreaux, il lève la tête. Ils sont oxydés, avec des taches de rouille sur le mur, mais semblent solides. Le premier se trouve tout près du sol, au-dessus d'un massif de fleurs. La distance jusqu'au toit est d'environ quarante mètres, et les barreaux ne sont pas très distants les uns des autres. L'effort paraît acceptable : dix minutes d'ascension dans l'obscurité, avec toutes les précautions voulues. Ce ne serait pas de trop, songe-t-il, d'avoir un œillet avec un mousqueton qui lui permette de s'assurer à mi-parcours et de se reposer, si la fatigue se faisait sentir. Le reste de l'équipement sera de peu de poids : un léger sac à dos, une corde de montagne, quelques outils, une lampe et les vêtements adéquats. Il regarde sa montre. Les boutiques du centre, y compris le bazar Porta Marina, sont encore ouvertes à cette heure. Il lui faudra aussi des chaussures de sport et du cirage pour tout passer au noir.

Comme dans les meilleurs moments, pense-t-il en tournant le dos au bâtiment et en s'éloignant par le jardin, l'idée d'agir de nouveau, ou l'imminence de l'opération, l'excite : le vieux et familier chatouillement de l'attente incertaine, modéré par un verre ou une cigarette, quand le monde était encore un terrain de chasse réservé aux malins et aux audacieux. Quand la vie avait l'odeur du tabac turc, d'un cocktail dans le bar élégant d'un palace, le parfum d'une femme. Du plaisir et du danger. Et maintenant, en se rappelant cette époque, chaque pas que fait Max lui donne l'impression d'être plus léger, de marcher avec une agilité retrouvée. Il sait que sa chance est revenue. Le soleil traverse les hautes cimes des pins derrière lesquelles, ce soir, son étoile sera de nouveau au-dessus de lui, comme elle l'était jadis. Haute dans le ciel, là où elle fut en d'autres temps. Brillante, sans âge, sans marques de vieillesse ni de fatigue. Sans mensonges. Et en retrouvant sa chance en même temps que l'étoile perdue, l'ancien danseur mondain se met à rire comme il ne l'a plus fait depuis bien longtemps.

11

Habitudes de vieux loup

Il pleuvait sans cesse sur Nice ce jour-là. Dans la lumière sombre et grise qui enveloppait la vieille ville, le linge tendu sur les balcons pendait comme des lambeaux de vies tristes. Sa gabardine boutonnée jusqu'au col et le parapluie ouvert, Max traversa la place du Jésus en évitant les flaques où crépitait l'averse et se dirigea vers les marches de pierre de l'église. Mauro Barbaresco était là, adossé au portail fermé, les mains dans les poches d'un imperméable luisant de pluie, aux aguets sous le bord trempé de son chapeau.

– C'est pour cette nuit, dit Max.

Sans prononcer un mot, l'Italien marcha vers la rue Droite, suivi de Max. Il y avait un café au coin; et deux porches plus loin, une entrée étroite et obscure en forme de tunnel. Ils traversèrent en silence une cour découverte et gravirent deux étages par un escalier dont les marches de bois grincèrent sous leurs pas. Au second palier, Barbaresco ouvrit une porte, invitant Max à entrer. Celui-ci posa le parapluie contre le mur, ôta son chapeau et secoua les gouttes d'eau. La maison, sombre et inconfortable, sentait les légumes bouillis et les vêtements sales mouillés. Le couloir conduisait à la porte de la cuisine, et par une autre porte entrouverte on voyait une chambre à coucher, lit défait, et un living avec deux vieux fauteuils, une commode, des chaises et une table où traînaient encore les restes d'un petit-déjeuner. Assis à la table, le gilet déboutonné et les manches de chemise relevées jusqu'aux coudes, Domenico Tignanello était en train de regarder les dessins humoristiques de *Gringoire*.

– Il dit que c'est pour cette nuit, annonça Barbaresco.

L'expression mélancolique de l'autre parut s'animer un peu. Il acquiesça, laissa le journal sur la table et fit mine de proposer à Max la cafetière posée près de deux tasses sales, un huilier et une assiette avec des restes de pain grillé. Celui-ci déclina l'offre en déboutonnant sa gabardine. Par la fenêtre ouverte entrait une clarté cendreuse qui assombrissait les coins de la pièce. Barbaresco se défit de son imperméable et se posta à la fenêtre, encadré par le rectangle de cette lumière glauque.

– Quelles nouvelles de votre ami espagnol? demanda-t-il après avoir jeté un œil au-dehors.

– D'abord ce n'est pas mon ami, ensuite je ne l'ai pas revu, répondit Max avec calme.

– Depuis votre rencontre au port?

– Exactement.

L'Italien avait posé son imperméable sur le dossier d'une chaise, indifférent à l'eau qui dégoulinait en formant des flaques sur le parquet.

– De notre côté, nous avons fait notre enquête, dit-il. Tout ce qu'il vous a raconté est vrai: la station de radio des nationalistes à Monte-Carlo, l'intention de conduire le *Luciano Canfora* dans un port de la République… La seule chose que nous ne pouvons établir pour le moment est sa véritable identité. Aucun Rafael Mostaza ne figure dans les fichiers de notre service.

Max se composa une expression neutre. De croupier impassible.

– Je suppose que vous pourriez le filer. Je ne sais pas… le photographier.

– Nous le ferons probablement. – Barbaresco souriait d'une façon étrange. – Mais pour ça, nous aurions besoin de savoir quand vous devez vous revoir.

– Nous n'avons rien prévu. Il apparaît et me convoque quand ça lui plaît. La dernière fois, il l'a fait en laissant un mot au concierge du Negresco.

L'Italien le regarda avec étonnement.

– Il ignore que c'est aujourd'hui que vous allez entrer dans la maison de Susana Ferriol ?

– Il le sait, mais il n'a pas fait de commentaire.

– Alors, comment pense-t-il obtenir les documents ?

– Je n'en ai pas la moindre idée.

L'Italien échangea un regard perplexe avec son camarade et se tourna de nouveau vers Max.

– Bizarre, non ?... Que ça lui soit égal que vous nous racontiez tout. Et même qu'il vous y incite. Et qu'il ne vous ait pas fixé de rendez-vous pour aujourd'hui.

– Possible, reconnut Max, impavide. Mais ce n'est pas à moi de juger de ce genre de choses. Les espions, c'est vous.

Il sortit son étui et le contempla, ouvert, l'air pensif, comme si choisir une cigarette plutôt qu'une autre en ce moment précis avait de l'importance. Finalement, il en porta une à ses lèvres et rangea l'étui, sans leur en offrir.

– J'imagine que vous connaissez votre métier, conclut-il en actionnant le briquet.

Barbaresco retourna à la fenêtre, où il se découpa à contre-jour, et observa derechef l'extérieur. Il semblait préoccupé. Avoir de nouveaux motifs d'inquiétude.

– Quand même, ce n'est pas habituel. Vous laisser libre de jouer à découvert de cette manière.

– Il veut peut-être vous protéger, suggéra son camarade.

– Moi ?... Et de qui ?

Domenico Tignanello contemplait les poils de ses bras, taciturne, de nouveau silencieux, comme si l'effort qu'il avait fourni pour ouvrir la bouche l'avait épuisé.

– De nous, répondit Barbaresco à sa place. Des siens. De vous-même.

– Eh bien, quand vous aurez vérifié tout ça, avisez-moi. – Max exhala tranquillement une bouffée de fumée. – Parce que, pour ma part, j'ai d'autres chats à fouetter.

L'Italien s'assit dans un fauteuil. Réfléchissant.

– Pas de coup fourré, hein ? dit-il enfin.

– Vous parlez de ce Mostaza ou de moi ?

– De vous, naturellement.

– Dites-moi comment je pourrais. Je n'ai pas le choix. Mais si j'étais vous, je ferais tout pour localiser ce type. Pour éclaircir les choses avec lui.

Barbaresco échangea un autre regard avec son camarade. Puis il jeta un coup d'œil vindicatif sur le costume que laissait entrevoir la gabardine ouverte de Max.

– Éclaircir les choses… L'expression est élégante, prononcée par vous.

Ces deux-là, pensa encore une fois Max, avec leurs vêtements froissés, leurs marques de fatigue sous des yeux rougis et leurs visages mal rasés, semblaient toujours avoir passé une nuit blanche. Et c'était probablement le cas.

– Ce qui nous conduit à la véritable question, ajouta Barbaresco. Comment pensez-vous pénétrer dans la maison ?

Max observa les chaussures mouillées de l'Italien, dont les semelles bâillaient aux pointes. Avec toute cette pluie, ses chaussettes devaient être transformées en éponges.

– Ça, c'est mon affaire, répliqua-t-il. Ce que j'ai besoin de savoir, c'est où nous nous retrouverons pour que je vous livre les lettres, si je les récupère. Dans l'hypothèse où tout se passera bien.

– Cet appartement est parfait pour ça. Nous serons ici toute la nuit à vous attendre. Et dans le café d'en bas, il y a le téléphone. Un de nous peut y rester jusqu'à l'heure de la fermeture en cas de changement ou d'imprévu… Vous pourrez pénétrer dans la villa sans problème ?

– J'imagine que oui. Il y a un dîner à Cimiez, près de l'ancien hôtel Régina. Susana Ferriol fait partie des invités. Cela me laisse une marge de temps raisonnable.

– Vous avez tout ce qu'il vous faut ?

– Tout. Le jeu de clefs fourni par Fossataro est parfait.

Tignanello leva lentement les yeux, les rivant sur Max.

– J'aimerais voir comment vous vous y prendrez, dit-il inopinément. Comment vous ouvrirez ce coffre-fort.

Max haussa les sourcils, surpris. Une étincelle d'intérêt éclaira la figure taciturne et méridionale de l'Italien. Elle le rendait presque sympathique.

– Moi aussi, confirma son camarade. Fossataro nous a dit que vous étiez un as dans ce bizness… Tranquille et serein, c'est ce qu'il a dit. Avec les coffres-forts et avec les femmes.

Ils le faisaient penser à quelque chose, se dit Max. Ces deux-là étaient associés dans sa tête à une image qu'il n'arrivait pas à matérialiser. Qui répondait à leur aspect et à leurs manières. Mais il ne parvenait pas à savoir laquelle.

– Vous trouveriez ça assommant, dit-il. Coffres-forts ou femmes, c'est toujours le même travail, tout en lenteur et en routine. Juste une question de patience.

Barbaresco esquissa un sourire. Il semblait trouver la réponse à son goût.

– Nous vous souhaitons bonne chance, monsieur Costa.

Max les regarda longuement. Il avait enfin retrouvé l'image qu'il cherchait : des chiens mouillés sous la pluie.

– Je suppose que oui. – Il sortit de nouveau l'étui de sa poche et le leur tendit, ouvert. – Que vous me souhaitez bonne chance.

445

Elle arrive au milieu de l'après-midi, pendant que Max prépare son équipement pour l'incursion nocturne. Quand il l'entend frapper, il regarde par l'œilleton, enfile une veste et ouvre. Mecha Inzunza se tient devant lui, le sourire aux lèvres et les mains dans les poches de son cardigan en tricot. Une attitude qui, comme si le temps était aboli – mais le plus probable est que Max confond passé et présent –, lui rappelle cette lointaine matinée d'il y a presque quarante ans, dans la pension Caboto à Buenos Aires, où elle est venue le voir sous le prétexte de récupérer le gant qu'elle avait elle-même placé dans la pochette de sa veste, formant une insolite fleur blanche, avant de danser un tango à La Ferroviaria. Il n'est pas jusqu'à sa façon d'entrer et de se déplacer maintenant dans la chambre – tranquille, curieuse, regardant tout sans se presser – qui ne ressemble à celle de jadis : cette manière de pencher la tête pour observer l'univers succinct et ordonné de Max, de s'arrêter devant la fenêtre ouverte sur le paysage de Sorrente, ou d'effacer le sourire de ses lèvres en voyant les objets qu'il a disposés sur le lit avec la minutie méthodique d'un militaire qui prépare son équipement avant le combat – et avec le plaisir équivoque de recouvrer, par le biais de ce vieux rituel de campagne, le fourmillement de l'incertitude face à l'action imminente. Un sac à dos petit et léger, une torche électrique, une corde en nylon d'alpiniste de trente mètres de long, un sac contenant des outils, des vêtements sombres et des chaussures de sport qu'il vient de teindre en noir avec un flacon de cirage.

– Mon Dieu ! s'exclame-t-elle. Tu vas réellement le faire.

Elle l'a dit, admirative, comme si jusqu'à cet instant elle n'avait pas vraiment cru aux promesses de Max.

– Bien sûr, répond-il avec simplicité.

Il n'y a dans son ton rien d'artificiel ni de simulé. Il ne cherche pas non plus à adopter aujourd'hui une posture héroïque. Depuis qu'il a pris sa décision et découvert la manière de procéder – ou cru la découvrir –, il se sent dans un état de calme intérieur. De fatalisme technique. Les vieux comportements, les gestes qui jadis étaient associés à la jeunesse et à la force, lui ont rendu au cours des dernières heures une étonnante assurance. Une sensation de paix agréable, ancienne, rénovée, où les risques de l'aventure, les dangers d'une erreur ou d'un coup de malchance s'estompent devant l'intensité de l'action imminente. Ce ne sont même plus Mecha Inzunza, ni Jorge Keller, ni le livre d'échecs de Mihaïl Sokolov qui sont au centre de ses pensées. Ce qui compte, c'est le défi que Max Costa – ou celui qu'en d'autres temps il a réussi à être – jette à la face vieillie de l'homme aux cheveux gris qui, par instants, le contemple, sceptique, depuis l'autre côté du miroir.

Elle continue de l'observer. Un regard neuf, croit remarquer Max. Ou peut-être un regard qu'il avait fini par ne plus espérer.

– La partie commence à six heures, dit-elle finalement. Tu auras deux heures d'obscurité, si tout va bien. Avec de la chance, peut-être un peu plus.

– Ou un peu moins ?

– C'est possible.

– Est-ce que ton fils sait ce que je vais faire ?

– Non.

– Et Karapétian ?

– Non plus.

– Et où en êtes-vous, avec Irina ?

– Ils ont préparé avec elle une ouverture qui, ensuite, ne sera pas exécutée, ou pas entièrement. Les Russes croiront que Jorge a changé de plan à la dernière minute.

– Ça ne leur donnera pas des soupçons ?

– Non.

447

Elle touche la corde d'alpiniste comme si celle-ci lui suggérait des situations insolites qu'elle n'avait pas imaginées jusqu'à maintenant. Soudain, elle a l'air inquiète.

– Écoute, Max… Ce que tu as dit tout à l'heure est vrai. La partie peut se terminer avant l'heure. Un match nul devant la perspective d'échecs au roi successifs, un abandon… Ce qui t'exposerait à être encore là-haut quand Sokolov et son escorte reviendront.

– Je comprends.

Mecha semble hésiter.

– Si tu vois que la situation se complique, oublie le livre, dit-elle enfin. Enfuis-toi le plus vite possible.

Il la regarde avec reconnaissance. Il est heureux de l'avoir entendue dire ça. Cette fois, son esprit d'éternel comédien n'élude pas la tentation de composer un sourire authentique et stoïque.

– J'espère fermement que la partie sera longue, dit-il. Suivie d'analyses post mortem, pour employer votre langage.

Elle contemple le sac qui contient les outils : une demi-douzaine d'instruments utiles, y compris une pointe de diamant pour découper la vitre.

– Pourquoi le fais-tu, Max ?

– C'est mon fils, répond-il sans réfléchir. Tu l'as dit.

– Tu mens. Ça t'est parfaitement égal qu'il le soit ou pas.

– Peut-être parce que je te le dois.

– Tu me le dois ?… Toi ?

– Peut-être, alors, parce que je t'ai aimée.

– À Nice ?

– Toujours.

– D'une bien curieuse façon, mon ami… Curieuse à l'époque et curieuse aujourd'hui.

Mecha s'est assise sur le lit, près du matériel de Max. Brusquement, il se sent l'envie de lui expliquer encore ce

448

qu'elle-même sait trop bien. De permettre à l'ancien ressentiment d'affleurer ne serait-ce qu'un peu.

– Tu ne t'es jamais demandé comment les gens sans argent voient le monde, n'est-ce pas ?... Comment chaque matin ils ouvrent les yeux pour affronter la vie.

Elle le regarde, surprise. Il n'y a pas d'âpreté dans le ton de Max, mais une certaine froideur. Objective.

– Tu n'as jamais eu la tentation, poursuit-il, de déclarer personnellement la guerre à ceux qui dorment tranquilles sans connaître l'angoisse de ce qu'ils mangeront demain... À ceux qui viennent te voir quand ils ont besoin de toi, te soutiennent quand ça leur convient et ensuite ne te permettent pas de garder la tête haute.

Max est allé à la fenêtre et désigne le paysage de Sorrente et les luxueuses villas échelonnées dans la verdure de la pointe du cap.

– Moi, si, j'ai eu cette tentation, ajoute-t-il. Et il y a eu un temps où j'ai cru que je pouvais gagner. Cesser de me voir ballotté au milieu de ce carnaval absurde... Tâter du cuir de qualité sur les sièges de voitures de luxe, boire du champagne dans des coupes de cristal, caresser des femmes sublimes... Tout ce que tes deux maris et toi-même vous avez eu dès le début, par simple et stupide hasard.

Il s'interrompt un moment en se retournant pour la regarder encore. Vue de là, dans cette lumière, assise sur le lit, elle paraît presque de nouveau belle.

– Voilà pourquoi ça n'a jamais eu la moindre importance que je t'aie aimée ou pas.

– Pour moi, ça en aurait eu une.

– Tu peux te payer ce luxe. Celui-là aussi. Moi, j'avais d'autres préoccupations. Aimer n'était pas la plus urgente.

– Et maintenant ?

Il se rapproche d'elle d'un air résigné.

– Je te l'ai dit il y a deux jours. J'ai échoué. Aujourd'hui j'ai soixante-quatre ans, je suis fatigué et j'ai peur.

– Je comprends... Oui, naturellement. Tu le fais pour toi. Pour la même raison que celle qui t'a conduit dans cet hôtel. Ce n'est même pas moi la cause, en réalité.

Max s'est assis à côté de la femme, sur le bord du lit.

– Si, c'est toi, proteste-t-il. Indirectement, peut-être. C'est ce que tu as été et ce que nous sommes devenus... Ce que j'ai été.

Elle le regarde, presque avec douceur.

– Comment as-tu vécu, toutes ces années ?

– Celles de la déchéance ?... En me repliant lentement sur moi-même pour en arriver à l'état où tu me vois aujourd'hui. Comme une armée battue qui combat en se débandant peu à peu.

Durant un moment, par simple habitude, Max se sent l'envie d'accompagner ces mots d'un demi-sourire héroïque ; mais il y renonce. Ce n'est pas nécessaire. D'ailleurs tout ce qu'il a dit est vrai. Et il sait qu'elle le sait.

– Après la guerre, j'ai connu une époque de prospérité, poursuit-il. Tout n'était qu'affaires, reconstruction, nouvelles possibilités. Mais ça n'a été qu'un mirage. Une autre sorte de gens entrait en scène. Un autre genre de canailles. Pas meilleurs, mais plus vulgaires. À tel point que c'est devenu rentable d'être grossier, selon l'endroit d'où l'on parle... J'ai eu du mal à m'adapter et j'ai commis pas mal d'erreurs. J'ai fait confiance à certains alors que je n'aurais pas dû.

– Tu as été en prison ?

– Oui, mais ça n'a pas été ça, l'important. L'important, c'était que mon monde était en train de disparaître. Pire : il avait déjà disparu au moment où je commençais tout juste à le frôler du doigt. Et je ne m'en suis pas rendu compte.

Il parle encore un peu de lui, assis tout près de la femme qui l'écoute, attentive. Dix ou quinze ans résumés en quelques mots : le récit objectif et succinct d'un crépuscule. Les régimes communistes, ajoute-t-il, ont mis fin aux anciennes coutumes familiales de l'Europe centrale et des Balkans, et il a donc dû revenir tenter sa chance en Espagne et en Amérique du Sud, sans succès. Une autre occasion s'est offerte à lui à Istanbul, où il s'était associé à un propriétaire de bars, de cafés et de cabarets, mais là non plus ça ne s'est pas bien terminé. Ensuite, il a vécu un temps à Rome comme accompagnateur de dames déjà mûr ; une espèce de parasite élégant pour touristes américaines et actrices étrangères de seconde zone : le Strega et le Doney sur la via Veneto, le restaurant Da Fortunato près du Panthéon, le Rugantino dans le Trastevere, ou les escortant quand elles faisaient leurs achats via Condotti, où il touchait une commission.

– Le dernier relatif coup de chance, je l'ai connu il y a quelques années à Portofino, conclut-il. Ou j'ai cru l'avoir. J'ai obtenu trois millions et demi de lires.

– D'une femme ?

– Je les ai eus, et basta. Deux jours plus tard, je suis arrivé à Monte-Carlo, où je suis descendu dans un hôtel bon marché. J'avais comme une prémonition. Le soir même, je me suis rendu au casino où je me suis bourré les poches de plaques. J'ai commencé par gagner, et j'ai voulu forcer la chance. J'ai perdu douze fois de suite et je me suis levé de la table en tremblant.

Mecha l'observe, toujours attentive. Stupéfaite.

– Et là, tu avais tout perdu ?

Le vieux sourire d'homme du monde vient au secours de Max, à la fois évocateur et complice.

– Il me restait deux plaques de quinze mille francs, et je suis passé à la roulette dans une autre salle, pour essayer

451

de me refaire. La boule roulait déjà que j'étais encore avec mes plaques à la main. J'ai fini quand même par me décider et j'y ai tout laissé. Six mois plus tard j'étais à Sorrente, faisant le chauffeur.

Le sourire s'est évanoui. Maintenant se peint sur ses lèvres la froideur d'une désolation infinie.

– Je suis fatigué, je te l'ai déjà dit. Mais je ne t'ai pas dit à quel point.

– Tu as dit aussi que tu avais peur.

– Moins, aujourd'hui. Ou en tout cas je le crois.

– Sais-tu que ton âge correspond exactement au nombre de cases sur un échiquier ?

– Ça m'avait échappé.

– C'est pourtant vrai. Qu'en penses-tu ?… C'est peut-être bon signe.

– Ou mauvais. Comme dans cette histoire de ma dernière roulette.

Mecha reste un moment silencieuse. Puis elle baisse la tête, regardant ses mains tavelées.

– Un jour, à Buenos Aires, il y a quinze ans, j'ai vu un homme qui te ressemblait. Il marchait comme toi, il avait les mêmes gestes. J'étais assise dans le bar de l'Alvear, avec des amis, et je l'ai vu sortir de l'ascenseur… Laissant les autres sans explications, j'ai pris mon manteau et je suis partie derrière lui. Un quart d'heure durant, j'ai réellement cru que c'était toi. Je l'ai suivi jusqu'à la Recoleta et l'ai vu entrer à la Biela, le café des automobilistes qui est au coin. Je suis entrée à sa suite. Il était assis près d'une fenêtre et pendant que je m'approchais il a levé les yeux et m'a regardée… Alors j'ai su que ce n'était pas toi. Je suis passée sans m'arrêter, je suis sortie par l'autre porte et suis retournée à l'hôtel.

– C'est tout ?

– C'est tout. Mais j'avais l'impression que mon cœur allait exploser dans ma poitrine.

Ils se regardent de près, un regard intense et tranquille. Dans un autre temps et dans une autre vie antérieure, pense-t-il, accoudés au comptoir d'un bar élégant, ce serait le moment de commander un autre verre ou de l'embrasser. Elle l'embrasse. Avec une grande douceur, approchant lentement son visage. Sur la joue.

– Fais bien attention cette nuit, Max.

L'arc des réverbères de la Promenade des Anglais s'éloignait dans le rétroviseur, délimitant les ténèbres brumeuses de la baie de Nice. Après avoir passé le Lazaret et La Réserve, Max gara la voiture sur le terre-plein dominant la mer, arrêta les essuie-glaces et éteignit les phares. L'eau qui tombait entre les cimes des pins crépitait sur le capot de la Peugeot 201 qu'il avait louée sans chauffeur dans l'après-midi. Il éclaira sa montre à la flamme d'une allumette, puis demeura immobile en fumant une cigarette pendant que ses yeux s'accoutumaient à l'obscurité. La route qui longeait le mont Boron était déserte.

Il finit par se décider. Il jeta la cigarette et sortit de la voiture, le lourd sac d'outils sur l'épaule et un paquet sous le bras, le chapeau ruisselant, le ciré noir boutonné jusqu'au cou sur les vêtements également noirs, jersey et pantalon, sauf des Keds en toile à semelles de caoutchouc qui s'imbibèrent d'eau dès les premiers pas. Il marcha sur la route, ployant sous la pluie, et, arrivé près des villas que l'on devinait dans l'obscurité, il s'arrêta pour s'orienter. Il n'y avait qu'une seule lumière à proximité : le halo humide d'un réverbère allumé devant une maison entourée de hauts murs. Pour l'esquiver, il quitta la route et prit un sentier en contrebas qui passait entre agaves et arbustes, tâtonnant pour ne pas faire un faux pas et tomber dans la mer, dont les vagues frappaient les rochers juste au-dessous. Par deux fois, des épines lui écorchèrent les doigts et en suçant les plaies il sentit le goût du sang. La pluie le gênait énormément, mais elle s'était un peu calmée quand il quitta le sentier pour remonter sur la route. La lumière était maintenant loin derrière, faible, dessinant l'angle d'une paroi rocheuse. Et à trente pas se dressait dans l'ombre la maison de Susana Ferriol.

Il s'accroupit près du mur de brique, sous les formes obscures de plusieurs palmiers. Puis il défit le paquet, qui était une épaisse couverture de laine, et après s'être ceint de la couverture et avoir mis le sac sur son dos, pour ne pas être embarrassé, il grimpa en s'agrippant à un tronc humide. La distance entre ce dernier et le mur ne faisait pas plus d'un mètre, mais avant de la franchir il jeta la couverture pliée sur la crête du mur qui était hérissée de tessons de bouteille. Après quoi il sauta, sentit sous la couverture les arêtes de verre devenues inoffensives, et se laissa tomber de l'autre côté, roulant sur lui-même pour amortir la violence du choc et ne pas se blesser aux jambes. Il se releva, trempé, en secouant l'eau et la boue. Une petite lumière brillait entre les arbres et les plantes du jardin, éclairant la grille qui donnait sur la route, le pavillon du gardien et le sentier de gravier qui menait à la rotonde de l'entrée principale. Se maintenant loin de cette zone éclairée, Max fit le tour de la maison pour passer derrière. Il avançait avec précaution, car il ne voulait pas faire trop de bruit en pataugeant dans les flaques ou en butant sur des plates-bandes de fleurs et des pots de plantes. Avec la pluie et la boue, pensa-t-il, il allait laisser des empreintes partout, à l'intérieur et à l'extérieur de la maison, sans oublier celles des pneus de la Peugeot sur le terre-plein proche. Il continuait d'y penser, inquiet, pendant qu'il se défaisait de son ciré et de son chapeau à l'abri d'un petit porche, sous la fenêtre qu'il avait prévu de forcer. Même si Susana Ferriol rentrait tard du dîner à

Cimiez, son incursion ne pourrait pas passer inaperçue. Néanmoins, si la chance restait de son côté, lorsque la police viendrait et relèverait les empreintes, il avait bien l'intention d'être parti depuis longtemps et le plus loin possible.

À Sorrente, la nuit vient de tomber. La lune ne s'est pas encore levée, et c'est tout profit pour les plans de Max. Lorsqu'il descend de sa chambre du Vittoria avec un gros sac de voyage à la main et une veste passée sur des vêtements noirs, le concierge de garde, occupé à trier et à ranger le courrier dans ses cases respectives, le remarque à peine. Le hall et l'escalier qui mènent au jardin sont déserts, toute l'attention étant mobilisée par la partie que Keller et Sokolov sont en train de jouer dans le salon de l'hôtel. Une fois dehors, Max passe près d'une camionnette de la RAI, traverse le jardin et s'éloigne avec désinvolture par le chemin qui conduit à la grille extérieure et à la piazza Tasso. À mi-parcours, quand il arrive en vue des lumières du trafic et des réverbères de la place, il s'écarte du chemin pour rejoindre le kiosque d'où, voici deux jours, il a surveillé les appartements occupés par la délégation russe. Pour l'heure, le bâtiment est dans une obscurité presque totale : excepté une lampe allumée au-dessus de la porte d'entrée et une fenêtre éclairée au deuxième étage.

Son cœur bat douloureusement, trop vite. Emballé comme si Max venait de boire dix cafés. En réalité, ce qu'il a pris il y a une demi-heure, ce sont deux pilules de Maxiton achetées sans ordonnance, mais avec un sourire éminemment respectable dans une pharmacie du Corso Italia ; convaincu que dans les prochaines heures des réserves d'énergie et de lucidité supplémentaires lui seraient des plus profitables. Même ainsi, tandis qu'il inspire profondément et attend, immobile, en tâchant d'apaiser son cœur, les ténèbres qui

455

l'entourent, le défi que représente ce qu'il se propose de faire, la certitude de l'âge qui oppresse ses bronches et durcit ses artères lui infligent un malaise proche de l'angoisse. Un sentiment d'insécurité qui confine à la peur. Dans la solitude et les ombres du jardin, chacun des pas qu'il a prévus lui semble une aberration. Pendant un moment il reste tranquille, accablé, jusqu'à ce que les battements désordonnés de son cœur paraissent se calmer un peu. Il faut te décider, pense-t-il enfin. Retourner ou aller de l'avant. Parce que le temps presse. D'un geste résigné, il tire sur la fermeture éclair du sac et sort le sac à dos qui est dedans ; il l'ouvre, enlève ses chaussures de ville et les remplace par les chaussures de sport teintes en noir. Il ôte également sa veste, la met avec les souliers dans le sac et cache celui-ci au milieu des arbustes. Maintenant il est totalement vêtu de noir ; seule est encore repérable la tache plus claire de ses cheveux gris, qu'il dissimule en nouant sur sa tête un foulard de soie sombre. Il passe également dans sa ceinture une corde d'alpiniste en nylon avec un mousqueton en acier, pour s'assurer en cas de fatigue durant l'ascension. Il doit avoir un aspect passablement ridicule dans cet accoutrement, se dit-il avec un ricanement sarcastique. À mon âge, jouer les *cambrioleurs** en gants blancs. Bon Dieu ! Si le docteur Hugentobler me voyait : son cher chauffeur en train d'escalader des murs ! Puis, résigné à l'inévitable, il charge le sac sur son dos, regarde de tous côtés, sort du kiosque et s'approche de l'immeuble en cherchant l'ombre plus épaisse des citronniers et des palmiers. Soudain, les phares d'une voiture qui vient d'entrer dans le jardin et se dirige vers le bâtiment principal l'éclairent parmi les arbustes. Aussitôt, il recule vers les ombres protectrices. De nouveau dans le noir, il recouvre son calme, sort de sa cachette et arrive jusqu'aux appartements des Russes. Là, au pied du mur, les ténèbres sont absolues. À tâtons, Max cherche le premier barreau de fer. Quand il le rencontre, il assure plus fermement le sac sur son dos, se hisse en appuyant ses pieds sur le mur et, avec un temps de repos à chaque barreau, afin d'éviter tout effort excessif susceptible d'affaiblir ses forces, il monte vers le toit.

À Nice, le coffre Schützling – grand, peint en marron – était exactement tel que l'avait décrit Enrico Fossataro. Il se trouvait à l'intérieur d'un placard en acajou sur un mur du bureau, posé sur le sol et entouré de rayonnages portant des livres, des classeurs et des dossiers. Son aspect était impressionnant, une plaque nue d'acier sans serrure ni cadran visible. Max l'étudia un moment à la lueur de la torche électrique. Il y avait un épais tapis à dessins orientaux le long du socle du coffre, et il se dit que ce serait excellent pour amortir le bruit métallique du trousseau de clefs quand il devrait les essayer une à une. Il dirigea la lumière vers la montre qu'il portait au poignet gauche et vérifia l'heure. Le travail s'annonçait lent, de ceux qui exigent une grande finesse de toucher et beaucoup de patience. Il déplaça de nouveau la torche pour éclairer les empreintes boueuses qui, sur le parquet et le tapis, jalonnaient le chemin depuis la fenêtre qu'il avait refermée après l'avoir forcée avec un pied-de-biche. Tant de salissures étaient un contretemps; par chance cette fenêtre était l'unique du bureau et tout restait, traces de boue comprises, à l'intérieur de cette seule pièce. Il n'y aurait pas de problème tant que la porte qui donnait sur la bibliothèque resterait close. Aussi alla-t-il s'assurer prudemment qu'elle était bien fermée à clef.

Il resta immobile et aux aguets pendant trente secondes, jusqu'à ce que les pulsations dans ses tympans se fassent moins fortes et qu'il puisse écouter plus nettement. Le bruissement de la pluie couvrirait en partie le bruit qu'il pourrait faire en s'occupant du coffre; mais il pourrait aussi lui cacher, jusqu'à ce qu'il soit trop tard, d'autres sons qui auraient pu l'alerter si quelqu'un venait à s'approcher du bureau. Néanmoins, à cette heure, les risques étaient minimes: la cuisinière et le jardinier ne dormaient pas dans la maison, la gouvernante couchait à l'étage du dessus et le chauffeur devait se trouver au volant de la voiture, attendant Susana Ferriol à Cimiez. Seule la femme de chambre était au rez-de-chaussée pour être présente au retour de sa maîtresse. Elle avait l'habitude de se tenir, selon les informations obtenues par Max, dans une pièce contiguë à la cuisine où elle écoutait la radio.

Il ôta son chapeau et son ciré, posa le sac contenant les outils sur le tapis et ausculta de la main le métal froid du coffre-fort. Les Schützling ne comportaient aucun mécanisme d'ouverture visible; ceux-ci étaient masqués par une moulure qui faisait le tour de la porte à la manière d'un cadre. Après avoir exercé la pression adéquate, une partie de la moulure se déplaça, laissant les mécanismes à découvert: quatre serrures à clef se suivant à la verticale, la première de type conventionnel, et les autres avec une combinaison à chiffres. Max devait ouvrir d'abord les trois du bas, et cela prenait du temps. Aussi s'y attaqua-t-il aussitôt. Il disposa la lampe dans la meilleure position, choisit dans le sac d'outils une clef du trousseau et commença à chercher, en essayant chaque fois avec la même clef, lequel des trois cadrans *chantait* le mieux, lequel était le plus sensible et transmettait les sons du mécanisme intérieur avec la plus forte intensité. Le pantalon et les chaussures mouillés le faisaient grelotter, ce qui le gênait beaucoup, et ses mains blessées par les épines du chemin tardaient à redevenir sereines pour un toucher adéquat. Après avoir essayé sur chaque cadran toutes les positions du 0 au 19, il se décida pour celui du bas. Puis il tourna la clef petit à petit, à gauche et à droite, et répéta l'opération sur les deux autres cadrans. Une fois trouvé ce qui lui semblait être la position correcte, il revint au premier cadran. Tout, désormais, exigeait une extrême précision, et les doigts abîmés le trahissaient parfois, laissant sur la clef des traces de sang. Cela contribuait à le retarder et il se maudit pour n'avoir pas pensé à porter des gants quand il était dehors : sentir ces vibrations presque imperceptibles demandait un toucher d'une extrême finesse. Finalement, il parvint à placer le cadran sur le chiffre de son ouverture, et après ce premier succès il regarda de nouveau sa montre : vingt-quatre minutes pour la partie la plus difficile. Enrico aurait mis le tiers de ce temps, mais tout se passait mieux que prévu. Avec un sourire satisfait, il entreprit de décrisper ses doigts, s'en massa les extrémités endolories et introduisit la clef dans le deuxième cadran. Un quart d'heure plus tard, chacun des trois cadrans était dans la position correcte. Alors il éteignit la lampe et marqua une pause. Allongé sur le dos, il demeura immobile sur le tapis deux ou trois minutes et en profita pour épier le silence de la maison. Il tenta de ne penser à rien, sauf au coffre-fort qu'il avait devant lui. Le crépitement de la pluie avait cessé à l'extérieur et aucun bruit ne venait du dedans. Il aurait bien fumé une cigarette, mais ce n'était vraiment pas le moment. Il se releva avec un soupir, frotta ses jambes engourdies par le froid sous le pantalon et les souliers trempés, et se remit au travail.

Maintenant, tout était une question de patience. Si les clefs étaient bien les bonnes, parmi les cent trente que Fossataro avaient apportées à Nice, il y en aurait sûrement une qui était capable d'ouvrir la serrure qui était sur chaque cadran. Pour la trouver, il importait d'établir le groupe auquel elle appartenait, et ensuite d'essayer, une par une, chaque clef dudit groupe. Cela situait approximativement le temps nécessaire entre une minute et une heure… Un autre coup d'œil à sa montre. Si rien ne venait se mettre en travers, la marge était raisonnable. Il s'employa alors à introduire les clefs.

La serrure fonctionna avec la clé numéro 107, presque une demi-heure plus tard. Il y eut un lent déclic d'engrenages intérieurs et quand Max tira vers lui la lourde porte d'acier, celle-ci s'ouvrit avec facilité et en silence ; le faisceau de la torche électrique éclaira des rayons portant des boîtes en carton épais et des dossiers. Dans les boîtes, il y avait quelques bijoux et de l'argent ; et, dans les dossiers, des documents. Il concentra son attention sur ces derniers. Barbaresco et Tignanello lui avaient montré des lettres semblables à celles qu'il cherchait, avec l'en-tête officiel du ministre italien des Affaires étrangères, pour qu'il puisse les reconnaître. Il les trouva dans un dossier : trois lettres dactylographiées, glissées dans des chemises de papier avec dates et numéros d'identification. Approchant la torche tout près, il vérifia les en-têtes, les textes et les signatures, de même que le nom tapé à la machine au bas de celles-ci : *G. Ciano*. Aucun doute, c'étaient bien les lettres. Adressées à Tomás Ferriol, datées du 20 juillet et des 1er et 14 août 1936.

Il prit les lettres et remit le dossier en place. Barbaresco et Tignanello lui avaient recommandé de faire en sorte que tout reste tel qu'il l'avait trouvé, pour que les Ferriol mettent le plus de temps possible à s'en rendre compte. D'ailleurs, avant de commencer l'ouverture du coffre-fort, Max avait noté les positions des cadrans afin de pouvoir, en refermant la porte, les laisser comme ils étaient à l'origine : certains propriétaires tenaient à le vérifier avant de rouvrir leur coffre ; mais maintenant, en promenant le faisceau de sa torche dans le bureau, avec la fenêtre forcée et les empreintes d'eau et de boue partout, il comprenait que dissimuler son intrusion serait impossible. Il aurait fallu des heures pour tout nettoyer et d'ailleurs il n'avait rien pour le faire. De plus, le temps pressait. Susana Ferriol était déjà peut-être en train de dire au revoir à ses hôtes de Cimiez.

Les boîtes en carton ne contenaient pas grand-chose. Dans l'une il trouva trente mille francs et une grosse liasse de billets de la République espagnole; lesquels, à la différence de ceux émis par la zone nationaliste, perdaient chaque jour de leur valeur. Quant aux bijoux, Max déduisit que Susana Ferriol devait avoir un coffret dans sa chambre car, dans le Schützling, il n'y en avait guère: un médaillon en or, une montre de poche Losada, une épingle à cravate avec une grosse perle. Également, un étui avec une cinquantaine de livres sterling en or et une broche ancienne en forme de libellule avec émeraudes, rubis et saphirs. Esquissant une moue dubitative, Max dirigea de nouveau le faisceau de sa torche vers le sol du bureau. Avec de pareilles empreintes et dans de telles conditions, conclut-il, mieux valait s'abstenir. La broche et les pièces d'or étaient des objets dangereux, facilement identifiables si la police tombait dessus. Seul l'argent restait de l'argent. La trace s'en perdait dès qu'il changeait de main: il n'avait pas d'autre identité ni d'autre propriétaire que celui qui le portait sur lui. Si bien qu'avant de refermer le coffre, d'effacer les empreintes en frottant avec un mouchoir et de ranger ses outils, il empocha les trente mille francs.

Le ciel est un amoncellement d'étoiles. La vue nocturne de Sorrente sur la baie est splendide depuis le toit de l'immeuble, mais Max n'est pas là pour profiter des paysages. Fatigué après l'effort, courbatu par le sac qu'il porte sur le dos, il reste étendu près de la corniche en tentant de reprendre haleine. Au-delà des bâtiments aux fenêtres éclairées de l'hôtel Vittoria, la mer est une vaste tache obscure, ponctuée de points lumineux qui signalent la côte jusqu'au rayonnement lointain de Naples.

Un peu reposé, après avoir senti se calmer les battements désordonnés de son cœur – cette nuit plus que jamais il se félicite d'avoir arrêté de fumer il y a onze ans –, Max se remet à la tâche. Il sort de son sac à dos la corde d'alpiniste, sur laquelle il a fait un nœud tous les cinquante centimètres, et cherche un endroit solide où pouvoir la tendre fermement. Les lumières proches mais ténues de l'hôtel lui permettent de se déplacer avec une certaine assurance pour explorer le toit, en essayant de ne pas faire un faux pas qui le précipiterait dans le vide. Finalement, il attache la corde avec un nœud de chaise autour de la base en ciment du paratonnerre et, pour plus de sécurité, l'assure par un autre nœud au tube métallique d'une cheminée. Puis il charge son sac sur le dos, compte six pas sur la gauche et, couché sur la corniche, se tenant d'une main à la corde, il regarde en bas. À six ou sept mètres, exactement à la verticale de l'endroit où il est, se trouve la chambre du joueur d'échecs russe. Il ne perçoit aucune lumière à l'intérieur. En contemplant le vide obscur qui s'ouvre sous le balcon, Max demeure immobile, frémissant d'appréhension, et son pouls se met de nouveau à battre follement. Ce genre d'exercice n'est décidément plus pour lui. Certes, ça n'a pas toujours été vrai. La dernière fois qu'il a connu pareille situation, il avait quinze ans de moins. Après avoir pris une profonde inspiration, il attrape la corde. Ensuite – il s'écorche les chevilles et les coudes en franchissant la corniche et le chéneau – il descend très lentement, nœud après nœud.

Appréhensions mises à part – il craint constamment que ses mains ne le trahissent ou d'être pris de vertige –, la descente se révèle plus facile qu'il ne s'y attendait. Cinq minutes plus tard il est sur le balcon, les pieds reposant sur une surface ferme, et ses mains explorent la porte vitrée qui communique avec la chambre plongée dans l'obscurité. Avec un peu de chance, elle aurait été ouverte, pense-t-il, pendant qu'il enfile des gants de fin caoutchouc. Mais ce n'est pas le cas. Il a donc recours à un diamant de vitrier qui, en d'autres temps, a donné de bons résultats : en appliquant une ventouse en caoutchouc pour fixer la partie de la vitre à enlever, il trace un demi-cercle autour de la poignée intérieure. Puis il frappe à petits coups, retire la portion sectionnée, la dépose avec soin par terre, introduit la main en veillant à ne pas se couper avec le verre et soulève la poignée. La porte s'ouvre sans difficulté, permettant de passer dans la pièce obscure et déserte.

Dès lors, Max agit rapidement en appliquant une méthode éprouvée. À sa surprise, les battements de son cœur sont réguliers et tranquilles, comme si, dans cette phase de l'opération, les années ne comptaient pas et que les procédés d'autrefois retrouvés lui rendaient une vigueur et un calme professionnels qui, un moment plus tôt, lui semblaient impossibles. Et donc, se déplaçant avec une extrême prudence pour ne rien heurter, il ferme les rideaux de la fenêtre et sort du sac une lampe électrique. La pièce est très grande, mais elle sent le renfermé, le tabac refroidi. Il y a en effet un cendrier bourré de mégots sur une table basse, près de tasses à café vides et d'un échiquier dont les pièces sont disposées n'importe comment. Le faisceau de la lampe éclaire tour à tour des fauteuils, des tapis, des tableaux et une porte qui donne sur la chambre à coucher et la salle de bains. Et aussi sur un miroir dans lequel, en s'approchant, Max découvre sa propre silhouette toute de noir vêtue, clandestine et immobile. L'air déconcerté par l'apparition soudaine d'un inconnu.

Écartant le rai lumineux comme s'il refusait de se reconnaître dans le miroir, Max renvoie son image aux ténèbres. La lampe éclaire maintenant une table de bureau couverte de livres et de papiers. Alors, il va vers elle et commence à chercher.

Il faisait encore nuit et il pleuvait toujours sur Nice quand Max arrêta la Peugeot près de l'église du Jésus et traversa la place, couvert de son imperméable et de son chapeau, marchant avec indifférence dans les flaques criblées par la pluie. Pas une âme en vue. L'averse semblait se matérialiser en rideaux brumeux et jaunâtres à l'angle de la rue Droite, autour d'un réverbère allumé près du café fermé. Max arriva au second porche, qui était ouvert. Il traversa la cour intérieure et laissa derrière lui la rumeur de la pluie qui tombait au-dehors.

Le vestibule était mal éclairé : une ampoule nue et sale donnait juste assez de lumière pour voir où poser les pieds. Une autre était allumée sur le palier du haut. En montant l'escalier, les marches de bois grinçaient sous ses chaussures mouillées qui portaient encore les marques de sa récente incursion. Il se sentait sale, trempé et épuisé, et avait envie d'en finir. De tout régler et de s'écrouler pour dormir un moment, avant de prendre sa valise et de disparaître. De réfléchir à tête reposée à l'avenir. En arrivant sur le palier, il déboutonna son imperméable et secoua l'eau de son chapeau. Puis il fit tourner le bouton du timbre en laiton de la porte, sans résultat. Cela le déconcerta un peu. Il fit de nouveau tourner le timbre et en entendit le son retentir à l'intérieur. Rien. Normalement, les Italiens auraient dû l'attendre avec impatience. Mais personne ne venait.

– Heureux de vous voir, dit une voix dans son dos.

Max sursauta et laissa tomber son chapeau. Fito Mostaza était assis sur les marches de l'escalier qui montait à l'étage suivant, l'air tout à fait détendu. Il portait un costume noir à rayures, large d'épaules, avec son habituel nœud papillon. Il n'avait ni gabardine ni couvre-chef.

– Voilà qui me confirme que vous êtes un homme sérieux, ajouta-t-il. Et de parole.

Il parlait d'un air détaché, comme s'il s'agissait de choses sans importance. Indifférent au trouble de Max.

– Vous avez ce que vous êtes allé chercher ?

Max resta à le regarder un bon moment, sans répondre. Il essayait de situer Mostaza et de se situer lui-même dans tout cela.

– Où sont-ils ? finit-il par demander.

– Qui ?

– Barbaresco et Tignanello… Les Italiens.

– Oh, ceux-là !

L'autre se frotta le menton d'une main, tout en souriant imperceptiblement.

– Il y a eu un changement dans les plans, dit-il.

– Changement ou pas, je dois les voir. C'est ce qui était prévu.

Les verres des lunettes de Mostaza brillèrent quand il pencha un peu la tête d'un air pensif avant de la relever. Il semblait réfléchir aux paroles de Max.

– Bien sûr… Ce qui était prévu et ce que vous deviez faire, naturellement.

Il se leva, presque de mauvaise grâce, secouant le fond de son pantalon. Puis il ajusta son nœud papillon et descendit pour rejoindre Max. Dans sa main droite luisait une clef.

– Naturellement, répéta-t-il en ouvrant la porte.

Il s'effaça pour laisser passer Max. Celui-ci entra et la première chose qu'il vit fut le sang.

Il les tient. Il a trouvé les cahiers de parties de Mihaïl Sokolov avec une telle facilité que, durant un moment, Max a d'abord douté que c'était réellement ce qu'il cherchait. Mais ça ne fait aucun doute. Un examen minutieux à la lumière de la lampe, après avoir chaussé ses lunettes, met fin aux dernières incertitudes. Tout coïncide avec la description suggérée par Mecha Inzunza : quatre épais cahiers reliés en toile et en carton, semblables à des grands livres de comptabilité très usagés, pleins d'annotations manuscrites en cyrillique, d'une petite écriture appliquée : diagrammes de parties, précisions, références. Les secrets professionnels du champion du monde. Les quatre cahiers sont bien en vue, l'un sur l'autre, au milieu des papiers et des livres sur le bureau. Max ne connaît pas le russe, mais il n'a pas eu de mal à identifier les dernières notes du quatrième cahier : une demi-douzaine de lignes avec une nomenclature chiffrée – D4T, P3TR, A4T, CxPR –, écrites à côté d'une coupure récente de la *Pravda* traitant d'une des parties jouées entre Sokolov et Keller à Sorrente.

Avec les cahiers – le livre, comme les a appelés Mecha – dans le sac et celui-ci de nouveau sur son dos, Max sort sur le balcon et regarde en bas. La corde est toujours là, bien tendue. Il tire dessus pour s'assurer qu'elle reste solidement attachée, puis il l'empoigne afin de regrimper jusqu'au toit ; mais à peine effectué le premier effort, il comprend qu'il ne va pas pouvoir. Il a peut-être assez d'énergie pour arriver à la hauteur du toit, mais franchir la corniche et le chéneau sur lesquels, en descendant, il s'est écorché les chevilles et les coudes représente maintenant un obstacle quasi insurmontable. Il a surestimé ses capacités. Ou ses forces. La moindre défaillance l'expédiera dans le vide. Sans compter la difficulté de refaire ensuite le chemin inverse de barreau en barreau le long du mur, de descendre dans l'obscurité sans voir où poser les pieds. Avec ses seules mains pour se tenir solidement.

Cette certitude qui le frappe provoque une explosion de panique qui lui dessèche la bouche. Il reste encore ainsi un moment, immobile, tenant la corde. Incapable de prendre une décision. Puis il la lâche, vaincu. Réalisant qu'il est pris à son propre piège. Excès de confiance, refus d'accepter l'évidence de la vieillesse et de la fatigue. Jamais il ne pourra arriver jusqu'au toit par cette voie, et il le sait.

Réfléchis, se dit-il, angoissé. Réfléchis bien, et vite, ou tu ne sortiras pas d'ici. Abandonnant la corde où elle est – il est impossible de la décrocher en tirant simplement dessus –, il rentre dans la pièce. Il n'a plus qu'une issue, et cette conviction l'aide à se concentrer sur les prochains mouvements à exécuter. Tout va être, conclut-il, une question de discrétion. Et de chance. Tout dépendra du nombre de gens qui se trouvent dans le bâtiment et de l'endroit où ils sont. Le gardien, que les Russes laissent d'habitude au rez-de-chaussée, se tient-il ou non entre la suite de Sokolov et la sortie vers le jardin? Et donc, tâchant de ne faire aucun bruit, avançant en posant le talon avant la pointe des semelles de caoutchouc, Max traverse la pièce, sort dans le couloir et ferme la porte derrière lui. Il y a de la lumière dehors, et aussi un long tapis qui va jusqu'à l'ascenseur et l'escalier, ce qui facilite sa marche silencieuse. Arrivé au palier, il s'arrête pour écouter, se penchant au-dessus de la cage de l'escalier. Tout est calme. Il descend avec les mêmes précautions, jetant des regards par-dessus la rampe pour avoir la confirmation que la voie reste libre. Il n'est plus capable de repérer les sons, car son cœur s'est remis à battre violemment et les pulsations dans ses tympans redeviennent assourdissantes; cela faisait longtemps qu'il n'avait plus vraiment transpiré, remarque-t-il. Sa peau n'y a jamais été trop portée; mais en ce moment, sous le pantalon et le sweater noirs, il sent que ses sous-vêtements sont trempés.

Il s'arrête avant la fin du trajet, faisant un nouvel effort pour se calmer. Au-delà du martèlement du sang dans sa tête, il croit percevoir un son lointain, amorti. Peut-être une radio ou un téléviseur allumé. Il se penche de nouveau au-dessus de la cage de l'escalier, descend les dernières marches et avance prudemment vers le coin du vestibule. Il y a une porte de l'autre côté : sûrement celle qui donne sur le jardin. À gauche un couloir s'enfonce dans la pénombre, et à droite une double porte vitrée, dont le verre opaque laisse filtrer une lumière. C'est de là que vient le son de la radio ou du téléviseur, beaucoup plus intense maintenant. Max retire le foulard qu'il porte encore noué sur la tête, s'en sert pour essuyer la sueur qui coule sur sa figure et le fourre dans sa poche. Il a la bouche si sèche que sa langue lui écorche presque le palais. Il ferme les yeux quelques secondes, inspire trois fois, traverse le vestibule, ouvre silencieusement la porte et sort. L'air frais de la nuit, la pénétrante odeur de l'humus l'accueillent sous les arbres comme une explosion d'optimisme, d'énergie et de vie. Il assujettit son sac à dos et se met à courir dans l'ombre.

— Excusez le désordre, dit Fito Mostaza en refermant la porte.

Max ne répondit pas. Il regardait, épouvanté, le corps de Mauro Barbaresco. L'Italien gisait sur le dos, en bras de chemise, dans une grande flaque de sang à demi figé. Son visage était cireux, ses yeux révulsés et vitreux, ses lèvres entrouvertes et sa gorge sectionnée par une profonde entaille.

— Allez au fond, suggéra Mostaza. Et tâchez de ne pas marcher dans le sang. C'est très glissant.

Ils parcoururent le couloir jusqu'à la pièce du fond, où se trouvait le cadavre du second Italien. Celui-là gisait en travers de la porte de la cuisine, à plat ventre, un bras tendu formant un angle droit et l'autre sous le corps, le visage plongé dans la flaque de sang d'un brun rougeâtre qui avait coulé en laissant une longue traînée sous la table et les chaises. Il régnait dans la pièce une odeur indéfinissable, épaisse, métallique.

– Cinq litres par corps, plus ou moins, commenta Mostaza d'un ton froid, écœuré, comme s'il était réellement attristé par ce spectacle. Dix au total. Calculez vous-même le gâchis.

Max s'affala sur la première chaise qu'il trouva. Mostaza resta à l'observer avec attention. Puis il attrapa une bouteille de vin sur la table, en remplit un demi-verre et le lui tendit. Max fit non de la tête. L'idée de boire face à ce qu'il avait sous les yeux lui donnait des nausées.

– Buvez au moins un petit coup, insista Mostaza. Vous vous sentirez mieux.

Max finit par obéir, trempant à peine les lèvres avant de reposer le verre. Mostaza, debout près de la porte – le sang de Tignanello arrivait à quelques centimètres de ses chaussures –, avait sorti sa pipe d'une poche et la bourrait tranquillement.

– Mais que s'est-il donc passé? réussit à articuler Max. L'autre haussa les épaules.

– Ce sont les désagréments du métier. – Il dirigea le tuyau de sa pipe vers le cadavre. – De leur métier.

– Qui a fait ça?

Mostaza le regarda, vaguement surpris, comme un peu déconcerté par la question.

– Moi, bien sûr.

Max fit un tel bond qu'il renversa la chaise; mais tout de suite après il s'immobilisa, paralysé par la vision de l'objet que l'autre venait de sortir de sa poche. Tenant sa pipe éteinte dans sa main gauche, Mostaza avait dans sa main droite un pistolet, petit, luisant, nickelé. Ce n'était pas pour autant un mouvement menaçant. Il se bornait à montrer la chose dans la paume de sa main d'un geste inoffensif, avec presque l'air de s'en excuser. Il ne braquait pas l'arme sur Max et n'avait même pas le doigt sur la détente.

– Relevez la chaise et rasseyez-vous, je vous prie... Ne soyons pas dramatiques.

Max fit ce qu'il lui disait. Une fois rassis, il vit que le pistolet avait disparu dans la poche droite de Mostaza.

– Vous avez ce que vous êtes allé chercher ? questionna celui-ci.

Max contemplait le cadavre de Tignanello gisant sur le ventre dans la grande flaque de sang à moitié coagulé. Un pied avait perdu son soulier, qui se trouvait un peu plus loin par terre. La chaussette ainsi découverte avait un trou au talon.

– Vous ne les avez pas tués avec ce pistolet, dit-il.

Mostaza, qui allumait sa pipe, le regarda par-dessus une bouffée de fumée, pendant qu'il secouait l'allumette pour l'éteindre.

– Non, bien sûr, confirma-t-il. Un pistolet, même de petit calibre comme celui-là, ça fait du bruit... Il n'était pas question d'alerter les voisins. – Il écarta légèrement sa veste pour montrer le manche d'un couteau qui dépassait sur le côté, près des bretelles. – Évidemment, c'est plus salissant. Mais c'est aussi plus discret.

Il contempla la flaque de sang à ses pieds. Il semblait réfléchir au bien-fondé du mot *salissant*.

– Ça n'a rien eu d'agréable, je vous assure, ajouta-t-il au bout d'un instant.

– Mais pourquoi ? insista Max.

– Plus tard, si vous en avez envie, nous pourrons en parler à tête reposée. Pour l'heure, dites-moi si vous avez trouvé les lettres du comte Ciano... Vous les avez sur vous ?

– Non.

Mostaza ajusta d'un doigt ses lunettes et l'étudia durant quelques secondes, dubitatif.

– Tiens donc ! s'exclama-t-il finalement. Précautions ou fiasco ?

Max garda le silence. Pour l'heure, il était surtout occupé à calculer combien vaudrait sa vie une fois les lettres livrées. Probablement pas davantage que celle des malheureux égorgés sur le sol.

– Levez-vous et tournez-vous, ordonna Mostaza.

Le ton était légèrement ennuyé, même s'il continuait de ne pas paraître menaçant. Juste soucieux d'exécuter une formalité fastidieuse et inévitable. Max obéit, et l'autre l'enveloppa dans une bouffée de fumée quand il s'approcha par-derrière pour le fouiller, sans résultat, pendant que Max se félicitait d'avoir pris la précaution de glisser les lettres sous un siège de la voiture.

– Vous pouvez vous retourner… Où sont-elles ? – La pipe entre les dents déformant ses paroles, Mostaza essuyait sur sa veste ses mains mouillées par l'imperméable de Max. – Dites-moi au moins si vous les avez.

– Je les ai.

– Colossal. Vous m'en voyez ravi. Maintenant dites-moi où, et finissons-en.

– Qu'est-ce que vous entendez par en finir ?

– Ne soyez pas si méfiant, mon vieux. Si grandiloquent. Rien n'empêche que nous nous séparions en gens civilisés.

Max regarda de nouveau le cadavre de Tignanello. Il se souvint de son comportement taciturne et mélancolique. Un homme triste. Il était presque ému de le voir ainsi, baignant à plat ventre dans son propre sang. Définitivement apaisé et inoffensif.

– Pourquoi vous les avez tués ?

Mostaza fronçait les sourcils, gêné, ce qui donnait l'impression de creuser davantage la cicatrice sous sa mâchoire. Il ouvrit la bouche comme pour dire quelque chose de désagréable, puis il parut se raviser. Il jeta un rapide coup d'œil sur le fourneau de sa pipe, vérifiant la bonne combustion du tabac, et regarda le cadavre de l'Italien.

– Nous ne sommes pas dans un roman. – Le ton était presque patient. – Et donc je n'ai pas l'intention de consacrer le dernier chapitre à expliquer comment tout ça est arrivé. Vous n'avez aucun besoin de le savoir, et moi le temps me manque pour une conférence de détectives... Dites-moi où sont les lettres et réglons une bonne fois cette affaire.

Max indiqua le cadavre.

– Et vous la réglerez avec moi de la même manière quand vous les aurez ?

Mostaza semblait considérer sérieusement le commentaire.

– Vous avez raison, concéda-t-il. C'est vrai que personne ne peut rien garantir. Et je ne crois pas que ma parole suffise... N'est-ce pas ?

– Vous croyez juste.

– Oui.

L'autre tira bruyamment sur sa pipe, en réfléchissant.

– Je dois procéder à quelques corrections concernant ma biographie, dit-il enfin. En réalité, je ne travaille pas pour la République espagnole, mais pour le gouvernement de Burgos. Pour l'autre côté.

Il fit un clin d'œil derrière ses lunettes, comme s'il racontait une bonne blague. Il était évident qu'il jouissait du trouble de son interlocuteur.

– Bref, ajouta-t-il, de toute manière c'est toujours la même maison.

Max le regardait, interloqué.

– Mais ce sont des Italiens... Des agents fascistes. Ils étaient vos alliés.

– Écoutez, je vous trouve un peu naïf. À ce jeu-là, il n'y a pas d'alliés qui vaillent. Ils voulaient les lettres pour leurs chefs, et moi je les veux pour les miens... Jésus-Christ a prêché que nous étions tous frères, mais jamais que nous nous comportions en cousins. Des lettres qui demandent une commission sur les avions seront un

472

bon atout entre les mains de mes chefs, c'est en tout cas comme ça que je vois les choses. Une façon de tenir par les couilles les Italiens, ou leur ministre des Affaires étrangères.

– Et pourquoi ne les ont-ils pas demandées directement à Ferriol, qui est leur banquier ?

– Je n'en sais rien. Moi je reçois des ordres, pas des confidences. Je suppose que Ferriol s'arrangera comme il pourra. Peut-être qu'il voudra les récupérer par d'autres moyens. Après tout, avec les Espagnols comme avec les Italiens, il s'y connaît en affaires.

– Et cette étrange histoire de bateau ?

– Ah, le *Luciano Canfora* ?... Un problème resté en suspens et que vous m'avez aidé à résoudre. C'est vrai que le capitaine et le chef mécanicien avaient l'intention de livrer la cargaison dans un port du gouvernement ; c'est moi-même qui les en avais convaincus, après m'être présenté comme un agent de la République. Nous avions des soupçons et on m'avait demandé de vérifier leur loyalisme... Ensuite, je vous ai utilisé pour faire passer l'information aux Italiens, qui ont réagi immédiatement. Les traîtres ont été arrêtés et le bateau est en route pour sa destination d'origine.

Max désigne le corps de Tignanello.

– Et eux... Vous aviez vraiment besoin de les tuer ?

– Oui. Je ne pouvais pas contrôler la situation avec trois personnes dans le coup ; deux d'entre elles, de plus, étant des professionnels... Je n'ai pas eu d'autre solution que de dégager le paysage.

Il ôta la pipe de sa bouche. Elle semblait éteinte. Il en cogna doucement le fourneau, tourné vers le bas, sur la table, pour la vider. Puis il souffla dans le tuyau et la remit dans la poche opposée à celle du pistolet.

– Finissons-en une bonne fois, répéta-t-il. Donnez-moi les lettres.

– Vous avez pu constater que je ne les ai pas sur moi.

– Et vous, vous avez pu constater mes arguments. Où sont-elles ?

C'était absurde de continuer à refuser, décida Max. Et dangereux. Il pouvait seulement essayer de gagner du temps.

– Elles sont en lieu sûr.

– Alors menez-y-moi.

– Et ensuite ? Qu'est-ce que vous ferez de moi ?

– Rien de particulier. – Il le regardait, offensé par ses soupçons. – Comme je vous l'ai dit, vous partez de votre côté et moi du mien. Chacun retournera s'occuper de ses oignons.

Max frémit, désemparé au point de se sentir pris de pitié pour lui-même, et un moment ses genoux flageolèrent. Il avait menti à trop d'hommes et de femmes au long de sa vie pour ne pas reconnaître les symptômes. Dans les yeux de Mostaza, il lisait un avenir précaire.

– Je n'ai pas confiance en votre parole, protesta-t-il faiblement.

– Tant pis, parce que de toute façon vous n'avez pas le choix. – L'autre tapa sur sa poche en lui rappelant le pistolet qui y faisait une bosse. – Même si vous croyez que je vais vous tuer, toute la question, pour vous, est de décider si je vous tue maintenant ou si je vous tue après… Bien que, je vous le répète, ça n'entre pas dans mes intentions. Une fois les lettres en ma possession, ça n'aurait pas de sens. Ce serait un acte inutile. Superflu.

– Et mon argent ?

C'était seulement une autre tentative désespérée de gagner du temps. De prolonger les choses. Mais, pour Mostaza, il était clair que la discussion était close.

– Ça, ce n'est pas mon affaire. – Il prit sa gabardine et son chapeau qui étaient sur une chaise. – On y va.

D'une main il porta un petit coup sur sa poche et de l'autre montra la porte. Soudain, il se révélait plus tendu et plus sérieux. Max le précéda, contournant le corps de Tignanello et la flaque de sang, et gagna le couloir pour arriver à la hauteur du cadavre de Barbaresco. Pendant qu'il tendait une main vers la poignée de la porte, avec Mostaza derrière lui, il adressa un dernier regard aux yeux vitreux de l'Italien, éprouvant de nouveau cette étrange sensation de désolation, de pitié, qu'il avait déjà ressentie avant. Il commençait à trouver ces deux-là sympathiques, se dit-il. Des chiens mouillés sous la pluie.

La porte résistait un peu. Max tira plus fort dessus, et le brusque mouvement, quand elle s'ouvrit d'un coup, le fit reculer légèrement. Mostaza, qui le suivait en endossant sa gabardine, recula également d'un pas, par précaution, un bras passé dans la manche et la main de l'autre bras à demi enfoncée dans la poche du pistolet. Mais il marcha dans le sang à demi coagulé sur le sol et glissa. Pas beaucoup : un bref faux pas tandis qu'il cherchait à recouvrer son équilibre. À cet instant, Max sut avec une sombre certitude que c'était là l'unique occasion qui se présenterait de toute cette nuit. Alors, il se jeta sur lui avec la fureur aveugle du désespoir.

Ils glissèrent tous les deux dans le sang et tombèrent par terre. Le but de Max était d'empêcher l'autre de sortir son pistolet, mais dans la lutte il se rendit compte que son adversaire cherchait en fait à empoigner son couteau. Par chance, l'autre bras de Mostaza était toujours entravé par la manche de la gabardine. Max en profita pour en tirer un léger avantage et le frappa en pleine figure, brisant dans un bruit sec ses lunettes. Mostaza poussa un grognement et agrippa Max de toutes ses forces pour tenter de reprendre le dessus. Son corps mince et dur, qui n'était fragile qu'en apparence, se révélait extrêmement dangereux. Le couteau dans ses mains équivaudrait à un arrêt de mort. Max cogna avec un certain succès, parant l'attaque, et ils s'étreignirent de nouveau, l'un tentant d'immobiliser et de frapper l'autre qui essayait de libérer son bras pris dans la gabardine, pendant qu'ils n'en finissaient pas de glisser dans le sang de Barbaresco. Alors que le désespoir et la fatigue le gagnaient et qu'il prenait conscience que dès que Mostaza aurait réussi à libérer son autre main il pourrait se considérer comme mort, d'anciens réflexes oubliés accoururent au secours de Max : ceux du garçon faubourien de la rue Vieytes, et ceux du soldat qui avait dû parfois se défendre à coups de couteau dans des bordels de légionnaires. Il l'avait fait lui-même et il l'avait vu faire. Alors, avec toute l'énergie qu'il put rassembler, il planta un pouce dans l'œil de son ennemi. Le doigt s'enfonça très profond, avec un faible craquement et un hurlement animal de Mostaza, qui montra aussitôt des signes de faiblesse. Max tenta de se relever, mais il glissa encore une fois dans le sang. Il essaya de nouveau et finit par se placer au-dessus de son adversaire qui gémissait comme une bête torturée. Alors, se servant de son coude droit comme d'une arme, Max cogna sur la figure de Mostaza de toutes ses forces, jusqu'à ce que la douleur au coude devienne insupportable, que l'autre cesse de se débattre et que sa tête s'affaisse sur le côté, boursouflée et brisée.

Épuisé, Max se laissa choir. Il demeura longtemps ainsi, essayant de récupérer, mais il finit par sentir que tout devenait noir autour de lui et il s'évanouit lentement, comme s'il tombait dans un puits sans fond. Quand il revint à lui, la petite fenêtre du vestibule encadrait une pénombre sale et grise qui devait déjà annoncer l'aube. Il s'écarta du corps immobile et se traîna en direction du palier. Il laissait derrière lui une traînée de son propre sang, car il avait reçu – il le constata en se tâtant maladroitement – un coup de couteau superficiel à la cuisse, qui avait manqué de très peu l'artère fémorale. Au dernier instant, Fito Mostaza avait tout de même réussi à sortir sa lame.

12

Le Train Bleu

Le téléphone sonne dans la chambre de l'hôtel Vittoria. Max est inquiet. C'est la seconde fois en un quart d'heure, et il est six heures du matin. À la première, quand il a décroché, aucune voix n'a répondu à l'autre bout de la ligne : seulement un silence suivi du clic de la communication interrompue. Cette fois, il ne décroche pas et laisse sonner le téléphone jusqu'à ce que le silence revienne. Il sait que ce n'est pas Mecha Inzunza, car ils sont tombés d'accord pour se tenir éloignés l'un de l'autre. Ils l'ont décidé cette nuit, à la terrasse du Fauno. La partie d'échecs s'était achevée à dix heures et demie. Peu après, les Russes avaient dû découvrir le vol, la vitre découpée et la corde pendant du toit. Toutefois, alors qu'il était déjà onze heures et demie passées et qu'après avoir pris une douche et s'être changé, un Max aux nerfs tendus traversait le jardin en direction de la piazza Tasso. Le bâtiment occupé par la délégation soviétique ne révélait aucun indice d'agitation. Des fenêtres étaient éclairées, mais tout semblait tranquille. Peut-être Sokolov n'avait-il pas encore regagné sa suite, avait conclu Max en s'éloignant vers la grille. Ou peut-être – et cela pouvait s'avérer plus inquiétant que des voitures de police stationnées devant la porte – les Russes décidaient-ils de traiter l'incident dans la plus grande discrétion. À leur manière.

Mecha était à une table du fond, la veste en daim sur le dossier de sa chaise. Max était allé s'asseoir à côté d'elle sans dire un mot, avait commandé un negroni au garçon et inspecté les alentours avec une expression de contentement placide, évitant le regard interrogateur de la femme. Ses cheveux encore humides étaient peignés avec la plus parfaite coquetterie, et un foulard de soie garnissait le col ouvert de sa chemise, entre les revers du blazer bleu marine.

– Ce soir, Jorge a gagné, avait-elle dit après quelques instants.

Max avait admiré son ton impassible. Son attitude sereine.

– C'est une bonne nouvelle, avait-il répondu.

Puis il s'était enfin tourné pour la regarder. Il souriait, et Mecha avait deviné le sens de ce sourire.

– Tu les as, avait-elle proféré.

Ce n'était pas une question. Il avait souri un peu plus. Cela faisait des années qu'il n'avait pas eu aux lèvres une telle expression de victoire.

– Oh, chéri ! avait-elle dit.

Le garçon était arrivé avec le verre. Max avait goûté au cocktail, le savourant réellement. Un peu fort en gin, avait-il remarqué avec satisfaction. Tout à fait ce dont il avait besoin.

– Comment ça s'est passé ? avait voulu savoir Mecha.

– Difficilement. – Il avait reposé le verre sur la table. – Je n'ai plus l'âge pour ce genre de péripéties. Je te l'avais bien dit.

– Pourtant, tu l'as eu. Le livre.

– Oui.

Elle s'était appuyée sur la table, avec une expression avide.

– Où est-il ?

– En lieu sûr, comme convenu.

– Tu ne me diras pas où ?

478

– Pas encore. Seulement dans quelques heures, pour plus de sécurité.

Elle l'avait regardé intensément, pesant cette réponse, et Max avait su ce qu'elle pensait. Un moment, il avait vu affleurer dans ses yeux l'ancienne et quasi familière méfiance. Mais ça n'avait duré qu'une seconde. Ensuite Mecha avait penché un peu la tête, comme pour s'excuser.

– Tu as raison, avait-elle admis. Il vaut mieux que tu ne me le donnes pas tout de suite.

– Évidemment. D'ailleurs c'était convenu ainsi.

– Nous verrons comment ils vont encaisser le coup.

– Je viens de longer leurs appartements… Tout semble tranquille.

– C'est possible qu'ils ne le sachent pas encore.

– Je suis sûr qu'ils le savent. J'ai laissé des traces partout.

Elle s'agitait, inquiète.

– Quelque chose s'est mal passé ?

– J'ai surestimé mes forces, avait-il reconnu avec simplicité. J'ai dû improviser en catastrophe.

Il regardait vers la grille de l'hôtel, au-delà des phares des voitures et des motos qui circulaient sur la place. Il imaginait les Russes cherchant à comprendre ce qui s'était passé, d'abord abasourdis et ensuite furieux. Il avait bu quelques gorgées pour calmer son appréhension. Il était presque étonné de ne pas entendre les sirènes de la police.

– J'ai été bien près de rester coincé, avait-il avoué. Comme un imbécile. Tu réalises ?… Les Russes revenant de la partie et moi assis, en train de les attendre.

– Est-ce qu'ils peuvent t'identifier ? Tu as dit que tu avais laissé des traces.

– Je ne parlais pas d'empreintes digitales ou de choses de ce genre. Je parle d'indices : une vitre brisée, une corde… Un aveugle s'en rendrait compte à peine entré dans la chambre. C'est pour ça que je te dis qu'à l'heure présente, ils savent déjà tout.

Il promenait un regard inquiet autour de lui. La terrasse commençait à se dépeupler, mais quelques tables étaient encore occupées.

– Ce qui m'inquiète, c'est l'absence de mouvement, avait-il ajouté. Je veux dire, de réaction. En ce moment, ils devraient te surveiller. Et moi aussi.

Elle avait regardé les alentours d'un air soucieux.

– Ils n'ont pas de raison de faire le lien entre nous et le vol, avait-elle conclu après avoir un peu réfléchi.

– Tu sais bien qu'ils ne tarderont pas à le faire. Et s'ils m'identifient, je suis cuit.

Il avait posé une main sur la table. Elle portait des marques de mercurochrome sur les jointures et les doigts, dues aux écorchures qu'il s'était faites en montant sur le toit puis en se laissant glisser jusqu'au balcon de Sokolov. Elles lui faisaient encore mal.

– Je devrais peut-être quitter l'hôtel, avait-il dit au bout d'un instant. Disparaître pour un temps.

– Tu sais, Max ? – Elle caressait doucement les marques rouges de ses mains. – Tout ça donne une impression de *déjà-vu**. Tu ne trouves pas ?… De répétition.

Son ton était tendre, celui d'une affection infinie. Ses yeux reflétaient les lampions de la terrasse. Max avait fait la moue.

– C'est vrai. En partie, au moins.

– Si nous pouvions revenir en arrière, peut-être que les choses seraient… Je ne sais pas. Autres.

– Elles ne sont jamais différentes. Chacun de nous traîne avec lui son étoile. Les choses sont ce qu'elles doivent être.

Il avait appelé le garçon et payé l'addition. Puis il s'était levé pour reculer la chaise de Mecha.

– Cette fois-là, à Nice… avait-elle commencé.

Max lui passa sa veste sur les épaules. Ses mains glissèrent un instant le long des bras de Mecha, comme une rapide caresse.

– Je te prie de ne pas parler de Nice. – C'était un murmure presque intime : cela faisait longtemps qu'il ne parlait plus ainsi à une femme. – Pas cette nuit, s'il te plaît. Pas maintenant.

Il souriait en le disant. Quand elle se retourna, elle lui rendit son sourire.

– Ça va te faire mal, annonça Mecha.

Elle versa quelques gouttes de teinture d'iode sur la blessure, et Max crut qu'elle lui avait appliqué un fer rouge sur la cuisse. La brûlure était insupportable.

– Ça fait mal, dit-il.

– Je t'avais prévenu.

Elle était assise à côté de lui sur le bord d'un canapé de toile et d'acier du salon de la villa d'Antibes. Elle portait un peignoir long, élégant, serré à la taille. Une chemise légère en soie apparaissait dans l'échancrure du peignoir qui laissait une partie des jambes à découvert, et elle était pieds nus. Son corps répandait une odeur agréable, une odeur de sommeil récent. Elle dormait quand Max avait sonné à la porte, réveillant d'abord la femme de chambre, puis Mecha. La femme de chambre était retournée se coucher et à présent il était allongé sur le dos dans une position peu glorieuse : le pantalon et les chaussettes sur les chevilles, le sexe à l'air, l'entaille du couteau de Mostaza marquant une blessure de plusieurs centimètres de longueur sur la cuisse droite.

– Je ne sais pas qui t'a fait ça, mais il t'a manqué de peu… Avec une blessure plus profonde, tu te vidais de ton sang.

– Oui.

– Et c'est le même qui t'a mis la figure dans cet état ?

– Le même.

Deux heures plus tôt, il s'était regardé dans la glace de la chambre du Negresco – un œil violacé, le nez qui saignait et une lèvre qui avait doublé de volume – quand il était repassé à l'hôtel pour improviser quelques soins, avaler deux comprimés de Veramon et rassembler hâtivement ses affaires, avant de régler la note accompagnée d'un somptueux pourboire. Puis il s'était arrêté sous la marquise de la porte, où tambourinait encore la pluie, surveillant la rue avec méfiance, attentif au moindre indice inquiétant près des réverbères qui éclairaient la Promenade et les façades des hôtels voisins. Finalement, un peu rassuré, il avait chargé sa valise dans la Peugeot, avait démarré et était parti dans la nuit, les phares balayant les pins marqués de blanc qui bordaient la route d'Antibes et de La Garoupe.

– Pourquoi es-tu venu ici ?

– Je ne sais pas. Ou plutôt si. J'avais besoin de me reposer. De réfléchir.

C'était bien son idée, en effet. Il lui fallait réfléchir. Savoir si Mostaza était mort ou non, par exemple. Et si celui-ci avait agi seul ou s'il y avait d'autres agents qui pourraient, en ce moment même, être en train de le chercher. Et c'était la même chose pour les Italiens. Que les conséquences soient immédiates ou à venir, aucune n'était de celles qui laissaient prévoir la moindre perspective plaisante, même en faisant preuve de la meilleure volonté du monde. À cela il convenait d'ajouter la curiosité bien naturelle des autorités quand quelqu'un découvrirait les cadavres – deux, et peut-être trois – dans la maison de la rue Droite : deux services secrets, et la police française cherchant à savoir qui avait fait le coup. Et, cerise sur le gâteau, comme si ça ne suffisait pas, la réaction imprévisible de Tomás Ferriol quand il s'apercevrait que les lettres du comte Ciano s'étaient volatilisées.

– Pourquoi moi ? demanda Mecha. Pourquoi choisir ma maison ?

– Je ne connais personne à Nice à qui je puisse faire confiance.

– Tu es recherché par les gendarmes ?

– Non. Ou en tout cas pas encore. Mais ce n'est pas la police qui m'inquiète, cette nuit.

Elle l'étudiait attentivement. Soupçonneuse.

– Qu'est-ce qu'on veut te faire ?... Et pourquoi ?

– Il ne s'agit pas de ce qu'on voudrait me faire. Il s'agit de ce que j'ai fait et de ce qu'on peut croire que j'ai fait... J'ai besoin de me reposer quelques heures. De soigner ça. Après, je m'en irai. Je n'ai pas envie de t'attirer des complications.

Elle indiqua froidement la blessure, les taches de sang et de teinture d'iode sur la serviette qu'elle avait étalée sur le canapé avant que Max s'y allonge.

– Tu débarques chez moi au petit matin avec un coup de couteau dans une jambe, tu effraies ma femme de chambre... Et tu n'appelles pas ça des complications ?

– Je t'ai dit que je partirais très vite. Dès que j'aurai pu m'organiser et que je saurai où aller.

– Tu n'as pas changé, hein ?... Je suis vraiment stupide. Je l'ai su dès que je t'ai vu chez Suzi Ferriol : le même Max qu'à Buenos Aires... Quel collier de perles as-tu volé, cette fois ?

Il posa une main sur le bras de la femme. Il avait une expression à la fois sincère et malheureuse, l'une des plus efficaces de son répertoire habituel. Des années d'exercice. De succès. Avec ça, il aurait convaincu un chien affamé de lui céder son os.

– Il arrive parfois qu'on paye pour des choses qu'on n'a pas faites, dit-il en soutenant son regard.

– Va au diable ! – Elle se dégagea de sa main dans un

483

accès de colère. – Je suis sûre que tu n'en payes même pas la moitié. Et que c'est toi qui as pratiquement tout fait.

– Un jour, je te raconterai. Je te le jure.

– Il n'y aura pas d'autre jour, si je peux l'éviter.

Il lui saisit le poignet avec douceur.

– Mecha…

– Tais-toi. – Elle le repoussa. – Laisse-moi finir ça et après je te jette dehors.

Elle fixa une gaze avec du sparadrap sur la blessure et ses doigts frôlèrent la cuisse de l'homme. Il sentit le contact chaud sur sa peau et, malgré la blessure, son corps réagit à la proximité de cette femme qui sentait le lit encore tiède. Immobile, assise au bord du canapé, aussi froide et sereine que si elle étudiait avec objectivité quelque chose qui leur était à tous deux étrangers, elle leva la tête pour le regarder dans les yeux.

– Enfant de putain, murmura-t-elle.

Puis elle ouvrit son peignoir, enleva sa chemise de soie, et, écartant les cuisses, elle monta à califourchon sur Max.

– Monsieur Costa ?

Un inconnu se tient sur le seuil de la chambre de l'hôtel Vittoria. Un autre, dans le couloir. Les vieilles alarmes de l'instinct sonnent avant même que la raison ne précise le danger concret. Avec le fatalisme d'un homme qui s'est déjà trouvé dans de semblables situations, Max acquiesce sans desserrer les lèvres. Il a bien vu le pied que, l'air de rien, l'homme sur le seuil avance pour l'empêcher de refermer la porte. Mais il n'a pas l'intention de la refermer. Il sait que ce serait inutile.

– Vous êtes seul ?

Un accent étranger marqué. Il n'est pas de la police. Ou, en tout cas – Max envisage avidement les pour et les contre –, pas de la police italienne. L'homme n'est déjà plus sur le seuil mais dans la chambre. Il entre avec naturel, regardant autour de lui, tandis que celui du couloir ne bouge pas. L'homme qui est entré est grand, cheveux châtains, longs et raides. Ses mains sont larges, les ongles rongés, sales; le petit doigt gauche porte un épais anneau d'or.

– Qu'est-ce que vous voulez ? finit par demander Max.

– Vous prier de nous accompagner.

L'accent est slave. Russe, certainement. Quel autre accent, sinon ? Max recule vers le téléphone posé sur la table de nuit, près du lit. L'autre le regarde se déplacer, indifférent.

– Je vous conseillerais de ne pas de faire un scandale, monsieur.

– Sortez !

Max montre la porte restée ouverte, avec l'autre homme dans le couloir : bas sur pattes, inquiétantes épaules de lutteur sous une veste de cuir noir trop étroite. Les bras légèrement séparés du corps, prêts à toute éventualité. Celui aux cheveux raides lève la main qui porte l'anneau, comme si ce seul geste constituait un argument irréfutable.

– Si vous préférez la police italienne, il n'y a pas de problème. Vous êtes libre de choisir ce qui vous convient. Nous, nous voulons seulement parler un peu.

– De quoi ?

– Vous savez très bien de quoi.

Max réfléchit cinq secondes, en essayant de ne pas se laisser gagner par la panique. Son cœur s'est emballé et il sent ses genoux se dérober. Il s'assiérait volontiers sur le lit, s'il ne craignait que ce mouvement ne soit interprété comme une faiblesse ou une preuve. Comme un aveu explicite. Pendant un moment, il se maudit en silence. C'est impardonnable d'être resté ici, avec une telle imprévoyance, tel un rat qui se délecte du fromage tandis que le ressort du piège se déclenche. Il n'a pas imaginé qu'ils le trouveraient si vite. Qu'ils l'identifieraient ainsi.

– J'ignore ce que vous voulez, mais nous pouvons parler ici, aventure-t-il.

– Non. Certains messieurs souhaitent vous voir dans un autre endroit.

– Quel endroit ?

– Tout près d'ici. À cinq minutes en voiture.

L'homme aux cheveux raides a prononcé ces mots en tapant d'un doigt sur le cadran de sa montre, comme si c'était là une preuve d'exactitude et de bonne foi. Puis il adresse un regard à celui du couloir, qui entre dans la chambre, ferme calmement la porte et commence à fouiller partout.

– Je n'irai nulle part, proteste Max, affichant la fermeté qu'il est loin d'avoir. Vous n'avez pas le droit.

Tranquille, son intérêt pour l'occupant de la chambre semblant être le cadet de ses soucis, l'homme aux cheveux raides laisse faire son camarade. Celui-ci ouvre les tiroirs de la commode et inspecte l'intérieur de l'armoire, efficace et méthodique. Puis il cherche sous le matelas et le sommier. Finalement, il hoche négativement la tête et lâche quatre mots en langue slave dont Max ne comprend qu'un seul : le russe *nitchevo* – rien.

– Cela n'a aucune importance. – L'homme aux cheveux raides revient à la conversation interrompue. – Avoir ou ne pas avoir le droit. Je vous ai expliqué que vous pouviez choisir. Parler avec ces messieurs ou avec la police.

– Je n'ai rien à cacher à la police.

Les deux intrus sont maintenant muets et immobiles, le regard glacial ; et cette immobilité fait encore plus peur à Max que le silence. Au bout d'un moment, celui aux cheveux raides se gratte le nez. Il semble réfléchir.

– Voici ce que nous allons faire, monsieur Costa, dit-il enfin. Je vais vous prendre par un bras et mon ami par l'autre, et nous allons descendre dans le hall jusqu'à la voiture qui nous attend dehors. Il se peut que vous résistiez, ou il se peut que non... Si vous résistez, ça fera un tel tapage que la direction de l'hôtel préviendra la police de Sorrente. Dans ce cas, vous assumerez vos responsabilités et nous les nôtres. Mais si vous nous suivez de votre propre gré, tout se passera dans la discrétion et sans violence... Que décidez-vous ?

Max tente de gagner du temps. Il réfléchit à des solutions, à une fuite probable ou improbable.

– Qui êtes-vous ?... Qui vous envoie ?

L'autre manifeste son impatience.

– Ceux qui nous envoient sont des amateurs d'échecs. Des gens pacifiques qui souhaitent commenter avec vous quelques coups douteux.

– Je n'y connais rien. Je ne m'intéresse pas aux échecs.

– Sérieusement ?... On ne dirait vraiment pas. Vous vous êtes donné beaucoup de mal, pour votre âge.

Tout en parlant, l'homme aux cheveux raides prend la veste de Max qui était sur une chaise et la lui tend, d'un geste impatient, presque brusque. Le geste de quelqu'un qui a épuisé ses dernières réserves de courtoisie.

La valise était ouverte sur le lit, prête à être fermée : chaussures dans leur housse de flanelle, sous-vêtements, chemises, trois costumes pliés sur le dessus. Un sac de voyage en cuir de qualité, assorti à la valise. Max était sur le point de quitter la maison de Mecha Inzunza à Antibes pour se diriger vers la gare de Nice, car il avait une réservation sur le Train Bleu. Les trois lettres du comte Ciano étaient cachées dans la valise, dont il avait décollé la doublure intérieure avant de la recoller avec le plus grand soin. Il n'avait pas décidé de ce qu'il allait en faire, tout en sentant bien que, tant qu'il les conserverait, elles ne pourraient que lui brûler les doigts. Il avait besoin de temps pour réfléchir à leur emploi. Pour vérifier la portée de ce qui s'était passé la nuit précédente dans la villa de Susana Ferriol et dans la maison de la rue Droite. Et pour en calculer les conséquences.

Il finit d'ajuster un nœud windsor sur le col blanc impeccable – il était en bras de chemise et bretelles, le gilet déboutonné – et contempla un moment son visage dans la glace de la chambre à coucher : les cheveux luisants de fixatif, la raie au milieu, le menton bien rasé et sentant la lotion Floïd. Par chance, les séquelles de sa lutte avec Fito Mostaza étaient peu visibles : l'enflure de la lèvre avait diminué, et l'œil tuméfié avait meilleur aspect. Une touche de maquillage – Max avait utilisé les poudres de Mecha – dissimulait la marque violacée sous la paupière.

Quand il se retourna en boutonnant son gilet, sauf le bouton du bas, elle était à la porte, habillée pour sortir et une tasse de café à la main. Il ne l'avait pas entendue venir et ignorait depuis combien de temps elle l'observait.

– À quelle heure part le train ? s'enquit Mecha.

– À sept heures et demie.

– Tu es décidé à partir ?

– Absolument.

Elle but une gorgée et regarda longuement la tasse.

– Je ne sais toujours pas ce qui s'est passé cette nuit… Pourquoi tu es venu ici.

Max leva haut les paumes de ses mains : un geste qui signifiait qu'il n'avait rien à cacher.

– Je te l'ai dit.

– Tu ne m'as rien dit. Tout juste que tu avais eu un problème sérieux et que tu ne pouvais pas rester au Negresco.

Il acquiesça. Cela faisait un moment qu'il se préparait pour cette conversation. Il savait qu'elle ne le laisserait pas partir sans lui poser de questions, et c'était évident qu'elles méritaient quelques réponses. Le souvenir de sa chair et de sa bouche, du corps nu enlaçant le sien, le troubla de nouveau, le décontenança pour un temps. Mecha Inzunza était si belle que s'éloigner d'elle supposait une violence presque physique. Un instant, il considéra la frontière entre les mots *amour* et *désir*, dans toute cette anxiété, les soupçons et la peur atroce, sans la moindre certitude concernant l'avenir et encore moins le présent. Cette sinistre fuite, dont il ignorait le but et les conséquences, reléguait tout le reste au second plan. Il s'agissait avant tout de rester en vie ; ensuite il pourrait réfléchir sur l'empreinte laissée par cette femme dans sa chair et son esprit. Bien sûr, il pouvait s'agir d'amour. Mais comment l'aurait-il su s'il n'avait jamais aimé auparavant ? Peut-être était-ce de l'amour, ce déchirement intolérable, ce vide devant l'imminence du départ, cette tristesse dévastatrice prête à se substituer à l'instinct de se mettre à l'abri et de survivre. Peut-être qu'elle aussi l'aimait, pensa-t-il soudain. À sa manière. Peut-être, pensa-t-il aussi, qu'ils ne se reverraient jamais.

– C'est vrai, finit-il par répondre. Un problème sérieux… Grave, plutôt. Et qui s'est soldé par une bagarre sordide. C'est pour ça que je dois disparaître pendant un certain temps.

Elle le regardait en sourcillant à peine.

– Et moi, alors ?

– J'imagine que tu resteras ici. – Max eut un geste ambigu qui embrassait d'un coup cette chambre et la ville entière de Nice. – Je saurai où te trouver quand tout sera calmé.

Les iris dorés de la femme acquirent soudain une dureté mortelle.

– C'est tout ?

– Écoute. – Max endossa sa veste. – Je ne veux pas être dramatique, mais je joue peut-être ma vie. Ou « peut-être » est-il de trop. Je suis sûr que je la joue.

– On te cherche ?… Qui ?

— Ce n'est pas facile à expliquer.

— J'ai tout mon temps. Je peux écouter tout ce que tu voudras bien me raconter.

Sous le prétexte de vérifier si les bagages étaient bien en ordre, Max esquivait son regard. Il ferma la valise et ajusta les sangles.

— Tu as bien de la chance, alors. Moi je n'ai ni le temps, ni le courage. Je suis encore en pleine confusion. Il y a trop de choses auxquelles je ne m'attendais pas… Des problèmes dont je ne sais comment me tirer.

D'un endroit de la maison parvint la sonnerie lointaine du téléphone. Il sonna quatre fois et s'arrêta soudain sans que Mecha lui prête attention.

— La police te cherche ?

— Non, pas que je sache. — Max soutint le regard inquisiteur avec toute l'impassibilité voulue. — Sinon, je n'oserais pas prendre le train. Mais la situation peut changer, et je ne veux pas être ici quand ça arrivera.

— Tu continues à ne pas répondre à ma question. Et moi, dans tout ça ?

La femme de chambre apparut. On demandait Madame au téléphone. Mecha confia la tasse de café à Max et la suivit dans le couloir. Il boucla le sac de voyage et le posa à côté de la valise qui se trouvait déjà par terre. Puis il alla à la coiffeuse, pour y prendre les objets qui se trouvaient dessus : le bracelet-montre, le stylo, le portefeuille, le briquet et l'étui à cigarettes. Il était en train de mettre la Patek Philippe à son poignet gauche quand Mecha revint. Il leva les yeux, la vit adossée à l'encadrement de la porte et, tout de suite, il sut que quelque chose n'allait pas. Qu'elle avait reçu des nouvelles, et qu'aucune n'était bonne.

— C'était Ernesto Keller, mon ami du consulat du Chili, dit-elle avec un calme froid. Il dit que, cette nuit, la maison de Suzi Ferriol a été cambriolée.

Max demeura immobile, les doigts encore occupés à fixer la boucle de la montre.

– Ça alors… réussit-il à prononcer. Et comment va-t-elle ?

– Elle va bien. – Au ton de Mecha, on aurait pu entendre en cet instant fondre un glaçon goutte à goutte. – Elle n'était pas dans la villa quand ça s'est passé, elle dînait à Cimiez.

Max détourna le regard, tendit la main et saisit le stylo Parker avec toute la sérénité qu'il put rassembler. Ou affecter.

– On a pris des objets de valeur ?

– Ça, ce serait à toi de me le dire.

– Moi ?… – Il vérifia que le capuchon était bien fermé et introduisit le stylo dans la poche intérieure de sa veste. – Pourquoi devrais-je le savoir ?

Il la fixa de nouveau dans les yeux : il s'était déjà repris. Toujours adossée à l'encadrement de la porte, elle croisa les bras.

– Épargne-moi le répertoire de tes faux-fuyants, de tes tours de passe-passe et de tes mensonges, exigea-t-elle. Je ne suis pas d'humeur à supporter toute cette abjection.

– Je t'assure qu'à aucun moment…

– Tu n'es qu'un sale type. Je l'ai su dès que je t'ai vu chez Suzi l'autre jour. J'ai su que tu préparais un mauvais coup, mais je ne supposais pas que c'était justement chez elle.

Elle s'approcha de Max. Pour la première fois depuis qu'il la connaissait, il vit son visage contracté par la colère. Une exaspération intense qui crispait ses traits, noirs de fureur.

– C'est mon amie… Qu'est-ce que tu lui as volé ?

– Tu fais erreur.

La femme se dressait devant lui, agressive, et ses yeux lançaient des éclairs, menaçants. Max fit un effort de volonté pour ne pas reculer.

– Je fais erreur ? Comme à Buenos Aires ? C'est bien ce que tu veux dire ? demanda-t-elle.

– Il ne s'agit pas de ça.

– Dis-moi de quoi il s'agit, alors. Et si ce cambriolage a quelque chose à voir avec ton état de cette nuit. Avec ta blessure et les coups… Ernesto a dit que, quand Suzi est rentrée chez elle, les voleurs avaient déjà filé.

Il ne répondit pas. Il tentait de dissimuler son trouble en faisant semblant de vérifier le contenu de son portefeuille.

– Que s'est-il passé ensuite, Max ? S'il n'y a pas eu de violences là-bas, où ont-elles eu lieu… Et avec qui ?

Il continuait de garder le silence. Il n'avait plus besoin d'excuses pour ne pas la regarder en face, car Mecha s'était emparée de l'étui et du briquet de Max et allumait une cigarette. Ensuite elle expédia d'un geste brusque les deux objets sur la table. Le briquet glissa et tomba par terre.

– Je vais te dénoncer à la police.

Elle souffla directement la fumée sur lui, comme si elle la lui crachait à la figure.

Max se baissa pour ramasser le briquet. Il constata que le choc avait déboîté le couvercle.

– Et ne me regarde pas comme ça, parce que tu ne me fais pas peur… Ni toi, ni tes complices.

– Je n'ai pas de complices. – Il mit le briquet dans une poche du gilet et l'étui dans celle de la veste. – Et il ne s'agit pas d'un vol. Je me suis trouvé embarqué dans une histoire que je n'avais pas cherchée.

– Tu passes toute ta vie à chercher des histoires, Max.

– Pas cette fois. Je t'assure, pas cette fois.

Mecha restait tout près, le regardant avec une extrême dureté.

Max comprit qu'il ne pouvait éluder ce qu'elle lui demandait. D'abord elle avait le droit d'avoir quelques précisions sur ce qui s'était passé. Et puis la laisser derrière lui à Nice dans cet état de colère et d'incertitude, c'était ajouter des risques inutiles à une situation qui n'était déjà pas brillante. Il avait besoin de quelques jours de silence.

De trêve. Ou au moins de quelques heures. Et peut-être pourrait-il parvenir à la mettre de son côté. Après tout, sans doute ne demandait-elle rien d'autre que d'être convaincue.

– C'est une affaire compliquée, admit-il en exagérant l'effort qu'il faisait pour l'avouer. J'ai été manipulé. Je n'ai pas eu le choix.

Il marqua une pause calculée à la seconde près. Mecha écoutait et attendait, attentive, comme si c'était sa vie à elle et non celle de Max qui était en cause. Et maintenant, après avoir hésité encore un instant à poursuivre, il décida d'être sincère. Peut-être faisait-il une erreur en s'aventurant si loin, pensa-t-il. Mais il n'avait plus le temps de réfléchir à la question. Imaginer une autre issue devenait difficile.

– Il y a deux morts… Peut-être trois.

Mecha broncha à peine. Elle semblait avoir besoin d'air pour respirer.

– Et c'est lié à l'affaire de chez Suzi ?

– En partie. Ou plutôt non : totalement.

– La police est au courant ?

– Je crois que non ; pas encore. Peut-être le sait-elle déjà à l'heure qu'il est. Je n'ai pas les moyens de le vérifier.

Les doigts de Mecha tremblaient un peu quand elle ôta très lentement la cigarette de sa bouche.

– C'est toi qui les as tués ?

– Non. – Il la regardait droit dans les yeux, sachant qu'il jouait son va-tout. – Je n'en ai tué aucun.

Le lieu n'est guère sympathique : une vieille villa avec un jardin envahi par la broussaille et les mauvaises herbes. Elle est aux environs de Sorrente, à mi-chemin entre Annunziata et Marciano, coincée entre deux collines qui cachent la vue sur la mer. Ils y sont arrivés dans une Fiat 1300 par la route en lacets semée de nids-de-poule, l'homme

493

aux cheveux raides au volant et celui à la veste noire assis derrière avec Max ; et à présent ils se trouvent dans une chambre aux murs délabrés où d'anciennes peintures achèvent de se décomposer sous l'effet du plâtre qui s'effrite et des taches d'humidité. Le seul mobilier se limite à deux chaises et Max est assis sur l'une d'elles, entre ses deux cerbères qui restent debout. La seconde, face à celle de Max, est occupée par un quatrième homme : teint pâle, épaisse moustache rousse et yeux inquiétants couleur d'acier cernés de marques de fatigue. Des manches de sa veste démodée émergent des mains blanches, longues et minces, qui font penser aux tentacules d'un calamar.

– Et maintenant, conclut cet homme, dites-moi où est le livre du grand maître Sokolov.

– Je ne sais pas de quel livre vous parlez, répond calmement Max. Si j'ai accepté de venir, c'était pour dissiper ce stupide malentendu.

L'autre le contemple, inexpressif. Sur le sol, posée contre un pied de la chaise, il y a une serviette en cuir noir usé. Finalement, d'un mouvement presque paresseux, il se penche pour la saisir et la met sur ses genoux.

– Un stupide malentendu… C'est comme ça que vous voyez les choses ?

– Parfaitement.

– Vous avez du culot. Je le dis sincèrement. Même si ça ne me surprend pas venant de quelqu'un comme vous.

– Vous ne savez rien de moi.

Un des tentacules de calamar trace une courbe sinueuse dans l'air, imitant un point d'interrogation.

– Nous ne savons rien ?… Vous vous trompez gravement, monsieur Costa. Nous en savons beaucoup. Par exemple que vous n'êtes pas le riche personnage que vous prétendez être, mais le chauffeur d'un citoyen helvétique qui réside à Sorrente. Nous savons aussi que la voiture stationnée sur le parking de l'hôtel Vittoria n'est pas à vous... Et ce n'est pas tout. Nous savons que vous avez déjà été arrêté pour vol, escroquerie et autres délits mineurs.

– C'est intolérable! Vous vous trompez de personne.

Le moment est venu de clamer son indignation, décide Max. Il fait mine de se lever de sa chaise, mais il sent aussitôt peser sur son épaule la main ferme de l'individu à la veste en cuir noir. Ce n'est pas une pression hostile, constate-t-il. Plutôt persuasive, comme s'il lui conseillait la patience. De son côté, l'homme à la moustache rousse a ouvert la serviette et en sort un thermos.

– Absolument pas, insiste-t-il pendant qu'il dévisse le gobelet. Vous êtes bien la bonne personne. Et je vous serais reconnaissant de ne pas faire injure à mon intelligence. Je viens de passer deux nuits sans dormir pour démêler cette embrouille. Et je sais tout de ce qui vous concerne: vos antécédents, votre présence au prix Campanella et votre relation avec le challenger Keller. Tout.

– Même si c'était vrai, qu'est-ce que j'ai à voir avec le livre dont vous me parlez?

L'autre verse du lait chaud dans le gobelet, sort une pilule rose d'une petite boîte et l'avale en buvant. Il semble réellement fatigué. Puis il hoche un peu la tête, comme écœuré d'avoir à insister.

– C'est vous qui l'avez fait. Vous êtes monté pendant la nuit sur le toit et vous l'avez pris.

– Le livre?

– Tout juste.

Max sourit, sans s'émouvoir. Méprisant.

– Comme ça, sans raison?

– Des raisons, vous n'en manquiez pas. Vous vous êtes donné beaucoup de mal pour préparer ce travail. Admirablement, je dois le reconnaître. Un remarquable professionnalisme.

– Voyons, ne soyez pas ridicule. J'ai soixante-quatre ans.

– C'est ce que j'ai pu constater quand, ce matin, j'ai pu avoir accès à votre dossier. Mais vous semblez en bonne forme. – Il jeta un coup d'œil sur les écorchures des mains de Max. – Bien que je constate que vous vous êtes quand même un peu blessé.

Le Russe vide le reste du lait, secoue le gobelet et le revisse.

– Vous avez pris des risques énormes, poursuit-il en rangeant le thermos. Et je ne parle pas seulement de l'éventualité d'être découvert dans le bâtiment par nos hommes, mais de celle d'une chute sur le balcon et tout le reste… Vous persistez à ne pas l'admettre ?

– Comment voulez-vous que j'admette une telle absurdité ?

– Écoutez. – Le ton reste persuasif. – Cette conversation n'a aucun caractère officiel. La police italienne n'a pas été avertie du vol. Nous avons nos propres méthodes de sécurité… Tout pourra rester très simple si vous nous rendez le livre, à supposer que vous l'ayez encore, ou si vous nous dites à qui vous l'avez remis. Si vous nous dites pour qui vous travaillez.

Max doit réfléchir très vite. Restituer les cahiers peut être une manière de régler la question ; mais c'est aussi apporter aux Russes la preuve matérielle que tout ce qu'ils soupçonnent est fondé. Étant donné la façon dont Moscou mène sa propagande, il se demande combien de temps ils mettront à rendre publique leur version de l'affaire pour établir le lien entre Max et Jorge Keller, et discréditer le challenger. Un scandale marquerait la fin de la carrière du jeune homme et détruirait toute possibilité de concourir pour le titre mondial.

– Ce sont les notes de toute la vie du grand maître Sokolov, poursuit l'homme à la moustache rousse. Des choses capitales dépendent de leur contenu. Des parties futures… Comprenez que nous devons les récupérer, pour le prestige du champion du monde et la renommée de notre patrie. C'est une affaire d'État. En volant le livre, vous vous êtes directement attaqué à l'Union soviétique.

– Mais je n'ai pas ce livre, et je ne l'ai jamais eu. Je ne suis jamais monté sur un toit ni entré dans une autre chambre que la mienne.

Les yeux fatigués du Russe étudient Max avec une fixité et un intérêt inquiétants.

– C'est votre dernier mot, pour le moment ?

Ce « pour le moment » est encore plus menaçant que les yeux gris et métalliques, même accompagné d'un sourire presque amical. Max sent sa résolution vaciller. La situation commence à dépasser ses prévisions.

– Je ne vois pas ce que je pourrais vous dire d'autre… D'ailleurs, vous n'avez aucun droit à me retenir ici. On n'est pas derrière le rideau de fer.

À peine ces mots prononcés, il comprend qu'il a commis une erreur. La dernière trace de sourire s'efface des lèvres de l'autre.

– Permettez-moi une confidence personnelle, monsieur Costa. Mes connaissances en matière d'échecs sont, disons, périphériques. Ma véritable spécialité est de m'occuper de problèmes compliqués pour les transformer en problèmes simples… Mon rôle auprès du grand maître Sokolov est de lui garantir que ses parties se déroulent normalement. De lui assurer que tout est en ordre autour de lui. Jusqu'à maintenant, mon travail dans ce sens était irréprochable. Mais vous êtes venu perturber ce qui aurait dû rester normal. Vous semez le doute, vous comprenez ?… Dans l'esprit du champion mondial d'échecs, dans celui de mes chefs et dans ma propre estime professionnelle.

Max tente de dissimuler sa panique. Il finit quand même par entrouvrir les lèvres et, avec une relative fermeté, à articuler cinq mots :

– Conduisez-moi à la police.

– Chaque chose en son temps. Pour le moment, la police, c'est nous.

Le Russe regarde l'homme aux cheveux raides, et Max sent un coup brutal, inattendu, s'abattre sur le côté gauche de sa tête et résonner dans son tympan comme s'il venait d'y exploser. Il se retrouve par terre, la chaise renversée, le visage plaqué contre les dalles. Étourdi et dans la tête un bourdonnement aussi fort que celui d'une ruche en folie.

– Comme ça, nous serons plus à l'aise, monsieur Costa, entend-il dire, et la voix semble venir de très loin. Pour pouvoir discuter encore un peu.

Lorsque Mecha Inzunza coupa le moteur de la voiture, l'essuie-glace cessa de fonctionner et le pare-brise se couvrit de gouttes de pluie, déformant la vision des taxis et des calèches stationnés devant la triple arcade qui donnait accès à la gare. Il ne faisait pas encore nuit, mais les réverbères de la place étaient déjà allumés ; leurs lumières électriques se multipliaient sur l'asphalte mouillé, en même temps que le reflet plombé du soir descendant sur Nice.

– C'est ici que nous nous séparons, dit Mecha.

Le ton était sec. Impersonnel. Max s'était tourné pour regarder son profil immobile, légèrement incliné sur le volant. Les yeux fixés sur l'extérieur.

– Donne-moi une cigarette.

Il chercha l'étui dans la poche de sa gabardine, alluma une Abdul Pacha et la glissa entre les lèvres de Mecha. Elle fuma quelques instants en silence.

– Je suppose que nous ne nous reverrons pas de sitôt, dit-elle finalement.

Ce n'était pas une question. Max l'encaissa avec une grimace.

– Je ne sais pas.

– Qu'est-ce que tu vas faire en arrivant à Paris ?

– Je continuerai à me déplacer. – La grimace s'accentua.
– Une cible mobile est plus difficile à atteindre qu'une cible
fixe. Et plus je bougerai, mieux ce sera.

– Il reste une possibilité qu'on puisse encore te faire du
mal ?

– Peut-être… Oui. Il reste toujours cette possibilité.

Elle s'était tournée pour le regarder, la main tenant la
cigarette posée sur le volant. Les gouttes de pluie sur le
pare-brise posaient des petites taches sur son visage sous
l'effet de l'éclairage extérieur.

– Je ne veux pas qu'on te fasse du mal, Max.

– Je n'ai pas l'intention de leur faciliter les choses.

– Tu ne m'as toujours pas dit ce que tu as pris dans la
maison de Suzi Ferriol. Ce qui le différencie d'un vulgaire
vol… Ernesto Keller a parlé d'argent et de documents.

– Tu n'as pas besoin d'en savoir plus. Pourquoi devrais-
je te mêler à ça ?

– Je le suis déjà. – Elle fit de la main un geste qui les
incluait, eux, la voiture et la gare. – Tu vois bien.

– Moins tu en sauras, mieux ça vaudra pour toi. Ce sont
des papiers. Des lettres.

– Compromettantes ?

Max devança le mépris implicite de la question.

– Pas comme tu l'imagines, dit-il. Le chantage n'est pas
mon genre.

– Et l'argent ?… C'est vrai que tu as pris de l'argent ?

– Oui, ça aussi c'est vrai.

Mecha eut deux fois de suite un hochement de tête affirmatif. Cela semblait confirmer ses propres réflexions. Et
elle avait eu, craignit Max, largement le temps de réfléchir.

– Des lettres de Suzi… Quel intérêt peuvent-elles avoir
pour toi ?

– Ce sont des lettres de son frère.

– Ah! Dans ce cas, fais attention. – Maintenant le ton était sec. – Tomás Ferriol n'est pas de ceux qui tendent l'autre joue. Et ses affaires sont bien trop graves pour qu'il puisse tolérer qu'un…

– Qu'un moins que rien?

Mecha termina sa cigarette, ignorant le sourire provocant de Max. Puis elle baissa la vitre et jeta le mégot dehors.

– … pour tolérer que quelqu'un comme toi vienne lui mettre des bâtons dans les roues.

– J'ai déjà mis trop de bâtons dans les roues de trop de gens ces derniers jours, il me semble. Ils sont si nombreux qu'ils devront prendre leur tour pour avoir ma tête.

Elle ne dit rien. Max regarda sa montre: six heures cinquante. Le train ne partait que dans quarante minutes, et comme il arrivait de Monaco, mieux valait ne pas attendre sur le quai, exposé à des regards inopportuns. Il avait réservé par téléphone un compartiment individuel dans un wagon-lit de première classe. Si tout allait bien, il serait à Paris le lendemain matin: il aurait bien dormi, il serait rasé et reposé. Prêt de nouveau à affronter la vie.

– Quand tout ça se calmera, j'essaierai de négocier, ajouta-t-il. De tirer parti de ce qu'on m'a mis dans les mains.

– Tu as une manière charmante de présenter les choses… Ce qu'on t'a mis dans les mains, dis-tu. Tu en parles comme d'un cadeau du ciel.

– Je n'ai pas cherché ça, Mecha.

– Tu as les lettres sur toi?

Il hésita un moment. Pourquoi l'impliquer davantage?

– Qu'est-ce que ça peut faire? répliqua-t-il. Ça ne te servira à rien de le savoir.

– Est-ce que tu as pensé à les rendre à Ferriol… À trouver un compromis?

– Bien sûr, j'y ai pensé. Mais l'approcher comporte des risques. Et puis, il y a d'autres clients possibles.

– Des clients ?

– Il y a deux individus. Ou plutôt il y avait. Deux Italiens. Maintenant, ils sont morts… C'est absurde, mais il m'arrive d'avoir l'impression que je leur dois quelque chose.

– S'ils sont morts, tu ne leur dois plus rien.

Il ferma à demi les yeux. Les pauvres diables. Le crépitement de la pluie, les gouttes s'écrasant sur les vitres pour former des rigoles accentuaient sa mélancolie. Il consulta encore une fois sa montre.

– Et nous, Max ? Tu ne me dois rien, à moi ?

– Je reviendrai te voir quand tout ça se sera calmé.

– Peut-être que je ne serai plus ici. Il est possible que mon mari fasse l'objet d'un échange. On parle aussi de plus en plus d'une autre guerre en Europe… Tout peut évoluer très vite. Tout peut disparaître.

– Cette fois, il faut que j'y aille, dit-il.

– Je ne sais pas où je serai quand, comme tu dis, tout ça se sera calmé. Ou compliqué.

Max avait posé une main sur la poignée de la portière. Il s'arrêta brusquement, comme si sortir de la voiture équivalait à se précipiter dans le vide. Ébranlé, il mesura combien il était vulnérable. Exposé à la solitude et à la pluie.

– Je ne suis pas un grand lecteur, commenta-t-il, songeur. Je préfère le cinéma. Je ne fais que feuilleter des petits romans quand je suis en voyage ou à l'hôtel : du genre de ce que publient les magazines… Mais il y a une phrase qui me reste toujours en mémoire. C'était un aventurier qui disait : «Je vis de mon sabre et de mon cheval. »

Il fit un effort pour mettre de l'ordre dans ses idées, cherchant les mots qui résumeraient exactement ce qu'il souhaitait dire. La femme écoutait, immobile, muette. Dans les pauses, ils entendaient seulement le bruit des gouttes sur la carrosserie de la voiture. Très lentes, maintenant. Comme des larmes de Dieu.

– C'est mon portrait tout craché. Je vis de ce que j'emporte avec moi. De ce que je rencontre en chemin.

– Tout a une fin, dit-elle doucement.

– Je ne sais pas ce que sera cette fin, mais je connais le début… Enfant, je n'ai pas eu beaucoup de jouets, presque tous fabriqués avec du fer-blanc peint et des boîtes d'allumettes. Certains dimanches, mon père m'emmenait aux matinées du cinéma Libertad : la séance coûtait trente centavos et il y avait une tombola avec des petits papiers qui donnaient droit à des bonbons, mais je n'ai jamais gagné. À l'écran, pendant que jouait le pianiste, on voyait des plastrons blancs amidonnés, des messieurs bien habillés, des belles dames, des automobiles, des fêtes et des coupes de champagne…

Il sortit de nouveau l'élégant étui en écaille de sa poche, mais il ne l'ouvrit pas. Il se borna à jouer avec en passant un doigt sur les initiales en or *MC* gravées dans un coin.

– Je m'arrêtais souvent, poursuivit-il, devant une pâtisserie de la rue California, pour regarder la vitrine pleine de petits-fours, de tartes et de gâteaux… Ou j'allais jouer sur les berges du Riachuelo jusqu'à La Boca, en observant les marins qui descendaient des bateaux : des hommes avec des tatouages sur les bras, qui venaient de régions que j'imaginais fascinantes.

Il s'arrêta brusquement, mal à l'aise. Il venait de réaliser qu'il pouvait égrener à l'infini ce genre de souvenirs. Il était aussi conscient que jamais auparavant il n'avait autant parlé de lui-même. À personne. Jamais en disant la vérité, ni en évoquant un passé authentique.

– Il y a des hommes qui rêvent de partir et qui osent le faire. Je suis de ceux-là.

Mecha demeurait muette, écoutant comme si elle ne voulait pas couper le fil ténu de ses confidences. Max poussa un profond soupir, presque déchirant, et rangea l'étui.

– Bien sûr que tout a une fin, comme tu l'as dit. Mais je ne sais pas où est la mienne.

Il cessa de regarder les lumières et les silhouettes confuses du dehors et, se tournant vers elle, il l'embrassa avec naturel. Tendrement. Sur la bouche. Mecha le laissa faire, sans le repousser. Une chaleur délicate, humide, qui faisait paraître plus sombre à Max le paysage extérieur. Quand elle écarta un peu son visage, ils continuèrent tous les deux à se regarder dans les yeux, serrés l'un contre l'autre.

– Tu n'as pas besoin de partir, murmura-t-elle à voix très basse. Il y a mille endroits ici… Près de chez moi.

Ce fut lui qui, à cet instant, s'écarta. Sans cesser de la regarder.

– Dans mon monde, dit-il, tout apparaît merveilleusement simple : ce sont les pourboires que je distribue qui disent celui que je suis. Et si cette façade devient douteuse ou carrément impossible, je prends une autre identité dès le lendemain. Je vis du crédit d'autrui, sans grandes rancœurs ni grandes illusions.

– Je pourrais changer ça… Tu n'y as pas pensé ?

– Écoute. Il y a quelque temps, j'étais à une réception : une villa aux environs de Vérone. Des gens très riches. Au dessert, encouragés par les hôtes, les invités se sont mis à gratter en riant avec leurs petites cuillères en argent le plâtre des murs, pour découvrir les fresques qui étaient peintes dessous. Moi, je les regardais faire et je pensais à l'absurdité de tout ça. Je me disais que je ne pourrais jamais me sentir comme eux. Avec leurs petites cuillères en argent et leurs peintures cachées sous le plâtre. Et leurs rires.

Il se tut un moment pour baisser la vitre et aspirer l'air humide du dehors. Sur les murs de la gare, collés entre les panneaux publicitaires, il y avait des affiches politiques de l'Action française et du Front populaire, des slogans idéologiques mêlés à des publicités de sous-vêtements, de dentifrices et aux affiches annonçant la prochaine sortie d'un film, *Abus de confiance*.

— Quand je vois toutes ces chemises noires, brunes, rouges ou bleues, qui t'ordonnent de t'inscrire chacune à leur parti, je me dis qu'avant le monde appartenait aux riches et que bientôt il va appartenir aux aigris... Je ne suis ni l'un ni l'autre. Je n'arrive même pas à être aigri, et pourtant je fais des efforts. Je te jure que j'en fais.

Il regarda encore la femme. Elle continuait de l'écouter, immobile. Sombre.

— Je crois que dans le monde d'aujourd'hui l'unique liberté possible est l'indifférence, conclut Max. Et donc je continuerai à vivre de mon sabre et de mon cheval.

— Descends de la voiture.

— Mecha...

Elle détourna le regard.

— Tu vas rater ton train.

— Je t'aime. J'en suis sûr. Mais l'amour n'a rien à voir dans tout ça.

Mecha frappa des deux mains sur le volant.

— Va-t'en, une bonne fois pour toutes. Et va au diable.

Max mit son chapeau et sortit de la voiture en boutonnant sa gabardine. Il retira du coffre la valise et le sac de voyage et s'en alla sans desserrer les lèvres ni regarder en arrière, sous la pluie. Il sentait en lui une intense tristesse, une grande colère : une espèce de nostalgie anticipée pour tout ce qu'il allait regretter plus tard. En entrant dans la gare, il confia la valise à un porteur et marcha derrière lui au milieu des gens. Il suivit le porteur en direction des guichets. Puis il le suivit encore jusqu'à la double architecture de verre et d'acier qui abritait les quais. Au même moment, au milieu des jets de vapeur, une locomotive arrivait lentement en traînant une douzaine de wagons de couleur bleu nuit avec une bande dorée sous les fenêtres et le signe de la Compagnie internationale des wagons-lits. Sur chaque côté, un panneau métallique indiquait le trajet Monaco-Marseille-Lyon-Paris. Max inspecta les alentours à la recherche de signes alarmants. Des gendarmes en uniforme sombre bavardaient paisiblement devant la porte de la salle d'attente. Tout paraissait tranquille, décida-t-il, et personne ne s'intéressait particulièrement à lui. Même si ça ne garantissait rien pour autant.

– Quelle voiture, monsieur ? demanda le porteur.

– Numéro 2.

Il monta dans le train, présenta son ticket au conducteur du wagon, en l'accompagnant d'un billet de cent francs – manière infaillible de se ménager ses bonnes grâces pour tout le voyage –, et pendant que l'employé portait la main à la visière de son képi en se pliant en deux avec une révérence, il donna encore vingt francs au porteur.

– Merci, monsieur.

– Non, mon ami. C'est moi qui vous remercie.

En entrant dans le compartiment, il ferma la porte et écarta un peu le rideau : juste assez pour jeter un coup d'œil sur le quai. Les gendarmes continuaient leur conversation au même endroit et il ne vit rien d'inquiétant. Les gens se disaient adieu et montaient dans le train. Un groupe de bonnes sœurs agitaient leurs mouchoirs et une femme séduisante étreignait un homme devant la porte du wagon. Max alluma une cigarette et s'installa sur la banquette. Quand le train s'ébranla, il leva les yeux vers la valise placée dans le filet à bagages. Il pensait aux lettres glissées dans la doublure intérieure. Et aussi au moyen de rester vivant et libre jusqu'au moment de s'en débarrasser. Mecha Inzunza s'était déjà effacée de sa mémoire.

La douleur, constate Max, atteint tôt ou tard un degré de saturation tel que son intensité cesse d'avoir de l'importance. Un point à partir duquel vingt coups produisent le même effet que quarante. Ce ne sont pas les nouveaux coups qui font mal, mais les intervalles entre eux. Parce que la torture la plus difficile à supporter n'est pas lorsqu'on est frappé, mais lorsque le bourreau s'arrête dans sa tâche pour reprendre son souffle. C'est quand le corps endolori cesse de se tuméfier sous la violence, se détend, qu'il accuse réellement la souffrance de la torture. Le résultat de tout ce qui s'est passé avant.

– Le livre, Max. Où as-tu mis le livre ?

À ce niveau de conversation inégale – torturer permet de prendre quelques libertés avec les échanges mondains –, l'homme à la moustache rousse et aux mains semblables aux tentacules d'un calamar est passé du « vous » au « tu ». Sa voix parvient déformée et lointaine, car Max a la tête recouverte d'une serviette mouillée qui l'empêche de respirer normalement, étouffe ses gémissements et absorbe en partie les coups qu'il encaisse sans laisser de blessures extérieures ni de contusions visibles sur son corps attaché à la chaise. Les autres coups, il les reçoit à l'estomac et au ventre, à cause de la position à laquelle l'obligent ses liens. Ce sont l'homme aux cheveux raides et celui à la veste en cuir noir qui les lui donnent. Il sait que ce sont eux parce que, de temps en temps, ils enlèvent la serviette et, à travers le voile qui brouille ses yeux douloureux et pleins de larmes, il les voit à côté de lui, se massant les jointures, pendant que l'autre homme observe, assis.

– Le livre, Max. Où est-il ?

Ils viennent de lui retirer la serviette de la tête. Max aspire avec avidité l'air qui arrive à ses poumons maltraités, bien que chaque aspiration le brûle comme s'il circulait à travers une chair écorchée à vif. Son regard brouillé parvient enfin à distinguer le visage de l'homme à la moustache rousse.

– Le livre, répète celui-ci. Dis-nous où tu as mis le livre et finissons-en.

– Je ne sais... rien... d'aucun livre.

De sa propre initiative, sans que personne lui ait rien demandé et comme une contribution personnelle à l'action en cours, l'homme à la veste noire lui expédie soudain un coup de poing dans le bas-ventre. Max se tord dans ses liens tandis que la nouvelle douleur explose et remonte de bas en haut, par les aines et la poitrine, le faisant se plier sans y parvenir à cause des bras, du torse et des jambes attachés à la chaise. Une subite sueur froide couvre son corps, et après quelques secondes, pour la troisième fois ce soir-là, il vomit une bile amère qui coule le long de son menton jusqu'à sa chemise. L'auteur du coup l'observe avec dégoût et se tourne vers le moustachu, dans l'attente de nouvelles instructions.

– Le livre, Max.

Le souffle encore coupé, celui-ci fait non de la tête.

– Voyez-vous ça ? – On perçoit un soupçon de froide admiration dans la voix du Russe. – Le vieux joue les durs... À son âge !

Autre coup au même endroit. Max se tord dans un nouveau spasme de douleur comme si la pointe d'un couteau lui transperçait les entrailles. Et enfin, après quelques secondes de souffrance intolérable, il ne peut se retenir et il crie : un hurlement bref, animal, qui le soulage un peu. Cette fois, la nausée ne s'achève pas en vomissement. Le menton de Max repose sur sa poitrine, sa respiration est entrecoupée et douloureuse. Il grelotte à cause de la sueur qui semble, sous les vêtements mouillés, se transformer en glace dans chaque pore de son corps.

– Le livre… Où est-il ?

Il relève un peu la tête. Son cœur bat à un rythme fou, tantôt avec de très longs arrêts entre chaque battement, tantôt avec de violentes accélérations. Il est convaincu qu'il va mourir dans les prochaines minutes, et il est surpris de son indifférence. De sa résignation hébétée. Il n'avait jamais imaginé que ça se passerait comme ça, pense-t-il dans un instant de lucidité. En se laissant succomber sous les coups comme on s'abandonne au courant qui vous entraîne vers le néant. Mais c'est bien ce qui va se passer. Ou, en tout cas, ça y ressemble. Avec toute cette souffrance et cet épuisement qui lui brisent le corps, c'est la promesse d'un soulagement plus que d'autre chose. Le repos, enfin. Un sommeil long et définitif.

– Où est le livre, Max ?

Un autre coup, cette fois sur la poitrine, suivi d'une explosion de douleur qui semble écraser sa colonne vertébrale. Il est pris de nouvelles nausées, mais maintenant sa bouche n'a plus rien à rendre. Il urine sans pouvoir se contrôler, inondant son pantalon, avec une intense brûlure qui lui arrache un râle d'agonie. Un effroyable mal de tête lui oppresse les tempes, et son esprit en pleine confusion ne parvient plus à former des images cohérentes. Son regard trouble ne perçoit que des déserts blancs, des éclairs aveuglants, des superficies immenses qui ondulent avec la pesanteur du mercure. Le vide, peut-être. Ou le néant. Parfois, comme des fragments fugaces, font irruption d'anciennes visions de Mecha Inzunza, des lambeaux de passé isolés, des sons étranges. Celui qui se répète le plus souvent est le bruit de trois boules d'ivoire qui s'entrechoquent sur un billard, un son doux, monotone, presque agréable, qui procure à Max un étrange soulagement. Et qui lui inspire la vigueur nécessaire pour relever résolument la tête et regarder les yeux couleur d'acier de l'homme assis en face de lui.

– Je l'ai caché... dans... le con de ta mère.

En prononçant ce dernier mot, il crache faiblement en direction de l'autre. Un bref jet de salive sanguinolent et pathétique qui n'atteint pas son but et tombe par terre, entre ses genoux. L'homme à la moustache rousse contemple le crachat sur le sol, d'un air contrarié.

– Je dois le reconnaître, grand-père. Tu ne manques pas de cran.

Puis il fait signe aux autres de remettre la serviette mouillée sur la tête de Max.

Le Train Bleu filait dans la nuit, vers le nord, abandonnant derrière lui Nice et ses dangers. Après avoir avalé la dernière gorgée d'un armagnac de quarante-huit ans d'âge et s'être essuyé les lèvres avec sa serviette, Max laissa un pourboire sur la nappe et quitta le wagon-restaurant. La femme avec laquelle il avait partagé la table s'était levée cinq minutes plus tôt pour s'éloigner dans la même direction que le wagon de Max, le numéro 2. Le hasard les avait réunis pour le premier service du dîner, après qu'il l'eut vue serrer un homme dans ses bras juste au moment où le train allait partir. Elle était française, devait avoir une quarantaine d'années, portait avec élégance et naturel un tailleur que l'œil exercé de Max avait cru identifier comme venant de chez Maggy Rouff, et l'alliance en or qu'elle portait à la main gauche à côté d'une bague avec un saphir n'avait pas échappé à son regard professionnel, instinctif. Il n'y avait pas eu de conversation quand il s'était assis en face d'elle, excepté le *bonsoir** poli de rigueur. Ils avaient dîné en silence et esquissé quelques sourires de circonstance quand leurs regards se croisaient ou que le serveur venait remplir les verres de vin. Elle était attirante, et il en avait eu la confirmation pendant qu'il prenait la serviette posée sur l'assiette : grands yeux, sourcils fins retouchés au crayon, et juste ce qu'il fallait de rouge couleur sang sur les lèvres. Après avoir terminé le *filet de bœuf sauce forestière**, elle avait refusé le dessert et sorti un paquet de Gitanes. Max s'était penché au-dessus de la table pour lui donner du feu avec son briquet. Il avait eu quelques difficultés à ouvrir le couvercle désajusté, et, aux premiers mots échangés grâce à ce prétexte, avait succédé une conversation superficielle et aimable : Nice, la pluie, la saison d'hiver, le tourisme des congés payés, l'Exposition internationale qui était sur le point de fermer à Paris. Une fois la glace rompue, ils avaient abordé d'autres sujets. En effet, l'homme dont elle s'était séparée sur le quai était son mari. Ils vivaient presque toute l'année au Cap-Ferrat, mais elle passait une semaine par mois à Paris pour des raisons professionnelles : elle était la directrice de la rubrique « Mode » de *Marie Claire*. Cinq minutes plus tard, la femme riait des galanteries de Max et regardait sa bouche pendant qu'il parlait. Il n'avait jamais pensé à être mannequin pour vêtements masculins ? À la fin, elle avait consulté sa minuscule montre-bracelet, fait une réflexion sur l'heure avancée, lui avait dit au revoir avec un large sourire puis avait quitté le wagon-restaurant. Par un heureux concours de circonstances, ils occupaient des compartiments voisins, le numéro 4 et le numéro 5. Hasards des trains et de la vie.

Max traversa le wagon-bar – aussi animé à cette heure-là que celui du Ritz –, franchit les soufflets où les cahots du train et le son monotone des boggies résonnaient plus fortement, et s'arrêta près du réduit du conducteur du wagon, qui révisait la liste des dix compartiments dont il avait la charge à la lumière d'une loupiote qui faisait luire deux petits lions dorés sur la pochette de son uniforme. Le conducteur était un petit homme chauve, moustachu et aimable, avec une cicatrice sur le crâne qui, comme l'apprit

Max par la suite en discutant avec lui, avait été causée par un éclat de mitraille à la bataille de la Somme. Ils conversèrent un peu, à propos de cicatrices de guerre, puis de wagons-lits, de pullmans, de trains et de lignes internationales. Max sortit son étui au moment opportun, accepta que l'autre lui donne du feu avec une boîte d'allumettes portant le sigle de la compagnie, et quand ils eurent fini de fumer des cigarettes et de se faire mutuellement des confidences, n'importe quel voyageur passant par là les eût pris pour des amis de toujours. Cinq minutes plus tard, Max regarda sa montre ; et sur le ton d'un homme qui demanderait un service à un copain, à charge de revanche, il demanda au conducteur d'utiliser sa clef pour ouvrir la porte séparant les compartiments 4 et 5.

– Je ne peux pas faire ça, objecta faiblement l'employé. C'est interdit par le règlement.

– Je sais bien, mon ami… Mais je sais aussi que vous le ferez pour moi.

L'assertion était accompagnée d'un geste discret, presque indifférent, consistant à glisser dans la main de l'autre deux billets de cent francs identiques à ceux qu'il lui avait déjà donnés en pourboire quand il était monté dans le train à Nice. Le conducteur hésita encore un moment, mais c'était dû davantage au désir de préserver l'honorabilité de la Compagnie internationale des wagons-lits qu'à autre chose. Finalement, il mit l'argent dans sa poche et se coiffa de son képi avec un geste d'homme du monde.

– Le petit-déjeuner à sept heures, monsieur ? demandat-il avec beaucoup de naturel pendant qu'ils parcouraient le couloir.

– Oui. À sept heures, ce sera parfait.

Suivit une pause à peine perceptible.

– Pour une ou pour deux personnes ?

– Pour une personne, je vous prie.

En entendant cela, le conducteur, qui était arrivé devant la porte de Max, lui adressa un regard reconnaissant. C'était rassurant, pouvait-on y lire, de travailler avec des messieurs qui savaient encore conserver les bonnes manières.

– Naturellement, monsieur.

Cette nuit-là, comme les suivantes, Max dormit peu. La femme s'appelait Marie-Chantal Héliard ; elle était saine, passionnée et amusante, et il continua de la fréquenter durant les quatre jours qu'il resta à Paris. Elle était parfaite pour lui servir de couverture et, de plus, il put obtenir d'elle dix mille francs qui s'ajoutèrent aux trente mille du coffre-fort de Tomás Ferriol. Le cinquième jour, après avoir longuement réfléchi sur son avenir personnel et immédiat, Max fit transférer tous les fonds déposés par lui à la Barclays Bank de Monte-Carlo et les retira en espèces. Puis il acheta à l'agence Cook de la rue de Rivoli un billet de train pour Le Havre et un autre de première classe sur le *Normandie* pour New York. Au moment de solder son compte à l'hôtel Meurice, il mit les lettres du comte Ciano dans une enveloppe luxueuse qu'il fit porter par un coursier à l'ambassade d'Italie. Sans note ni explication. Cependant, avant de confier l'enveloppe au concierge de l'hôtel, il hésita un instant avec un sourire furtif. Puis il sortit son stylo de sa poche et écrivit au recto, en majuscules et comme s'ils en étaient les expéditeurs, les noms de Mauro Barbaresco et de Domenico Tignanello.

Max a perdu la notion du temps. Après l'obscurité et la douleur, l'interrogatoire et les coups continuels, il est surpris de voir encore de la lumière à l'extérieur de la pièce quand on lui retire de nouveau la serviette mouillée de la tête. Celle-ci le fait beaucoup souffrir : tellement, que ses yeux semblent sur le point de sortir de leurs orbites à chaque battement affolé de son sang dans ses tempes et dans son cœur. Pourtant, cela fait un moment qu'ils ne le frappent plus. Maintenant il entend des voix en russe et perçoit de vagues silhouettes, pendant que ses yeux tardent à s'accoutumer à la clarté. Quand enfin il parvient à les distinguer nettement, il découvre qu'un cinquième homme est présent dans la pièce : blond, épais, dont les yeux bleus aqueux l'observent avec curiosité. Son aspect lui semble familier, bien que, dans l'état où il est, il ne parvienne pas à raccorder souvenirs et idées. Après un moment, l'homme blond fait un geste d'incrédulité et de désapprobation. Puis il hoche la tête et échange quelques mots avec l'homme à la moustache rousse, qui n'est plus assis sur sa chaise mais se tient debout, et regarde aussi Max. Le moustachu n'a pas l'air d'apprécier ce qu'il entend, car il répond avec irritation et une expression d'impatience. L'autre insiste, et le ton de la discussion monte. Finalement, le blond émet un ordre sec et catégorique, et sort de la pièce à l'instant même où Max reconnaît le grand maître Mihaïl Sokolov.

L'homme à la moustache rousse s'est approché de Max. Il le scrute d'un œil critique, comme s'il évaluait les dommages. Ils ne doivent pas lui paraître excessifs, car il hausse les épaules et adresse quelques mots fâchés à ses compagnons. Max se tend de nouveau, dans l'attente de la serviette mouillée et d'une nouvelle volée de coups ; mais rien de cela n'arrive. L'homme aux cheveux raides se contente d'apporter un verre d'eau et de le porter avec brusquerie à la bouche du prisonnier.

– Tu as beaucoup de chance, commente le moustachu.

Max boit avidement, en répandant l'eau sur lui. Puis, le liquide coulant encore sur son menton et sa poitrine, il regarde l'autre qui l'observe d'un œil noir.

– Tu es un voleur, un escroc et un nuisible avec des antécédents policiers, dit le Russe qui rapproche son visage si

513

près de celui de Max qu'il le touche presque. Aujourd'hui même, dans sa clinique du lac de Garde, ton patron, le docteur Hugentobler, en sera informé en détail. Il saura aussi que tu t'es pavané dans Sorrente avec ses costumes, son argent et sa Rolls-Royce. Et plus important encore : l'Union soviétique n'oubliera pas tes exploits. Partout où tu iras, nous saurons te rendre la vie impossible. Jusqu'au jour où quelqu'un sonnera à ta porte et finira le travail que nous laissons pour l'instant inachevé… Nous voulons que tu y penses toutes les nuits avant de t'endormir et tous les matins en ouvrant les yeux.

Sur ces fortes paroles, le moustachu fait un signe à l'homme à la veste en cuir noir et, dans les mains de ce dernier, résonne le déclic d'un couteau à cran d'arrêt qu'on ouvre. Encore étourdi, comme s'il flottait dans une brume épaisse, Max sent que l'on coupe ses liens. Une vague de douleur, qui le fait gémir tant il ne s'y attendait pas, parcourt ses bras et ses jambes tuméfiés.

– Maintenant, fous le camp et cherche-toi un trou bien profond pour t'y cacher, grand-pere… Quelle que sera ta vie, tu es un homme fini. Un homme mort.

13

Le gant et le collier

Il a eu beaucoup de mal à se traîner de sa chambre jusqu'à l'endroit voulu. Avant de rectifier sa mise par un geste instinctif et de frapper à la porte, Max se regarde dans la glace du couloir pour constater les dégâts visibles. Pour établir jusqu'à quel point la douleur, la vieillesse et la mort ont progressé depuis la dernière fois. Mais son apparence ne présente rien d'extraordinaire. Du moins rien d'excessif. La serviette mouillée, observe-t-il dans le miroir avec un mélange d'amertume et de soulagement, a rempli son rôle : les seules marques sur son visage blafard sont des cernes violacés de fatigue sous les paupières enflammées. Les yeux aussi sont rouges et fiévreux, le blanc injecté de sang comme si des centaines de veines minuscules avaient éclaté. Mais le pire est ce qu'on ne peut pas voir, conclut-il en faisant les derniers pas vers la chambre de Mecha Inzunza, s'arrêtant pour s'appuyer d'une main contre le mur pendant qu'il reprend son souffle : les hématomes sur le torse et le ventre ; les battements de son cœur lents et irréguliers qui l'épuisent, exigeant pour le moindre mouvement un effort démesuré qui continue de le couvrir de sueur froide, sous les vêtements dont le frottement écorche sa peau douloureuse ; la souffrance aiguë qui paralyse chaque pas et qu'il est parvenu à dissimuler au prix d'un sursaut de volonté en

515

réussissant difficilement à se tenir debout quand il a traversé le hall de l'hôtel. Et, par-dessus tout, le désir intense, irrépressible, de s'écrouler n'importe où, de fermer les yeux et de dormir longtemps, très longtemps. De sombrer dans la paix d'un vide paisible comme la mort.

– Mon Dieu… Max !

Elle est à la porte de la chambre et le regarde, épouvantée. Le sourire qu'il s'efforce de conserver ne doit nullement la rassurer, car elle s'empresse de prendre Max par un bras pour le soutenir, malgré le faible refus qu'il lui oppose en s'obligeant à faire les pas suivants sans être aidé.

– Qu'est-ce qui se passe ? Tu es malade ?… Qu'est-ce que tu as ?

Il ne répond pas. Le chemin jusqu'au lit lui semble interminable, car ses genoux se dérobent. Finalement, il ôte sa veste, s'assied sur le couvre-lit avec un immense soulagement, les bras croisés sur le ventre, réprimant un gémissement de douleur, le corps plié en deux.

– Qu'est-ce qu'on t'a fait ? comprend-elle, enfin.

Il ne souvient pas de s'être allongé, mais il l'est maintenant, sur le dos. Mecha est assise sur le bord du lit, une main sur son front et l'autre prenant son pouls en le contemplant, affolée.

– Une conversation, parvient à dire Max d'une voix étouffée. Ç'a été juste… une conversation.

– Avec qui ?

Il hausse les épaules avec indifférence. Mais le sourire qui accompagne ce mouvement se dilue dans le visage contracté.

– Peu importe avec qui.

Mecha tend la main vers le téléphone qui est sur la table de nuit.

– Je vais appeler un médecin.

– Laisse les médecins tranquilles. – Il lui immobilise faiblement le bras. – Je suis seulement très fatigué… Dans un moment, j'irai mieux.

– Est-ce que c'est la police ? – Son inquiétude ne semble pas s'arrêter à la santé de Max. – Les hommes de Sokolov ?

– Rien à voir avec la police… Pour l'instant, tout reste en famille.

– Les ordures ! Les porcs !

Il tente de se composer un sourire stoïque, mais il n'obtient qu'une vilaine grimace.

– Mets-toi à leur place, dit-il pour les justifier. Ce n'était pas un jeu !

– Ils vont porter plainte pour vol ?

– Ce n'est pas ce que j'ai compris. – Il tâte prudemment son ventre maltraité. – En réalité, ce que j'ai compris c'est autre chose.

Mecha le regarde comme si elle ne saisissait pas. Finalement, elle acquiesce, tout en caressant doucement les cheveux gris en désordre.

– Tu as bien reçu mon envoi ? demande-t-il.

– Bien sûr, je l'ai reçu. Il est en lieu sûr.

Rien de plus facile, se dit Max. Un innocent paquet remis à Tiziano Spadaro au nom de Mercedes Inzunza, monté à la chambre par un chasseur. La vieille façon de faire les choses. L'art de la simplicité.

– Ton fils est au courant ?… De ce que j'ai fait ?

– Je préfère attendre que le tournoi soit terminé. Il a déjà assez de soucis avec Irina.

– Et elle ? Elle sait que vous l'avez découverte ?

– Pas encore. Et j'espère qu'elle l'apprendra le plus tard possible.

Un spasme de douleur, qui survient d'un coup, fait gémir Max. Elle tente de déboutonner la chemise trempée de sueur.

– Laisse-moi voir ce que tu as là.

517

– Rien, nie-t-il, écartant les mains de la femme.

– Dis-moi ce qu'ils t'ont fait.

– Rien de sérieux. Je te le répète : nous avons seulement eu une conversation.

Max peut presque voir son reflet dans les yeux dorés fixés sur lui. J'aime qu'elle me regarde de cette façon, décide-t-il. Ça me plaît beaucoup. Surtout aujourd'hui. Maintenant.

– Je n'ai rien dit, Mecha… Pas un mot. Je n'ai rien admis. Pas même en ce qui me concerne.

– Je sais, Max. Je te connais, Max… Je sais.

– Tu ne me croiras peut-être pas, mais ça ne m'a pas trop coûté. Ça m'était égal, tu comprends ?… Ce qu'ils pouvaient me faire.

– Tu as été très courageux.

– Ce n'était pas du courage. C'était uniquement ce que je dis : de l'indifférence.

Il inspire profondément, tentant de recouvrer l'énergie perdue, bien que chaque fois son corps le fasse atrocement souffrir. Il se sent si fatigué qu'il pourrait dormir durant des jours. Le pouls continue d'être irrégulier comme si, par moments, son cœur se vidait. Elle paraît s'en apercevoir, inquiète. Elle se lève et apporte un verre d'eau qu'il boit à petites gorgées. Le liquide apaise la bouche qui le brûle mais lui fait mal en arrivant dans l'estomac.

– Laisse-moi prévenir un médecin.

– Oublie les médecins… J'ai seulement besoin de me reposer. De dormir un peu.

– Bien sûr. – Mecha lui caresse le visage. – Dors tranquille.

– Je ne peux pas rester à l'hôtel. Je ne sais pas ce qui va se passer. Même s'ils ne portent pas directement plainte, j'aurai des problèmes. Il faut que je retourne à la villa Oriana pour restituer les vêtements, la voiture… Tout.

Anxieux, il fait un mouvement pour se relever. Mais elle le retient avec douceur.

– Ne t'inquiète pas. Repose-toi. Ça peut attendre quelques heures. J'irai dans ta chambre et je ferai tes bagages… Tu as la clef ?

– Elle est dans la poche de ma veste.

Elle approche de nouveau le verre et Max boit encore un peu, jusqu'à ce que la douleur dans l'estomac redevienne insupportable. Puis il laisse retomber la tête, épuisé.

– Je l'ai fait, Mecha.

On sent une vague fierté dans cette affirmation. Elle s'en rend compte et lui sourit, admirative.

– Oui, tu l'as fait. Oh mon Dieu, oui ! Tu l'as fait impec- cablement bien.

– Quand tu croiras le moment venu, dis à ton fils que c'est moi.

– Je lui dirai… Je te le promets.

– Raconte-lui que je suis monté là-haut et que je leur ai pris ce maudit livre. Maintenant la fille et ce livre sont tous les deux coincés, non ? Comme vous dites aux échecs, pour eux c'est partie nulle.

– Mais oui.

Il sourit, plein d'espoir.

– Peut-être que ton fils arrivera à être champion du monde… Peut-être alors qu'il m'aimera un peu.

– J'en suis convaincue.

Il se relève légèrement et lui saisit le poignet avec une soudaine anxiété.

– À présent, tu peux me le dire. Ce n'est pas le mien, n'est-ce pas ?

– Tu ferais mieux de dormir. – Elle le force à se recoucher. – Vieux frimeur. Merveilleux idiot.

Max se repose. Tantôt profondément, tantôt à demi éveillé. Parfois il sursaute et gémit, désorienté, après des cauchemars sans suite et dépourvus de sens. Deux douleurs se mêlent, l'une physique et l'autre rêvée, rivalisant d'intensité sans que ce soit facile de distinguer les sensations réelles des imaginaires. Chaque fois qu'il ouvre les yeux, il met du temps à identifier l'endroit où il est : la lumière extérieure s'est éteinte lentement, les objets de la chambre se sont estompés, et il ne reste plus maintenant que des ombres. La femme demeure à son chevet, adossée à la tête du lit qui n'est pas défait : une ombre un peu plus claire que toutes celles qui entourent Max, la chaleur de son corps et le brasillement d'une cigarette.

— Comment te sens-tu ? demande-t-elle, en voyant qu'il a bougé et qu'il est réveillé.

— Fatigué. Mais je me sens bien… Rester ainsi, dans le calme, est très apaisant. J'ai besoin de dormir.

— Tu en as encore besoin. Rendors-toi. Je veille.

Max veut regarder autour de lui, toujours en pleine confusion. S'efforçant de se rappeler comment il est arrivé ici.

— Et mes affaires ? Et ma valise ?

— Elle est faite. Je l'ai apportée. Elle est ici, près de la porte.

Il ferme les yeux, soulagé ; la satisfaction de savoir que pour l'instant il n'a plus à s'occuper de rien. Et finalement, il se souvient du reste.

— Tu m'as dit que j'avais le même nombre d'années que celui des cases de l'échiquier.

— C'est vrai.

— Ce n'était pas pour ton fils… Je ne l'ai pas fait pour lui.

Mecha éteint sa cigarette.

— Tu veux dire pas tout à fait.

— Oui. C'est probablement ce que je voulais dire.

Elle s'est un peu déplacée, s'écartant de la tête du lit pour se mettre, plus près, contre lui.

— Je ne sais toujours pas pourquoi tu as décidé de venir ici, dit-elle à voix très basse.

L'obscurité revenue produit un effet étrange, pense-t-il. Irréel. On se croirait dans un autre temps. Dans un autre monde. Dans d'autres corps.

– Pourquoi je suis venu à l'hôtel, et tout ce qui a suivi ?

– C'est ça.

Max sourit, conscient qu'elle ne peut voir son visage.

– J'ai voulu être encore une fois celui que j'avais été, répond-il avec simplicité. Me sentir comme autrefois… Parmi mes projets les plus absurdes, il y avait la perspective de te voler de nouveau.

Elle semble étonnée. Et sceptique.

– Tu imagines que je vais te croire ?

– Voler n'est peut-être pas le bon mot. Non, sûrement pas. Mais j'avais l'intention de le faire. Pas pour l'argent, bien sûr… Pas pour…

– Oui, l'interrompt-elle, finalement convaincue. Je comprends.

– Le premier jour, j'ai fouillé cette chambre. Je flairais ta trace, tu sais ? Vingt-neuf ans après, je te reconnaissais dans chaque objet. Et j'ai trouvé le collier.

Max respire l'odeur toute proche de la femme, attentif à la moindre sensation. Elle sent le tabac mêlé à un reste de parfum très suave. Il se demande aussi si sa peau nue, fanée, marquée par le temps, aura encore la même odeur que lorsqu'ils s'étreignaient à Nice ou à Buenos Aires. Sûrement pas, conclut-il. Pas plus que la mienne.

– Je voulais voler le collier, dit-il après un silence. Juste ça. Te séduire pour la troisième fois, en quelque sorte. L'emporter comme la nuit où nous sommes revenus de La Boca.

Mecha reste un moment sans parler.

– Ce collier n'a plus la même valeur que quand nous nous sommes connus, dit-elle enfin. Je doute qu'aujourd'hui

521

tu puisses en obtenir la moitié de ce que tu en as tiré à l'époque.

– Il ne s'agit pas de ça. Pas de sa valeur, quelle qu'elle soit. C'était une manière de... Bon. Je ne sais pas. Une manière.

– De te sentir jeune et triomphant ?

Il fait non de la tête, dans l'obscurité.

– De te dire que je n'ai pas oublié. Que je n'oublie pas.

Autre silence. Et autre question.

- Pourquoi n'es-tu jamais resté ?

- Tu étais l'incarnation d'un rêve. – Il réfléchit à sa réponse, en s'efforçant d'être précis. – Un mystère d'un autre monde. Je n'aurais pas une seconde imaginé que je pouvais y avoir droit.

– Mais si. Il était là, à ta portée.

– Je ne pouvais le concevoir. C'était impossible... Ça n'entrait pas dans ma façon de voir.

– Ton sabre et ton cheval, n'est-ce pas ?

Max fait un effort sincère pour se rappeler.

– Je ne me souviens pas de ça, conclut-il.

– Évidemment. Mais moi si. Je me souviens de chacune de tes paroles.

– De toute manière, je me suis toujours senti de passage dans ta vie.

– C'est étrange que tu dises ça. C'est moi qui me suis toujours sentie de passage dans la tienne.

Elle s'est levée et s'approche de la fenêtre. Elle écarte un peu le rideau, et la lumière qui monte de la terrasse de l'hôtel dessine à contre-jour sa silhouette sombre et immobile.

– Toute ma vie a été nourrie de ces moments, Max. De notre tango silencieux dans le salon d'hiver du *Cap Polonio*... Du gant que j'ai mis dans ta poche, à La Ferroviaria, et que le lendemain je suis venue chercher dans ta chambre de la pension de Buenos Aires.

Il acquiesce, bien qu'elle ne puisse le voir.

– Le gant et le collier... Oui. Je me souviens des rayons du soleil qui entraient par la fenêtre et se projetaient sur le carrelage et sur le lit. Ton corps et mon émerveillement de te voir si belle.

– Mon Dieu, murmure-t-elle, comme pour elle-même. Tu étais si beau garçon, Max. Élégant et si beau garçon. Un parfait gentleman.

Il rit : un rire amer, dents serrées.

– Je n'ai jamais été ce que tu dis.

– Tu l'as été plus que la plupart des hommes que j'ai connus... Un gentleman authentique est celui qui, en l'étant, se soucie comme d'une guigne de l'être ou de ne pas l'être.

Elle revient vers le lit. Elle a laissé le rideau entrouvert derrière elle, et la sobre lumière du dehors dessine des contours dans la pénombre de la chambre.

– Ce qui m'a fascinée depuis le début était ton ambition sans passion ni haine... Cette imperturbable absence d'espoir.

Debout près du lit, elle allume une autre cigarette. La flamme de l'allumette éclaire ses doigts aux ongles soignés, les yeux qui regardent Max, le front traversé de fines rides sous les cheveux gris très courts.

– Mon Dieu ! Tu me faisais trembler rien qu'en me touchant.

Elle secoue la flamme et seule reste la braise de la cigarette. Et aussi, comme une faible lueur, un doux reflet cuivré dans les yeux.

– J'étais seulement jeune, répond-il. Un chasseur qui ne pensait qu'à survivre. Toi, tu étais ce que j'ai dit tout à l'heure : belle comme un rêve... Un de ces miracles auxquels seuls les hommes ont droit quand ils sont jeunes et audacieux.

– C'était étonnant... Et tu me produis encore le même effet – La pointe rouge de la cigarette se ravive deux

fois. – Comment peux-tu y parvenir si longtemps après ?...
Tu jouais les prestidigitateurs avec les gestes et avec les mots,
comme si tu t'étais mis un masque d'intelligence. Tu disais
quelque chose qui n'était probablement pas de toi, piqué
au vol dans une revue ou une conversation surprise chez
d'autres, et qui pourtant me faisait frissonner ; et même
si vingt secondes plus tard je l'avais oublié, je frissonnais
toujours... Comme maintenant. Regarde, touche-moi. Tu
es un vieux bonhomme roué de coups et sans forces, et je
réagis toujours pareil. Je te jure.

Elle a tendu un bras vers Max, cherchant sa main. Ce
qu'elle dit des frissons sur sa peau est vrai, constate ce
dernier. Chaude et encore douce malgré les années. Dans
cette demi-obscurité, la grande et svelte silhouette semble
la même que celle qu'il a connue jadis.

– Ce sourire que tu avais, tranquille et canaille... audacieux aussi, oui. Et tu le conserves, envers et contre tout.
Le vieux sourire du danseur mondain.

Elle s'allonge près de lui, sur le couvre-lit. De nouveau
l'odeur familière, la tiédeur proche. Le point rouge s'avive
sur son profil, si près que Max sent sur son visage la chaleur
de la cigarette.

– Chaque fois que je caressais mon fils, quand il était
petit, je croyais te caresser. Et ça m'arrive encore quand
je le regarde. Je te vois en lui.

Un silence. Puis il l'entend rire doucement, presque
heureuse.

– Son sourire, Max... Sois sincère : tu ne reconnais pas
ce sourire ?

Elle se relève un peu, cherche à tâtons le cendrier sur la
table de nuit et éteint la cigarette.

– Repose-toi, détends-toi, ajoute-t-elle. Fais-le pour une
fois dans ta vie. Je te l'ai dit : je veille.

Elle s'est pelotonnée contre lui. Max ferme les yeux,

524

heureux. Serein. Pour une étrange raison qu'il ne tente pas d'analyser, il a envie de lui raconter une très ancienne histoire.

– J'ai été pour la première fois avec une femme à seize ans, évoque-t-il lentement à voix basse, quand je travaillais comme groom au Ritz de Barcelone… J'étais très grand pour mon âge, et elle, c'était une cliente d'âge mûr, élégante. Elle a fini par arriver à me faire entrer dans sa chambre… Quand j'ai compris, je me suis comporté du mieux que j'ai pu. Et une fois la chose faite, pendant que je me rhabillais, elle m'a donné un billet de cent pesetas. En m'en allant, naïvement, j'ai approché mon visage du sien pour lui donner un baiser, mais elle a reculé avec une expression de dégoût… Et plus tard, quand je l'ai croisée dans l'hôtel, elle n'a même pas daigné me regarder.

Il se tait un moment, cherchant une nuance ou un détail qui donnerait toute sa portée à ce qu'il vient de lui raconter.

– Il a suffi de ces cinq secondes pendant lesquelles cette femme a écarté son visage, ajoute-t-il enfin, pour que j'apprenne des choses que je n'ai jamais oubliées.

Maintenant le silence se prolonge. Mecha a écouté très calmement, sans dire un mot, la tête contre son épaule. À travers le chemisier il sent les seins menus, fragiles, très différents de ceux dont il se souvient. Pour quelque obscure raison, cela l'émeut. L'attendrit.

– Je t'aime, Max.

– Aujourd'hui encore ?

– Encore.

Ils cherchent leurs bouches, instinctivement et doucement, d'un mouvement presque las. Un baiser mélancolique. Puis ils restent immobiles, toujours enlacés.

– Ces dernières années, elles ont été à ce point difficiles ? demande-t-elle plus tard.

– Elles auraient pu être meilleures.

LE TANGO DE LA VIEILLE GARDE

C'est un euphémisme de les définir ainsi, pense-t-il aussitôt après l'avoir dit. Ensuite, à voix basse et neutre, il égrène une litanie mélancolique : la décadence physique, la concurrence d'un sang plus jeune adapté au monde nouveau. Et finalement, pour couronner le tout, un séjour en prison à Athènes, conséquences d'erreurs diverses et de désastres successifs. Cela n'a pas duré trop longtemps, mais en sortant de prison il était fini. Son expérience ne lui servait que pour survivre avec de petites escroqueries, des emplois mal payés, ou pour fréquenter des lieux où gagner sa vie en trichant. Durant un temps, l'Italie avait été un bon terrain pour cela ; mais à la fin, même l'apparence n'était plus au rendez-vous. Son engagement par le docteur Hugentobler, pratique et sûr, avait été un véritable coup de chance, désormais totalement détruit.

– Qu'est-ce que tu vas devenir ? s'enquiert Mecha après un silence.

– Je ne sais pas. Je trouverai un moyen, je suppose. J'ai toujours su en trouver un.

Elle s'agite dans ses bras comme si elle voulait émettre une protestation.

– Je pourrais…

– Non.

Il l'immobilise, en la serrant plus fort.

Elle ne bouge plus. Max garde les yeux ouverts sur les ombres et elle respire lentement, doucement. Un temps, elle paraît dormir. Puis elle lève légèrement la tête et frôle son visage de ses lèvres.

– En tout cas, murmure-t-elle, souviens-toi que je te dois un café si, un jour, tu passes par Lausanne. Pour me voir.

– Oui. Je passerai peut-être un jour.

– Souviens-t'en, s'il te plaît.

– Je m'en souviendrai.

Pendant un moment, Max – stupéfait de la coïncidence – a l'impression que quelque part, au loin, résonnent les notes familières d'un tango. Il s'agit peut-être d'une radio dans une chambre voisine, conclut-il. Ou d'une musique venant d'en bas, de la terrasse. Il tarde un peu à se rendre compte que c'est lui qui le chantonne dans sa tête.

– Ma vie n'a pas été si difficile que ça, confesse-t-il à voix très basse. La plupart du temps j'ai vécu de l'argent des autres, mais sans avoir jamais à les mépriser ou à les craindre.

– Ça ne me semble pas un mauvais bilan.

– Et puis je t'ai connue.

Elle écarte la tête de l'épaule de Max.

– Allons donc. Des femmes, tu n'en as que trop connu.

Le ton est rieur. Complice. Il baise tendrement ses cheveux.

– Je ne me souviens pas de ces femmes. D'aucune. Mais je me souviens de toi. Tu me crois ?

– Oui. – Elle appuie de nouveau sa tête. – Cette nuit, je te crois. Peut-être que toi aussi tu m'as aimée toute ta vie.

– C'est possible. Peut-être que je t'aime encore... Comment le savoir ?

– C'est vrai... Comment le savoir ?

Un rayon de soleil a réveillé Max, qui ouvre les yeux sous la clarté qui chauffe son visage. Il y a de la lumière, une frange étroite et aveuglante, qui pénètre entre les rideaux fermés de la fenêtre. Max bouge lentement, avec difficulté au début, soulève la tête de l'oreiller dans un effort douloureux, et constate qu'il est seul. Sur la table de nuit, une pendule de voyage indique dix heures et demie du matin. Ça sent le tabac ; près de la pendule sont posés un verre vide et un cendrier qui contient une douzaine de mégots. Il en déduit qu'elle a passé le reste de la nuit à son chevet.

Veillant sur son sommeil, comme elle l'avait promis. Peut-être est-elle restée là, immobile et muette, fumant en le regardant dormir jusqu'aux premières lueurs de l'aube.

Il se lève, chancelant, en passant la main sur ses vêtements froissés ; lorsqu'il déboutonne sa chemise, il voit que les hématomes ont pris une vilaine couleur noirâtre, comme si la moitié de son sang s'était répandue entre la chair et la peau. Son corps le fait souffrir des aines jusqu'au cou, et chaque pas qu'il fait en direction de la salle de bains, en attendant que ses membres endoloris recouvrent un peu de chaleur, est à la limite de la torture. L'image qu'il découvre dans le miroir ne correspond pas non plus à ses meilleurs jours : un vieillard aux yeux vitreux et rougis l'observe d'un air soupçonneux. Max ouvre le robinet du lavabo, met sa tête sous l'eau froide et la laisse couler un long moment, pour tenter de se remettre les idées en place. Quand il la relève, avant de s'essuyer avec une serviette, il étudie encore ses traits prématurément vieillis, où les gouttes d'eau glissent en suivant le cours des profonds sillons qui les parcourent.

Il traverse lentement la chambre pour aller à la fenêtre et tirer les rideaux. La lumière du dehors inonde avec violence le couvre-lit froissé, le blazer bleu marine pendu au dossier d'une chaise, la valise prête près de la porte, les affaires que Mecha a laissées éparses dans la chambre : des vêtements, un sac, des livres, une ceinture en cuir, un porte-monnaie, des revues. Le premier éblouissement passé, les yeux de Max s'habituent à la clarté : ils perçoivent maintenant la fusion indigo du ciel et de la mer, la ligne de la côte et le cône sombre du Vésuve où se diluent les bleus et les gris. Un ferry qui fait route vers Naples avec une trompeuse lenteur trace sur le bleu cobalt de la baie la ligne blanche et brève de son sillage. Et trois étages plus bas, à une table de la terrasse de l'hôtel – la table située juste à côté de la femme en marbre agenouillée qui regarde la mer –, Jorge Keller et son maître Karapétian font une partie d'échecs pendant qu'Irina les regarde, assise avec eux mais à une légère distance de la table, les pieds nus ramenés sur le bord de la chaise et les bras entourant les genoux. En marge, déjà, du jeu et de leurs vies.

Mecha Inzunza est seule, plus loin, près d'une bougain-villée proche de la balustrade de la terrasse. Elle porte sa jupe noire et le cardigan beige couvre ses épaules ; un plateau de café et des journaux ouverts sont sur la table, mais elle ne les regarde pas. Aussi immobile que la femme de pierre qui est derrière elle, elle semble absorbée dans la contemplation du paysage de la baie. Tout le temps qu'il l'observe, le front appuyé contre la vitre froide de la fenêtre, Max ne la voit bouger qu'une fois : elle porte la main à sa nuque pour la passer sur les cheveux courts et gris, et penche brièvement la tête d'un air pensif, avant de la relever et de reprendre la même immobilité, contem-plant la mer.

Max tourne le dos à la fenêtre et va prendre la veste sur la chaise. Tandis qu'il l'enfile, son regard s'arrête sur deux objets posés sur la commode. Et là, placé de telle sorte qu'il lui était impossible de ne pas le voir, délibérément posé sur un gant de femme long et blanc, il découvre le collier de perles qui luit avec de doux reflets mats dans la lumière intense qui inonde la chambre.

En arrêt devant le gant et le collier, lui qui, un moment plus tôt, se contemplait dans le miroir, sent remonter des souvenirs, des images. Des vies antérieures que sa mémoire ordonne d'une façon étonnamment nette. Les siennes et celles des autres se rejoignent soudain dans un sourire qui est aussi une expression douloureuse ; mais peut-être est-ce justement la douleur des choses perdues ou impos-sibles qui motive ce sourire mélancolique. Et voici que, de nouveau, un gamin aux genoux sales marche en équilibre sur la charpente pourrie d'une barque échouée dans la vase, un jeune soldat gravit une colline couverte de cadavres, une porte se referme sur l'image d'une femme endormie que revêt un rayon de lune imprécis comme un remords. Se succèdent ensuite, au fil du sourire fatigué de l'homme qui se souvient, trains, hôtels, casinos, plastrons blancs amidonnés, épaules dénudées et éclats de bijoux sous les lustres de cristal, pendant qu'un couple d'une jeunesse et d'une beauté confondantes, entremêlé par des passions urgentes comme la vie, se regarde dans les yeux en dansant un tango qui n'est pas encore écrit, dans le salon silencieux et désert d'un transatlantique qui navigue dans la nuit. Traçant sans le savoir, en se déplaçant enlacé, l'histoire d'un monde irréel dont les lumières fatiguées sont en train de s'éteindre pour toujours.

Mais ce n'est pas seulement cela. Il y a aussi, dans la mémoire de l'homme qui regarde le gant et le collier, des palmiers aux cimes ployant sous la pluie et un chien mouillé sur une plage brumeuse et grise, devant une chambre d'hôtel où la femme la plus belle du monde attend, sur des draps défaits qui sentent la tendre intimité et le repos indifférent au temps et à la vie, que le jeune homme qui est à la fenêtre revienne vers elle pour se plonger de nouveau dans sa chair accueillante et parfaite, seul lieu de l'Univers où il est possible d'oublier ses étranges lois. Ensuite, sur un tapis vert, trois boules d'ivoire s'entrechoquent en douceur, pendant que Max observe intensément un garçon chez qui, stupéfait, il reconnaît son propre sourire. Il voit aussi, tout près, un double reflet de miel liquide qui le regarde comme jamais aucune femme ne l'a regardé ; il sent une haleine humide et chaude effleurer ses lèvres, et il entend une voix murmurer d'anciennes paroles qui sonnent comme si elles étaient neuves et versent du baume sur de vieilles blessures, en manière d'absolution pour les mensonges, les faux-fuyants et les défaites, les chambres d'hôtel sordides, les faux passeports, les commissariats, les cellules, les dernières années d'humiliation, de solitude et de défaites, alors que dans la lumière opaque des petits matins sans fin et sans futur s'éteint l'étoile qui avait toujours suivi comme son ombre le gamin des berges du Riachuelo, le soldat qui marchait sous le soleil, le jeune et charmant garçon qui dansait avec de belles femmes sur de luxueux transatlantiques et dans les grands hôtels.

Et ainsi, avec sur les lèvres ce dernier vestige de sourire encore, bercé par le lointain ressac de toutes ces vies qui furent les siennes, Max laisse de côté le collier de perles, prend le gant blanc qui était dessous et le glisse dans la pochette de sa veste comme une brève note d'élégante coquetterie, les doigts évoquant les pointes d'un mouchoir ou les pétales d'une fleur. Puis il inspecte les alentours pour vérifier que tout est bien en ordre, jette un dernier regard au collier abandonné sur la commode, et adresse une brève inclination de la tête en direction de la fenêtre, prenant congé d'un public invisible dont monteraient d'en bas des applaudissements imaginaires. L'occasion, pense-t-il pendant qu'il boutonne et défroisse sa veste, exigerait peut-être qu'en sortant de scène, imperturbable comme il se doit, retentissent les notes du *Tango de la Vieille Garde*. Mais ce serait vraiment trop évident, conclut-il. Trop prévisible. C'est pourquoi, quand il ouvre la porte, prend la valise et s'éloigne dans le couloir vers le néant, il siffle *L'homme qui a fait sauter la banque à Monte-Carlo*.

Madrid, janvier 1990
Sorrente, juin 2012.

Remerciements

Nombreuses sont les personnes sans la collaboration desquelles ce roman n'existerait pas. Pour m'aventurer sur le territoire du tango, l'aide, à Buenos Aires, de Horacio Ferrer, José Gobello, Marcelo Oliveri et Óscar Conde a été décisive. À Gabriel di Meglio, d'Eternautas, je dois une première visite au quartier de Barracas, complétée plus tard par Gabriela Puccia, qui a mis à ma disposition les mémoires de son père, Enrique Puccia, dont les souvenirs m'ont permis d'imaginer l'enfance faubourienne de Max Costa. Marco Tropea m'a fourni des informations intéressantes sur l'Italie des années 1960; de même, je dois à l'amitié d'Étienne de Montety quelques détails importants sur la France de 1937. De Michèle Polak et de sa librairie de livres anciens de Paris, j'ai obtenu des livres et des brochures qui m'ont permis de décrire la vie à bord du transatlantique *Cap Polonio*. Le duel Keller-Sokolov doit beaucoup à la collaboration enthousiaste de Leontxo García, qui, avec sa générosité habituelle, a résolu des problèmes tactiques complexes et m'a facilité l'accès au cercle le moins public des meilleurs joueurs d'échecs du monde. Conchita Climent et Luis Salas m'ont fourni les éléments qui m'ont permis de construire la vie professionnelle d'Armando de Troeye, l'ambassadeur Julio Albi m'a détaillé certains usages diplomatiques de la période de l'entre-deux-guerres, le commissaire Juan Antonio Calabria a résolu des problèmes d'ordre judiciaire, Asya Gontcharova m'a aidé à m'y retrouver dans les complexités de la langue et du caractère des champions d'échecs soviétiques ; et avec l'assistance experte de José et de Gabriel López, j'ai ouvert mon premier coffre-fort. Mes remerciements resteraient incomplets si je n'y incluais pas mes amis l'écrivain et journaliste argentin Jorge Fernández Díaz et l'éditeur uruguayen Fernando Esteves.

Table

Le Peintre de batailles
Éditions du Seuil, 2007

Cadix, ou la Diagonale du fou
Éditions du Seuil, 2007
et « Points », n° P2903

Un jour de colère
Éditions du Seuil, 2008
et « Points », n° P2260

LES AVENTURES DU CAPITAINE ALATRISTE

Le Capitaine Alatriste
vol. 1
Éditions du Seuil, 1998
et « Points », n° P725

Les Bûchers de Bocanegra
vol. 2
Éditions du Seuil, 1998
et « Points », n° P740

Le Soleil de Breda
vol. 3
Éditions du Seuil, 1999
et « Points », n° P753

L'Or du roi
vol. 4
Éditions du Seuil, 2002
et « Points », n° P1108

Le Gentilhomme au pourpoint jaune
vol. 5
Éditions du Seuil, 2004
et « Points », n° P1388

Corsaires du Levant
vol. 6
Éditions du Seuil, 2008
et « Points », n° P2180

Le Pont des assassins
vol. 7
Éditions du Seuil, 2012
et « Points », n° P3145

RÉALISATION : PAO ÉDITIONS DU SEUIL
IMPRESSION : CPI FIRMIN DIDOT À MESNIL-SUR-L'ESTRÉE
DÉPÔT LÉGAL : OCTOBRE 2013. N° 111035 (119360)
Imprimé en France